DE LAATSTE MOOIE DAG

Van Peter Blauner zijn verschenen:

Crack!*
Knock-out!
De indringer
Held van de dag
De laatste mooie dag

* In POEMA-POCKET verschenen

Peter Blauner
De laatste mooie dag

Uitgeverij Luitingh

ISBN 90 245 5079 3
NUR 332

www.boekenwereld.com

Voor Peggy
en voor Mac en Mose

Het was vroeg op zo'n kobaltblauwe morgen laat in september, als bedaagde forensen op perrons staan te kijken naar vliegtuigen die voor de zon langs vliegen en hopen dat het hoogste punt in hun leven nog niet is bereikt.

Aan de overkant van de Hudson blonken de steile rotswanden van Rockland County alsof ze vers waren uitgehakt door Gods eigen hakmes. Op de wind, ruisend in de bomen langs de oever, dreef het geluid van geld dat Hollandse kooplieden ook ooit moeten hebben gehoord toen ze voor het eerst door deze bocht in de rivier voeren.

Het water was bruin en roerig, alsof er een vuurtje onder brandde. Bij de versmalling van de vaarweg gleed een motorkruiser van zestien meter over het oppervlak, een breed kielzog achter zich latend. De golven spreidden zich en duwden de lisdodden en de blauw-grijze onderwatermassa dichter naar het stukje grond naast Riverside Station.

'Hé, wat is dat voor ding?' zei Barry Schulman, die bij het hek van het perron stond.

Hij was een grote, krachtig gebouwde man van achtenveertig, met krullend bruin haar, een ruw Romeins profiel en dezelfde slanke verschijning als toen hij football speelde op Rutgers. In een andere tijd zou je hem zonder schroom een echte man hebben genoemd, omdat hij zijn grijze Italiaanse pak met nonchalante elegantie droeg, maar nooit gel, mousse of huidverzorgingsproducten van Kiehl zou gebruiken. Zijn neus, jaren geleden gebroken bij een woeste scramble tijdens een basketbalwedstrijd, was nog steeds wat krom, maar uit zijn glimlach sprak een soort ontspannen zelfverzekerdheid die leek te zeggen: *geven jullie mij nu maar de bal, jongens, dan komt alles goed.*

'Ik weet het niet,' zei zijn vriend Marty Pollack, die klein en gedrongen was, met haar dat van boven verschroeid en opzij gebleekt was door de drakenadem van stress en erfelijkheid. 'Zouden ze de rivier niet gaan uitbaggeren wegens PCB-vervuiling? Misschien zijn ze al troep aan het loswoelen.'

Het ding werd door de getijdegolven bij de oever heen en weer bewogen, terwijl zes zwarte eenden met iriserende groene nekken vlakbij zwommen en nieuwsgierig toekeken.

'Hoe gaat het trouwens?' vroeg Barry, terwijl steeds meer mensen van de loopbrug boven de sporen bij hen op het perron kwamen om op de trein van 7.46 te wachten.

'Ik leg het loodje, Barry.' Marty Pollack ging tegen een poster van Club Med hangen. 'Heb je vorige week dat verhaal in de business-sectie gezien? De advertentiepagina's zijn dit jaar met zestig procent teruggelopen.'

'Is het werkelijk?'

'We hebben de helft van het personeel al ontslagen, en het hoofd van de tijdschriftafdeling heeft het over het opdoeken van *Extreme Golf*, nog voor het einde van het jaar. En wij hebben net een nieuwe hypotheek om het zwembad en de nieuwe keuken te financieren.'

'Jezus.' Barry raakte de schouder van Marty aan. 'Zoals Bob Dylan zegt, *high water everywhere*.'

'Wie niet bezig is geboren te worden is bezig te sterven.'

'Ja. Hij heeft ook een song over Catfish Hunter geschreven, dus we hebben allemaal pieken en dalen... Hoor eens, we leven toch nog? Wij zijn tenminste niet begraven onder een paar miljoen ton puin.'

'Dat is waar.' Marty trok een grimas. 'Maar ik word nog steeds midden in de nacht wakker, badend in het zweet en met bonkend hart. Het is afschuwelijk. Ik voel me onderhand een junkie met al die anti-griepmiddelen om maar weer te proberen in slaap te komen. Ik verwacht elk moment de volgende klap.'

Barry draaide zich om en keek over de rails naar een parkeerplaats vol auto's met stickers van de Amerikaanse vlag. Verbeeldde hij zich dat maar, of stonden er echt minder auto's dan twee weken geleden? Dat kon haast niet. Deze stad had maar vier mensen verloren. Hij herinnerde zich dat hij die avond laat het station in kwam en de Honda Civic van Carl Fitzsimmons op de parkeerplaats zag staan. Iedereen stapte in zijn auto en reed naar huis, maar de witte auto bleef moederziel alleen onder de lampen achter.

'Zo kun je niet leven,' zei Barry. 'Het zal je verlammen. Je kunt die schoften de voldoening niet gunnen.'

'Waar heb je het over?' Marty week achteruit. 'Dacht je dat ik die geitenneukers bedoelde? Ik bedoel de economie, oen. Wie betaalt mijn rekening bij American Express?'

Ze lachten allebei ongemakkelijk terwijl het perron voller werd. Mannen en vrouwen kwamen de betonnen traptreden af in sombere grijs- en blauwtinten, als grimmige stripfiguren die hun huiselijke identiteit afschudden en hun alter ego aannamen: de Wall Street-man, de leidinggevende vrouw. Niemand ging meer in vrijetijdskleding naar het werk. De hype was over. Mensen kwamen met jaren oude terreinwagens van hoog uit de heuvels, waar hun dure huizen stonden die sommige van hen zich niet meer echt konden veroorloven.

Dit was een van die plaatsen waar de arbeiders van oudsher dichter bij het water woonden, terwijl de welvarende klasse zich in de heuvels vestigde. Maar de Nieuwe Economie was over de stad gegaan en had het landschap net zo ingrijpend aangetast als de beruchte tornado van 1899, toen er koeien en bolhoeden in de eiken langs River Road hingen. In de jaren negentig waren de huizenprijzen omhooggeschoten; krotjes van met linoleum beklede boerenhuisjes met nog het oude keukentje deden bijna een half miljoen. Dure antiekwinkeltjes en galerieën verschenen in straten waar nette burgermensen vroeger niet durfden te komen. Een Frans restaurant dat een juichende recensie in de *Times* wist te krijgen kwam in het pand van een bouwmarkt, waar het altijd naar terpentijn en potgrond had geroken. Maar toen liep de welvaart opeens terug, en iedereen kwam knel te zitten. Dus nu stonden er verbouwde pakhuizen en zaken van grote ketens leeg aan de waterkant, terwijl vrouwen van effectenmakelaars in de heuvels hun Mexicaanse tuinlieden nóg minder betaalden.

'Zal ik je zeggen wat ik denk?' zei Marty, die zich weer omdraaide en naar het water keek, vijf meter lager. 'Ik denk niet dat dat wrakhout is of een krant. Ik denk dat het iets anders is. Een dooie zeehond of zo.'

'Een dooie zeehond?'

'Hoor eens, ik kom langer op dit station dan jij. Ik heb hier van alles gezien. Ik heb een kale arend gezien op de steiger. Ik heb huwelijken kapot zien gaan terwijl mensen op de trein van

8.09 wachtten. Een paar jaar geleden was iedereen bang toen er een vent in een oranje gevangenisoverall op het perron stond. We dachten dat die was ontsnapt uit de gevangenis hier verderop. Het bleek dat hij net was vrijgelaten en zich de tijd niet had gegund om zich te verkleden voor hij de trein terug naar de Bronx nam.'

Barry keek naar het spel van brekend licht op het water, terwijl andere forensen ook bij het hek kwamen staan. Het ding beneden was nu iets beter te onderscheiden tussen de schaduwen en het rivierslib. Een afgeronde witte hoek kwam even boven water, en een meeuw dook omlaag om te kijken.

'Hoe gaat het eigenlijk met jóú?' vroeg Marty. 'Biotechnologie zal net als de rest de laatste maanden wel een flinke klap hebben gekregen.'

'Ja, och, ik heb altijd gezegd dat we niet uit waren op het snelle geld.' Barry wierp een blik langs de rails om te zien of de trein er al aankwam. 'Als ik absolute zekerheid had gewild was ik wel op de rechtbank gebleven.'

'Hm, wat doen de fondsen?' Marty keek naar de *Journal* die Barry onder zijn arm had.

'Om je de waarheid te zeggen, ik kijk daar niet eens meer naar,' zei Barry met een schamper lachje. 'Als je je om elke dip en piek in de markt druk moet maken heb je het drie keer per dag aan je hart.'

'Ach, als je opties maar geen kwestie van leven of dood zijn.'

'O, hm, ja. Hahahahahahaha...'

Barry had het gevoel alsof er kaarsvet onder in zijn maag druppelde.

'Het gaat ons uitstekend,' zei hij. 'Ik maak me heel wat meer zorgen om anderen die we kennen.'

'Pardon.' Een dame met een vogelachtig gezicht en kleine krulletjes, in een chocoladekleurig mantelpak van Donna Karan, staakte haar babypraat in haar mobiele telefoon. 'Wat is dat daar nu toch?'

'Daar proberen we nu juist achter te komen,' zei Marty, die op de onderste stang van het hek ging staan om beter te kunnen kijken.

'Misschien is het een oude boei,' zei een magere man met een dure coiffure en grauwe huidskleur, naast hen.

'Nee, dat is geen oude boei,' zei Barry, net toen de golfslag onthulde en weer afdekte wat hij duidelijk als een schouderblad zag. Nee. Hij keek weer en probeerde er een boei in te zien.

De trein van 7.46 toeterde in de verte, en de meeuw vloog op van het eindeloos golvende wateroppervlak.

'Hé, is dat een been?' Een man met een blozend gezicht, wit haar en een Burberry-jas kwam aanlopen. Hij zag eruit of hij een paar treinen te veel had gemist door cocktailmiddagen in de Oyster Bar.

'Misschien moet iemand van ons negen-een-een bellen,' zei de vale man, zijn Motorola te voorschijn trekkend.

'Hé, wat is dat?' zei een andere man met een montuurloze opabril. 'Dat lijkt op de rug van een mens.'

Barry keek omhoog en zag de pafferige jonge politieman die het parkeren had geregeld zich over de loopbrug haasten om te kijken wat er gaande was.

'Misschien is het maar een etalagepop,' zei Marty, over het hek hangend. 'Waar is het hoofd?'

'Het is geen etalagepop,' zei Barry somber.

'Hoe weet je dat?'

Wat over de bodem van zijn maag stroomde veranderde in een melkachtig stremsel. Twintig of dertig mensen stonden aan het hek toe te zien hoe de ochtend van gedaante veranderde. De trein bleef op het station af denderen.

'Ik ben vier jaar substituut-officier van justitie geweest in de Bronx,' zei Barry. 'Ik weet hoe een lijk eruitziet. Kijk die gerimpelde voetzolen eens. Dat noemen ze wasvrouwenhuid.'

De deining van het water legde de blauwachtige massa halverwege op een strook zand, vlak onder de bemoste rotsen beneden. Een paar seconden lang waren de grijze, gezwollen onderkant van een voet, een welgevormd been en de achterkant van een dij zichtbaar.

'Grote god,' zei de vrouw in het mantelpak. Het gekrijs van de meeuw echode over het water terwijl de agent met zijn hand op zijn slingerende revolver het perron over rende.

'Maar waar is het hoofd?' zei Marty weer, alsof hij er een winkelier op aansprak. 'Het behoort een hoofd te hebben.'

Het water lichtte haar nog een keer op en deponeerde haar ten slotte op de oever.

Barry zag eerst iets blauws op de enkel, een tatoeage met vleugels, en de vrouwelijke heuplijn naar de billen. De lange, marmergave rug had zijn subtiele meisjesachtige vorm behouden. De schouders waren tenger en de armen gespreid, alsof ze hartelijk gasten in haar huis verwelkomde. Waar het hoofd had gezeten was het vlees rafelig.

Er steeg een geur op als van de afvalcontainer van een visrestaurant, methaan en bizonvlees dat in de zon ligt te rotten. Veel mensen op het perron hielden een hand voor hun mond, alsof ze met open ogen een nachtmerrie beleefden. Barry dacht heel even dat een dode van de ramp in de vijftig kilometer noordelijker gelegen grote stad in hun stadje aan de rivier was aangespoeld.

Met dofzilveren strepen en gierende remmen denderde de trein het station binnen. Net toen deze tot stilstand kwam, kroop een dikke rode krab, bijna als een orgaan met poten over de afzichtelijke nekstomp.

De vrouw in het mantelpak van Donna Karan moest meteen overgeven: beige en roze brokken bagel en zalm spoten over de rand van het perron op de rotsen en het lijk beneden.

De deuren van de trein sprongen open. Barry stond onbeweeglijk, niet wetend of hij weg moest gaan. De politie zou getuigen willen horen. De jonge agent van het parkeerterrein kwam net buiten adem ter plaatse en wist kennelijk ook niet hoe het verder moest.

'Instappen!' riep de conducteur met zijn verweerde schildpadgezicht uit een raam.

Barry keek over het perron en zag bij iedereen dezelfde aarzeling: niemand wilde als eerste weglopen. *Wat behoor je hier te doen? Hoe gaat zoiets?* Niemand wilde ertussenuit knijpen, maar de trein stond te blazen.

De man met het vale gezicht besloot de impasse te doorbreken. Hij deed zijn Motorola uit en stapte met zwaaiende tas stijlvol in de trein. De rozige kerel in de Burberry-jas volgde zonder iemand aan te kijken en voelde zich kennelijk flink opgelaten. Maar nu er twee schapen over de dam waren, stroomden de mensen achter hen aan.

Marty trok Barry aan zijn mouw. 'Kom op, Bar,' zei hij, 'we moeten naar ons werk. Dit is niet ons probleem.'

Het zou hem de hele verdere dag dwarszitten, als een glassplinter in zijn huid. Maar Marty had gelijk: hij was deze morgen nodig op zijn werk. Een ander zou blijven. Hij keek nog een keer over het hek en liep onwillig met de rest mee.

2

'P.O. Munchauser laat nooit een bal lopen, hè? Hij kon hem gewoon niet voorbij laten drijven.'

Het hoofd van de politie van Riverside, Harold Baltimore, stond twintig minuten later op het perron en keek hoe zijn eerste waarnemer en voorheen beste vriend, rechercheur Michael Fallon, de vindplaats van het lijk op de modderige oever markeerde.

'Ik zette Munchie een paar jaar geleden in de kleine competitie op het derde honk, en toen was hij net zo,' zei Mike, terwijl hij stokjes in de grond stak om een duidelijk pad naar het lijk aan te geven. 'In dat joch zat geen greintje agressie. Als je de bal naar de grond sloeg, dook hij er steevast naar. Het probleem was alleen dat hij de helft van de keren misgreep. Hij maakte een keer drie fouten in een wedstrijd en zei toen dat hij zich voor een bus wilde gooien. Ik zei tegen hem: "Doe geen moeite. Die rolt waarschijnlijk tussen je benen door."'

De chef grinnikte met leedvermaak. Hij was een zware, notenbruine man met hondenogen, een kort gehouden snor en grote vlezige handen. Hij droeg een grijs tweedjasje, een wit overhemd met rode das, een donkere broek en leren instappers. En hij had een somber soort ernst over zich, passend bij zijn andere baan als parttime lijkbezorger.

Een fietsagent met een blauwe helm en een korte stretchbroek aan had de mensen naar de andere kant van het perron gedreven, weg van de plaats van het lijk. De trap naar de modderige oever was met geel lint afgezet. De jongste inspecteur van het bureau, Paco Ortiz, stond bij het afgedekte lijk aan de waterkant met twee glimmende likken Vicks Vaporub onder zijn neus polaroidfoto's van de omgeving te nemen, terwijl twee agenten bewijsmateriaal verzamelden in waterdichte plastic zakken.

'Zeg, wat laat de staatspolitie weten?' vroeg Mike.

Hij was een breed gebouwde blanke in een geel poloshirt en een Levi's-spijkerbroek maat zesendertig. Hij had schouders als van een gewichtheffer en een krachtige nek, maar vanuit bepaalde hoeken gezien was het kind in de man nog erg zichtbaar, en mensen die hem in geen jaren hadden gezien herkenden hem op straat moeiteloos. Ze hadden dan wel moeite met zijn gewoonte hen een of twee seconden langer dan nodig aan te kijken, alsof zelfs de onschuldigste menselijke omgang niet geheel te vertrouwen was.

'Ze zeggen dat het helemaal ons pakkie-an is.' Harold Baltimore dook onder het gele lint door en liep de trap af, waarbij hij het braaksel meed. 'Het lijk is in ons district aangespoeld, en een man van ons was als eerste ter plekke. Geen eer aan te behalen. Ze willen er niets mee te maken hebben.'

'Waren ze er nijdig om?'

'Nee, helemaal niet.' Harold kwam op hem toe, over plekken heen stappend waar nog voetafdrukken moesten worden genomen. 'De inspecteur was heel vriendelijk. Hij zei dat als we hulp nodig hadden van het lab of met gebitsgegevens, ze ons graag van dienst zijn. De wagen van de lijkschouwer kan elk moment hier zijn. Maar het is onze zaak.'

'Dat had je kunnen weten.'

Mike kwam halverwege de helling op om met Harold te spreken, terwijl Paco en de twee anderen rond het lijk doorgingen met hun werk.

'Kijk je wel uit waar je loopt?' De chef zag Mike een beetje struikelen op zijn Timberlands met dikke zolen.

'Wat dacht jij nou, Harold? Dat ik gek ben?'

'Al goed, al goed.' De chef wreef met dikke, rimpelige vingers in zijn ogen. 'Wat hebben we tot nu toe?'

'Ja, ik ben hier net, ik heb nog geen gelegenheid gehad om de spullen te bekijken.' Mike ging zachter praten. 'Maar Paco zegt dat we hier een geval van traumatische amputatie hebben. Het hoofd is vlak onder de nekwervel van de romp gescheiden.'

'Het hakwerk is wat asymmetrisch, als van een hakbijl of zoiets,' zei Paco, die hem kennelijk van die afstand had verstaan. 'Niet al te professioneel, maar ook niet slecht.'

'Nog andere verwondingen?' De chef keek langs Fallon om het rechtstreeks van de bron te vernemen.

'Niets opvallends' – Paco nam een foto – 'behalve misschien dat geprobeerd is iets om haar middel te binden ter verzwaring, maar dat is losgeraakt. Waarschijnlijk kunnen we niets uit de kleur opmaken omdat ze een tijd in het water heeft gelegen. We schatten zes tot acht uur, maar dat is aan de lijkschouwer.'

'Lijkstijfheid?' vroeg Harold, geen acht slaand op de manier waarop Fallon aan zijn lippen likte en naar de grond keek.

'Nog behoorlijk sterk in de ledematen, dus is ze in de afgelopen achtenveertig uur vermoord.' Paco haalde de foto uit zijn camera en wapperde ermee.

'Wat is jouw idee hierover?' Harold keerde zich weer naar Mike alsof hem net weer inviel dat deze daar stond.

'Naar mijn idee kunnen we zelfmoord misschien van het lijstje schrappen.'

De chef zuchtte en keek naar een sleepboot die de zonbeschenen rivier af voer, als een teken dat het gedaan was met de rust.

Hij had nooit behoefte gevoeld aan nerveuze grapjes over de dood. Hij was al vroeg bij zijn vader in de zaak gegaan. Als vijftienjarige kon hij een mond dichtnaaien, een neus van was maken, en met niet te veel chemicaliën een gezicht ophalen. In de loop der jaren was hij niet alleen eerbied gaan voelen, maar ook een soort genegenheid voor het kleine souterrain, waar altijd een bandje speelde met *Midnight Train to Georgia*. Want op die rustige momenten – als ze zij aan zij werkten aan het aftappen van vloeistoffen en het volspuiten van aderen – had hij kunnen vasthouden aan die band met zijn vader die andere jongens in hun puberteit kwijtraakten. De enige keer dat zijn vader zich opvallend uitte over het werk was toen ze Godfrey Chamberlain aflegden, verongelukt, zes maanden nadat hij een fles Brass Monkey had stukgeslagen op het hoofd van oom James Booker. En zelfs toen moest hij zijn oren spitsen om zijn vader, terwijl deze de balsemvloeistof in de halsslagader spoot, te horen mompelen: *Wie van ons is nu de grote jongen?*

De trein van 8.09 naar de stad raasde achter Harold langs, en hij was zich bewust van het reikhalzen van de passagiers om iets van de plaats van het misdrijf te zien.

'Shit.' Hij voelde de trilling van de palen onder het perron in de ondergrond. 'Ik woon hier al mijn hele leven, en hoeveel moorden zullen er zijn geweest? Acht, negen? Ik word politiechef en ik krijg er twee in nog geen jaar.'

'Meen je dat, acht of negen?' Mike keek hem schuins aan.

'Wat had jij dan gedacht?'

'Zo'n tien of elf. Je denkt niet altijd aan de gevallen waar de mensen op de heuvel niet mee zitten. Maar ik weet nog dat ik het hoofd van Tony Foster ondersteunde toen hij tijdens mijn eerste jaar voor een havencafé doodbloedde. Hij bleef herhalen: "Zeg Don dat hij dinsdag zijn geld krijgt," alsof hij niet wist dat hij de pijp uitging.'

'Loco Tony – de hasjkoning van Riverside,' zei Harold fronsend. 'Hij was de eerste drugsdealer die ik meemaakte met een eigen supergrasmaaier. Een Craftsman van vierhonderd dollar met een motor van zeseneenhalf pk. Hij was een klootzak, maar hij had een prachtig gazon.'

'Je zag dat ik onlangs zijn zoon opsloot met drie ons. Loco Junior.'

'Van sommige dingen kom je nooit af.'

'Maar hoe dacht je dit aan te pakken?' Mike streek over zijn rossige korte haar dat de vorm van zijn schedel accentueerde. 'Zullen we de spoorwegen bellen om het treinverkeer stil te leggen?'

'Ben je belazerd? Weet jij wat voor gedonder ik ga krijgen? Weet jij hoe vaak de burgemeester al heeft gebeld? En hoeveel andere figuren hebben gebeld?'

Harold dacht aan de andere klieks in de stad waar hij nog niet eens van had gehoord. Al die mensen die graag deden alsof er nooit enige misdaad in Riverside was geweest: de fluimen van de Stone Ridge Country Club, het Saint Stephen-genootschap van halverwege de heuvel, de B'nai Israel, de mullahs van de Rotary, de fanatici van Welcome Wagon, en de ayatollahs van het schoolbestuur. Alle sociale lagen van de stad maakten zich op om over hem heen te vallen als hij dit varkentje niet snel waste.

'De geruchtenstroom komt op gang,' zei Mike.

'Denk daar maar niet aan.' Harold snoof. 'De mensen op de

heuvel willen geen rottigheid zien. Straks horen we van de televisie en de kranten. "Bezoedeld paradijs," "Moord in rustige buitenwijk." Emmie belde me onderweg. Ze was in alle staten omdat ze vandaag twee huizen moet laten zien en bang is dat de kopers eronderuit willen omdat ze denken dat het hier een gribusbuurt is.'

'Ja chef, je kunt niet sollen met de waarde van mensen hun huizen, hè?'

Harold kneep zijn ogen half dicht en probeerde het gezicht van zijn oude vriend te doorgronden. Dit was de eerste blanke die hem ooit in zijn huis had uitgenodigd. Ze hadden samen in de verdediging gestaan van het footballteam van de middelbare school, twee seizoenen als werper en vanger gefungeerd; in hun eerste jaren bij de politie hadden ze samen op een wagen gezeten, ze waren getuige geweest bij het huwelijk van de ander, ze hadden elkaar een of twee keer het leven gered, en tientallen keren op elkaars kinderen gepast. Maar er waren nog steeds tijden dat die blauwe ogen net zo ontoegankelijk en raadselachtig voor hem waren als een vlinderpop in een ijsblokje.

'We moeten een uitgebreid buurtonderzoek beginnen, met de vraag of iemand het lijk heeft zien afvoeren,' zei Harold. 'Ik wil tijdens de rest van de ochtendspits mannen op het perron mensen laten ondervragen, en vanavond moet iemand in het station mensen aanspreken als ze op weg zijn naar huis. En ik wil dat iemand hier om de hoek met de Mexicaanse dagloners gaat praten die bij Starbucks rondhangen. Veel van die lui zijn 's avonds laat op straat, en iemand kan iets hebben gezien. Ik denk dat we tot het tegendeel blijkt moeten aannemen dat deze ongelukkige jonge vrouw hier uit de buurt komt.' Hij keek langs de helling. 'Hoe oud schatten we haar eigenlijk?'

'Geen idee.' Paco keek op van het aanmaken van het gips voor de voetafdrukken. 'Ze was in vrij goede conditie. Eind dertig, begin veertig. Wat ik daarnet zag kunnen zwangerschapsstrepen zijn geweest.'

'Gewoonlijk kun je de leeftijd bepalen door naar de hals te kijken,' zei Mike.

'Dat zit er deze keer niet in.' Paco schepte een royale kwak gips op.

'Goddomme.' Harold zag het witte laken opbollen in de wind, zodat het leek of de vrouw eronder overeind wilde komen. 'Ik vind het afschuwelijk als ze kinderen hebben.'

Hij zag een snelle crematie voor zich en een korte, waardige herdenkingsdienst om de nabestaanden te troosten. Het was niet het jaargetijde voor een open kist. Hij dacht aan de familie Fitzsimmons, die niet eens een lichaam had om te begraven.

'Hoe dacht je de beveiliging aan te pakken?' vroeg Mike. We hebben in deze stad al een hoop geïrriteerde mensen.'

'Ik denk dat we voor de dagploeg met twaalf man moeten rouleren, en met tien agenten voor de nacht, of tenminste tot we van deze jongedame met zekerheid kunnen vaststellen dat ze van elders komt.' Harold zuchtte. 'Ik zal met de burgemeester over overwerk praten.'

'Eenmans- of tweemanswagens?'

'Zes eenmanswagens overdag en vier 's nachts. En laten we zes agenten per fiets de straat op sturen. Ik wil geen paniek, maar we willen de belastingbetalers laten zien dat ze waar voor hun geld krijgen. Ik wil een lijst van alle vermiste personen en ik wil dat al het beschikbare personeel de andere districten langs de rivier afbelt om na te gaan wie daar als vermist te boek staan.'

Harold inventariseerde in gedachten de negenentwintig politiemensen van de sectie, en verdeelde hen met tegenzin in hoog bekwaam, functionerend en hersendood. Hij was hiervoor niet in de wieg gelegd. In zijn hart had hij altijd geweten dat hij geen geboren leider of volger was, maar een eenling. Hij had altijd solitaire bezigheden geprefereerd: voor zijn vader opruimen, slangen spoelen, arrestatierapporten invullen, en de stille voldoening hebben van een man 's avonds laat alleen in zijn eigen keuken, die al zijn rekeningen wegschrijft terwijl de rest van het gezin boven rustig slaapt.

Hij zag Mike hem aanstaren.

'Wat is er?' Harold keek nijdig terug. 'Waarom kijk je me zo aan?'

'Ik ben gewoon blij dat dit aan mij voorbijgaat.'

'O, beginnen we daar weer over?'

'Ik zeg alleen maar dat het een hoop stress is. Ik benijd je niet.'

'Ik ben niet gaan smeken om deze baan, Mikey, dat weet je best.'

'Dat heb ik ook nooit gezegd.' Fallon knipperde met zijn ogen, en zijn gezicht was opeens onbevangen als een open kinderhand. 'Ik zei: laat mij de eerste zijn die je feliciteert.'

'Ik weet wat je toen zei. Laten we niet proberen de geschiedenis te herschrijven.'

Ze voelden allebei nog de pijn van dat laatste kerstdiner met hun vrouwen, toen Emmie die opmerking maakte over het lef van sommige mensen om te suggereren dat Harold de baan kreeg omdat hij zwart was, en Mike met lodderige ogen achter zijn whisky schouderophalend vroeg: 'Nou, waarom denk je dan wél dat ze hem die gaven?'

Harold was niet uit geweest op promotie. Komende januari zou hij de twintig jaar volmaken en had hij er de brui aan kunnen geven. Hij had erover gedacht zijn aandeel in de begrafenisonderneming aan een landelijke keten te verkopen. Dicht in de buurt was een instelling waar hij had gedacht wat computerlessen te nemen. Hij had het verdiend een tijdje te freewheelen: van het geld van zijn aandeel en zijn spaargeld met Emmie konden ze zich veroorloven de kinderen bescheiden te laten studeren, en dan hadden ze nog wat over om in Zuid-Carolina zo'n flat aan de kust te kopen, waar zijn broer het met hem over had gehad.

Maar toen, twee dagen voor Thanksgiving, liep dat plan spaak. Hij herinnerde zich nog goed dat de telefoon ging. Mike, om te zeggen dat zich in de Hollow een lelijk schietincident had voorgedaan. Dat stomme rotjoch van een Replay Washington had een schot in zijn rug gekregen toen hij voor P.O. Woyzeck wegrende met iets onschuldigs in zijn hand dat van een afstand sterk op een .22 leek. Groot gelazer. Maar deze keer gebeurde het in het kader van Operatie Ivoorsneeuw, de hyperagressieve aanpak van drugshandel die Mike had opgezet om het waterkwartier veilig te maken voor projectontwikkelaars. Daarna kon Mike met geen mogelijkheid nog chef worden. Alle New Yorkse nieuwlichters die in de groeijaren hierheen waren gekomen stonden op hun achterste benen, en de zakkige oude countryclubrepublikeinen in de gemeenteraad verklaarden zich geschokt – *geschokt!* – bij de constatering dat er maar drie zwarte politiemannen waren in een stad die voor een kwart uit zwarten bestond. Dominee Ezekiel P. Philips van de Afrikaans Methodistische Episcopale Zion-kerk in de

Hollow, wiens over-overgrootvader Obediah een gemeente van gewezen slaven met paarden en wagens uit Noord-Carolina had gevoerd, na het zien van een visioen van een rivier die de verkeerde kant op stroomde, nam Harold toen apart en zei: 'Zoon, het wordt tijd dat we zo'n grote kluif aan een van de onzen geven.'

Dus hoe kon hij daar nee op zeggen? Dan had hij niet alleen zijn familie teleurgesteld, die al drie generaties naar de kerk ging, maar de hele gemeenschap in Fenton, Shantytown, Bank, en in alle andere kronkelstraatjes bij de rivier, alle mensen naast wie hij van kindsbeen af in de kerk had gezeten en met wie hij had gebarbecued. Toch verlangde hij er op een dag als deze naar rustig in een anonieme achterkamer te zitten met een stapel roze facturen en een rekenmachientje.

'Overigens,' zei Mike, 'wil je niet een paar man extra op de meldkamer hebben?'

'Dat is een goed idee. De komende dagen zullen we waarschijnlijk de handen vol hebben.'

'Ik heb de moeders beloofd dat ik van halfvijf tot halfelf voetbaltraining doe, maar dat zal ik afzeggen,' zei Mike, die keek hoe Paco de voetafdrukken gladstreek.

'Nee, niet doen,' zei Harold. 'Hou tenminste de schijn op. Geef ze het gevoel dat alles normaal en onder controle is.'

'Goed. Ik zal een paar minuten blijven en dan kom ik terug en blijf tot twaalf uur.'

'En Marie dan?' Harold wist dat ze de laatste tijd onenigheid hadden over laat thuiskomen.

'Ik zal bellen en zien of we het Mexicaanse meisje tot laat kunnen laten blijven. Het zit wel snor. Ik kan thuis toch geen goed meer doen.'

'Bedankt, maatje.' Harold raakte even zijn schouder aan. 'Als het anders was gelopen, zou ik je gesteund hebben, zie je.'

'Ja, dat weet ik.'

De wind was opeens gaan liggen, zodat er een wat onnatuurlijke rust langs de oever heerste. De meeuwen die daar hadden gelopen met stukjes geel afzettingslint aan hun snavels vlogen weg, en de eenden die als omstanders in de buurt hadden gedobberd zochten het elders. Zo'n gewelddadige dood veranderde altijd het ecosysteem eromheen, merkte Harold op. Bloed sijpelde in de grond, er kwamen zwermen groene vliegen, gassen ontsnapten, de ontbinding trad in en palingen kronkelden in ondiep water.

'Je weet toch wat dit zal blijken te zijn?' Mike keek om naar het lijk onder het laken. 'Dit is weer zo'n van elders gedumpt lijk, zoals we in mei ook hebben gehad.'

'Hoe kom je daarbij?' vroeg Harold.

'Lijkt me duidelijk. Iemand neemt de moeite om het hoofd van een slachtoffer af te hakken, zodat ze niet geïdentificeerd kan worden, en meteen moet je gaan denken aan georganiseerde misdaad. Dit is waarschijnlijk een vriendinnetje van een drugsdealer in Newburgh, die bij de baas in ongenade is gevallen, om zeep is geholpen, en daarna bij ons is gedumpt. En het zal blijken dat de mensen hier zich hevig zullen opwinden over iets wat niets met hen te maken heeft.'

'Sorry, maar dat lijkt me niet,' zei Paco, die bij het lijk knielend wachtte tot het gips hard was.

Hij was een gedrongen vechterstype uit de Bronx, een Latino met een kaalgeschoren hoofd, een oorringetje en een sik die net een donker handje over de onderkant van zijn gezicht leek. Hij had bij de New Yorkse politie gewerkt, tot hij inzag dat hij veel sneller promotie kon maken – met mogelijk een eigen huis – in deze voorsteden met hun snel groeiende latino-bevolking, waar verder niemand bij de politie Spaans sprak. Uiteraard vonden sommige mannen die al langer bij het korps van Riverside waren het maar niets dat ze werden gepasseerd, en ze zinspeelden erop dat de kleurlingen elkaar voortrokken toen Harold deze zomer de nieuweling zijn schildje uitreikte. Maar, zo zei Harold tegen hen, ze konden zich altijd nog in de avonduren laten bijscholen.

'Wat denk jij dan dat het is?' vroeg Harold.

'Kom maar hier en kijk zelf.'

Paco lichtte tussen duim en wijsvinger voorzichtig het laken op, terwijl Harold met Mike van de helling af kwam. Onder het laken was het gevlekte maanlandschap van een flank zichtbaar. Harolds ogen vonden al gauw een operatielitteken aan de onderkant van een borst. Maar Paco wees naar een ander wit streepje in het vlees, laag op de linkerbil, een litteken ter grootte van een halve lucifer.

'Wat is dat?' vroeg Harold.

'Misschien is ze als kind op een spijker of zo gaan zitten,' zei Mike met onvaste stem, terwijl hij zich bukte om het beter te zien.

'Nee man' – Paco liet met afschuw het laken zakken – 'dat is liposuctie.'

'Wat?' vroeg Harold.

Hij merkte op dat Mike erg stil werd en strak omlaag staarde.

'Ze heeft vet laten wegzuigen.' Paco lichtte het laken weer op zodat ze het zelf konden zien. 'En dat is niet goedkoop. Die operatie kost zo'n drieduizend dollar. Volgens mij was deze dame niet blut, en misschien komt ze toch wel hier uit de buurt.'

3

Raak. Ze drukte af en trok zich weer als een sluipschutter in de portiek terug. Je zag op klaarlichte dag zelden volwassen mannen die zo schichtig keken.

Ze veranderde vlug van hoek, bevreesd dat ze dit moment zou mislopen. Iets in de manier waarop de zon doorbrak over de oude pakhuizen en lege fabrieken aan Evergreen Avenue veranderde de wolken in lichtkasten en maakte de mannen in de straat nietig en kwetsbaar, als schimmige figuren op een daguerreotype. Ze dook achter een vuilniscontainer, verwisselde van objectief en maakte snel nog wat opnamen van dertig meter afstand, uit het zicht blijvend voor het geval dat de mannen vandaag niet op de foto wilden.

Het had zo'n moeite gekost om hier op tijd te zijn voor de ochtendpresentatie, wanneer tachtig tot negentig mannen uit Mexico en Guatemala zich om de hoek bij het station voor Starbucks verzamelden en wachtten op aannemers die langs kwamen rijden en werk boden. Ze had vroeg moeten opstaan, ontbijt maken voor de kinderen, haar apparatuur in orde maken, Barry naar het station rijden omdat de andere auto nog niet klaar was, Hannah en Clay bij school afzetten, inschrijven voor de boekinzameling en karatelessen, afspraken maken voor de ouderavond, de stomerij en tuinman weer bellen, en vervolgens vlug terug naar hier om nog een parkeerplaats te vinden voor de mannen weer weggingen.

Een blauw-en-witte Chevrolet Suburban kwam langzaam aan-rijden, met achter het stuur de aannemer, een norse, uitgezakte man met een onderkin, vetrollen in zijn nek en een eindje sigaar in zijn mondhoek. Hij had een corrupte bureaucraat uit het Oost-blok kunnen zijn, of de eigenaar van een kermis met gevaarlijke attracties. Toch kwamen de arbeiders toegesneld alsof zij tieners waren en hij Frank Sinatra in zijn beste dagen was. En een paar seconden lang was ze niet langer Lynn Schulman, liefhebbende echtgenote en moeder van twee kinderen. Ze was een en al hand en oog. Foto's schietend kwam ze naderbij, terwijl de mannen in hun T-shirts en spijkerbroeken de auto omringden. Ze verander-de van diafragma en zorgde ervoor dat ze het Starbucks-bord en de vlag in de etalage achter hen in beeld hield. Aan hun stemver-heffing kon ze horen dat er niet genoeg werk meer was. Vrienden en familieleden – mannen die elkaar meer dood dan levend over de grens van Arizona hadden gesleept – verdrongen elkaar met hun ellebogen om in de heuvels een muur te mogen bouwen om een of ander bouwproject.

Ze zag een melkkrat om op te staan terwijl twee potige kerels achter in de bestelwagen sprongen en hun werkloze maten op het trottoir achterlieten. Ze knipte door en ving de halfopen monden, de geheven handen, en de dovende hoop in hun ogen.

Een krachtig gebouwd klein kereltje met het gezicht van een az-teekse krijger en de haardracht van een Beatle-fan keerde zich naar een langere afgewezen vriend, een uitgeplozen touw van een man met een strooien cowboyhoed en een rafelig geruit hemd. De klei-ne man klopte de cowboy op diens pezige arm, als om hem te ver-zekeren dat ze beiden nog sterk genoeg waren om de komende winter op een of andere manier door te komen. Ze maakte de fo-to en liet toen langzaam haar Canon zakken, in de wetenschap dat ze haar slag had geslagen.

Een docent van Pratt citeerde voor haar ooit Balzac: 'Achter ie-der groot fortuin zit een misdaad.' In haar hart wist ze dat iede-re goede foto die ze had gemaakt een inbreuk betekende. Ze had om toestemming moeten vragen. Gewoonlijk deed ze dat. In haar overige leven trachtte ze een fatsoenlijk en invoelend mens te zijn. Maar hemel, dit zou een goede foto blijken. Ze zag al voor zich waar die op haar voorjaarsexpositie zou hangen. Misschien een beetje Walker Evans in de compositie, maar de foto vertelde zijn eigen verhaal. Hij zei: *Hier draait het om.* Hij zei: *Je gaat door tot je het niet meer volhoudt, en dan nog ga je door.* Hij zei: *Je loopt over bergen, hangt uit boten, kruipt door de woestijn terwijl je nieren als kastanjes verschrompelen, en je laat je in de bekleding van een vrachtauto naaien die je de grens over smokkelt, want dat doet een man.* Hij doorstaat. Hij houdt vol. Hier waren ze dus, nog steeds elkaar verdringend en bemoedigend in de armen knijpend, bij hun pogen om een paar verfrommelde dollars bij elkaar te schrapen om naar huis te sturen.

Goed, vooruit dan maar. Ze zou hun om toestemming vragen, opdat haar geweten werd gesust en niet meer aan haar knaagde. Ze stapte van het krat en hing de fototas van canvas over haar schouder. Twee camera's hingen om haar nek, haar oude Leica M6 en haar geliefde Canon. Ze was een kleine vrouw met smalle polsen en enkels, maar ze was van oudsher gewend met zware uitrusting te sjouwen. Tegenwoordig reisde ze lichter en stopte ze de zwartwitfilms in de zakken van haar rode jack.

Ze kwam achter de vuilcontainer vandaan en liep op de mannen toe, waarbij ze de volle warmte van de herfstzon op haar gezicht voelde. 'Hola!' riep ze, terwijl ze haar lange, steile ravenzwarte haar over haar schouder wierp.

De Azteekse krijger met het Beatle-haar staarde naar haar en keek van haar gezicht naar haar camera. Het was altijd interessant te zien waar de mensen het eerst op reageerden – op de vrouw of op de camera.

'Que pasa?' Ze kwam dichterbij en probeerde klein en ongevaarlijk over te komen.

Een paar van de mannen bekeken haar nieuwsgierig. Anderen gingen meteen naar achteren in de groep. Ze wilden duidelijk niet dat de immigratiedienst hen op foto's zou zien.

'Mooie foto gemaakt vandaag?' De Azteek glimlachte veelbetekenend.

'O, heb je me gezien?' Ze draaide gegeneerd aan de diafragmaknop.

'Ik heb je hier eerder gezien. Waarom wil je foto's van ons maken?'

Van dichtbij had hij het gezicht van een jongeman, met de ervaring van een oudere man erin weerspiegeld. Een laag voorhoofd, een indiaanse neus, eskimo-ogen met fijne kraaienpootjes, verweerde wangen. Een goed object om te fotograferen. Vooral met het ongerijmde VASSAR op zijn shirt.

'Perdón,' zei ze. 'Mi español es muy patético.'

'Geeft niet. Ik spreek heel goed Engels.'

'Ik ben beroepsfotograaf.' Ze keek naar haar Leica om te zien of ook daar de lensdop vanaf was. 'Ik heet Lynn Schulman.'

'Jorge. George,' verbeterde hij zichzelf.

Met een beleefde buiging stak hij haar zijn hand toe. Ze zag onrust bij de mannen achter hem opkomen, terwijl de zon boven de daken verscheen en de kans op werk vervloog.

'Waar kom je vandaan?' vroeg ze.

'Guatemala.'

'Zo, George uit Guatemala. Ik ben bezig met een soort project,' zei ze. 'Ik loop gewoon door de stad en maak foto's van wat ik zoal zie.'

Hij trok zijn kin in bij zijn poging haar te begrijpen. Het leek zo verwaten, uit te leggen dat ze een retrospectief aan het samenstellen was voor een expositie, met foto's van haar woonplaats vroeger en nu.

'Ik ben namelijk van Riverside,' zei ze. 'Geboren en getogen.'

'Ah.' Hij leek haar aan te zien van achter vuil kogelvrij glas.

'De textielfabriek waar mijn vader heeft gewerkt stond hier. Daar reed ik altijd op mijn fiets langs...'

Gewoon blijven praten. Vind een manier om contact te leggen. Ze was lang geleden gaan inzien dat haar grootste gave als fotograaf haar invoelingsvermogen was; ze begreep hoe mensen zichzelf graag door haar ogen zagen.

'Kijk, ik heb hier alles gefotografeerd toen ik hier als meisje opgroeide,' zei ze. 'En nu kom ik hier weer om een heel nieuwe reeks te maken. Om het tijdsverloop te laten zien...'

Ze voelde aan dat hij er steeds minder van begreep. Een jongen van een jaar of zeventien, met amandelvormige ogen en gitzwart haar, net zo lang en steil als het hare, kwam toelopen en ging bodybuildershoudingen aannemen, pronkend met zijn gebronsde spieren in een T-shirt met afgescheurde mouwen. Haar camera's bleven om haar nek hangen.

'Wanneer je deze dingen namelijk niet vastlegt zijn ze voorgoed verdwenen.' Ze bleef het met hem proberen en deed haar best om aan de praat te blijven. 'Ik bedoel, mensen vergeten, of hun geheugen werkt bedrieglijk. Aan een foto heb je tenminste houvast. *Comprende?*'

George kneep zijn ogen tot spleetjes bij zijn pogen haar te volgen.

'Zo heb ik bijvoorbeeld een paar jaar geleden mijn kinderen gefotografeerd op het World Trade Center, toen ze ongeveer elf en zeven waren. En nu is dat alles wat ik nog over heb. Van hen als jonge kinderen én van de torens.'

'O.' Hij wreef over zijn neus en leek wat te ontdooien. 'Ik had een vriend die in dat grote gebouw werkte toen het instortte,' zei hij zacht.

'O ja?'

'Hij werkte in het restaurant bovenin en...' Hij spreidde zijn handen bij wijze van verdere uitleg.

'Werkte hij daar in de keuken?'

Ze wist nog dat ze daar zo'n twintig maanden eerder met Barry had gegeten, toen Ross Olson hem de baan bij Retrogenesis had aangeboden.

Hij kwam iets dichterbij. 'Hij heeft nooit papieren gehad.'

'Wil je zeggen dat hij onder al dat puin is begraven, en dat niemand van hem af weet?'

'Ja.'

'Wat afschuwelijk.' Ze klauwde zinloos wat in de lucht. Het was als een wrede kosmische grap: een man weet duizenden kilometers over woeste zeeën en brandend zand te komen, hij worstelt en brengt het tot de top van een van de hoogste gebouwen ter wereld, dat vervolgens instort met hem erin.

'Heeft hij geen familie die naar hem op zoek is?' vroeg ze.

Hij hield zijn handen op en liet zijn schouders zakken. '*Qué más da!*'

Wat doet het ertoe? Ze voelde aan de ontspanknop, niet wetend wat ze moest zeggen. Dit waren mannen die waarschijnlijk voor jaren weggingen zonder hun familie te zien. Voor de torens instortten wisten ze al wat vergankelijkheid inhield.

'Nou goed dan, misschien kun je een mooie foto van me maken.'

Hij richtte zich opeens op.

Deze ommekeer trof haar onverhoeds. Ze zag hem zijn haar gladstrijken, zijn armen over elkaar doen en uitdagend recht in haar camera kijken. En toen begreep ze het. Zijn vriend was dood, maar hij niet. Daarom wilde hij nu het onweerlegbare feit van zijn bestaan vastgelegd zien, om te zorgen dat hij nooit werd vergeten.

'Misschien kun je nog een foto maken die ik dan naar mijn familie thuis kan sturen,' zei hij.

'Goed idee.' Ze knikte, maakte haar camera gereed en controleerde of er nog voldoende film over was om een lange reeks van hem te maken.

'Misschien kun je ook nog een foto van me maken als ik bij je thuis aan het werk ben,' zei hij met sluw lachje. 'Heb je een gazon?'

'O, gaat dat op die manier?'

Ze richtte haar belichtingsmeter en was zich vaag bewust van een verkeersagent die ergens achter haar op een fluitje blies.

'Goed. Kijk niet recht in de camera als ik foto's van je neem.'

Ze zette het 35 mm objectief op haar Leica en merkte dat het ochtendlicht begon te weerspiegelen op de ramen van Starbucks. Ze hurkte en vroeg zich af of het zou lukken vanuit dezelfde hoek te fotograferen als ze een kwart eeuw eerder had gedaan met de vervallen fabriek van haar grootvader, zodat ze de foto's naast elkaar kon hangen.

Maar opeens was George weg, en buiten haar zoeker was een wervelwind van beweging. Ze keek in het rond en zag verscheidene mannen als biljartballen over straat uiteenstuiven, achternagezeten door een agent op een fiets. Een tweede agent volgde die erg op een uit zijn krachten gegroeide jongen leek, met zijn glimmende plastic helm, een strak gesneden blauwe fietsbroek en een dienstoverhemd met korte mouwen. Hij reed snel, kwam voor op George en andere achterblijvers, en gebruikte zijn fiets als wegversperring. Lynn bleef gehurkt zitten en maakte foto na foto, alsof ze nog voor de *Daily News* werkte.

'Hé, hé,' riep de agent haar toe. 'Waar bent u mee bezig?'

Ze bleef foto's maken, omdat ze het moeilijk vond bevelen ernstig te nemen van een man met een korte broek en witte sokken.

'Sorry mevrouw. Wilt u die camera wegdoen?' Ze nam een foto van hem toen hij afstapte, met harige blanke benen tegen een achtergrond van blinkende spaken.

'Wat is er aan de hand?' vroeg ze, toen ze eindelijk de camera liet zakken.

'We moeten een paar van deze heren spreken.'

Ze zag George mompelen met de jongen die zo stoer had geposeerd.

'Is dit soms een actie van de vreemdelingendienst?'

'Nee,' zei de agent, die ze herkende als dezelfde bij wie ze zich drie weken eerder bij de sportschool moest legitimeren. 'Ze kunnen informatie hebben die voor ons nuttig is bij een onderzoek.'

'O.'

Ze zag een witte bestelwagen met getinte ramen de hoek om rijden naar het station, en haar hart haperde even toen ze MEDISCH ONDERZOEKSBUREAU VAN WESTCHESTER COUNTY op de zijkant zag staan.

'Wat is er gebeurd?' vroeg ze de agent. 'Heeft iemand een hartaanval gehad of zo?'

'Eh, mevrouw, zulke inlichtingen kunnen we echt niet geven.'

Ze liep naar de hoek, keek langs de gebouwen en zag twee assistenten van de medische dienst bij de ingang van het parkeerterrein uit de wagen stappen.

'Nou, het ziet er wel naar uit dat er iets aan de hand is.'

Ze liep op een drafje naar het station, aangetrokken door de aanblik van de mannen die de wagen van achteren openden en gereed maakten voor een lichaam. Ze voelde de onontkoombare aantrekkingskracht van een beeld dat zich daar vormde.

'Mevrouw, we kunnen het niet gebruiken dat mensen in de weg lopen,' riep de agent haar na. 'Mevrouw?'

'Oké. Bedankt! Daag!'

Ze wuifde even achterom naar George terwijl ze zich voortspoedde met haar fototas, wetende dat als ze te lang wachtte het beeld weg zou zijn. *'Que le vaya bien.'*

Ach, zo is het leven. Hoe nauwgezet je iets ook plant, de schaduw beweegt altijd. Het licht wisselt altijd. Het gezicht verandert altijd een kwart seconde voor je afdrukt van uitdrukking.

De camera's bonkten tegen haar maag toen ze naar het station rende. Vroeger was ze beter op zulke plotselinge veranderingen ingesteld. Goed, het was niet haar bedoeling geweest op haar vijfentwintigste zwanger te worden, toen haar carrière als fotograaf net op gang kwam en ze de grote sprong zou maken van ditjes en datjes bij de *Daily News* naar een contract met *New York Times Magazine*. Toen was ze genoegen gaan nemen met incidenteel cataloguswerk en kleine freelance opdrachten, zodat ze bij Hannah en later Clay kon blijven en niet de pijnlijke scheidingen hoefde te verdragen die andere werkende moeders kwellen. Zeker, als ze groter werden had ze gedacht er weer vol tegenaan te gaan, maar toen werden de zaken gecompliceerd. Dus leer je improviseren en compromissen sluiten. Je verhuist naar een voorstad omdat het beter is dicht bij je zieke moeder te zijn, en omdat particuliere scholen daar goedkoper zijn dan in het centrum. Je leert met de stroom mee te gaan, je ambitie te reguleren, te werken als het kan en ermee op te houden als je iemand naar de dokter of pianoles moet brengen.

Maar de laatste twee weken was ze iets van die elasticiteit kwijtgeraakt. Toen ze de gebouwen zag instorten verstijfde ze en durfde niet bij de telefoon weg te gaan tot Barry belde om te zeggen dat hem niets mankeerde. Ook daarna merkte ze dat ze zonder aanwijsbare reden gespannen was en wenste dat de tijd stil zou staan. Nee, niet alleen maar stilstaan. Ze wilde dat de tijd terugging. Ze wilde de stomerij van DiGamba terug op de vertrouwde plek. Ze wilde het oude bowlingcentrum om de hoek terug, waar nu het nieuwe politiebureau stond. Ze wilde dat de leraren van de middelbare school die ze soms in het winkelcentrum tegenkwam weer dezelfde leeftijd hadden als toen zij in de tweede klas zat.

Ze liep langs een andere jonge agent die voor het station het verkeer regelde en liet zich niet door hem tegenhouden. Sinds wanneer waren politiemannen zo jong?

Twee forse assistenten van de medische dienst kwamen net de trap van het perron af met een draagbaar, met daarop de onmiskenbare vorm van een lichaam onder een vastgesnoerd wit laken.

Vlak voor de ingang van het parkeerterrein verstijfde ze. De contour onder het laken was te kort voor een volgroeide volwassene. Het kon Barry niet zijn, of een van hun vrienden die met de trein reisden. Maar toen ging haar hand naar haar keel, en ze bad vurig dat het geen dood kind was.

'Hé dame, geen foto's.'

Een barse, bevelende stem deed haar opschrikken. Ze keek rond en zag rijen auto's met parkeervignetten en Amerikaanse stickers tegen de ramen. Glimmende, dure machines zonder berijders.

'Ik zei, opdonderen hier.' Een kwaad kijkende man met een geel sporthemd kwam achter het lichaam de trap af, met een goudkleurig rechercheursschildje om zijn nek bungelend. 'Hier mag geen pers bij.'

'Ik ben niet van de pers.' Ze legde haar hand over haar Canon. 'En ik was geen foto's aan het maken.'

'O shit, wat doe jíj hier?'

Iets in het gezicht van Michael Fallon leek zich terug te trekken, aan kracht te winnen en weer naar buiten te komen. Lynn ging iets achteruit, alsof ze te dicht bij een openstaande deur stond.

Het laatste echte gesprek dat ze hadden gehad was waarschijnlijk vijfentwintig jaar geleden. Ze zat gevangen tussen opluchting omdat ze hem van dichtbij zag na maanden achter auto's wegduiken op de parkeerplaats van Stop & Shop, en horen wat hij uiteindelijk had te zeggen.

De tijd was meer dan mild voor hem geweest. De korte militaire haardracht die in de jaren zeventig zo uitdagend stond was tegenwoordig eigenlijk modieus. Zijn gezicht was iets kwijt van het ronde, dat maakte dat jongens hem achter zijn rug babyface noemden. In plaats daarvan waren er meer van de contouren die sommige meisjes deed toegeven dat de man beslist wel wat had. Maar de waakzame blauwe ogen waren nog dieper onder zijn voorhoofd verzonken. Zwerversogen, dacht ze daar vroeger bij. Alsof hij het leven bekeek vanuit een goederenwagon.

'Ik was net foto's aan het maken van de mannen om de hoek, en toen ik al deze opschudding zag ben ik erheen gelopen.' Ze keek langs de gebouwen en vroeg zich af hoe het George en de andere arbeiders was vergaan. 'Vertel eens, wat is er aan de hand?'

'Ach, gewoon wat gemieter,' zei hij, met een stem die een half octaaf lager klonk dan ze zich herinnerde. 'Waarschijnlijk is iemand van een boot gevallen en hier ergens verdronken. En dan boffen wij weer dat ze hier op de oever is aangespoeld.'

'Een beetje laat in het jaar voor pleziervaart, vind je niet?'

'Ik weet het niet. Het is warm geweest. Mijn rubberboot ligt nog in het water.'

Ze keken beiden toe hoe de mannen de draagbaar voorzichtig in de auto laadden.

'Het is me wel wat, je zo tegen het lijf te lopen.'

'Ja, hè?' zei hij luchtig, alsof ze elkaar twee weken geleden nog gezien hadden.

'Ik heb gehoord dat je een paar jaar geleden naar Arizona was verhuisd.'

'Ja, ik heb wegsurveillance geprobeerd in Scottsdale, maar ik zag er niet echt wat in. Het is moeilijk wennen in de woestijn als je bij een rivier bent opgegroeid. Je voelt je een grote vis in een kleine vijver.'

'Dat zal wel, ja.' Ze begon aan haar lens te draaien, maar hield ermee op.

'Hoe is het jou vergaan? Wanneer ben je teruggekomen?' vroeg hij.

'Dat zal... zo'n anderhalf jaar geleden zijn.' Ze aarzelde, want ze geloofde niet echt dat hij dat nog niet wist. 'We zijn voor het werk van mijn man een tijdje in San Francisco geweest. En toen werd de MS van mijn moeder weer erger, zodat we steeds meer tijd hier doorbrachten, tot we ten slotte besloten te blijven omdat we een huis vonden dat ons beviel.'

'Och, je weet wat ze over Riverside zeggen: "Als je het water eenmaal drinkt kun je nooit echt meer weg."'

Hij keek haar even zwijgend aan, net lang genoeg om haar te doen terugdenken aan hun vroegere aankijkwedstrijdjes.

'Hoe gaat het trouwens met je moeder?'

'Ze is kort na Kerstmis overleden. Het hart.' Ze knikte naar Harold Baltimore, die telefonerend langsliep. 'Het verbaast me dat je dat niet weet. De chef heeft de hele begrafenis geregeld.'

'Niemand vertelt mij ooit wat. Ik had je wel een kerstkaart of zoiets gestuurd.'

Hij trok zijn wenkbrauwen op, en twee diepe lijnen vormden zich in zijn brede voorhoofd. Net als Barry was hij een forse man. Daar voelde ze zich indertijd toe aangetrokken. Grote handen, een brede borst, brede schouders, sterke benen. Ze maakte tegenover vriendinnen het grapje dat Michelangelo naar een blok marmer keek en David zag, maar zij keek naar Michael Fallon en zag een blok marmer. Het was moeilijk voor te stellen dat ze zich ooit zo klein, zo veilig en zo geborgen bij hem had gevoeld.

'Het spijt me wat ik over je broer heb gehoord,' zei ze. 'Ik had zelf moeten proberen contact te zoeken.'

'Je had vast zelf je handen vol.'

Dat extra beetje spanning gleed onder het oppervlak als een slang onder een kleed. Was zij de bron van al deze onbehaaglijkheid of lag het ook aan hem? Na al die jaren was het moeilijk te zeggen waar het een ophield en het andere begon.

'En, wat doe jij zoal?' vroeg hij. 'Ik zie dat je nog steeds foto's maakt.'

Hij tuitte zijn lippen iets naar de Leica en de Canon die op haar buik hingen.

'Ja, ik ben dat weer serieus aan het oppakken.' Ze raakte beschroomd de camera's aan. 'Ik heb een tijd in de kleine kinderen gezeten.'

'Hmmm.' Hij bromde terwijl de mannen het lichaam behoedzaam achter in de auto schoven.

Ze bewogen zich met geconcentreerde doelmatigheid, alsof ze in een sneeuwstorm werkten. Ze deden dat iets te snel als het zomaar een verdrinkingsslachtoffer betrof, merkte Lynn op. Ze dacht erover haar Canon te pakken voor een paar vlugge shots, maar besefte dat gezien haar affaire met Michael hij dit als een onaanvaardbare provocatie op zou vatten.

'En hoe is het jou vergaan?' vroeg ze, heen en weer kijkend van het gouden schildje naar de gouden band om zijn linkerpols. 'Ik zie dat je rechercheur bent geworden.' Ze keek eens goed wat erop stond. 'Met de rang van inspecteur.'

'Ja, ik werk onder Harold. Wat vind je dáárvan?'

'Ik heb het altijd al gezegd dat jullie nog eens tot elkaar zouden komen,' zei ze, om uit te proberen hoever ze kon gaan.

'Ja. Dat kon weleens de beste relatie zijn die ik ooit heb gehad.'

Ze rook wat zuurs aan hem en zag zweetdruppeltjes tussen zijn neus en bovenlip.

'Maar je bent getrouwd.'

'Veertien jaar, drie kinderen.' Hij bekeek de rug van zijn hand even en haalde zijn schouders op. 'Soms kan ik het niet geloven als ik 's morgens wakker word.'

'Ik begrijp wat je bedoelt. Heb je foto's bij je?'

Hij stak bezwerend een vinger op naar Harold, haalde toen zijn portemonnee uit zijn achterzak en weldra kwamen er drie portretfoto's van Sears te voorschijn van kinderen onder de vijftien, twee jongens en een meisje, alledrie in dezelfde witte blouses, dichtgeknoopt tot de kraag. Steil haar en een obligate glimlach. De kinderen waren leuk, maar het portretwerk was uit het jaar nul. Persoonlijk fotografeerde ze haar eigen stel liever ongedwongen en ongeposeerd, als een fotograaf van de *National Geographic*. Maar daar ga je weer, zou Barry zeggen. Uiteindelijk was alles gelukt. Ze kon zichzelf vrijmaken. Michael had eindelijk iemand gevonden die hem kon geven wat hij nodig had.

'Het zijn schatten,' zei ze met bijna hoorbare opluchting. 'Zelf heb ik er twee. Ik denk dus dat we allebei veel geluk hebben gehad.'

'Dat denk ik ook,' zei hij effen.

De deuren van de auto van de medische dienst sloegen hard dicht. Harold Baltimore stak zijn telefoon weg en kwam aanlopen, met zijn das iets scheef, en onder een van zijn bruine ogen was al een lichte zenuwtrek zichtbaar.

'Hallo, schoonheid.' Hij gaf haar een kusje op haar wang. 'Hoe maak jij het?'

'Beter dan sommige anderen, denk ik.'

Ze wees naar de achterkant van de witte auto en zag zijn oogleden dieper uitzakken dan gewoonlijk.

'Hoe gaat het met Emmie?' vroeg ze.

'Massa's afspraken, geen transacties. Het is niet anders.' Hij keerde zich naar Mike. 'Ik moet terug naar de basis. De telefoons staan daar roodgloeiend.'

'Oké chef.' Mike groette met twee vingers, op een manier die bijna spottend was. 'Ik sta achter je. Als altijd.'

Was dit gewoon de manier waarop mannen met elkaar omgingen? Zelfs na al die jaren persfotografie had ze dit soort gespierde mannelijke genegenheid nooit goed leren begrijpen. Als een van haar vriendinnen haar zou plagen zoals Barry zijn maten op stang joeg, zou ze in huilen uitbarsten.

De chef klopte haar zachtjes op haar arm. 'Fijn je terug te zien,' zei hij. 'Je bent nog geen dag ouder geworden.'

'Och, dat is een leugen waar ik mee kan leven,' riep ze hem na.

De motor van de auto werd gestart, en een sluier van donkergrijze rook steeg op in de blauwe lucht.

'Je weet dat je oud wordt als de mensen met wie je naar school ging de leiding overnemen,' zei ze. 'Vooral als het de zorg voor de doden betreft.'

Mike bekeek haar met een licht bevreemde frons, alsof hij een vuiltje van haar kin wilde plukken.

'Ik denk dat je er maar beter vandoor kunt gaan,' zei ze, terwijl de witte auto wegreed. 'Zo te horen is er heel wat werk aan de winkel.'

Hij haalde zijn schouders op, keek op zijn horloge, en een paar ongemakkelijke seconden lang verbeeldde ze zich dat ze het hoorde tikken.

'Moet je luisteren, Lynn, ik heb nog steeds een rotgevoel bij de manier waarop het tussen ons is gelopen,' zei hij ten slotte.

'O?'

Ze voelde zich triest worden en wist dat dit alles wat al te pijnloos en gemakkelijk was geweest.

'Ik zou graag binnenkort de lucht eens zuiveren.'

'Eh, dat weet ik niet, Michael.' Ze haalde een lensdop uit haar jaszak. 'Ik bedoel, het is zo'n tijd geleden, en ik weet zeker dat je momenteel wel wat anders te doen hebt.'

Hij knikte. 'Natuurlijk. Maar ik dacht gewoon dat we misschien eens koffie konden gaan drinken bij de Copperhead.'

Haar maag maakte het geluid van een in modder soppende laars.

'Hemel, bestaat dat nog?' Ze glimlachte.

'Ze hebben nog steeds die kleine jukeboxen bij de tafels. *Year of the Cat*. Dat was toch je favoriete nummer?'

'Werkelijk?'

Wat vernederend, herinnerd te worden aan haar onrijpe tienersmaak, van voor ze de stad uitging en de Velvet Underground en het Kronos Quartet ontdekte. Het was alsof ze een verkleurende polaroidfoto van zichzelf zag, met vlassig haar, een beugel en een brilletje met dikke glazen.

'Dan kunnen we eens wat bijpraten,' zei hij. 'Ik kan wel zeggen dat ik het nodige heb doorgemaakt.'

'O ja?'

Ze besefte dat ze bezig waren de draad van vroeger weer op te pakken.

'Ach, ik weet het niet, Michael,' zei ze weer, kijkend naar de andere politiemannen die in hun auto's stapten. 'Jij gaat het beslist heel druk krijgen, en voor mij zijn er een hoop dingen die ik...'

'Ik heb het over een kop koffie.' Hij keek haar fronsend aan. 'Is dat nu zo veel gevraagd?'

Zijn zwijgen bracht haar in het nauw en herinnerde haar aan wel tien dingen die ze tot dan toe van de harde schijf van haar geheugen had weten te wissen.

'Nou, luister' – ze slikte – 'misschien kunnen we een andere keer eens bij elkaar komen, met ons gezin erbij. Ik zou het heerlijk vinden als je mijn kinderen en mijn man leert kennen. Hij is een geweldige vent en je zult hem echt mogen, denk ik.'

Ze zag aan zijn beweeglijke blauwe ogen dat hij erover nadacht.

'Ja, dat kan best leuk zijn,' zei hij na een paar seconden, met een stem die haar deed denken aan een op zijn kant draaiende munt.

'We zouden kunnen barbecuen of zoiets,' zei ze opgewekt.

'Ja, voor het weer echt omslaat krijgen we vast nog wel een mooi weekeinde.' Hij knikte en de gespannen trek tussen zijn ogen ontspande iets. 'We zitten nog steeds in de Hollow, aan Regan Way, geloof het of niet.'

'Je meent het.'

'Ja, we zijn zo'n beetje het laatste blanke gezin in de straat. Je zou me 's zomers al die Mexicaanse en Guatemalteekse jochies uit de buurt moeten zien coachen met honkbal.'

'Is het werkelijk?'

Ze voelde onverwacht warmte bij het beeld.

'O, zeker.' Zijn schouders raakten ontspannen – een man die over sport praat. 'Ze noemen me Mark McGwire omdat die een paar jaar geleden die homerun-kwestie had met Sosa. En ik ga deze herfst de kinderen uit de heuvels leren voetballen. Doen die van jou aan sport?'

'Mijn zoon gaat er eindelijk iets aan doen. Vreemd dat dat zo lang duurde, want mijn man deed fanatiek aan sport voor hij zijn knie blesseerde.'

'O ja? Misschien krijgen we die nog eens hier als assistent-coach.'

Ze vroeg zich af of ze niet wat al te afwerend was geweest. Mensen veranderen. Misschien hadden het huwelijk en kinderen hem zachter gemaakt. Hij zou de eerste niet zijn. Ze had eens gelezen dat alle cellen van mensen elke zeven jaar werden vernieuwd. Dat betekende dat zij beiden sinds ze uiteengingen minstens drieëneenhalf keer waren omgevormd.

'Goed, dan zal ik je bellen,' zei hij. 'Mag ik je nummer?'

Ze klopte op haar zakken, want ze wilde deze dunne draad van beleefdheid niet verspelen. 'Hm, ik weet niet of ik een pen bij me heb.'

'Hier.'

Hij wilde haar een balpen en een blocnootje overhandigen, warm uit zijn achterzak.

Ze glimlachte. 'Misschien is het beter als ik jou bel. Ik moet toch met Barry nagaan wanneer we kunnen.'

'O, goed.'

Zijn gezicht betrok heel langzaam. De spanning zakte van zijn ogen naar zijn verbeten onderkaak.

'Ik kan je toch op het bureau bereiken?'

'Jazeker.'

Zijn ogen leken zich iets in zijn hoofd terug te trekken.

'Fijn je weer te zien, Mike.' Ze hing de camera weer over haar schouder. 'Pas goed op jezelf.'

'Ja.' Hij knikte toen ze zich omdraaide. 'Laat van je horen.'

4

'Ik vind dat een van ons maar een bommelding moet doen,' zei Steve Lyons, hoofd bedrijfscommunicatie, bij de opening van de ochtendbespreking van Retrogenesis, het farmaceutische bedrijf waarvan Barry achttien maanden eerder onderdirecteur was geworden, belast met juridische zaken. 'Een halfuurtje voor de aandeelhouders komen. Dan ontruimen ze heel Grand Hyatt, op straat zullen duizenden mensen door elkaar lopen, er komen reportageploegen, en dan is dat het nieuws, in plaats van onze kwartaalcijfers.'

'Welja, waarom niet meteen een grootscheepse kernaanval?' sneerde Barry. 'Op die manier worden we allemaal opgepakt wegens paniek zaaien en hoeven we nooit meer naar kantoor.'

Zes andere directeuren zaten rond een vergadertafel ter grootte van de beroemde indiaanse kano in het Museum voor Natuurlijke Historie onderling boodschappen te mailen. Daglicht, dat deze kamer tot twee weken geleden nooit had bereikt, stroomde binnen door de ramen die uitzicht boden op Battery Park en de New Yorkse haven. Barry staarde naar het grote blauwe gat in het stadssilhouet en had het idee dat het zo ongeveer moest zijn om alzheimer te hebben. Een minuut geleden stonden de Twin Towers daar toch nog? Hij oriënteerde zich er voorheen elke morgen op als hij uit de ondergrondse kwam. Maar nu was daar slechts een smeulend gat vol verwrongen metaal, beton en menselijke resten.

'Ik meen het,' zei Steve, een magere, nerveuze man met lichte, bijna doorzichtige wenkbrauwen en de manier van doen van een levenslange kettingroker die ertoe veroordeeld is in een rookvrije wereld te leven. 'Nou, min of meer. Op de bijeenkomst in januari zullen ze ons afmaken. Dit is al het derde kwartaal op rij dat we de streefcijfers niet halen. De mensen van Goldman Sachs en Merrill Lynch zullen zijn als de dorpelingen in *Frankenstein*, die met fakkels en hooivorken ons bloed eisen.'

'Bharat?' zei Ross Olson, de president-directeur, die als een stamhoofd aan het hoofd van de tafel zat, met zijn zilvervoshaar, een rimpelig patriciërsgezicht en de houding van een yogaleraar in een donker pak met krijtstreepje.

'Welke hoofdlijn gaan we volgen?'

'Ik denk dat we moeten zeggen dat ons zakenbeleid juist was, maar dat enkele van de basisfactoren in de markt zijn veranderd,' zei Bharat Singh, het ernstige, van Princeton afkomstige negenentwintigjarige hoofd financiën. Hij zat halverwege tussen Barry en Olson, met een dikke lok zwart haar over zijn voorhoofd. 'Als je kijkt naar sommige van onze vroege ramingen op topniveau van twee jaar geleden, leken de kosten om ons product op de markt te brengen een heel aantrekkelijk gegeven. Maar haal je er exogene factoren van nu bij, zoals de huidige economie, de medicijnen tegen alzheimer die Merck en Pfizer nu ontwikkelen, en de aanklacht in verband met de aap, dan denk ik dat we een langer tijdschema voor penetratie moeten uitwerken.'

'Ze zullen ons met rotte sinaasappelen bekogelen,' kreunde Steve Lyons.

'Hoe staat het met de verkoop van Coridal?' vroeg Barry.

Nu de ontwikkeling van Chronex, het middel tegen alzheimer waar het bedrijf aan werkte, stagneerde, moest Coridal, een goedkopere versie van prozac zonder de libido remmende bijwerking, het jaar voor hen redden. Maar Bharat schudde zijn hoofd.

'We hebben net gehoord dat we de contracten in Pakistan en Indonesië kwijt zijn,' zei hij. De merklozen doen ons de das om. Zij kunnen de pillen voor een zesde van onze kosten produceren.'

'En hoe staat het op het apenfront?' Ross Olson, de PD, keerde zich naar Barry.

'Ik wilde net iedereen een e-mail sturen. Rechter Horgan heeft ons voorstel tot seponering afgewezen.' Barry zat met zijn een meter negentig ongemakkelijk op zijn kleine leren stoel te draaien. 'Het lijkt erop dat deze baby vorderingen maakt. Volgende maand gaan we beëdigde verklaringen afnemen.'

Ieder in de kamer kreunde hoorbaar; zelfs Lisa Chang, alias mevrouw Spock, een klein vrouwtje met een bril dat hoofd research van het bedrijf was en gewoonlijk alleen via haar Blackberry communiceerde. De claim van vijftig miljoen dollar was neergelegd door twee voormalige onderzoekers van Retrogenesis, die beweerden het exclusieve patent te hebben op de genetisch gemanipuleerde doodshoofdaapjes die voor de alzheimer-experimenten van het bedrijf werden gebruikt.

'Dat zal wonderen doen voor onze aandelen,' zei Steve Lyons.

'Ach, dat is nog niet eens onze eerste zorg.' Ross Olson trok zijn ruige wenkbrauwen op. 'Heeft iemand vanmorgen Mark Young op CNBC gezien?'

'Nee, ik zat toen in de trein,' zei Barry.

Even dacht hij erover te vertellen van het lijk zonder hoofd en de overgevende vrouw in het mantelpak. Maar wat kon hun dat schelen? Ze stonden al met één been op een groot kerkhof. Ze hadden geen behoefte aan nog een lijk.

'Bedoel je onze speculant?' vroeg hij, om bij het onderwerp te blijven. 'Die van dat hedgefonds?'

'Ja, die.' Ross zuchtte. 'Hij gebruikte woorden als "beleidsmatige hersenkanker" en "absurd overgewaardeerd", met betrekking tot ons bescheiden ondernemínkje.'

'Ach, laat 'm naar de hel lopen, die wil gewoon onze aandelenprijs omlaag krijgen.' Barry ging naar achteren zitten en sloeg zijn lange benen over elkaar.

De laatste tijd ging hij over speculanten net zo denken als over de verlopen gokkers die op Rutgers achter de basket zaten en elke keer juichten als hij miste. Het hele idee van speculeren à la baisse leek de ultieme laffe uithaal. Vooral aangezien deze speculanten de aandelen die ze verhandelden nooit echt bezaten, maar slechts een nominale commissie betaalden om ze van makelaars te 'lenen', in de hoop ze naderhand voor een nog lagere prijs te kunnen kopen. Geen wonder dat er geruchten waren dat de terroristen vlak voor de aanslagen luchtvaartaandelen van de hand deden.

'Nou, hij doet het fantastisch.' De ogen van Ross dwaalden langs hem heen. 'We openden vanmorgen op negentien. Momenteel staat de handel op zestien.'

O, DE PIJN! LAAT IEMAND MIJN KINDJE REDDEN! Een boodschap van Lisa Chang verscheen op de Blackberry op Barry's schoot, ook al bleef Lisa zelf kalm en onbewogen achter haar bril aan de andere kant van de tafel.

'En hoeveel aandelen van ons heeft hij in handen?' vroeg Barry.

'Circa tienduizend.' Bharat boog gegeneerd het hoofd.

Barry floot en voelde zijn bloeddruk langzaam oplopen.

'De kwestie is,' zei Bharat, 'dat zijn informatie ten dele juist is en ten dele niet. We zitten inderdaad al lange tijd vast in fasetwee-processen. We kregen het contract met Pfizer niet rond. De apenclaim is echt een probleem. Onze aandelen kelderden wel degelijk in minder dan een jaar van eenenvijftig naar negentien. Maar verder is veel van wat hij beweert gewoon gemene laster.'

'Zoals bijvoorbeeld?' vroeg Barry.

'O, allerlei gelul op de mededelingenborden. Zo zouden we een stel van onze apen tijdens de klinische proeven hebben laten doodgaan, en zouden er vrijwilligers ziek zijn geworden. En hij beweert dat we terugkerende kosten als eenmalige uitgaven boeken, en dat onze leiding instabiel is en ieder moment de zak kan krijgen.'

'En is dat zo?' Barry kaatste de vraag meteen door naar Ross Olson aan de andere kant van de tafel.

'Voor zover ik weet niet.' Ross knipperde met zijn helderblauwe Scandinavische ogen. 'Ik was vorige week met de raad bijeen in Aspen, en ze zeiden me dat ik een unaniem vertrouwensvotum had om door te gaan, tegenwind of niet.'

De woorden HIJ IS ER GEWEEST!! verschenen op het apparaat op Barry's schoot, een boodschap van Bharat die drie plaatsen verder links van hem zat.

'Op de aandeelhoudersvergadering worden we compleet afgemaakt.' Steve Lyons trommelde met zijn vingers op de vergadertafel. 'Ik heb gezien hoe Mark Young en zijn maten op deze forums met open microfoon te werk gaan. Ze doen van die slinkse aanvallen om het vertrouwen in het bedrijf te ondermijnen. Ze vernederen je gewoon in het openbaar om de prijs verder omlaag te drijven. Het lijkt op beter investeren door intimidatie. Ik heb een paar topmannen in het land letterlijk rood aangelopen en bevend van woede zien weglopen.'

DEZE TIJDEN ZIJN EEN BEPROEVING VOOR DE ZIEL – OOK VOOR DE MIJNE! Aldus een boodschap van Lisa Chang, die haar bril goed zette zonder Barry aan te kijken.

'Wel, wat willen jullie voorstellen?' vroeg Ross Olson, met de koele gemoedsrust die alleen de meest ervaren topleiders in huis hebben als ze het zelf niet meer weten.

'We moeten uithalen en wegrennen,' zei Steve Lyons, die zijn mondhoeken omlaagtrok. 'We moeten bekendmaken dat we aan het reorganiseren zijn en mensen op non-actief zetten, en dan verplaatsen we stilzwijgend onze aandeelhoudersvergadering naar een plaats als Missoula, zodat de mensen flink moeite moeten doen om bij ons te komen. Kijk naar Disney. Deden zij het een paar jaar geleden niet in Kansas City omdat het de geboorteplaats is van de oude Walt of zo? Ja, m'n zolen. Ze wilden het gewoon niet over dat Europese themaparkavontuurtje hebben.'

'Ik denk niet dat op non-actief stellen de oplossing is.' Barry schudde zijn hoofd. 'Om te beginnen hebben we maar dertig mensen. Ik denk niet dat je een bedrijf laat groeien door de onderdirecteuren als je boodschappenjongens te laten fungeren.'

'Ik vind dat we dit zo veel mogelijk via de achterdeur moeten regelen.' Bharat liet zich op zijn stoel terugzakken. 'Beleg zo snel mogelijk persoonlijke gesprekken of vergaderingen met Mark Young, en probeer hem rustig duidelijk te maken dat de koersen zich stabiliseren en dat hij ons wat speling zou moeten geven. Want laat ik jullie wel zeggen, mensen, mijn vader kwam hier ooit uit New Delhi en is twintig jaar taxichauffeur geweest in Queens, waar hij om de andere week wel een vuurwapen onder zijn neus kreeg. Daarom is een roemvolle afgang niet mijn eerste prioriteit. Dat is overleven.'

'We zouden Mark van de vergadering kunnen weren,' zei Steve Lyons. 'Hij bezit de aandelen die hij verhandelt niet echt, dus formeel zitten we goed.'

'Volgens mij zou dat een ernstige fout zijn,' zei Barry met een ongeduldig handgebaar.

Ze hielden allemaal op met mailen en keken naar hem. Lisa Chang nam haar bril af, waardoor ze er opeens veel frisser uitzag.

'Ik denk dat hij alleen maar geloofwaardiger wordt als we hem van de vergadering weren,' zei Barry met stemverheffing. 'Hij kan ons dan nog altijd in de kranten en via het internet belagen. En als we hem trachten te weren zal het alleen maar lijken of we iets te verbergen hebben.'

Hij liet die gedachte even in de ruimte zweven. IK KIES NOG STEEDS VOOR DIPLOMATIE, aldus een boodschap van Bharat. HEEFT IEMAND EEN PROZAC? vroeg Lisa even later. OF EIGENLIJK LIEVER EEN CORDIAL.

'Nou, ik heb weinig trek in een confrontatie ten overstaan van onze aandeelhouders,' zei Ross Olson met een licht Virginiaans accent, waardoor hij meer als een herenboer klonk dan als de wetenschapper die hij ooit was. 'Er zijn duidelijk dingen die we dit jaar anders hadden kunnen doen, met name op de alzheimermarkt, en ze zullen ons daarvoor ter verantwoording roepen.'

'Ik heb geen probleem met een confrontatie,' zei Barry, met zijn arm over zijn stoelleuning. 'Als hij ons van wanbeleid gaat betichten moeten we onze reactie klaar hebben. Als officier van justitie in de Bronx heb ik geleerd dat als je een getuige hebt met een probleem, je dat maar beter aan de jury kunt vertellen voor de tegenpartij dat doet.'

MAAR IK BEN DE GENETICA IN GEGAAN OM DIT ALLES TE VERMÍJDEN, boodschapte Lisa hem.

'Luister, ik had hier eigenlijk niets over willen zeggen' – Steve Lyons boog zich naar voren en liet gespannen zijn vingers knakken – 'maar ik sprak laatst een vriend die bij een grote concurrent werkt – ik zeg niet welke – en die vertrouwde me min of meer toe dat zij mogelijk in zijn voor de overname van een deel van onze octrooien en onze research, zodat we hier misschien nog zonder al te veel kleerscheuren uitkomen...'

'Bedoel je dat iedereen zijn aandelen moet verkopen?' Barry staarde hem ongelovig aan en merkte voor het eerst op dat het hoofd van Steve vaag de vorm had van een gebogen knie.

'We zouden ten minste *iets* over kunnen houden,' zei Steve. 'Niemand wil achter zijn bureau zitten als het dak instort.'

'Nou, mij niet gezien.' Barry ging rechtop zitten en verwachtte luide protesten.

'Met alle respect, Barry' – Steve schraapte zijn keel – 'maar je bent nog niet lang genoeg in zaken om in te zien wat er bij een ernstige teruggang gebeurt.'

'Maar is dit wat jullie allemaal willen?'

Barry ging de gezichten aan de vergadertafel langs, dwong ieder hem aan te kijken en merkte de onzekerheid op bij de jongeren, en de vermoeidheid bij de ouderen.

Hij hoefde dit niet te doen, zei hij tegen zichzelf. Hij had zijn fraaie kantoor bij Bowman, Wallace en Fisher in San Francisco niet hoeven opgeven. Ook niet het rondvliegen met eigen vliegtuigen, of de zakelijke besprekingen op Aruba. Hij had ook de kans niet hoeven opgeven op een jaarsalaris met zeven cijfers en misschien ooit een villa in Zuid-Frankrijk.

Maar hij deed het natuurlijk wel. Hij deed het omdat hij vijf jaar van zijn leven had gewijd aan het verdedigen van Brenner

Home Care tegen beschuldigingen dat je van hun producten van alles kreeg, van migraineaanvallen tot ernstige geboorteafwijkingen. Hij deed het omdat die zaak vanaf het moment dat hij het eerste dossier opensloeg een fiasco was. Hij deed het omdat een moeder in Marin County een baby zonder ogen had gekregen, na gebruik van het 'uitvoerig geteste en veilige' bestrijdingsmiddel Virulant, van Brenner. Hij deed het omdat hij die vijf jaar had besteed aan het vragen om rechterlijke uitspraken, aan het vernietigen van dagvaardingen en het wegdrukken van bewijs, aan pogingen de aanklagers af te matten, de zaken te vertroebelen, en overduidelijke aansprakelijkheid om te toveren in vage dubbelzinnigheid. Hij deed het omdat hij, hoezeer hij tegenover Lynn ook volhield dat hij maar een gewone advocaat was die de cliënt de bijstand gaf waar hij wettelijk recht op had, merkte dat hij geleidelijk aan symptomen begon te lijden waarvan hij het bestaan in zijn publicaties ontkende. Hij deed het omdat hij twee weken voor het begin van een langverwacht proces bijna met zijn geleasde Lexus van de weg af raakte door een acute migraineaanval.

Het was een klein wonder dat hij op het laatste moment een schikking onder de anderhalf miljoen had weten te bereiken. Maar een maand later voelde hij zich merkwaardig leeg en gedeprimeerd, alsof hij de zaak had verloren. Maar toen hij in die tijd met Lynn weer eens in New York was, nam Ross, een doortastende figuur die onderdirecteur bij Brenner was geweest, hen mee naar Windows on the World om over zijn nieuw op te zetten farmaceutische bedrijf te spreken. Uiteraard wilde Barry maar al te graag van de partij zijn. Niet alleen omdat hij aan de oostkust wilde blijven, waar zijn kinderen waren geboren en zijn zieke schoonmoeder woonde. Niet alleen omdat Bill Brenner een rund was. Niet alleen om de hoofdpijn en de foto's van het jongetje met vlezige uitstulpingen waar de oogleden hadden moeten zijn. Maar omdat hij iemand wilde om de bal toe te werpen. Om weer in een team te spelen, al was het maar een verliezend team. Gewoon om in een ruimte te zijn met jonge mensen die met ideeën kwamen, in plaats van ze af te schieten. En hij kon nog steeds zes bruggen als parelsnoeren over de twee rivieren beneden zien, toen hij met Ross het glas hief en op hun veelbelovende toekomst toastte.

'Hoor eens, ik boerde niet slecht als advocaat.' Barry toonde met enige zelfspot zijn manchetten. 'Maar weet je nog wat je die avond bij Windows tegen me zei, Ross? Je zei: "Niet lullen, maar poetsen."'

'Dat je me daaraan herinnert.' Ross keek uit het raam, naar het blauwe gat waar het restaurant was geweest.

'Je zei: "Waarom verdoe je je leven met het verdedigen van de slechte hotdogkraam van een ander? Laten we er zelf eens wat van maken. Laten we ondernemers worden. Ik ken een paar knettergekke jongens van MIT, die waanzinnige experimenten doen met apen en alzheimer. Ik weet aan risicodragend kapitaal van enige betekenis te komen. Ik heb alleen een paar partners met actief vermogen nodig, die bereid zijn hun nek uit te steken. Kom op. Wil je een nieuwe revolutie missen?'

Hij zag iedereen aan tafel met neergeslagen ogen, bij de gedachte aan hoe ze hier zelf waren beland. 'Ik overreedde mijn vrouw om me tweederde van ons spaargeld in dit bedrijf te laten steken,' zei Barry. 'Had ik dat gedaan voor een onbenullig dotcombedrijfje dat op een woensdag opengaat en op een vrijdag weer dicht met als enige daad een beursgang, dan was het mijn eigen schuld geweest. Maar ik heb gedacht dat we iets goeds van de grond zouden krijgen.'

'Ze gaan het licht bij ons uitdraaien.' Steve Lyons schudde zijn hoofd, en de zon werd mat door zijn merkwaardig platte schedel weerkaatst. 'Ik heb de helft van mijn reserves in dit bedrijf gestoken. Daar wil ik ten minste iets van terugzien.'

'Ik zou jullie niet graag vertellen hoeveel ik heb moeten lenen.' Bharat liet zich nog iets verder in zijn stoel zakken, zodat hij bijna recht naar het plafond keek. 'Mijn vader vermoordt me.'

'Ja, maar jij bent niet eens getrouwd, Bharat,' floot Steve hem terug, alsof hij met zijn twintig jaar voorsprong in leeftijd dat recht had. 'Ik heb twee studerende kinderen.'

IK STA MET AL MIJN CREDITCARDS ROOD, mailde Lisa. WIL IEMAND EEN MAALTIJD BIJ ODEON BETALEN VOOR EEN ARME AFGESTUDEERDE VAN MIT?

'Nou, ik zie er niets in om mijn tent op te vouwen en in de nacht te verdwijnen,' zei Barry, de vlaag maagzuur negerend bij de gedachte aan wat hij Lynn niet had verteld. 'Hebben we een medicijn dat werkt of niet?'

44

'Ik denk van wel,' zei Ross.

'Laten we ze dan zeggen dat ze de pest kunnen krijgen en onze zaken regelen. Ik zal contact opnemen met Mark Young en hem zeggen dat hij moet dimmen, anders krijgt hij een grote rechtszaak aan zijn broek.'

DIT IS TE VEEL TESTOSTERON, meldde Lisa. HELP ME. IK VERZUIP.

Maar Ross Olson, die in Vietnam een afdeling artillerie onder zich had gehad, knikte al alsof hij de strijdkreet weer hoorde. Bharat beet op zijn onderlip en staarde naar een vast punt tussen de plafondplaten. Hij begon aan de lange mars van onwillige betrokkenheid naar stalen vastberadenheid. Chris, Amy en Joel – respectievelijk van Operations, Marketing en Verkoop – die er stil bij hadden gezeten als toneelpubliek, begonnen onderling steeds levendiger te mailen.

'Dus wat vinden jullie ervan?' vroeg Ross Olson aan alle aanwezigen. 'Zetten we door of gooien we de deur dicht?'

'Doorzetten.' Barry stak zijn hand op.

'Doorzetten, zou ik zeggen,' zei Bharat moeizaam, zijn ogen sluitend alsof hij een klap verwachtte. 'We zijn tot hier gekomen, en ik weet niet eens of ik de weg naar huis nog terug kan vinden.'

Chris, Amy en Joel, afgestudeerden van Ivy League en onder de dertig, keken van hun mailapparaten op en knikten verdwaasd, alsof het spraakgebruik voor hen archaïsch en onbekend was.

'Goed dan, goed dan.' Steve Lyons stak zijn handen in de lucht. 'Ik was denk ik toch niet echt serieus.'

IS ER IETS BESCHAMENDER DAN DE MAN DIE DE MOED MIST OM EEN LAFAARD TE ZIJN? boodschapte Lisa.

Ja, dacht Barry, zonder zelf te mailen. EEN MAN DIE DE TOEKOMST VAN ZIJN GEZIN VERGOKT.

5

'Maar goed,' zei Lynns vriendin Jeanine Pollack, 'het zwembad.'
'Ik besefte niet dat dat zo'n beproeving was.'

'Dat had het ook niet moeten zijn. Maar ze zijn dagen bezig geweest met hun graafmachine, en dan staan ze opeens met hun modderschoenen in mijn keuken en zeggen: "We zitten op massieve steen; we zullen met springstof moeten werken."'

Ze lunchten samen bij Charlie's Blue Skylight Café, een van de zes kleine klasserestaurants die een paar jaar eerder op Fairview waren geopend tijdens de economische opbloei. Charlie Borrelli, een oude schoolvriend van Lynn, had een espressoapparaat geïnstalleerd, de muren karamelkleurig geschilderd, jazz uit de jaren vijftig in de geluidsinstallatie gestopt, geitenkaassalade op het menu gezet, en zo een soort toevlucht gemaakt voor Volvo rijdende dissidenten die de tirannie van de Starbucks om de hoek afwezen. Voor wat couleur locale had Lynn Charlie zes van haar vroege stadsgezichten in zwart-wit geleend om aan de muren te hangen. Maar tegenwoordig was het restaurant meestal halfleeg, met niet-werkende moeders die als gevangenen in aangrenzende cellen gedempt converseerden bij hun slapende baby's, en ontslagen vaders die achterin de *Wall Street Journal* doornamen, alsof niet elke werkloze minuut zwaar op hen drukte.

'En wat zei Marty ervan?' vroeg Lynn, haar fototas op een stoel naast haar zettend.

'Marty werkt elke avond tot laat om het tijdschrift uit te brengen. Uiteraard. Dus wat moet ik doen? Ze zeiden dat ik de volgende ochtend om kwart over zes met zesendertighonderd dollar contant naar die man moest gaan die dan bij mijn inrit zou staan. "Tegen niemand zeggen." Lynn, ik zweer je, hij leek op een van de terroristen.'

'Ach kom...'

'Ik meen het,' zei Jeanine met haar rasperige, doorrookte stem. 'Dit was ongeveer anderhalve maand voor de elfde, maar wie weet? Misschien was het om te oefenen. Het is dat donkere kereltje met die kraalogen en vooruitstekende tanden. "Maak je geen zorgen, dame. Ik zorg voor alles."'

'Is hij de dynamietman?'

Jeanine, die altijd onnatuurlijk blond en opgewekt was, met helderblauwe ogen en een stompe wipneus, at bangelijk gejaagd van haar omelet met cheddar en ham. 'Ik moet voorzichtig zijn' – ze dempte haar stem – 'want we hebben niet alle vergunningen. Hij is evengoed maar met springstof aan de slag gegaan. Een FBI-klant voor mijn zwembad. En elke keer als er een lading ontploft schudt het hele huis een beetje. Ik hoor dan het porselein van Williams-Sonoma in de kast rammelen en denk: geweldig, alle borden in mijn huis gaan eraan.'

'Ik dacht dat ze zo dichtbij niet met springstof mochten werken.'

'Dat doen ze ook niet. Alle borden zijn nog heel. Maar weet je wat ik aantrof toen ze weg waren? Mijn gazon lag vol dode dieren.'

'Wat?'

'Erewoord.' Jeanine stak haar rechterhand op, alsof ze de padvinderseed van weleer aflegde. 'Bosmarmotten, grondeekhoorns, egels. Het leek wel een Jonestown voor knaagdieren. Ze zagen er niet eens erg verfomfaaid uit. Ik denk dat de helft gewoon aan een hartaanval is gestorven.'

'Midlifecrisis in het dierenrijk.' Lynn knikte ernstig.

'Weet je hoe ik kan merken dat ik oud word? Ik draag met de week grotere kadavers van mijn grond. Eerst de goudvis van de kinderen. Toen de hamster. Daarna moest ik me van al die dode egels ontdoen, zonder dat de gemeente er lucht van kreeg. Weet je wat ik denk? Ik denk dat het een voorteken was. Ik had er meer aandacht aan moeten besteden. De dood komt voortdurend dichterbij.'

'O Jeanine, hou op. Je begint echt paranoïde te worden.'

Lynn probeerde haar vrienden altijd in de tijd te zien. Andere mensen keken naar Jeanine en zagen een gewezen effectenhandelaar met een harde blik, die haar rusteloze energie stak in een perfect huishouden en de verzorging van haar twaalfjarige tweeling, die er altijd tiptop uitzag en elke dag van de week een buitenschoolse activiteit op het programma had staan. Maar Lynn zag nog steeds de losbandige voormalige cheerleader die tijdens een schoolfeest achter in een blauwe Chevrolet haar maagdelijkheid verloor en nog steeds weleens in de kas in haar tuin marihuana kweekte.

'Heb jij gehoord wat er vanmorgen bij het station is gebeurd?'

'Iemand is van een boot gevallen.' Lynn streek haar haar uit haar gezicht. 'Trouwens, wie zal zeggen wat ze daar deden in deze tijd van het jaar.'

'Zeg, ben jij niet goed? Ze is niet van een boot gevallen.' Jeanine keek haar vernietigend aan. 'Haar hoofd is er afgehakt. Marty heeft het allemaal gezien.'

'Wat?'

'En Barry stond naast hem toen het lijk aanspoelde. Heeft hij dat niet verteld?'

'Niks daarvan.' Lynn knipperde met haar ogen alsof ze uit een donkere kamer in het volle daglicht stapte. 'Meen je dit? Hoe weet jij het dan?'

'Marty belde me vanuit de trein,' zei Jeanine.

'Wat bizar.' Lynn klopte op de zakken van haar jack en verwenste zichzelf weer omdat ze haar zaktelefoon thuis had gelaten. Stel dat Barry haar had willen bellen? Stel dat de kinderen ongerust waren? Ze keek rond en zag twee jonge moeders die voortijdig een einde maakten aan een ruzie van hun kinderen over legoblokken. Plotseling had ze een overweldigende, bijna duizelingwekkende behoefte om alles op zijn juiste plaats te krijgen. Ze had thuis moeten nagaan of er boodschappen waren. Ze had langs school moeten rijden om te zien of haar kinderen het goed maakten. Ze wist nog dat ze twee weken eerder net zo'n vlaag van bezorgdheid had gehad toen Sandi Lanier haar een paar minuten na negenen belde en zei: 'Zet CNN aan; je zult dit niet geloven.'

Waren ze niet naar hier verhuisd om van dat alles weg te komen? Waarom vertelde niemand haar wat er aan de hand was?

'Iedereen maakt het goed.' Jeanine raakte haar hand aan.

'Weet je het zeker?'

'Ja, ik weet het zeker. Het is waarschijnlijk net als met die andere die niet van hier was. Maar vertel me niet dat ik paranoïde ben. Als je paranoia wilt meemaken, praat dan met Sandi.'

'Waarom?' Lynn blies over haar koffie en probeerde weer rustig te worden. 'Wat is er met haar?'

'O, die is helemaal door het dolle van dat terroristengedoe. Ik sprak haar dit weekeinde, en ze zou proberen al die antibiotica te kopen voor een eventuele biologische aanval. Ik zei tegen haar: "Waar is dat nu goed voor? Ten eerste zullen ze niet gauw hier komen. En ten tweede geef je je kinderen die rommel al van meet af aan voor iedere oorontsteking. Heb je weleens van weerstand opbouwen gehoord?"'

'Ik weet niet wat er met haar aan de hand is.' Lynn keek hoe het schuim in haar kopje zakte. 'Gisteravond liet ze me met het eten zitten, zonder te bellen om zich te verontschuldigen. En ze heeft me nog steeds niet in haar nieuwe huis uitgenodigd.'

'Ja, ze begint echt geschift te worden.' Jeanine hoestte in haar servet. 'Ik dacht erover onze vriendschap maar even blauwblauw te laten. Ik heb zo al genoeg toestanden.'

'Ik zou zover niet gaan.' Lynn werd mild. 'Ik heb nog steeds een boel tijd over voor Sandi.'

'Ach, je bent een beter mens dan ik.'

'Herinner je je haar moeder nog? Dat was zo'n beheerste dame.'

'God,' zei Jeanine,' die moet van onze leeftijd zijn geweest toen ze stierf. Borstkanker, toch?'

'Net als Sandi. Alleen kwam je er toen niet zo vaak bovenop.'

'Verdraaid, Lynn' – Jeanine boog haar hoofd – 'nu geef je me echt het gevoel dat ik oud ben.'

Lynn staarde in de ruimte. 'Ik weet nog dat ik bij haar in de tuin speelde toen ik zes was. Haar moeder hielp me in hun grote eik te klimmen. Ik heb me er jaren schuldig over gevoeld omdat ze zes weken later overleed. Ik vond altijd dat ze haar krachten voor Sandi had moeten bewaren.'

Jeanine prikte nog een aardappeltje en bracht die naar haar licht gestifte mond. 'Jezus, hoe onthou jij zulke dingen? Ik herinner me zelfs nauwelijks iets van de middelbare school.'

Lynn besloot niet te suggereren dat dat kon komen doordat Jeanine te veel dagen en nachten in cannabisnevelen gehuld was, als een fagottist aan haar hasjpijp lurkend.

'Zeg, over oude vrienden gesproken,' zei Lynn, haar kopje leegdrinkend, 'weet je wie ik vanmorgen tegen het lijf liep?'

'Wie dan?'

'Michael Fallon.'

'Is het heus?' Jeanine hield haar vork met omelet halverwege haar mond stil, druipend van de gesmolten cheddar. 'Hoe is het met hem?'

'Hij zag er goed uit. Hij was bij het station toen ik daar aan de overkant foto's maakte voor mijn expositie. Hij vertelde me dat er iemand was verdronken.'

'Och, misschien wilde hij je niet van streek maken,' zei Jeanine.

'Hmm, zou dat niet ironisch zijn? In het licht van de gebeurtenissen?'

'Lijkt me wel.' Jeanine bekeek haar aandachtig. 'En hoe was het, hem terug te zien?'

'Het was een beetje vreemd, al was hij vooral heel erg aardig. Er waren wat ongemakkelijke momenten, maar het hielp dat Harold in de buurt was.'

Ze zwegen even, en Lynn observeerde het peinzende kauwen van Jeanine.

'Nou, voor wat het waard is,' zei Jeanine ten slotte, 'ik denk dat hij eindelijk zijn draai heeft gevonden.'

'Hoe kom je daarbij?'

'Ik zie hem af en toe.' Jeanine sloeg haar benen over elkaar en toonde een dikke gebruinde enkel tussen haar spijkerbroek en witte tennisschoen. 'Een paar jaar geleden was hij jeugdvoetbaltrainer.'

'O ja?'

'En ik moet je zeggen, hij was fantastisch. Geduldig. Begripvol. Hij schreeuwde nooit. Aanvankelijk was Zak niet tot meedoen te bewegen. Hij lag gewoon naast de zijlijn pakjes sap leeg te zuigen en naar de wolken te staren. Mike wist hem erbij te betrekken en nu is Zak als een kleine tijger op het veld. Hij had gewoon een mannelijk rolmodel nodig om hem te tonen hoe je agressief moet zijn zonder je zelfbeheersing te verliezen, en Marty is op zaterdag zo vaak op kantoor...'

Lynn dacht eraan dat Barry deze zomer met Clay op hun oprit basketbal oefende, waarbij het halfhartige enthousiasme van de jongen al gauw overging in onverschilligheid en een lange middag voor de televisie. Ze stelde zich voor dat Barry weer in zijn eentje op de basket zou gaan mikken, zijn teleurstelling verbijtend dat zijn zoon zijn liefde voor het spel niet deelde.

'En je weet toch dat Mike vorig jaar op de nominatie stond om chef te worden?'

'Nee, dat wist ik niet.'

'O jawel. Het schijnt dat hij degene was die in de stad echt dingen oploste. Weet je nog hoe verloederd het altijd was aan de rivier?'

'Waarom kreeg hij die baan dan niet?'

'Er was een zwarte jongen doodgeschoten, en ze besloten voor Harold te kiezen.' Jeanine trok haar neus op; ze wilde niet in details treden.

'Dat moet een hele slag zijn geweest. Ze waren zo dik met elkaar.'

Lynn dacht eraan hoe stroef ze zich die morgen langs elkaar bewogen.

'Ik denk dat Mike het wel best vond,' zei Jeanine. 'Hij is zo'n rechtlijnige figuur. Wist je dat hij een van de redders op Ground Zero is geweest?'

'Werkelijk?'

'Hij sprong gewoon in zijn auto omdat hij wilde helpen. Hij was op het nieuws te zien, bezig met andere mannen een steunbalk op te tillen.' Ze boog zich vertrouwelijk over het tafeltje. 'Ik moet je zeggen dat ik naar Marty keek met zijn korte broek, zijn pens en zijn flesje Evian, en ik dacht: en wat doe jij eraan, grote luilak?'

'Ik ben blij dat Michael eindelijk lijkt te sporen,' zei Lynn, een rood rietje om haar vingers knopend.

'Och, jullie tweeën waren altijd al een wat vreemde combinatie.'

'Hoe bedoel je?'

'Ik bedoel dat jij zo'n artistiekerige meid was, en hij een doodgewone jongen met een vader die in de gevangenis werkte.'

Lynn ging achteruit zitten en had het ongemakkelijke gevoel nu zelf voor de camera te staan.

'Wacht even,' zei ze. 'Lijkt dat je niet wat al te simpel voorgesteld?'

'Nee, waarom?' Jeanine bette haar mondhoeken. 'Het is waar. Hij komt uit die achterbuurt van lieden die altijd bij de rivier werkten. En jij bent van halverwege de heuvel, waar mensen elk moment kunnen komen en gaan. Jouw vader zat in de reclame. Het is niet meer dan een geografische toevalligheid dat we allemaal naar dezelfde middelbare school gingen.'

'Maar ik heb nooit op iemand neergezien.' Lynn deed afwerend haar armen over elkaar. 'Ik heb nooit mensen afgewezen om waar ze vandaan kwamen.'

'Dat hoef je ook niet. Je foto's zeggen genoeg.'

'Hoe kun je dat nu zeggen?'

'Ach, kom nou. Bekijk ze eens.'

Lynn draaide zich om, met haar elleboog op de rugleuning van haar stoel. Alle foto's aan de muur waren mat en ingelijst. De Michelangelo-wolken en de wachttoren aan de Hudson bij zonsopgang; de massa blanke forensen met hun trenchcoats en aktetassen op het perron; de stadsbestuurders met hun vastgeroeste grijns en ijzer negen op de golfbaan van Stone Ridge; schemering in de ramen van de oude kaartenfabriek bij de rivier; de middenklassehuizen in de heuvels met hun daken als uitgespreide meisjesrokken op een zomers gazon; het lege gebarsten zwembad vol bladeren op het oude landgoed Van Der Hayden.

'Wat mankeert eraan?' Ze keerde zich weer naar Jeanine.

'Niets. Of je moet er bezwaar tegen hebben dat je woonplaats eruitziet als een kruising tussen een door oorlog verscheurd Bosnië en een kermisattractie van Coney Island.'

'Ik dacht dat je mijn werk mooi vond.'

'Dat doe ik ook. Het is heel geslaagd,' zei Jeanine luchtig, haar bord wegduwend. 'Maar het is alsof je ons door een microscoop bekijkt.'

'Dat is niet waar. Ik hou van deze stad. Daarom ben ik teruggekomen.'

'O ja, natuurlijk.' Jeanine grijnslachte. 'En je doet met dat soort foto's echt veel voor de waarde van onze huizen.'

Lynn staarde naar het ronde tafeltje tussen hen in. De laatste paar seconden leek het uitgegroeid te zijn tot een bevroren vijvertje.

'Nou, volgens mij spreekt er ook veel warmte uit deze foto's,' zei ze.

'Zeker, net als bij de foto's waar je die prijs mee won. Hoe heette die?'

'De Thomas Cole-prijs.' Lynn dempte haar stem. 'Je zegt dat alsof ik me ervoor zou moeten schamen.'

'Ach, je kwam ermee in het Pratt-Instituut, dus ik denk dat iemand ze enigszins waardeerde.'

'Wil je zeggen dat ik hem heb gebruikt om verder te komen?'

Jeanine sloeg haar ogen op om een langslopende serveerster te wenken, alsof ze de woordenwisseling niet wilde voortzetten nu ze het hare had gezegd.

'Jeanine...'

'Liefje, we hoeven daar niet meer over te praten. Het is ver verleden tijd.'

'Dat weet ik, maar wat jij beweert... Je kunt het er niet zomaar bij laten.'

'Ik zeg alleen maar dat dingen ingewikkelder zijn dan ze soms lijken...'

'Dus jij denkt dat wat er uiteindelijk met Michael en mij gebeurde alleen mijn schuld was?'

Ze zag Jeanine aarzelen, alsof ze op de rand van een hoge rots stond. Dit is het punt waarop een vriendschap eindigt, besefte Lynn. Dit is een punt waarop je ophoudt met elkaar bellen en alleen nog kil naar elkaar glimlacht op het parkeerterrein van de supermarkt. Vanaf zo'n punt ga je uitzien naar een andere tennispartner en rol je met je ogen als je man vraagt waarom er al zo'n tijd geen contact met de Pollacks is geweest.

'Luister, het is lang geleden.' Jeanine glimlachte even geruststellend en besloot terug te krabbelen. 'We zijn nu allemaal een ander mens. Nietwaar?'

'Is waar,' zei Lynn, die het moment voorbij wilde laten gaan.

'In ernst, als jij me in de tijd dat ik nog bij Merrill Lynch werkte had verteld dat ik mijn avonden nog eens zou gaan besteden aan het bakken van cakejes en het voorlezen van steeds maar weer hetzelfde berenboek, had ik meteen mijn polsen doorgesneden.'

'Ik denk dat dat ook voor mij geldt.' Lynn schraapte ongemakkelijk haar keel. 'Ik dacht ook nooit aan carpoolen en lovertjes op balletjurkjes naaien, toen ik voor de *News* werkte.'

'En moet je ons nu zien, twee taarten van middelbare leeftijd aan de lunch...'

'Godzijdank worden we weer zeventien en doen we alles nog eens over,' zei Lynn.

'O, ja... hahahhahhaha...'

Maar na het nemen van deze verraderlijke bocht in het gesprek was Lynn rusteloos en kon ze niet meer goed stilzitten. Ze bleef over de schouder van Jeanine naar haar oude foto's aan de muren kijken en vond er van alles aan mankeren. Als ze deze objecten weer zou fotograferen zou ze zachter licht, meer schaduw en misschien een grotere beeldhoek toepassen.

'Laten we het eens over wat anders hebben.' Jeanine raakte haar arm aan. 'Hoe is het met de kinderen?'

6

'Kom op, Daniel. Doe er wat aan.'

Het kind leek versteend en bleef achter in het doel hangen. Geen geboren sportman op zijn best, dacht Mike, en keek naar de andere zevenjarigen die over het veld renden. Een bonenstaak met een te groot hoofd, die elke keer als de bal in zijn richting kwam ineenkromp.

'Kom op, Dannyman, hou je hoofd erbij,' Mike klapte in zijn handen en was zich ervan bewust dat de moeder van het kind langs de zijlijn toekeek, waar ze hem zojuist had gezegd dat dit kind momenteel heel hard een vaderfiguur nodig had. 'We komen een speler tekort. Je bent in de aanval nodig.'

Hij liep naar de jongen en gaf hem een por. *Heb ik niet genoeg om me zorgen over te maken?* Hij zag de verwrongen blauwe vlinder op de koude witte enkel weer voor zich. Maar toen keek de zoon van Carl Fitzsimmons naar hem op met zijn oudemannenogen en scheve konijnentanden. Hij klopte het kind op zijn schouder, en Danny slenterde naar het midden van het veld.

Misschien was het goed om even van het bureau weg te zijn voor een frisse kijk. Soms zag je dingen helderder op een veld dan op je bureaustoel. Alle gaatjes in de chaos, alle patronen en openingetjes in drie dimensies, die anders misschien nooit bij je op zouden komen. *Ze was van hier.* Zelfs die nieuwe zag dat in.

Kom op. Hou je eigen hoofd erbij. Harold had hem gevraagd te komen en de schijn op te houden. Dus hier ben ik. Zie je wel? Alles is onder controle. Hij keek in het rond en vroeg zich af hoelang het zou duren voor de andere moeders langs de zijlijn beseften dat Carl niet de enige van hun vrienden was die hier ontbrak.

Intussen keek Danny Fitzsimmons om naar hem, om na te gaan

of het zo goed was, en verdween toen in de kluit van jongens rond de bal.

'Zet 'm op, Danny!' riep hij, zich afvragend hoe hij hier in vredesnaam met goed fatsoen weer weg kon. 'Pak die bal!'

Als je eenmaal je voet had gezet in van die dingen als kinderen die een ouder hadden verloren, moest je je eigen been afbijten om ervan weg te komen. Een week na de verdwijning van zijn vader kreeg Danny bij de training een bloedneus en zei dat hij niet meer wilde voetballen. Daarop moest Mike de jongen elke dag gaan bellen, om hem te zeggen dat de andere jongens niet zonder hem konden. Want wat moest je anders doen in zo'n geval?

Hij liep met het fluitje in zijn mond naar de kluwen jongens, klaar om tussenbeide te komen voor het op huilen uitdraaide. Goed, momenteel zit je klem – speel je rol tot de bal uit gaat. Zet er het goede gezicht bij. Doe alsof alles geheel normaal is. Maar toen zag hij een dun wit beentje schoppen en de bal uit de kluit rollen. Javier, het ondergeschoven jongetje uit Equador, struikelde toen hij erachteraan ging, en toen maakte Danny zich opeens los uit de kluwen en rende met de bal langs hem heen naar het doel aan de andere kant van het veld. Het joch holde met zijn dunne benen als een kreupele strandloper en zijn armen slingerden nutteloos langs zijn lijf, maar hij kwam er. Hij aarzelde heel even, niet wetend of hij echt zou uithalen, week toen terug en raakte de bal met de zijkant van zijn voet. De bal kwam tegen een steen, stuiterde en rolde toen de andere hoek van het doel in.

'Ja jong. Dat bedoel ik nu.'

Toen hij de stem van een volwassen man zijn kleine overwinning hoorde vieren, stak Danny juichend zijn armen omhoog en rende naar zijn trainer om hem te omhelzen.

Het vreemde was dat Barry tot twee weken daarvoor de andere mensen die met de trein naar huis gingen nauwelijks had opgemerkt. Gewoonlijk was hij zo diep verzonken in lectuur of uit het raam kijken dat al het andere slechts achtergrondgeluid leek. Maar vanavond leek de trein leger dan gewoonlijk. Het drong tot hem door dat de meeste keren dat hij de trein van 8.07 nam, dezelfde man aan de andere kant van het gangpad zat. Altijd in hetzelfde blauwe pak, een wit overhemd en een rode stropdas. Altijd aanvankelijk hijgend en zwetend als een paard, alsof hij had gerend om de trein te halen. Gewoonlijk leek hij pas wat bij te komen als ze uit het inwendige van Grand Central waren en langs de waslijnen van Harlem reden. Daarna zat hij als een uitgezette robot tegen het raam gezakt, zonder oog voor de weidsheid van de Hudson, de blauwe brug bij Spuyten Duyvil, en de zeilbootjes die zacht op de stroom deinden. Soms stelde Barry zich het leven van de man voor. Waarschijnlijk zo'n sloeber met een werkhok bij Citicorp en een huis in Hawthorne, die de hele dag aan de telefoon zit en 's avonds te gespannen en te moe is om nog wat voor zijn vrouw en kinderen te betekenen. Hij bedacht dan met voldoening dat hij nooit meer zo wenste te leven, met altijd maar haasten om de trein te halen. Maar het zien van dat lijk die morgen maakte hem net iets bewuster van de dagelijkse gang van zaken. Het viel hem in dat hij de man sinds de elfde september niet meer had gezien. En terwijl de trein langs de suikerfabriek in Yonkers reed, zag hij de zon in een rode plas op de rivier wegsmelten en sloeg hij de krant open bij de 'Portraits in Grief' om te kijken of hij iemand van de foto's herkende.

'Sandi, dit is al de derde boodschap die ik inspreek.' Lynn belde vanuit de Saab terwijl ze wachtte op de trein van Barry. 'Ik wil even zeggen dat er geen moer van deugt dat je me gisteravond zo liet zitten. Zo behandelen vriendinnen elkaar niet.'

Ze zag een rij auto's afremmen voor ze het parkeerterrein verlieten, en een grote man met een klembord en een zaklantaarn, die met elke bestuurder sprak. Iets in de manier waarop de remlichten in de vallende schemering gloeiden versterkte het gevoel dat ze de hele dag al had, dat er ergens een verbinding in de mechanismen van de stad niet goed werkte.

'Luister, bel me gewoon en laat me weten of alles in orde is,' zei ze. 'Jij kunt soms zo flapdrollig zijn dat ik er gek van word. Bel me, trut die je bent. Ik mis je.'

Een lichte nevel kwam van de rivier toen de trein met een vlaag van opluchting het station in reed. Deuren sprongen open en forensen stroomden over het hard verlichte perron uit als buitenaardse wezens met grote hoofden, die in een film van Spielberg door een vliegende schotel worden uitgebraakt.

Mike stond met zijn klembord en lantaarn bij de uitgang van het parkeerterrein, keek naar de uitgerekte silhouetten die de trap af kwamen, en herinnerde zich hoe hij als kind van dit station hield, om de hypnotiserende ritmiek, de forensenstromen, en het helse lawaai van de voorrijdende oude diesels. Hij dacht aan de uren die hij op de vloer gespeeld had met aftandse speelgoedtreinen die hij van zijn broer Johnny mocht hebben. In een winkel om de hoek stond een glanzend model van Tonka, en hij wilde dat zijn moeder dat voor hem kocht. Een blauw gegoten model van een stoomloc van Union Pacific. Wat wilde hij die graag hebben. Hij bedelde er elke dag om, zo knaagde het van binnen. Maar ze was heel erg op de penning. En daarom pakte hij het ding op een dag gewoon. Hij stopte het toen niemand keek zo in zijn zak, waar het deel ging uitmaken van de geheime wereld die hij altijd voor haar verborgen hield.

Hij zag de forensen in hun blitse auto's stappen. Speelgoed voor rijke mensen. Her en der gingen koplampen aan, en ze vormden geleidelijk een rij die op hem toe kwam. De lichtbundels doorboorden het donker en maakten nevelige zwermen muggen zichtbaar.

'Ogenblikje, meneer?' Hij hield een vijftiger aan in een witte Lexus en liep om naar het bestuurdersraam. 'We doen een routineonderzoek in verband met een voorval vanmorgen bij dit station.'

'Ja, maar ik moet toch echt naar huis.'

De man rook naar Cutty Sark en zijn ogen waren als doorgebrande lampjes. *Wat bezielt zo'n man om bezopen achter het stuur van zo'n dure auto te kruipen?* Iedere andere avond had Mike hem eruit gesleurd en over een rechte lijn laten lopen.

'We willen nagaan of iemand misschien iets nuttigs heeft te melden over hoe dat lijk daar opdook...'

'Nee, nee... Ik had een latere trein.'

'En gisteravond? Was u toen op het station?'

'Nee, gisteren ging ik met de auto. Kan ik nu gaan?'

Ergens achter hem toeterde bescheiden een Volvo. 'Bedankt voor uw medewerking, meneer.'

'Ja, jij ook, jongen.'

Er kwamen nog vier auto's die niets te melden hadden. Niemand had iets gezien. Niemand wist iets. Stadsmensen. Hij herinnerde zich hoe zijn vader altijd zijn hoofd schudde en door zijn tanden siste als ze hem met hun chique Europese benzineslurpers bij de kruising van River Road de voet dwarszetten. Mannen van middelbare leeftijd met kale hoofden en lange tochtlatten. Mike keek op zijn horloge en zag dat hij al bijna twee uur bezig was. Hij had spierpijn van het voetballen. Zijn laatste vrije dag was al twee weken geleden. Hij maakte zich nog steeds zorgen om zijn longen, en weer vroeg hij zich af wat hij op Ground Zero voor gif kon hebben ingeademd.

Aan sommige dingen ga je snel dood, en aan andere zo langzaam dat je nauwelijks weet dat je ziek bent.

Een glimmende zwarte Saab met een lichte slijtplek op de motorkap schoof door. Mike richtte zijn zaklantaarn op de ogen van de bestuurder en ontleende enige voldoening aan de verblindingsreactie.

De bestuurder leek een hele Piet, met kleine ronde ogen en een iets gebogen neus. Een bankier of een advocaat, naar Mikes idee. Het profiel van een knappe vrouw ernaast bleef half in de schaduw.

'Goedenavond meneer, we doen onderzoek naar aanleiding van een voorval bij het station, vanmorgen...'

'Hé, Fallon...' De vrouw rechts voorin leunde over de benen van haar man.

Hij herkende meteen het gezicht van Lynn Stockdale.

'Hé, ben jij het,' zei hij. 'Twee keer op een dag. Bij de derde keer wordt getrakteerd.'

De echtgenoot keek argwanend met een oog half dichtgeknepen.

'Waarom zei je toen dat het een drenkeling was?' vroeg ze.

'Daar gingen we op dat moment maar van uit.'

Mike bleef haar zo lang mogelijk aankijken.

'Je kunt niet alle voetbalmoeders zonder goede reden aan de Prozac brengen.' Hij knipoogde subtiel naar haar.

'Mij leek ze bepaald geen drenkeling,' zei de echtgenoot binnensmonds.

Mike richtte langzaam zijn blik op hem, duidelijk makend dat niets wat deze man zou kunnen zeggen ooit indruk op hem zou maken.

'Michael, dit is mijn man, Barry Schulman.' Lynn trok de bestuurder aan zijn stropdas.

'Rechercheur-inspecteur Michael Fallon, Barry. Blij je eindelijk te ontmoeten.'

Hij wachtte tot de echtgenoot zich omkeerde en 'eindelijk?' naar Lynn mimede, voor hij hem door het raam een hand gaf waar zijn botten van kraakten. Zijn vader zei altijd dat als je een man een beetje uit zijn evenwicht kon brengen, je hem waarschijnlijk alles kon laten doen wat je wilde. Maar Schulman betaalde hem met gelijke munt.

'Hé, rustig aan, man.' Mike trok zijn hand terug. 'Dit zijn verfijnde instrumenten.'

'Je bent zelf ook niet zachtzinnig.'

'Wel, Barry' – Mike strekte zijn vingers – 'jij lijkt me een echte forens. Heb jij vanmorgen wat gezien?'

'Ja, ik was met die trein,' zei de echtgenoot, iets te snel. 'Maar ik denk niet dat ik iets heb gezien wat niemand anders heeft gezien. Om misselijk van te worden. Ze leek niet lang in het water te hebben gelegen.'

'Zo? Hoe kom je daarop?' Er was een onmerkbare frons op Mikes voorhoofd.

'De huid kwam nog niet los.'

'Is dat zo?' Mike leunde zonder veel respect voor de auto op het portier. 'Viel dat je toevallig op?'

'Barry is voor hij bij een bedrijf ging werken vier jaar assistent-officier van justitie in de Bronx geweest.' Lynn raakte het gezicht van haar man aan. 'We hebben elkaar in een rechtbank leren kennen. Ik plaag hem er weleens mee dat hij het virus nooit helemaal is kwijtgeraakt.'

'Ach, je weet hoe dat gaat.' Schulman hief zijn handpalmen. 'Het is boeiender om een getuige in een mishandelingszaak te ondervragen dan om papieren op te bergen bij de FDA. Maar werk is werk.'

'Dus jij bent openbare aanklager geweest, huh?' Mike trok met zijn ogen alsof hij om een hoek probeerde te kijken.

'Ja, ik heb in de stad gewerkt. Maar hier ben ik een gewone burger net als iedereen.'

Zo is het, klojo. Mike staarde hem enkele seconden zwijgend aan. Als kind had hij die gave al. De ijzige blik. Als je mensen lang genoeg aanstaart deinzen ze uiteindelijk terug of ze beginnen te kwaken.

'Interessant dat je dat opmerkte,' zei hij, om hem de volledige behandeling te besparen. 'De meeste mensen zouden dat niet doen.'

Hij zag onrust bij Lynn, die zich een houding probeerde te geven tegenover haar man. Mike vroeg zich af hoeveel ze hem had verteld, en of dat genoeg was om zijn argwaan te wekken. In de loop van de dag was hij een paar keer van mening veranderd over hun gesprek van die morgen. Eerst meende hij dat ze hem gewoon afhield met die onzin over het telefoonnummer. Maar nu was het duidelijk dat ze eenvoudig bang was dat een oud vuurtje weer op zou gaan gloeien.

'Hoe staat het er nu mee?' vroeg de echtgenoot. 'Hebben jullie al enig idee wie ze is?'

'Nee, maar dat zal niet lang duren. Op het forensisch lab hebben ze allerlei soorten DNA-spul om slachtoffers te identificeren. Je kunt niet meer op het trottoir kwatten zonder dat wij erachter komen wie het heeft gedaan.'

'Ja.' Schulman knikte. 'Vroeg of laat is het raak.'

'Uiteraard,' zei Mike. 'Maar dat kost tijd, en jij als gewezen wetshandhaver zult dat vast wel begrijpen.'

Mike keek van de echtgenoot naar Lynn en rolde met zijn tong onder zijn lip.

'O ja, natuurlijk,' zei de echtgenoot, die de wenk begreep. 'Het is niet mijn bedoeling iemand in de wielen te rijden.'

'Geen probleem, amigo.' Mike nam zijn handen van het portier en hees zijn pistoolgordel op. 'Wie het uiteindelijk voor Lynn is geworden deugt voor mij.'

'Ah, op die manier.' Schulman keek zijn vrouw aan. 'Zijn jullie oude vrienden?'

Mike zag Lynn een beetje in haar stoel ineenkrimpen, alsof ze hen beiden wilde laten vergeten dat ze daar was.

'O, zeker.' Mike grijnsde. 'Wil je zeggen dat ze het nooit over me heeft gehad?'

'Michael en ik hebben samen op de middelbare school gezeten,' zei Lynn zacht. 'Dat heb ik je vast wel verteld.'

'O ja?'

Mike voelde zijn glimlach verstarren alsof die in de hoeken met punaises omhoog werd gehouden.

'Je weet dat ik nooit namen kan onthouden,' zei de echtgenoot bijna verontschuldigend. 'Ze gaan het ene oor in en het andere uit. Dat krijg je als je naar de vroegere woonplaats van je vrouw verhuist. Je blijft achterlopen.'

'Tja, daar heb ik geen ervaring mee.' Mike richtte de lantaarn op Lynns ogen en voelde vanbinnen iets verschrompelen en verharden.

'De familie van Mike woont al generaties in deze stad,' zei ze, bijna schuchter.

'Werkelijk?' De echtgenoot begon met zijn vingers op het stuurwiel te trommelen.

'En nu is Mike hier een grote bij de politie. Iemand vertelde me vanmorgen dat hij alle crackdealers uit de Hollow heeft verdreven.'

'Is dat waar?' De echtgenoot keek op, slechts half geïnteresseerd.

'Ja, we hadden zo'n succes met het schoonvegen van de stad dat de meesten van ons zich nog nauwelijks kunnen veroorloven hier te wonen.' Mikes wangen bolden op alsof er van binnen twee vuistjes zaten. 'Is dat niet grandioos?'

De echtgenoot trommelde niet meer op het stuur en keek Lynn weer aan.

'Hm' – hij zuchtte – 'we moesten maar op huis aan. Het spijt me dat ik niets zinnigers heb toe te voegen. Ik bel je wel op het bureau als me wat invalt.'

'Dat zou geweldig zijn.' Mike knipte de zaklantaarn uit en weer aan. 'Lynn en ik hadden het erover binnenkort eens bij elkaar te komen.'

'Is het werkelijk?' De mond van de echtgenoot vertrok iets. 'Ik ben altijd de laatste die zulke dingen hoort.'

'Ja,' zei Lynn, die haar kin hief en besloot hem even te trotseren. 'Dat leek me wel een keer leuk. Hij heeft een New Yorks voetbalteam getraind. Barry, weet je nog hoe we Clay altijd aan het voetballen probeerden te krijgen?'

Aha. Ze was dus werkelijk zijn antecedenten nagegaan.

'We krijgen hem wel weer het veld op.' Schulman wreef in zijn ogen.

'Hé Barry, je vrouw vertelde me dat je vroeger een supersport-man was.'

'Zegt ze dat?' Schulman bekeek hem even met de ogen van een medesportman. 'Jullie moeten vandaag heel wat hebben bijge-praat.'

'Misschien krijgen we je binnenkort nog eens het veld op, dan zien we wat je er nog van bakt.'

'Eigenlijk is basketbal het voor mij, maar wat maakt het uit. Leuk je ontmoet te hebben, inspecteur.'

Schulman reed langzaam langs hem heen. Mike zag de rem-lichten aanflitsen en de twee hoofden naar elkaar gaan voor een ernstige discussie toen ze bij de uitgang moesten stoppen. *Nie-mand heeft iets gezien. Niemand weet iets.* En net voor ze buiten de omheining rechtsaf sloegen stak hij de zaklantaarn onder zijn arm en noteerde hun kenteken op zijn klembord.

7

'Zeg, wat heeft die vent?' vroeg Barry, zijn hand strekkend na het nemen van de bocht. 'Ik dacht dat hij mijn hand tot moes wou knijpen.'

'Dat is een mannentruc,' zei Lynn geeuwend. 'Ik denk dat hij je wilde tonen dat het kerels zijn hier in Riverside.'

'Ja, dat zal wel. Een echte macho.'

Van River Road sloegen ze linksaf, langs de immigranten die domino speelden bij het licht van superstore Barnes & Noble, en reden via Prospect Avenue naar de West Hills. Ze hadden niet het soort relatie waarbij de man altijd moest rijden, maar vanavond voelde ze zich wat uit haar doen en had ze hem gevraagd het stuur te nemen.

'Vertel eens, is hij een ouwe vlam van je of zo?' vroeg Barry.

Ze draaide haar raam open. 'Zoiets.'

Ze reden verder door de hellende donkere straten van de Hollow, waar donkere jongens met hoofdbanden kunstjes deden op mountainbikes en een figuur in een overal met een blower van een meter herfstbladeren van zijn gazon blies.

'Ik kreeg de indruk dat hij mogelijk nog steeds een beetje verkikkerd op je is,' zei Barry. 'Hoe komt het dat je me nooit over hem hebt verteld?'

'Het is indertijd minder prettig afgelopen.'

'O?'

'Vind je het erg als ik daar nu niet over wil praten?'

De helling werd steiler toen ze door de wat meer gegoede wijk Indian Ridge reden, waar de huizen groter en rianter waren, met vlaggen over de verandaleuning gedrapeerd.

'Waarom heb je me niet verteld dat je vanmorgen het lijk van een vrouw zonder hoofd hebt gezien?' vroeg ze.

Hij keek naar het verloop van de telefoondraden in de straatverlichting, als regels van radioactieve bladmuziek.

'Dat weet ik niet. Ik denk dat ik je niet wilde verontrusten. Iedereen is toch al zo schichtig. Hoe is het met de kinderen? Hebben zij ervan gehoord?'

'Ja, maar kijk, het blijven stadskinderen.' Ze ging in elkaar zitten en warmde haar handen tussen haar knieën. 'Die laten zich niet gauw van streek maken. Ze praten trouwens toch niet veel op school over dit soort dingen. Ze hebben het te druk met proefwerken en toelating tot een goede opleiding.'

'Ik weet niet of dat nu goed is of slecht.' Barry haalde zijn schouders op. 'Ik herinner me mijn eerste jaar in Newark na de rellen, met politie op scooters in de gangen. Ik liep altijd vlak langs ze.'

'En was dat goed of slecht?'

'Ach, ik ben toch goed terechtgekomen?'

Hij legde zijn hand op haar knie terwijl ze langs het vroegere Victoriaanse huis van haar ouders reden, waar een Japanse architect en zijn gezin een bonsai in de voortuin hadden geplant.

'Wat houdt dat trouwens in? Dat het "minder prettig" is afgelopen?'

Ze zuchtte diep. 'Als ik zeg dat we op dat punt in ons leven allebei niet op ons best waren, kunnen we het daar dan bij laten?'

'Natuurlijk. Prima. Zoals je wilt.'

De volgende tien minuten reed hij zwijgend voort, langs de bull-dozers bij de nieuwe golfbaan, het oude landgoed Van Der Hay-den met zijn nieuwe ommuring, en het grote weiland waarvan Barry onlangs had gehoord dat er koeien in stonden, die de tele-communicatiemagnaat van de overkant had gehuurd om het schil-derachtiger te maken.

Net voorbij de oude molenvijver ging Barry rechtsaf Grace Hill Road op en zag het lege terrein waar het statige tudorhuis had ge-staan. Een of andere beursanalist had het vorig jaar gekocht en gesloopt, waarschijnlijk om er een kast van een huis neer te zet-ten. Maar zijn geld was zeker opgeraakt, want er was sindsdien niets meer gebeurd. Er stond een kleine hertenfamilie bij het gat waar het huis ooit was, zich afvragend of hun pad hier altijd al liep.

Barry reed er langzaam langs en wist weer dat zelfs na achttien jaar huwelijk zijn vrouw soms nog net zo'n mysterie voor hem was als de voorsteden.

'Hoe ging het op je werk?' vroeg ze.

'Je kent het. De worsteling gaat door. Wat ons niet doodt maakt ons sterker.'

'Betekent dat dat we nog steeds met Kerstmis naar Parijs kun-nen?'

'Natuurlijk,' zei hij. Dat plan was hij geheel vergeten. 'Daar heb ik in voorzien.'

Ook al waren de vliegtarieven naar Europa verlaagd om het vliegen te bevorderen, de tickets en een fatsoenlijk hotel voor een week zouden minstens zesduizend dollar kosten. Hij hoopte dat hij geen schatkistpromesse hoefde te verkopen om het reisje te be-talen. Hij had Lynn beloofd dat hij van dergelijke tegoeden en het studiegeld voor de kinderen af zou blijven.

'Mooi,' zei ze. 'Want dit kan ons laatste reisje als gezin zijn. Ik krijg Hannah nog nauwelijks mee uit winkelen.'

'Het is niet tegen te houden. Toen jij die leeftijd had zal het tus-sen jou en je moeder niet anders zijn geweest.'

'Dat is niet waar. Toen ik die leeftijd had zorgde ik voor mijn moeder.'

'En dat heb je waarschijnlijk vreselijk gevonden.'

'Maar het weerhield me niet van wat ik moest doen.'

Voorbij de stoeterij draaiden ze scherp hun verscholen inrit op.

'Heb ik je weleens verteld hoeveel ik van ons huis hou?' vroeg ze.

'Gooi het er maar uit.'

'Het is gewoon zo'n opluchting als ik die bocht maak en het daar zie staan.'

Hij voelde haar koele vingertoppen in zijn nek.

Hij herinnerde zich de eerste keer dat ze over deze lange grindweg kwamen, met de strook gras in het midden en het bladerdak van eiken, anderhalf jaar eerder. Zoals Lynn het formuleerde was het als van zwart-wit overstappen op oververzadigd amber en groen van Kodachrome. Hij had niet beseft hoe gewend hij was geraakt aan vale grijstinten, toen hij in Newark opgroeide en in Manhattan woonde. Alles hier zag er zo levendig uit. De rode veren van een kardinaalvogel op zijn nest. De gele bladeren die ruisten in een zachte bries, en de Canadese ganzen snaterend in de lucht. Het zachte gehinnik van de paarden verderop, en het wazige tintelen van de rivier aan de voet van de heuvel. En boven op hun heuveltje het oude bruine boerenhuis – onverstoorbaar en onaangedaan, als een levend schilderij van Winslow Homer.

'Alles zal toch in orde komen?' Ze pakte zijn arm vast toen hij boven aan de oprijlaan stopte bij het basketbalbord.

'Ja, natuurlijk,' zei hij vlug. 'Alles is oké.'

Maar toen hij het portier opende en de binnenverlichting aanging, zag hij zijn eigen onzekerheid in haar ogen weerspiegeld.

'Heus,' zei hij. 'Wij zijn de geluksvogels.'

Hij stapte uit en bekeek de bumpersticker van de auto die de garage blokkeerde – de knalgroene oude Datsun van de vriend van hun dochter, Dennis Paultz. 'Als je niet verontwaardigd bent, denk je niet na.'

'Ik kan niet geloven dat ze nog steeds met dat joch omgaat.' Hij schudde zijn hoofd. 'Wanneer is ze die een keer ontgroeid?'

'Misschien gebeurt dat niet. Misschien is dit ware liefde.'

'God, het zal toch niet waar zijn?'

Ze liepen over het grasveld, langs Sam, de tuinkabouter met de basketbal en zonnebril die Lynn Barry voor zijn laatste verjaardag had gegeven. Het beeld stond in de schaduw van de appelboom waar Barry bij hun eerste bezoek verliefd op was geworden. Een fantastisch idee, voedsel in je eigen voortuin te kunnen telen, in plaats van op zaterdagmorgen met een lijstje naar de supermarkt te gaan. Zíjn boom. Net als de boom die zijn vader wilde zien groeien in hun voortuintje aan Clifton Avenue. Hij had het heerlijk gevonden zijn vader onder deze te zien zitten, maar vijftig procent van een droom waar te zien worden was toch zo gek nog niet? Maar nu het die avond zo snel koud werd vroeg hij zich af of die groene nootachtige appeltjes wel de kans zouden krijgen om te rijpen.

'Is er iemand thuis?' riep Lynn, en ze duwde de zware mahoniehouten voordeur open die ze in landelijk Pennsylvania had gekocht omdat hij de kinderen aan een middeleeuws kasteel deed denken.

Hij stond op de drempel achter haar en vergunde zich een vluchtig moment van voldoening, als een leeuw die tevreden een poot in zijn hol zet.

Dit is ons huis. Hier horen we thuis. Ze waren er bijna financieel kapot aan gegaan. Op de koopprijs van 650.000 dollar kwam nog een kwart miljoen aan kosten. Maar wat was er voor keus? De keuken was uit de tijd van Eisenhower, en zelfs Donna Reed zou de woonkamer veel te burgerlijk hebben gevonden. Heel de lambrisering van linoleum en hout moest eruit. De zolderingbalken moesten in het zicht. Het huis moest een kale bunker worden om het tot hun huis te maken. Hij wist nog hoe Lynn met de architect aan het ontwerpen sloeg alsof ze een verhaal vertelde, met invlechting van kleine details die alleen zij beiden zouden begrijpen. Een marmeren schouw rond de haard zoals ze in hun eerste appartement aan East 10th Street hadden gehad; een eiken bed zoals gezien in een pikante film van Rohmer; de eiken trapstijl uit haar ouderlijk huis; een barretje dat ze uit een oude dranksmokkelboot had gered en zelf opgeknapt; openslaande ramen in de woonkamer, zoals Oliver Twist opengooide op die eerste morgen in het huis van zijn weldoener; een serie zwart-witfoto's die Lynn van boerderijen in Vermont en de duinen van Cape Cod had gemaakt, tegen matwitte achtergronden. Op zeker moment begon hij te klagen over de vele dollars die door zijn handen stroomden, maar toen zag hij de met groen leer beklede deur die ze voor zijn werkkamer had bemachtigd, net zo een als M had voor zijn kantoor in de James Bond-films. Daarna was hij voor alles in. De hardhouten vloeren in de grote hal, zoals Alan Bates die had in zijn zolderatelier in *An Unmarried Woman*. Het geheime gangetje van Hannahs kamer naar de badkamer, zodat ze zich als Alice kon voelen met haar eigen konijnenhol. Het vensterbankzitje in de kamer van Clay, waar hij in weg kon kruipen. Een waanzinnige lappendeken van herinneringen en indrukken, maar Lynn bracht ze op de een of andere manier in evenwicht en maakte dat ze samen het gevoel gaven van een organisch geheel, een plek om bij te komen en het moede hoofd neer te leggen.

Barry hoorde boven gestommel van voeten naast een bed, en de gedempte opwinding van publiek op televisie. 'Klinkt dat als huiswerk maken?' Hij liep de hal in.

'Ik zal weer met haar moeten praten.' Lynn rolde met haar ogen.

'Ja, zeg er wat van.'

Hannah stond nu boven aan de trap. Een kersverse strook wit à la Susan Sontag verhoogde het harde effect van haar zwart geverfde haar. Tussen haar zwarte topje en haar wijde katoenen broek was een strook romig witte buik te zien die een duidelijke grens trok tussen haar smalle heupen en haar ontluikende vrouwelijkheid daarboven. Aan haar zijde was haar *inamorato*, Dennis van Mopus Bridge Road. Iets aan deze jongen gaf Barry de kriebels. Niet zijn tongpiercing of zijn caesarkop met gebleekte plukken, zijn vage lichaamsgeur, en ook niet zijn t-shirt met het vredessymbool op de kraag en de tekst 'de natuur bijt terug'. Het was niet het 'slagen' en 'falen' dat op de knokkels van beide handen was geschreven. Het was zelfs niet het feit dat hij Dennis er nog steeds van verdacht eieren te hebben stukgegooid tegen de voorruit van hun Explorer, en een briefje dat hem een 'ecocrimineel met een mobiele vervuiler' noemde onder de ruitenwisser had gestopt. Nee, het was de manier waarop zijn dochter een beetje in hem versmolt en niet op zichzelf bleef staan, terwijl ze daar op blote voeten stonden te giebelen.

'Wel, wat zijn we aan het doen?' vroeg Barry.

'Weet ik niet.'

Ze hield Dennis bij zijn arm vast toen ze de trap afliepen. Barry wist nog hoe ze met een nerveuze glimlach rondliep toen ze een paar jaar geleden borstjes begon te krijgen, alsof ze een geladen geweer droeg waar ze geen weg mee wist. Nu paradeerde ze triomfantelijk als Jesse James.

'Hebben jullie aan je toelatingsreferaat gewerkt?' vroeg Barry.

Hij zag hen even een blik wisselen.

'We wilden net beginnen,' zei Dennis binnensmonds.

'Is het werkelijk?'

Hij zag de jongen hem bekijken met de montere zorgeloosheid die alleen kan ontstaan bij iemand die meent zo dadelijk naar bed te gaan met de dochter van de kasteelheer. Nou, dat zullen we nog weleens zien hè, jeugdige konijnenneuker?

'Naar welke school wil jij, Dennis?' vroeg Lynn, de immer zachtaardige moeder.

'O, mijn pa wil dat ik me op Penn State inschrijf, want daar zat hij zelf op, maar ik heb van een school in Vermont gehoord waar ze je een jaar op een boerderij laten werken.' Dennis liet de kwestie van zijn magere schouders glijden.

'Hannah wil zich inschrijven op Amherst, Yale of Princeton,' kwam Barry ertussen, maar hij had meteen spijt van zijn loslippigheid.

Wie kon het wat schelen als ze naar een pretentieuze Ivy League-universiteit ging? Anderzijds was dit een meisje dat op een van de beste particuliere scholen van San Francisco jaren voor was met Latijn. Dit was een meisje dat alles van Edgar Allan Poe en de helft van Shakespeare had gelezen, terwijl haar klasgenoten naar *Buffy the Vampire Slayer* keken. Hij was er niet op uit om haar voor veertigduizend dollar per jaar koeien te leren melken.

'Ik heb alleen moeite met over mezelf schrijven.' Hannah trok haar ene heup op en draaide een zwarte krul om haar vinger. Ze was tegenwoordig tegenover haar minder succesvolle vriendje een en al hippieachtige en meisjesachtige bescheidenheid. 'Het voelt als opscheppen.'

'Kom voor jezelf op. Een ander doet het niet,' zei haar vader.

Hij vroeg zich af of het zijn schuld was dat ze in een paar jaar zo veel verschillende identiteiten had geprobeerd. Toen ze in Manhattan woonden was ze buitengewoon nuffig, maar aan de westkust was ze gaan optrekken met een stel de blits makende modepoppen die bij hun ouders zeurden om een Lexus en elkaar aanmoedigden zich dood te hongeren. Nu ze in de voorstad woonde had ze aansluiting gezocht bij de Jongeren-Milieubeweging, de gothics, de punks en andere randfiguren die zich aaneen hadden gesloten omdat deze groepen te klein in aantal waren voor een eigen marktaandeel. Misschien had ze een stabielere groep gevonden om zich bij aan te sluiten als hij voor zijn werk niet zo vaak met zijn gezin was verhuisd.

'Nou, dat is niet niks,' zei Dennis met een soort schlemielige aanvaarding. 'Ik heb gehoord dat u vanmorgen dat lijk bij het station hebt gezien.'

'Ja, als een van de velen.'

Barry keek onbehaaglijk van zijn vrouw naar zijn dochter, niet wetend wie iets had gezegd.

'En, hoe zag het eruit?' vroeg Dennis.

'Ach, gewoon.' Hij keek over het hoofd van de jongen heen en trachtte luchtig te blijven. 'Politie en zo.'

'Is het waar dat er een krab uit haar nek kroop?'

'Ie-ieww.' Hannah trok een benauwd gezicht.

'Je werd er naar van,' zei Barry, terwijl hij probeerde het beeld uit zijn hoofd te houden. 'Maar ik weet zeker dat ze er gauw genoeg achter zijn wie het heeft gedaan. Bij de meeste moorden blijken het slachtoffer en de dader bekenden van elkaar. Daar hoeven we ons dus weinig zorgen om te maken.'

Waarom ze zich door hem gerustgesteld moesten voelen wist hij niet. Toen hij haar leeftijd had geloofde hij driekwart van wat zijn ouders zeiden niet meer.

Hij keek op zijn Rolex en toen scherp naar Dennis. 'Jullie hebben vanavond vast nog wel wat te doen.'

'Nee hoor, ik niet,' zei Dennis met een stalen gezicht.

'Hai pap.'

Clay kwam de trap aflopen in zijn slobberspijkerbroek en een zwart t-shirt, met Stieglitz, hun hitsige oude springer-spaniël op de hielen.

'Wat heb je te melden, chef?' zei Barry, die probeerde niets van zijn bezorgdheid te laten blijken.

De jongen was alweer verontrustend dikker geworden. Hij leek een beetje op een feestmasker van een klein jongetje op een enorm uitpuilend mannenlichaam. Lynn had Barry gevraagd niets te zeggen over het afwijkende eetgedrag van de jongen. *Hij wordt ver-*

legen met zijn lichaam, zei ze toen. *Voor jongens is het tegenwoordig anders. Iedereen moet zo fit en kwiek zijn.*

*Nou, laat hem buiten komen en eens een balletje met me gooi-
en,* voerde Barry toen aan. *Daar gaat hij niet dood van.*

'Hoe is het met de thora?' vroeg Barry, terwijl de hond tegen
hem op sprong om zijn gezicht te likken.

'Goed wel,' zei Clay, die nog twee maanden had tot zijn bar-
mitswa. 'Het gaat zo zijn gangetje.'

'Ik ben dol op het Oude Testament,' kwam Hannah ertussen,
met een stem die droop van ironie. 'Het is zo vol bloed en men-
senoffers. Net wat je hebben moet. Als in de Tovenaar van Ozz.'

'En, hoever ben je nu?' Barry negeerde haar omdat Stieglitz tegen zijn been begon op te rijden.

'Hm' – Clays ogen gingen naar de zolderingbalken – 'ik denk
3:16.'

'O, wat ben je slim.' Barry duwde de hond terug. 'Dacht je dat
ik niet weet wat 3:16 behelst? Maar je moeder en ik zouden heel
trots zijn als je dat op B'nai Israel voor tweehonderd mensen doet.
Ik dacht dat je Abraham en Izaak deed.'

'Ik heb een uur gerepeteerd en een uur huiswerk gedaan. Wat
wil je van me?'

'Ach kom, het zou voor mij geen doodwond zijn als we het hele feest afzeggen wanneer je dat wilt. Ik sta niet te trappelen om
dit jaar nog zevenduizend dollar uit te geven.'

Hij zag het gezicht van de jongen betrekken en berispte zichzelf meteen omdat hij hem had gekwetst. Mooi is dat. Het kind
kijkt naar je op en jij brengt hem ten overstaan van zijn zus en
haar vriend in verlegenheid omdat *jij* geldproblemen hebt.

'Het is al goed.' Hij sloeg zijn arm om Clay heen en zag krui-
mels in diens mondhoek. 'Ik help je er wel mee. Zelf kan ik ook
wel een opfrisbeurt gebruiken.'

'Kunnen we dan een beetje *Huis der Doden* spelen?'

'Pas als we door het offer heen zijn. Ik wil niet dat je een game-
freak wordt.'

Hij hield van zijn kinderen met een intensiteit die hem soms be-
angstigde. Hij leed mee met hun kwaaltjes en juichte bij de kleine
triomfen in hun dagelijks leven. Hij prees hun vingerverfschilderijen alsof het grote kunstwerken waren, soebatte bij hun eindelo-

ze gezeur om Barbie en *Mortal Kombat*, liet ze hun vuile vingertjes in zijn oren steken als hij hen op zijn schouders droeg, en ruimde tijdens lange ritten naar Maine met blote handen hun braaksel op. Soms miste hij zijn vrijgezellentijd, toen hij zich wat meer slordigheid met zichzelf kon veroorloven. Want in de loop der jaren had hij geleerd dat liefde je niet heel maakte. Liefde verscheurde je. Liefde liet je kapotvallen in een miljoen verschillende stukjes. Liefde maakte je ontdaan en bezorgd. Liefde verried wat je voor de kost deed.

'Het wordt geloof ik tijd dat mijn schoenen een eindje gaan lopen,' zei Dennis, naar een paar Dr. Martens-schoenen met stalen neuzen lopend bij de voordeur. 'Eigenlijk heb ik voor die meetkundetoets nog geen boek opengeslagen.'

Het feest was duidelijk voorbij nu de kuisheidsbrigade per Saab was gearriveerd.

Barry vroeg zich af of zijn dochter het echt dééd met deze onwelriekende bleke jongen, en of Lynn in dat geval al een lange autorit met haar had gemaakt om de passende maatregelen te bespreken ter bescherming van haar persoonlijke milieu.

'Ik loop even met je mee,' zei Hannah, de deur openend.

Stieglitz sprong voor het tweetal op en neer en stak zijn neus in hun kruis alsof hij daar een bijzondere warmte rook.

Barry zag hen de hond wegduwen en naar buiten gaan, en hij verlangde naar het moment dat het huis een afgeschermde veranda had met een oude schommelstoel, zodat hij daar kon zitten met een jachtgeweer op zijn knieën, heen en weer schommelend, terwijl hij die schelm van een Dennis waarschuwde voorzichtig te zijn met zijn dochter. Want met al haar uitdagendheid en pesterig sarcasme kwam ze Barry soms breekbaar voor. Toen de deur achter hen dichtging meende hij even te begrijpen hoe het voor luchtverkeersleiders was om kleine turbopropvliegtuigen van hun radarscherm te zien verdwijnen.

'Iemand van je werk heeft gebeld toen mam weg was.' Clay liep de trap op.

'Wie?' riep Barry hem na.

'Een mevrouw.' Clay hing over de leuning. 'Mevrouw Spock.'

'Dat is Lisa, ons hoofd research,' zei Barry vanuit zijn mondhoek. 'Had ze een boodschap?'

'Ze zei dat ze de *tricorder*-standen heeft en onmiddellijk moet worden opgestraald.'

Lynn keek hem onderzoekend aan. 'Wat betekent dat?'

'Gewoon bedrijfspraat. Zeg Clay, doe me een plezier en duw niet zo hard tegen dat ding. Anders breekt de stijl, en precies zo een zal niet gauw te vinden zijn.'

De jongen richtte zich een beetje gekwetst op, alsof zijn vader rechtstreeks kritiek had op zijn gewicht. Barry wilde hem door zijn haar strijken, maar Clay rende de trap verder op, liep stampend over de overloop en sloeg de deur van zijn kamer hard dicht.

'Is er iets aan de hand?' vroeg Lynn.

'Nee, alles is in orde. Alleen werk ik met een stel dertigjarigen die nog nooit een teruggang hebben meegemaakt. Elke tegenvaller is voor hen een armageddon.'

'Ik zag dat de aandelen vandaag weer zijn gezakt.'

'Heb ik je niet gezegd dat je daar niet elke dag naar moet kijken? Zo maak je jezelf gek. Het is een spel van lange adem.'

'Als jullie in ernstige problemen zaten zou je me dat toch wel vertellen?'

'Natuurlijk.'

Hij kuste haar op haar voorhoofd en zag zichzelf als een verdacht pakket op een transportband van een luchthaven, in lood verpakt en stralingsproof.

'Luister, we zijn gezond, we hebben onze kinderen, en we hebben een huis op een betrekkelijk veilige plaats,' zei hij.

'Belazer je grootje, Barry Schulman. Ik ken je te goed.'

'O, maar jij bent degene met allerlei duistere geheimen over je vroegere vriendjes.' Haar lippen openden zich iets, bijna als een veelbetekende glimlach.

'Hoe erg was die breuk toen trouwens?' vroeg hij.

'Hij verpestte een paar foto's van me op een schooltentoonstelling.'

'Werkelijk?' Hij voelde zich alsof iemand hem met vlakke handen op de schouders had geslagen. 'En die vent is inspecteur van politie en hij weet waar we wonen?'

Hij merkte dat hij onwillekeurig zijn borst vooruitstak.

'Rustig.' Lynn klopte hem op zijn bovenarm. 'Dat was lang geleden en hij heeft nu een vrouw en drie kinderen. Ik weet zeker dat hij nu anders is dan toen. En om je de waarheid te zeggen, zelf was ik ook niet geheel onschuldig.'

'Wat dat ook mag betekenen,' zei hij.

Hij bestudeerde haar en zag de dingen die de nuchterste man het hoofd op hol konden jagen. Niet alleen de jukbeenderen, het slanke, soepele lichaam, het donkere haar, of het gloeien van haar huid alsof ze van binnen werd verlicht. Het waren haar ogen. De manier waarop ze naar je keek en dingen zag die je zelf niet wist. In de loop der tijd had hij andere mannen – soms zelfs intieme vrienden – stilzwijgend verslingerd aan haar zien raken, maar dat ging nooit zo ver dat hij er een terecht moest wijzen.

'Ik ga douchen,' zei ze, de trap op lopend. 'Maar kunnen we een dezer dagen een ernstig gesprek over geld hebben?'

'We praten altijd over geld, zelfs als we het er niet over hebben.'

'Wah. Wat een vreselijke gedachte.'

Hij bekeek de welving van haar rug terwijl ze de trap opliep, hem met zijn eigen gedachten alleen latend in de woonkamer.

Buiten het raam van de erker waren de sterren in de nachtelijke hemel als scherfjes porselein, stukgegooid op een zwarte vloer. Hij hoorde het blaffen van Stieglitz, en het rustige geluid van de oude zescilinder van Dennis, dat wegstierf, terwijl zijn dochter aan de eenzame wandeling terug over het grindpad van de oprijlaan begon. Hij herinnerde zich dat ze zonder schoenen het huis uit was gelopen, en het beeld van haar, over scherpe steentjes lopend voor deze jongen, vervulde hem met tedere gevoelens en verwondering.

De hoeken van de ramen waren beslagen. Een straffe wind deed de luiken rammelen, en de afdekking van het zwembad in de achtertuin klapperde als een grote gevallen vleugel. Deze zomer had langer geduurd dan alle vorige die hij zich kon herinneren. Het was die morgen zelfs warm en zonnig geweest toen hij dat vliegtuig van American Airlines zo laag tussen de gebouwen zag vliegen dat hij de letters op de flank bijna kon lezen. Maar met deze kilte in de lucht voelde hij dat het lange, aanmatigende jaargetijde op zijn einde liep.

8

Tegen middernacht had Mike het punt in de avond bereikt dat hij te vermoeid was om door te werken, maar veel te gespannen om naar huis te gaan. Hij was al sinds zes uur die morgen op, maar zijn geest was vol wervelend stof en lekkende gassen. Vroeger had hij de jongens van het bureau kunnen optrommelen voor koorzang op de parkeerplaats achter het oude bureau aan Bank Street, waar ze dan stevig dronken en in de nacht brulden, tot iemand voorover met zijn gezicht in een plas van zijn eigen pis viel. Maar tegenwoordig was iedereen zo tam en getrouwd. Ze waren een stel janhennen die zich naar huis spoedden om luiers te verschonen en slaapliedjes te zingen. Stukje bij beetje was hij er zelf een geworden, al was er nog steeds iets in hem dat er behoefte aan had af en toe tegen de maan te blaffen.

Shit. Wat zou hij gaan doen? Hij wist dat hij gewoon naar huis zou moeten rijden, de kinderen instoppen, de gebruikelijke paar stroeve woorden wisselen in de keuken met Marie, en vervolgens naar beneden gaan om aan een actieplan te werken.

Maar de gedachte aan stilzitten deed hem op de binnenkant van zijn mond bijten.

Maar waar kon hij anders heen? Het was niet meer zo dat hij gewoon de telefoon kon pakken en de dingen met Harold bespreken. De man was chef. Je moest met hem op je tellen passen. En hij had eigenlijk wel zin in wat huiselijkheid.

Hij dacht erover weer langs het huis van Lynn Stockdale te rijden. Dan kon hij voor de aardigheid het kenteken in de computer van zijn auto invoeren om te zien of de echtgenoot nog onbetaalde bekeuringen had. Niet dat hij erop uit was moeilijkheden te maken of zichzelf in de nesten te werken. Hij was alleen maar drie of vier keer langs het huis gegaan sinds hij haar in maart op het parkeerterrein van de supermarkt had gezien en haar adres in de computer had opgezocht. Dat kon je toch geen gewoonte noemen? Hij bevredigde zijn nieuwsgierigheid, meer niet. Hij keek alleen maar hoe ze woonde, en elke keer kwam hij wat verder de oprijlaan op om het beter te kunnen zien.

Het was trouwens maar vijf minuten van zijn huis, dus wat gaf het. Niemand had er last van. Hij maakte de scherpe bocht vanaf Grace Hill Road en doofde halverwege het lange grindpad de lichten van zijn onopvallende Caprice. Het oude boerenhuis met het lekkende dak op het aflopende stuk grond. Volgens de plaatselijke legende woonde hier ooit boer Grace, die tijdens de Revolutie door Britse loyalisten gevangen was genomen en gemarteld. Ze zouden hem aan zijn duimen hebben opgehangen om uit hem te krijgen waar hij zijn geld had verstopt. Hij moest een taaie zijn geweest, want hij liet niets los. Zijn vrouw daarentegen gaf de buit in een mum van tijd prijs en jammerde dat ze het lijden van de man niet kon aanzien. Vrouwen.

Hij reed naar de kant en stapte uit met de verrekijker die hij als hij dienst had wel eens gebruikte om vogels te kijken. Bundels licht stroomden uit het huis en staken als schelle diagonalen door het geboomte. Hij hief de verrekijker, stelde met zijn wijsvinger scherp, en daar was Lynn. Ze was beneden in de keuken, wreef haar kin en handen in met lotion en maakte iets te drinken voor zichzelf. Gewone dagelijkse dingen. Ze had gedoucht en haar haar hing nog nat en steil, alsof ze net uit de rivier was opgedoken. Haar witte badmantel viel open bij haar sleutelbeen, waardoor een glanzende driehoek van huid was te zien. Dit was waanzinnig. Hij wist dat hij dit niet meer moest doen, vooral niet op deze dag. Maar bepaalde vrouwen waren als virussen. Daar kwam je niet van af. Ze kwamen in je bloedbaan en verzengden je aderen.

Hij stelde nog iets scherper, zodat hij het etiket op de fles chardonnay kon lezen en de haartjes kon zien die tegen haar slapen plakten. Toen hij nog iets scherper wilde stellen veranderde ze in een wolk van witte stof en donker haar.

Hij richtte hoger en zag de echtgenoot boven in de slaapkamer zijn stropdas afdoen, en even heimelijk telefoneren. Lik m'n reet. Hij had die stadskerels toch al nooit gemogen. Altijd tegen je zeiken als ze een nieuwe parkeervergunning voor het station kwamen halen; altijd praatjes op bijeenkomsten van het schoolbestuur – *Ik zal u eens wat zeggen, ik betaal ook belasting* – alsof ze elke zaterdag vrijwillig de ladderwagen van de brandweer kwamen wassen. Goed, je kocht voor je vrouw een groot huis met een zwembad en een gazon, dat je tegen betaling eens per week liet maaien. *De huid was nog niet aan het loslaten.* Oké, laten we ruilen. Ik geef jou mijn insigne, jij geeft me het grote huis en de vrouw, dan staan we quitte.

Hij keek met de verrekijker het terrein rond en merkte de omheining op tegen herten, het afgedekte zwembad, de kabouter met de basketbal, en het bordje van ADT-beveiliging op het raam bij de deur. *Ongelooflijk.* Iemand betaalt meer dan een half miljoen dollar voor een huis met anderhalve hectare, daarmee de prijzen opdrijvend voor alle werkende mensen, en vervolgens betaalt hij nog geen tweeduizend dollar om zijn bezit te beschermen? De meest achterlijke inbreker wist waar hij de draad moest doorknippen om vrijelijk zijn gang te kunnen gaan. Iemand die zo zorgeloos was verdiende niet wat hij had.

Hij liep behoedzaam nog een paar stappen verder en hief de verrekijker om te zien of hij de kamers van de kinderen kon vinden. Er kwam wat lichtschijnsel van achter een van de gordijnen. Een van de kinderen was nog op. Het meisje was ongeveer van dezelfde leeftijd als Lynn toen hij met haar omging. Kon het zijn dat er zo veel tijd verstreken was? Hij wist nog hoe ze hem altijd probeerde af te schudden als hij boven op haar lag, vooral als hij wat ruw werd. Zo had hij een keer zijn handen om haar nek, en hij kneep. Ze zei dat ze dat niet prettig vond, maar hij wist dat dat wel zo was. Ze hield ervan zijn macht over haar te voelen. Het feit dat ze zich niet liet ringeloren maakte het alleen maar beter. Hij had een hekel aan vrouwen die alles maar met zich lieten doen.

Hij richtte lager met de verrekijker, stelde weer scherp en daar was ze weer, nog steeds glimmend dampig van de douche. Hij herinnerde zich de dag dat ze gingen zwemmen in de rivier. De hooghartige manier waarop ze haar duimen onder haar behabandjes stak en naar hem omkeek, hem uitdagend haar te volgen. Er steeg een gevoel van verlangen in hem op, als een kompasnaald die het magnetische noorden vindt. Ze wist steeds iets op hem voor te blijven, hoe hij ook tegen de stroom vocht. Ze was toen volkomen zonder vrees. Hij zag nog voor zich hoe haar witte lichaam afstak tegen het zwarte tij, deinend op de golven, steeds terugwijkend, zonder ooit om te kijken. Dat had hij toen moeten opmerken: ze keek nooit om.

Hij stelde nog scherper en vroeg zich af waarom een vrouw met twee kinderen het recht had om er na vijfentwintig jaar zo uit te zien. Het was alsof verscheidene andere vrouwen meer dan hun aandeel lelijkheid hadden gekregen om haar te maken. Zijn eigen vrouw werd tegenwoordig wat dik en kwabbig. Zou Lynn niet op een of andere manier getekend of gerimpeld moeten zijn, vooral na wat ze zijn familie had aangedaan?

Maar nu was ze terug. Hij dacht eraan hoe ze die avond van de knieën van haar man naar hem opkeek. *Mike is een grote bij de politie... De familie van Mike woont al generaties in deze stad.* Misschien besefte ze uiteindelijk wat ze had gedaan. Hij vroeg zich af of hij haar kon vergeven. Eén ding was zeker – er was heel wat meer dan een barbecue nodig om alle schade goed te maken.

De telefoon in zijn broekzak ging opeens af met een metalig menuet waar hij van schrok. Vlug pakte hij het ding en ging ermee achter de bomenrij, terwijl vleermuizen rond de schoorsteen scheerden en krekels het geluid maakten van duizend horloges die worden opgewonden.

'Ja,' mompelde hij, wetende dat het of zijn vrouw was, of iemand van het bureau met informatie die ze niet per mobilofoon wilden overbrengen.

De echtgenoot trok boven het gordijn open en keek over de oprijlaan om te zien waar het geluid vandaan kwam. De nieuwe vierhoek van licht uit het raam eindigde op nog geen meter van Mikes voeten.

'Hé,' zei Harold. 'Waar zit je? Ik heb net naar je huis gebeld, maar Marie zei dat je er nog niet was.'

'Ik zit op de Post Road.' Hij dempte zijn stem en hoopte maar dat er op dat moment geen agent per fiets daar reed, die hem kon verraden. 'Ik was op weg naar huis toen ik een stel jongens op de parkeerplaats van Pizza Hut in auto's zag kijken.'

Hij hoorde geritsel in de struiken achter zich, keerde zich net op tijd om en zag een dier het bos in rennen. Te groot voor een wasbeer.

'Je bent nodig op het bureau, nu meteen,' zei Harold. 'Volgens mij hebben we een doorbraak.'

'O ja? Wat is er dan?'

'Er is hier zojuist een man binnengekomen om iemand als vermist op te geven die we allebei kennen.'

'Wie dan?'

Mike voelde dat wat daar in de bosjes was verdwenen nog in de buurt was en hem in het oog hield.

'Maak nu maar dat je hier komt,' hoorde hij Harold zeggen, terwijl hij zijn hand op de telefoon hield. 'Er begint schot in de zaak te komen.'

Hij schakelde de telefoon uit terwijl de echtgenoot het slaapkamerraam opende en zijn hoofd naar buiten stak.

Mike dook weg. Hij hoorde een uil krassen, en een brulkikker kwaken als een ontstemde banjo. Zijn hart bonsde zo dat het voelde alsof een tweede hart aan de andere kant van zijn borst antwoord gaf. Deze keer heb je het echt *verloren. Je gaat je leven veranderen in een nationaal rampgebied.*

Hij hief de verrekijker voor een laatste blik op Lynn, die haar ceintuur strak trok en het licht in de keuken uitdeed. Het felle wit van haar badjas bleef een paar seconden, voor het verduisterde en alleen de negen zwarte ruitjes van het raam overbleven. Hij dacht aan iets wat hij onlangs in de krant had gelezen, over bepaalde krachtige telescopen die licht konden zien van de sterren die al miljoenen jaren geleden waren gedoofd.

Maar wat gaf het wanneer ze doofden, als je nog steeds hun schijnsel kon zien? En hoe wist je trouwens zeker dat ze echt waren gedoofd? Misschien pulseerde hun energie daar nog ergens in de grote donkere leegte. Voldaan liet hij de verrekijker zakken, in de wetenschap dat er nog steeds delen van haar waren die niemand anders kon zien. Dat zelfs haar man of kinderen haar nooit zo lang of zo diepgaand zouden kennen als hij. En niets kon dat veranderen omdat niets het verleden kon veranderen.

Hij liep naar het einde van de oprijlaan en stapte in zijn auto. Toen hij keerde slenterden twee herten de bosjes uit, van waar ze hem al die tijd hadden bekeken. Ze wandelden op hun gemak door zijn felle lichtbundels, met hun mooie beige vacht en ogen die androïdegroen leken in het licht. Stomme beesten, dacht hij toen hij om ze heen reed. Vroeger waren ze slim genoeg om bang voor ons te zijn.

9

Toen Lynn langs de kamer van Clay liep zag ze nog licht aan en deed de deur open. Haar zoon zat op zijn knieën voor de vensterbank van achter de gordijnen naar de oprijlaan te turen.

'Wat ben je aan het doen?' vroeg ze.

'Niks.'

'Zo ziet het er niet uit. Zou je niet eens naar bed gaan?'

'Ik dacht dat ik iets hoorde.' Hij liet het gordijn los met zijn dikke vingers. 'Er was een auto op onze oprijlaan.'

'Waarschijnlijk iemand die de weg kwijt was en moest keren.'

Hij stond op van het raamzitje. Deze kamer leek elke keer als ze er kwam kleiner, alsof ze met opzet werd buitengesloten. Steeds meer kleren op de vloer. De boekenplanken kreunden onder de biografieën van worstelaars, maar ook was er plaats voor *Joodse literatuur* van Joseph Telushkin, en *Grote joodse sportlieden*, dat Barry hem voor zijn twaalfde verjaardag had gegeven. Het stoorde haar altijd een beetje dat een kind van haar niet wat meer belang stelde in de protestante kant van de familie, maar toen ging zijn zus kruisen dragen zo groot als nietpistolen, en besloot Lynn het erbij te laten.

Het enorme bureau dat ze vorig jaar met zorg bij Fairfield voor Clay had uitgezocht was bezig te verdwijnen in een zondvloed van halfafgemaakte wiskundeopgaven, enorme Amerikaanse geschiedenisboeken die verdacht nieuw leken, en flink beduimelde pakken Magic cards – het laatste van de geheimzinnige, ietwat middeleeuws klinkende kinderspellen waarvan hij bezeten was. Ze putte enige troost uit het feit dat haar beide kinderen de anarchie nog steeds tot hun kamer beperkten en niet via de trap naar de woonkamer uitbreidden.

'Ik vind het hier niet leuk,' zei hij.

'Sinds wanneer?' Ze ging op zijn bed zitten en zorgde ervoor dat haar badjas over haar knieën viel.

'Het is hier griezelig. Ik hoor 's nachts geluiden.'

'Dat noemen we natuur. Sommige mensen vinden dat zelfs heerlijk.'

'Ik mis de stad,' zei hij.

'Dat meen je niet.'

'Er is hier niets te doen.' Hij wriemelde aan een gyroscoop die hij al sinds zijn zevende had. 'Ik zie mijn vrienden nooit, het is niet te belopen, en ik moet altijd wachten tot ik word gebracht.'

Ze wilde hem er niet aan herinneren dat hij zich altijd door haar liet vervoeren toen ze in een grote stad woonden.

'Je bent hier veilig,' zei ze.

'In de stad zou ik ook veilig kunnen zijn. En ik zou me niet zo vervelen.'

Ze trok de sprei glad en betreurde in stilte de kleine buitenissigheden die hij een voor een had laten varen om met de andere kinderen in de voorstad te kunnen omgaan. De doedelzakles die hij in de stad kreeg. Het Engels-Russische woordenboek dat hij altijd in bed bestudeerde. Het stripboekje dat hij had getekend en onder zijn matras bewaarde, tot het goed genoeg zou zijn om het haar een keer te laten zien.

'Je weet niet meer hoe het was,' zei hij.

'Zeker wel. Geloof me maar.'

Ze herinnerde zich die eenzame avonden, dat wanhopige verlangen naar iets voorbij het einde van Birch Lane, en haar grijsgedraaide plaat van *Goodbye Yellow Brick Road*. Ze zag zichzelf weer in een donkere slaapkamer, bezig kaarsen aan te steken en Allison Steele, 'The Night Bird' te vinden op WNEW-FM. O, dat gekraak in de ether. O, de plechtige volksfluitmuziek en het openingsgetokkel van *Nights in White Satin*. O, de gedichten van Kahlil Gibran en de meningen van langharige, donkerogige hippies met leren vesten die aanboden haar in te voeren in de mysteries van voetmassage en het rollen van een joint met één hand. Zelfs de namen van de bands leken een kleurig zinnelijk feest op te roepen, ergens verderop langs de rivier. *Tangerine Dream. Tonto's Expanding Head Band. Renaissance. Caravan. Lothar and the Hand People.*

'Waarom moesten we dan van jou naar hier terug?' vroeg Clay.

'Omdat als je ouder wordt je andere dingen aan een plaats gaat waarderen,' zei ze, een beetje als uit het hoofd geleerd.

'Wat bijvoorbeeld?'

Ze dacht aan de kinderen bij het World Trade Center die hadden gedacht dat de vallende mensen brandende vogels waren.

'Goede scholen,' zei ze.

'Ha!'

'O, bevalt Green Hill je niet meer?'

'Het draait er allemaal om sport,' zei hij. 'En kan daar niets van. Ik ben te dik.'

'Wat bedoel je, ik ben te dik?'

'Je hoeft maar naar me te kijken. Ik ben een worst!' Hij kneep in een grote vetrol op zijn middel. 'Ik ben al weken op dieet, en dit wil maar niet weg. Ik ben walgelijk.'

'Dat ben je niet. Voor mij ben je mooi.'

'Ik wil op het Nutri-systeem, met alleen één milkshake per dag,' zei hij. 'Ik schaam me als ik bij de andere jongens in de kleedkamer mijn shirt uit moet trekken.'

Ze kwam naar hem toe, legde een hand op zijn schouder en dacht aan de fles lysol die ze de vorige week onder zijn bed had gevonden. Op dat moment dacht ze dat hij misschien weed rookte, en ze gaf hem een stevige preek over drugs. Maar sindsdien had ze al die artikelen op het internet opgezocht over jongens van deze leeftijd die anorexia ontwikkelden, en in extreme gevallen boulimia. Ze vroeg zich af of hij misschien zijn vinger in zijn keel stak en dan lysol gebruikte om de lucht weg te krijgen. Ze had gemerkt dat hij geen dessert meer nam en zijn eten verwoed kleinsneed. Ik probeer koolhydraten te minderen, mam. Ze kromp inwendig ineen als ze eraan dacht dat haar kind heimelijk in de badkamer overgaf om een strakke buik te krijgen.

Hij ging zitten en vroeg: 'Nou, wat is er nog meer goed aan hier?'

Door het kwetsbaar nasale in zijn stem wist ze dat hij de deur op een kier zette.

'Ach,' zei ze, 'het is waar, er zijn niet veel grote gebouwen of bioscopen waar je te voet naartoe kunt. Maar je hebt hier wel veel vrijheid.'

'Ja, waar moet ik daarbij aan denken? Vrijheid om waar heen te gaan?'

'Ach, kom toch. Een van de geweldigste rivieren ter wereld stroomt bij ons langs de heuvel. Toen ik zo oud was als jij fietste ik daar altijd heen om langs de oever te zwerven en mijn fantasie de vrije loop te laten.'

'Nou en?' Zijn stoel piepte toen hij zich naar haar keerde.

'Het was zo'n magische plek waar ik naartoe kon om met mijn vrienden verhalen te verzinnen.' Ze drukte door en probeerde de grendel in zijn geest weg te schuiven. 'Voor de waterzuiveringswet kon je er niet echt in zwemmen door de vervuiling. Daarom zaten we altijd op de rotsen en spraken over wat we allemaal voor interessants op de bodem konden vinden als we ooit een duikuitrusting kregen. Pijlpunten van indianen. Strijdbijlen. Verzonken schatten. Ik had een vriendje wiens vader in de gevangenis aan de rivier werkte, en ik fantaseerde dat ik twee onschuldige jongens hielp ontsnappen. Ik zou in een roeiboot aan de oever wachten als zij uit de tunnel kwamen die ze met lepels hadden gegraven. En als we dan wegroeiden zouden ze vanuit de bewakingstoren op ons schieten...'

Ze kon zien dat zijn belangstelling werd gewekt. Het gewiebel met zijn knie deed haar denken aan zijn ongedurigheid in bed wanneer ze hem een opwindend verhaaltje vertelde voor het slapengaan.

'Op een keer,' zei ze, 'dook de broer van mijn vriend in het water om een wapen te zoeken.'

'Waarom?'

'Hij was politieman en duiker.' Ze zweeg en probeerde zich voor de geest te halen hoe Johnny, de oudere broer van Mike, het verhaal vertelde. Hij wist er altijd luid gelach mee te ontlokken. Maar ze bezat zijn bravoure niet, zijn manier van spanning oproepen, daar even mee spelen tot iedereen op het puntje van zijn stoel zat, en dan scoren.

'Maar je moet weten dat de Hudson in die tijd als erwtensoep was door alle smurrie die erin werd geloosd,' zei ze. 'Je kon geen hand voor ogen zien. Hij zwom dus rond in zijn wetsuit, tastte op de bodem, en merkte opeens dat hij omgeven was door ijzeren tralies.'

'Wat was er gebeurd?'

'Hij was een enorme dierenkooi in gezwommen. Als voor een leeuw of een tijger.'

'Echt waar?' Zijn ogen werden groter. 'En waar was het beest gebleven?'

'Dat weet ik niet. Misschien was de tijger eruit gekomen. Of misschien was het gewoon een lege kooi die van een schip was gevallen. De kwestie was dat hij er zo in was gezwommen en niet genoeg kon zien om de uitgang te vinden. En hij had nog maar voor een paar minuten zuurstof.'

Je kon erop wachten dat Johnny in de problemen zou raken. Hij was een echte zenuwpees. Altijd graag bereid om ergens in te duiken en dan de mist in te gaan. Een ongeleid projectiel noemde zijn vader hem. *Je weet nooit waar die nog eens belandt.* Wat Johnny zelf betrof, die zei dat hij zich alleen werkelijk vrij voelde als hij op acht meter diepte was. Maar hij had een goed hart. Dat maakte al het andere goed. En uiteindelijk kostte dat hem waarschijnlijk het leven.

'En, wat deed hij toen?' De knie van Clay wiebelde heviger.

'Ik denk dat hij zich op de tast heeft bewogen, tralie voor tralie, tot hij de opening vond,' zei ze. 'En maar hopen dat hij voldoende lucht had.'

'En was dat zo?'

Ze voelde een duikerklok van droefheid in haar borst zakken. 'Ja, ik denk het wel,' zei ze. 'Anders zou ik je dit toch niet vertellen?'

Hij haalde opgelucht adem, alsof ze hem zojuist had vergast op het verhaal van een beroemde griezelfilm, en ze voelde een straaltje zon opkomen in haar borst, blij als ze was dat ze soms nog steeds zijn aandacht vast kon houden.

Ze begon zich dingen af te vragen. Ze merkte tegenwoordig dikwijls dat ze achter de kinderen aan sloop als een verstoten geliefde, die treurde om de gelukkige tijden die ze bij de zandbak en in het dinosaurusmuseum hadden beleefd, waarbij ze voor het gemak de uren van dodelijke verveling bij het zien van een kinderfilm vergat, en de uiterst pijnlijke driftbuien in te dure restaurants. Ze miste het, het middelpunt van hun heelal te zijn – de gouden godheid op een eiland waar niemand naartoe kon zwemmen. Maar ze trachtte zichzelf voor te houden dat het een goede zaak was, al die toenemende onafhankelijkheid. Wie zou trouwens voortdurend op een voetstuk willen staan? Toch kon ze nog niet helemaal aanvaarden dat de tijd verstreek; dat iets wat zo diep in de bron van haar lichaam was gevormd zonder om te kijken zomaar kon wegpeddelen.

'Mam?' zei Clay met een frons.

'Ja?'

'Waarom gaan al jouw verhalen over mensen die proberen weg te komen?'

De vraag deed haar scherp inhouden. Zijn stem was eindelijk aan het veranderen, merkte ze, in een onvaste alt.

'Dat was echt niet mijn bedoeling,' zei ze. 'Het waren gewoon verhalen die ik je wilde vertellen over de rivier en het soort dingen die ik zoal meemaakte...'

'Maar daar hebben ze vanmorgen die dode vrouw gevonden. Wil je dan dat ik daarheen ga?'

'Hm, niet zozeer...' De betovering was aan het wijken. 'Ik bedacht dat je hier andere plaatsen zou kunnen vinden om je eigen te maken.'

'Ah, juist. Zodra ik een eigen auto heb. Over drie jaar.'

Hij keerde zich af en keek naar de deur. Ze vroeg zich af of hij naar de computerkamer zou sluipen als ze weg was, om porno van het internet te downloaden.

'Ik kan denk ik beter weer aan het werk gaan,' zei hij. 'Ik moet nog wat aan geschiedenis doen.'

'Heb je daar hulp bij nodig?'

'Kom nou, mam. Wanneer heb jij me ooit geholpen?'

Dus zo zal het gaan, besefte ze. Stukje bij beetje gaat het kind weg. Verhalen voor het slapengaan betoveren niet meer. Geknuffel wordt gênant. De stem verandert. De wereld klopt op de ramen. En niets wat een moeder zegt maakt enig verschil.

'Goed, welterusten.' Ze gaf hem een kus op zijn hoofd, waarbij ze probeerde niet te merken dat hij iets ineenkromp. 'Blijf niet te lang op.'

10

Met het grind van Lynns oprijlaan nog in het zoolprofiel van zijn schoenen kwam Mike om halfeen knerpend het politiebureau binnen en trof Harold Baltimore aan in een grauw achterkamertje, waar hij het verhoor in de kamer ernaast volgde via een Oslo-spiegel.

'Hoe is de show?' vroeg hij zacht.

'Trek een stoel bij en kijk zelf maar. De recensies zijn nog niet binnen.'

In de aangrenzende kamer liep rechercheur Paco Ortiz rond de voorovergebogen gestalte van een man die aan de zwarte tafel zat, en zijn kaalgeschoren hoofd glom in het tl-licht als een suikermeloen.

'Dus toen u vanavond van de luchthaven thuiskwam was uw vrouw niet thuis en werd u ongerust,' zei Paco, met zijn blauwe politieshirt strak over zijn brede borst, en een sikje dat zich versmalde als een troffel. 'Is dat juist?'

'Eerst was ik alleen een beetje bezorgd omdat ze geen briefje had achtergelaten,' zei Jeffrey Lanier met een hoge nasale stem. 'Maar toen de kinderen thuiskwamen en ik de oppas sprak begon ik echt nerveus te worden. Ze had sinds gisteravond niets meer van Sandi gehoord.'

Lanier was een gebruinde, jong ogende man van begin veertig met het v-vormige oer-Amerikaanse gezicht dat sommige vrouwen beviel, bruine ogen achter een Clark Kent-bril, dunne lippen rond een brede mond en een gleuf in zijn kin. Van voren gezien had hij een indrukwekkende bos kastanjebruin haar, maar als hij zich omkeerde gaf hij op zijn achterhoofd een kale plek te zien die zich vergrootte als een spotlight. Hij was gekleed alsof hij zo uit bed kwam, in een bruin sweatshirt, een korte kaki broek, en hij droeg Teva-sandalen. Dus zo ziet een zogeheten internetmiljonair er tegenwoordig uit, dacht Mike schamper.

'Is het ongebruikelijk dat uw vrouw zo lang wegblijft zonder te laten weten waar ze is?' vroeg Paco, zijn wapengordel ophijsend.

'Ze houdt me niet van uur tot uur op de hoogte. Ik weet alleen dat het bijna acht uur was, dat ze sinds gisteravond niet meer thuis is geweest, dat de kinderen moeten eten, de oppas moet naar het station worden gebracht, en haar vriendin Lynn Schulman staat op het antwoordapparaat, van gisteravond vanuit een restaurant, met de woorden: "Waar zit je toch?" Toen ik dat hoorde had ik het niet meer.'

Mike voelde dat Harold hem aanstootte maar dwong zich niet

te kijken. Het leven in een kleine plaats; uiteindelijk hield alles met alles verband.

'Hm, ja.' Paco ging tegenover Lanier zitten met een blocnote op zijn knieën. 'Dus uw vrouw zou bij iemand gaan eten?'

'Ja, en een avondje uit,' zei Jeffrey. 'De boog kan niet altijd gespannen zijn, hè? Maar toen hoorde ik dit, en ik weet dat Lynn een van haar beste vriendinnen is, en toen dacht ik...'

Hij snoof, duwde zijn bril iets op, en zijn neusvleugels kregen rode randjes. Dit was het type naïeve man dat zo gewend was alle ruimte te krijgen dat een belangrijke spier in hem was gaan degenereren.

'Wanneer hebt u uw vrouw voor het laatst gesproken?'

'Gisteren, rond lunchtijd. Ze belde me mobiel. Ze wilde me eraan herinneren dat het later deze week ouderavond was, en ze wilde dat ik meeging. We hadden in het verleden weleens conflicten over afspraken.'

'Ik ken dat,' zei Paco met een bemoedigend lachje. 'Ik kom elke dag tijd tekort om bij mijn kinderen te zijn.'

'Hoe lang is hij al getrouwd?' vroeg Mike achter het glas.

'Dat is hij niet.' Harold haalde zijn schouders op. 'Maar hij heeft twee kinderen die in Florida wonen.'

'Dus jullie hadden weleens ruzie over afspraken?' vroeg Paco.

'Gewoon de gebruikelijke wrijving omdat ik altijd onderweg ben en zij thuis moet blijven bij de kinderen.' Jeffrey Lanier sloeg zijn benen over elkaar en bewoog zijn grote teen. 'Het is moeilijk voor haar dat ik zo veel weg ben. Maar voor mij is het ook moeilijk. Ik mis mijn gezin mateloos als ik de hele week weg ben.'

Ja, dat zal wel, dacht Mike. En dan proberen het goed te maken door op zaterdagmorgen op het voetbalveld naar ze te schreeuwen, en kort na het begin van *Saturday Night Live* naast je vrouw in slaap te vallen.

'Hoelang bent u voor deze reis trouwens weg geweest?' vroeg Paco, die geconcentreerd bleef. 'Vijf dagen, zei u?'

'Ik heb dinsdagmorgen vroeg het vliegtuig naar Boston genomen, om al mijn besprekingen af te werken, vrienden te spreken en vanavond weer thuis te zijn.' Jeff zat ernstig over tafel gebogen, als een schoolkind dat wil lezen wat op het bord staat. 'Dat hoort bij onze nieuwe afspraak. Ik moet thuiskomen om op de kinderen te passen, zodat zij een of twee avonden per week uit kan gaan.'

'Juist ja.' Paco noteerde vlug iets op zijn blocnote. 'Dus u hebt telefoonnummers van mensen in Boston bij wie we alles kunnen natrekken.'

'Ja, zeker, maar...wat is dit?' Jeff hield zijn hand op zijn kale plek, als om zijn kwetsbaarheid te beschermen. 'Ik kwam hier om een vermissing te melden. Is er iets wat jullie me niet willen vertellen?'

'Meneer, ik probeer alleen maar de feiten op een rijtje te krijgen, zodat we verder kunnen met het zoeken naar uw vrouw,' zei Paco geduldig. 'Hoe laat kwam u vandaag op La Guardia aan?'

'Vijf uur ongeveer, maar...' Jeff was afgeleid omdat hij nu het raam in de muur opmerkte en besefte dat daarachter iemand kon meeluisteren. 'Luister eens, ik vind het hier eng worden. Die kinderen hebben behoefte aan hun moeder...'

'Meneer, we zullen haar zo gauw mogelijk zien te vinden,' zei Paco, die zijn stoel om de tafel schoof om dichtbij te komen. 'Hebt u voor ons een foto van uw vrouw om mee te werken?'

Mike zag de echtgenoot een portefeuille uit zijn binnenzak vissen, waarbij zijn neusvleugels sneller op en neer gingen, en zijn gejaagdheid de verhoorkamer als helium vulde.

'Wat denk jij?' vroeg Harold binnensmonds.

'Hij maakt de juiste geluiden, maar het is te vroeg in het lied.' Mike liep van de ruit weg. 'Waarom is hij nu al zo geagiteerd?'

'Dit is alleen het gezicht.' Paco bekeek het fotootje peinzend. 'Hebt u niet iets wat, eh, wat meer laat zien?'

'Wat bedoelt u?' vroeg Jeff, die weer achteruit in zijn stoel ging zitten. Zijn blote knieën leken op knokkels. 'Waar hebt u dat voor nodig?'

'Dat is standaard.' Paco trok zijn schouders op. 'Alleen om te zien of er bijzondere kenmerken zijn. Mensen kunnen tegenwoordig hun haar of zelfs hun oogkleur veranderen wanneer ze besluiten de benen te nemen. Met de lichaamsbouw gaat dat moeilijker.'

'Ze was lang, zo'n een meter tachtig, en... tja, ze heeft twee kinderen.' Hij kwam weer aan zijn bril en keek naar het plafond om zich te concentreren. 'En er is een gezwel uit haar borst gehaald. En er is wat liposuctie gedaan.'

'Heeft ze vet laten wegzuigen?'

'Ja, maar dat deed ze voor zichzelf, niet voor mij.' Jeff begon zwaarder te ademen. 'En, ah, sinds kort heeft ze een tatoeage op haar enkel.'

'Een tatoeage?' Paco's ogen gingen naar het raam en weer terug naar Lanier. 'Wat voor tatoeage?'

'Een blauwe vlinder.' Jeffs borst begon te zwoegen en hij hoestte. 'Ze was deze zomer in de stad, op Saint Marks Place. Iets midlifecrisisachtigs. Na die kanker deed ze een hoop van dat soort ongein.'

'Verrek, ze is het,' zei Harold, door zijn voortanden sissend. 'Ik wist het.'

Mike perste zijn lippen opeen en hield zich in.

In de andere kamer zette Jeffrey Lanier zijn bril af en hield zijn handen tegen zijn hoofd, alsof nu pas tot hem doordrong dat hij barstende hoofdpijn had.

'Dat vraagt u me toch niet omdat ze dat aantroffen op het lijk bij het station?'

'Meneer, ik zeg u eerlijk, we weten niet wie dat was, maar we moeten iedere mogelijkheid nagaan...'

'Grote god...'

Jeff wilde opstaan, en zijn gezicht werd dieprood.

'O, daar gaan we,' zei Mike.

'Shit.' Harold trok een grimas. 'Gaat die vent nu van zijn stokje?'

Het zag eruit als het opblazen van een gebouw. Eerst boog Jeffs linkerknie door, zijn schouders zakten in, en toen viel hij opzij tegen de tafel, waarbij zijn benen over het linoleum sleepten. Hij greep naar de tafelrand om overeind te blijven, en een verstikte kreet ontsnapte aan zijn borst.

Paco stond half op en schoof een doos tissues over tafel. 'Gaat het weer, meneer Lanier?'

'Ja, het gaat wel. Het gaat wel.' Jeff hijgde en weerde hem af.

'Ik heb nog maar een paar vragen. Ik weet dat u graag naar uw kinderen terug wilt.'

'Wat moet ik tegen ze zeggen?' Jeff ging weer zitten. Zijn adem-ritme werd spastischer, alsof hij binnenstebuiten keerde. 'Hoe moet ik dit doen?'

'Ach, hopelijk hoeft u dat niet. Het zal wel iemand anders blijken te zijn.'

Mike hoorde zichzelf snuiven. Harold bekeek hem onbewogen, alsof ze vreemden op een bank in het park waren die proberen dezelfde krant te lezen.

'Meneer Lanier?' zei Paco, geduldig wachtend tot deze zichzelf weer meester was. 'Het spijt me dit te moeten vragen, maar hebben u en uw vrouw ook emotionele of financiële problemen?'

'Ik begrijp niet wat u bedoelt.'

Lanier snoot zijn neus en veegde langs zijn betraande ogen.

'Ik heb een internetzaak, sportsmemories.com – ik verkoop sportmemorabilia.' Hij zette zijn bril weer op. 'Het loopt uitstekend. Het is niet zo dat we geld hebben moeten lenen van de maffia, mocht u dat denken.'

'Een Wall Street-hype,' mompelde Mike, wat hem weer op een aanhoudende blik van de baas kwam te staan.

'En hoe staat het huwelijk erbij?' vroeg Paco op dat moment. 'U zei net iets over conflicten. Kunt u het goed met elkaar vinden?'

'Voor zover ik weet wel.' Jeff keek oprecht ontdaan in het rond. 'Ik heb mijn vrouw alles gegeven waar ze om vroeg.'

Mike deed bewust moeite om niets meer te zeggen, want hij wist dat Harold hem bijna net zo scherp in het oog hield als de echtgenoot.

'Had een van u omgang met anderen?' Paco wierp de blocnote op de tafel, alsof dit deel van de discussie gewone mannenpraat zou worden.

'Bedoelt u of ze een vriend heeft?'

Bij dit denkbeeld zakte Jeff ineen op zijn stoel en verloor hij het weinige dat hij aan houding had herwonnen. 'Nee... ik denk het niet.'

'Sorry dat ik dat moet vragen, maar nogmaals, dat doen we altijd bij vermissingen...'

Jeff begon hevig te beven, onbeheersbaar, van zijn kin tot zijn schouders. Paco wendde even zijn blik af, want de aanblik van een volwassen man die ineenstort vond hij pijnlijk.

'Hij heeft haar afgemaakt, die smeerlap,' zei Mike zacht. 'Ik wist het, verdomme.'

Harold keerde zich naar hem. 'Kom mee,' zei hij, als een man die niet langer op de bus wil wachten. 'Laten we hier even weggaan. We moeten iets bespreken.'

Het kantoor van de chef was een lange, rechthoekige kamer op de eerste verdieping, waar vroeger de manager van deze verbouwde bowlingbaan had gezeten. Er lag hemelsblauwe vloerbedekking, er stonden zachtgroene dossierkasten, en op het dressoir achter zijn bureau stonden foto's van Harolds vrouw Emily, en hun kinderen, Keith en Crystal, in voetbaltenue. De boekenplanken stonden vol wetboeken, paperbacks van Nelson DeMille en ringbanden met recente regelgeving en wetswijzigingen. Aan de muren hingen diploma's van de FBI-academie in Quantico, waar Harold jaren geleden een speciale training van zes weken had gevolgd, en van LaGuardia Community College, waar hij funeraire wetenschap had gestudeerd. Een koperen doodskistje met de naam van zijn uitvaartonderneming erin gegraveerd stond op de rand van zijn mahoniehouten bureau.

'Zo te horen raakte je daar een beetje opgefokt, inspecteur.' De oude leren stoel van Harold pufte toen hij erin ging zitten.

'Je weet gewoon dat die vent liegt, dat is alles. Dat maakt me nijdig.'

'Ging jij vroeger niet met Sandi uit?' Harold kneep één oog dicht bij zijn pogen het zich te herinneren. 'Op de middelbare school?'

'Nee, je haalt de dingen weer door elkaar.' Mike keerde zich in zijn stoel naar opzij. 'Ze was een slet in die tijd. Ik had met haar te doen. Of misschien had ze met mij te doen om wat er met Lynn gebeurde. Maakt niet uit. We waren bevriend.'

'Heb je haar de laatste tijd nog gezien?'

'Ja, deze zomer, een tijdje terug. Ik heb een hek tegen herten om haar achtertuin geplaatst. Dat heb ik je verteld.'

Harold ging naar achteren zitten en trok weer dat lange ouderlingengezicht, dat mensen moest laten denken dat hij nooit een druppel dronk als hij dienst had, of nooit ook maar overwoog om vreemd te gaan.

'Meer was er niet aan de hand?' vroeg hij.

'Wat wil je weten?'

'Je lijkt nogal... geraakt.'

'Reken maar dat ik geraakt ben, Harold. Dit is een vrouw die we allebei sinds ons veertiende kennen, met afgehakt hoofd. Tijdens onze dienst. Hoe zit dat eigenlijk met jóú?'

'Ik probeer...' – Harold aarzelde en zocht met zorg zijn woorden – 'professioneel te zijn.'

'Nou, dat ben ik ook. Waar dacht je dat ik mee bezig was?'

Hoog op Mikes wangen verschenen paarse plekjes.

'Luister, we kennen elkaar nu al heel lang,' zei Harold. 'Je bent de peetvader van mijn kinderen, en wat we de laatste tijd ook aan shitproblemen hebben gehad, ik zou je nog steeds mijn leven toevertrouwen, man. Maar ik weet ook hoe je soms met de vrouwtjes omspringt.'

'Ik heb fouten gemaakt, en daar betaal ik elke maand alimentatie voor.' Mike wreef met zijn duim over zijn ringvinger alsof deze pijnlijk was. 'Maar ik ben nu terug bij Marie en de kinderen, en we zijn hecht. Ik pies niet meer buiten de pot.'

'Weet je dat zeker?'

'Ik heb voor hen een hek geplaatst van vijfentwintighonderd dollar. Wou jij daar een diepgaand conflict in zien, Harold?'

'Niet als dat alles was.'

Harold leunde zwaar naar voren op zijn ellebogen, en was weer de catcher bij het honkbal op school, die wacht om te zien of zijn teken niet wordt genegeerd.

Mike knipperde met zijn ogen en wist dat de woorden die hij hier sprak een zelfgebouwd huis zouden vormen waar hij voortaan in zou moeten leven. Hij keek even langs Harold heen om nog wat tijd te winnen.

'Dus dit gebeurt er als je numero uno wordt?' Er kwam een ironisch lachje op zijn gezicht. 'Jij laat al je oude vrienden door hoepels springen.'

'Ik heb een afdeling met negenentwintig man voor vijftig vierkante kilometer,' zei Harold. 'Ik heb nergens plek om een man te verstoppen die het leven moeilijk maakt, vooral niet mijn tweede man. Ik heb al een agent die niet meer de weg op durft, en een die de helft van de tijd te dronken is om de poep van zijn hond op te ruimen. En nu ziet het ernaar uit dat een grote moordzaak die een burger van ons betreft in onze voortuin is gekwakt. Dus als jij hier een of ander conflict hebt, verwacht ik dat je me dat nú vertelt, zodat ik je kan vragen een stap terug te doen en Paco de zaak te laten behandelen.'

'Een stap terug?' Mike hield zijn hoofd scheef alsof hij het niet goed had gehoord. 'Ik heb Paco voor dit werk opgeleid. Hij behoort verantwoording af te leggen bij míj.'

'En als jij een conflict hebt, verwacht ik dat je je uit de bevelsketen terugtrekt, precies zoals je dat in het omgekeerde geval van mij zou verwachten. Ik heb geen behoefte aan een stuk in de *New York Post* over hoe deze afdeling zijn eerste grote onderzoek verknalde, met een zwarte als chef. Ik vertrouw er daarom op dat je het me vertelt als er iets is wat ik moet weten.'

'Ik ken je al vijfendertig jaar.'

'Tweeëndertig,' verbeterde Harold hem. 'Pas toen we in de vijfde klas zaten kwam er integratie op scholen. Laat ik je nu nog één keer vragen: is hier iets wat ik moet weten?'

Mike keek omlaag en merkte dat hij met zijn vinger rondjes draaide op de armleuning.

Hij hield ermee op en begreep dat als hij nu een omweg maakte, hij nooit meer op de hoofdweg terug zou komen. De stoel van Harold kraakte zacht toen hij erin schommelde, in afwachting van een antwoord. Mikes oog viel op het doodskistje op het bureau. Of je trapte nu op de rem en riskeerde een kettingbotsing, of je bleef zonder koplampen het donker in ploegen.

Heel even was hij weer zeven jaar oud. Hij lag in bed, met zijn verzameling treinen en auto's onder zijn kussen, en hoorde zijn vader thuiskomen na zijn dienst tot middernacht. Het was alsof hij de gevangenis mee naar huis nam. De geur van pis, tabak, ammonia en smeermiddel voor de sloten. Het harde geluid van zijn sleutels op de tafel was te horen, en de piep van de koelkast die open werd gerukt.

En als die weer dicht was, de sissende stem van zijn moeder, en het gedempte geklets van haar pantoffels op het linoleum, als ze zijn vader in de keuken naliep en de zonden van haar kinderen een voor een voorkauwde. *Klats, klats, klats. Johnny had weer een grote mond tegen me. Klats, klats. Die kleine is een leugenaar.*

Zoals ze over hen sprak deed hen zo veel erger lijken dan ze waren! Hij proefde nog de smaak van de dekenrand in zijn mond waar hij op kauwde, terwijl hij dacht aan de kans die hij maakte om uit de penarie te komen. *Klats, klats.*

Ik betrapte Michael toen hij bij Angelo's een brandweerauto wilde stelen. Die wordt mijn dood nog eens...

Wat het nog vreselijker maakte was de manier waarop ze hen bleef vergelijken met de kinderen waar ze in het huis van anderen voor zorgde. Met hun welgemanierdheid. En hun kleren van Bloomingdale. En hun paardrijles. *Klats, klats.*

Ze zijn zó welopgevoed. Je hoeft ze nooit iets twee keer te vragen... Je zou de kleine moeten zien. Sprekend John-John...

Soms rook ze als ze thuiskwam zelfs naar de rosbief en lamskoteletten die ze voor 'haar mensen' had bereid, terwijl haar eigen kinderen blikvoer aten en het merg uit de botjes zogen van resten kip in de koelkast. *Klats.*

Hij herinnerde zich dat zijn kamerdeur openging en er licht uit de keuken op zijn kussen viel. De plastic wieltjes onder zijn hoofd piepten. De vloerplanken kraakten toen zijn vader op zijn werkschoenen door de kamer liep. Zijn vader bleef lange tijd voor het voeteneinde staan wachten. Zijn moeder liep net buiten de deur rond, ruimde ongeduldig op in de keuken en liet hen beiden zo weten dat ze luisterde. Een kookpit van het fornuis maakte een droog geluid. En toen ging het licht op zijn nachtkastje aan. God, hij hield zo veel meer van zijn vader dan van haar. Als kleine jongen begreep hij op zijn manier de vermoeidheid van zijn vader, en van de moeite die deze deed om de geluiden van het cellenblok uit de kamer weg te houden.

Wel, wat hebben we uitgehaald? vroeg zijn vader.

Dit was zijn vader. Zijn idool. De man die hem ooit zijn oude uniformhemden zou geven als hij groot genoeg was, en hem binnenkort mee uit jagen zou nemen in de Adirondacks. De man die hem zou leren hoe hij met een geweer moest schieten en een stropdas moest knopen. Wanneer je er niet op kon vertrouwen dat je vader je begreep, wie kon je dan vertrouwen? De man had als kind waarschijnlijk precies hetzelfde gedaan. Mike ging moeizaam rechtop zitten en wreef in zijn ogen.

Pap, het spijt me... begon hij te zeggen.

Maar zijn vader had al een van de treintjes opgemerkt die onder zijn kussen uitstaken.

De rug van zijn hand trof Mike onder zijn kin.

Wanneer hij er echter aan terugdacht herinnerde Mike zich niet zozeer de smaak van bloed of zelfs het pijnlijke van het feit dat hij niet kon ophouden met huilen. Wat hem nog steeds achtervolgde was de uitdrukking op zijn vaders gezicht. Het dagende besef dat hij na een hele dag boeven bewaken thuis een dief aan het grootbrengen was. Daarna waren de dingen nooit meer hetzelfde. Er kwam nooit een jachtpartij in de Adirondacks en Mike kreeg nooit een uniformshirt. En voortaan verstopte Mike zijn treintjes onder zijn matras en vertelde niets aan niemand.

'Nee,' zei hij tegen Harold. 'Er is geen conflict. Je weet alles wat je weten moet.'

I I

De volgende morgen om kwart over negen ging Lynn in een voddig oud t-shirt en een grijze trainingsbroek de achtertuin in om dahliaknollen en uitgebloeid duizendblad uit te trekken. Een vreemd tijdstip om nergens naartoe te hoeven. Het was bijna tijd om te gaan spitten en de tuin winterklaar te maken.

Ze was nu tweeënveertig en oud genoeg om te weten dat de kringloop van vernieuwing niet altijd volgde op verval. Sommige tomatenplanten waren verdord. Daar staken dunne zwarte stelen als navelstrengen uit de grond. Slakken hadden dit jaar de pompoenen aangetast en de broccoli was niets geworden. Konijnen aten de radijs op, en vogels hadden alle pitten uit de zonnebloemen gepikt, zodat deze leeg waren als de gezichten van etalagepoppen.

Wat haar evenwel het meest stoorde was dat herten over de omheining van twee meter vijftig waren gesprongen en haar wortelen hadden opgegeten, op een paar stompjes na die als oranje vingertjes verspreid stonden.

Ze zette het maar van zich af en groef diep in de grond naar de laatste overgeërfde aardappelen, in de hoop dat het niet helemaal een verloren seizoen was.

Heel even was ze weer terug aan Birch Lane, waar ze de tuin van haar moeder probeerde te redden. Het onkruid schoot hoog op tussen de bloemen. Ze zag zichzelf als een tenger hippiemeisje voorzichtig tussen de bloemperken stappen om het onkruid uit te trekken. Niet dat haar moeder het allemaal ineens naar de bliksem liet gaan. De multiple sclerose nam hen allemaal in zijn greep. Die plotselinge vermoeidheid in de supermarkt, daarna de gevoelloosheid in de ledematen, en de scheve waggelgang op het parkeerterrein van de school, die alle andere moeders deed fluisteren dat ze altijd al hadden vermoed dat Liz Stockdale een beetje aan de drank was. Het pijnlijke van haar eigen moeder in de meisjeskleedkamer te moeten verdedigen 'Ze drinkt niet, het is een ziekte!' en de schaamte om haar weerzin tegen alle extra huishoudelijke taken die ze op zich moest nemen. Het vouwen van wasgoed, het afwassen, de trap op- en afgaan met een dienblad, haar zus weghelpen naar school, het onhandige harken in de tuin – alles als vergeefse poging om de zaak draaiende te houden tot haar moeder misschien weer op de been kwam. In plaats van dat ze dieper in haar rolstoel bij de tuin wegzonk en sigaretten rookte...

Lynn herinnerde zich dat haar vader met overslaande stem riep: 'Eén van ons moet kunnen leven!' vanuit de slaapkamer, enkele weken voor hij wegging omdat hij het niet meer aankon. Nou, vooruit dan. Uiteindelijk kon tenminste één van hen leven. Uiteindelijk had één van hen een echtgenoot, een carrière, twee kinderen en een huis op de heuvel, dat haar moeder nog had gezien voor ze vorig jaar stierf. Was het allemaal absolute perfectie? Natuurlijk niet. Maar ze was nu boven op die heuvel, waar ze aardappelen verzamelde in haar t-shirt, naar haar huis keek, aan Barry's lippen in haar nek dacht, en weer het zonnescherm van haar moeder in de wind hoorde klapperen, en haar stem die zei: 'Heb ik het je niet gezegd, kind?'

Opeens leek alles zo stil om haar heen. Een Vlaamse gaai brak zijn ochtendzang af, en een bosmarmot schoot langs haar heen. Ze luisterde naar Eduardo en de andere tuinlieden die het gazon aan de voorkant maaiden, maar om een of andere reden klonk het geraas van hun machines als van heel ver weg.

Het huis was aan drie kanten omgeven door een halve hectare bos, met een hek dat tegen de hellingen de begrenzing vormde. Ze zag in het geboomte links van haar iets bewegen en het drong tot haar door dat haar kruiwagen niet meer op zijn plaats stond.

'Hallo,' riep ze. Ze liet haar aardappelen vallen en pakte een schep.

Een lichte bries deed de esdoornbladeren tintelen als gedigitaliseerde pixels, en de kleren die ze aan de lijn had gehangen omdat de wasdroger stuk was wapperden. Een havik met rode staart scheerde geluidloos door de wolkenloze hemel, met gespreide vleugels afstekend tegen de zon.

'Hallo!' Ze verhief haar stem, greep de schep steviger beet en vroeg zich af waar de tuinlieden waren gebleven.

Een stukje de helling af naar rechts stond het hek tussen de achtertuin en de oprijlaan een stukje open, hoewel ze zich duidelijk herinnerde dat ze het dicht had gedaan toen ze de schep uit de garage ging halen. Kilte bekroop haar tussen de schouderbladen toen ze langzaam de helling afliep en een onbekende auto op de oprijlaan zag staan.

'Hé.'

Met de schep boven haar schouder geheven keerde ze zich met een ruk om.

Mike Fallon stak lachend zijn handen omhoog.

'Rotzak,' zei ze.

'Wat nou? Ik wilde je niet laten schrikken. Ik zag je Mexicanen aan de voorkant aan het werk, dus leek het me in orde als ik gewoon verder kwam.'

Met zijn hand boven zijn ogen bekeek hij haar studio, die een paar meter voorbij de tuin stond.

'Een aardige lap grond heb je hier. Je man boert zeker goed. Zei hij dat hij advocaat was?'

'Hij verdient de kost.' Ze liet de schep zakken maar zette die niet neer.

Het wekte altijd haar onbehagen, dit voorstadsritueel van mensen die je opzochten en gingen schatten wat alles kostte. *Wie heeft je tuin gedaan? Wat vragen ze voor die tegels?* Alsof je snauwerige bevelen te verduren had.

'Ik zie dat de herten aan je groenten hebben gezeten,' zei hij, met zijn blik op de aangevreten wortelen.

'Ja, ze zijn mooi, maar toch ook ongedierte.'

'Ik zag dat het hek hier niet veel voorstelt. Volgens mij springen ze daar zo overheen.'

'Ja,' zei ze peinzend, denkend aan de twaalfhonderd dollar die ze al hadden uitgegeven. 'Het is niet zo lelijk als onze vroegere palissade, maar het voldoet niet.'

'Ik klus er wat bij met hekwerken. Heb je weleens aan zonnepanelen gedacht? De volgende keer dat ze zo hoog proberen te springen krijgen ze dan een venijnige schok.'

'Wat kom je hier doen, Mike?'

Ze merkte op dat hij deze dag netter was gekleed, in een geperste kaki broek en een gestreken geel overhemd met een polospelertje links op de borst.

Hij veegde met de rug van zijn hand langs zijn voorhoofd. 'Ik kom hier eigenlijk ambtshalve.'

'O?' Ze liet de schep tegen haar been rusten.

'Heb je Sandi Lanier recentelijk gezien?'

Ze kruiste haar armen over elkaar. 'Waarom wil je dat weten?'

'Zou ze onlangs niet bij je komen eten?'

Ze voelde de haartjes in haar nek overeind gaan staan. 'Wie heeft je dat verteld?'

'Is ze op komen dagen?'

'Nee. Zeg, wat is dit allemaal?'

Ze hoorde vaag het dopplereffect van de grasmaaier die in de voortuin heen en weer ging.

'Het spijt me dat ik degene ben die je dit vertelt.'

Een zwart cirkeltje klopte als een zweer in haar. 'Nee toch.'

'De vrouw die we gisteren bij het station vonden...'

'Nee toch, verdomme.'

De cirkel werd groter, en ze hief haar handen alsof ze hem wilde slaan.

'Jeff kwam gisteravond een vermissing melden...'

De cirkel werd een zware zwarte bal die groter werd en dreigde haar longen te vermorzelen. Ze zag een lichtflits tussen de bomen en haar knieën knikten.

'We zijn er vrij zeker van dat zij het is,' zei hij op dat moment.

'Ze heeft dezelfde littekens en de tatoeage op haar enkel...'

Ze vroeg zich af of hij haar echt zojuist in haar maag had gestompt, of dat het alleen maar zo voelde.

'Dit gebeurt niet echt,' zei ze.

De grond leek snel omhoog te komen en weer terug te wijken, alsof ze bezig was met bungeejumpen.

'Zou je niet even gaan zitten?' Hij raakte haar arm aan. 'Je begint wat bleek te zien.'

De grasmaaier kwam weer op, onstuitbaar en lawaaiig als een bommenwerper van vroeger.

'O god...'

Haar maag kneep samen en een golf van misselijkheid welde op in haar borst.

'Je wilt dus zeggen dat iemand haar heeft vermoord en als een oude autoband in de rivier heeft gegooid?' De grond schoot weer omhoog.

'Daar ziet het naar uit.' Ze raakte zijn arm aan voor steun en merkte op dat het leek of er haltertjes in zijn polsen zaten, in plaats van botten.

Ik ga niet flauwvallen. Ik wil niet overgeven. Ze dwong zich zonder zijn hulp overeind te blijven.

'En haar hoofd is afgehakt?'

'Het hoofd hebben we niet gevonden.'

Ze stak de schep diep in de grond, moeizaam balancerend en diep inademend.

'Wie heeft dat gedaan?'

'Daar proberen we achter te komen.'

'Ik kan dit niet geloven.' Ze voelde zich weer gaan wankelen, als een tol die niet snel genoeg meer draait. 'Ze had net kanker doorstaan.'

'Dat weet ik.'

Ze zoog lucht in en vocht tegen de zwaartekracht. 'In maart ben ik met haar meegegaan naar haar laatste onderzoek. Ze was geheel genezen verklaard.'

'Zulke dingen snap je toch nooit.'

'Ik heb haar nieuwe huis nog niet eens gezien.' Een lachje en een snik probeerden tegelijk uit haar keel te komen, als twee dikke mensen die samen door een smalle deuropening willen. 'Ze bleef me afhouden omdat het nog niet klaar zou zijn. Ze wilde groots uitpakken...'

Ze herinnerde zich al die eindeloze discussies over inbouwovens, Thermador versus Miele, de twijfelachtige hegemonie van vriezers van SubZero en Viking, en de voors en tegens van klassiek meubilair.

Toen scheen er een licht door de koker van jaren, en ze zag hen tweeën weer als giechelende, sprietige tienermeisjes, die hopen spaghetti in kokend water deden, en achteruit sprongen voor de oplaaiende vlammen van de barbecue, als ze probeerden hamburgers te maken voor hun ondankbare jongere broertjes en zusjes. Zij tweeën die elkaar alleen maar aankeken als Eric Clapton op de radio werd gedraaid: *Motherless children have a hard time when mother is dead, Lord...* waarna Sandi met haar ogen rolde en zei: 'Ja, vertel mij wat...'

De grasmaaier kwam om de zijkant van het huis en het redeloze geraas ervan steeg in toonhoogte toen ze probeerde haar ogen af te vegen. Ze zag Mike langs haar kijken, starend met zijn diepliggende ogen, alsof hij wachtte tot ze dit had verwerkt.

'Lynn,' zei hij ten slotte, 'het is heel belangrijk voor ons te weten of Sandi de laatste tijd een probleem met iemand heeft gehad.'

'Nee. Nee. Ze heeft nooit iets van dien aard gezegd.'

Ze sloot haar ogen en probeerde tegen het storende geluid van de grasmaaier in helder te denken.

'Waar spraken jullie over, de laatste keer dat jullie elkaar zagen?'

'Dat weet ik niet meer. Ik kan haast niet helder denken. Het voelt alsof je net een bom op me hebt gegooid. Waar zouden we over praten?' Ze keek naar de bollende kleren aan de lijn. 'Het is zo lang geleden. Ze bleef me steeds afzeggen omdat ze aannemers over de vloer kreeg. Die laatste keer was, wanneer? Misschien in augustus, toen de kinderen op kamp waren. Waar we over spraken? God, ik weet het niet meer. Over de kinderen. Ons leven. De oppas. Over dat nieuwe restaurant op de Upper East Side, dat haar dacht in te huren om wat PR te doen. Dat we naar die echt goede moderne kunstacademies gingen, en uiteindelijk cakejes bakten voor Halloween.'

De kleren hingen slap, en haar geïmproviseerde zelfbeheersing begon weer te verbrokkelen. Sandi. Deze keer had ze het bijna voor elkaar. Haar leven lang had ze er net een beetje naast gezeten. Haar tanden waren altijd te groot en haar haar was altijd te kroezig. Op de middelbare school hadden veel jongens wat moeite met haar. Die kregen nooit haar trouwhartigheid te zien, of haar onbetaalbare imitatie van Raquel Welch. Zelfs nadat ze was getrouwd en kinderen had bleef het tobben. Ze had altijd een schuldgevoel omdat ze de kinderen niet zag toen ze nog werkte, en daarna omdat ze geen geld inbracht. En na haar borstoperatie kwam die periode van gekte. Ze liet een tatoeage zetten en liposuctie doen, alsof ze weer een tiener werd. Maar de laatste keren leek ze veel beter in haar vel te zitten. Ze ging prat op het voetballen van haar kinderen, sprak over haar nieuwe huis, en ze zei dat ze het had bijgelegd met haar vader, met wie ze jarenlang niets te maken had willen hebben. Ze had zelfs het idee laten varen om haar neus te laten doen en zei eindelijk te begrijpen dat het een compliment was als mensen haar 'verbluffend' noemden.

'Sprak ze ooit met je over haar huwelijk?' vroeg Mike.

'O, zeker,' hoorde ze zichzelf timide mompelen. 'We praatten voortdurend over onze mannen.'

'Had ze het ooit over problemen?'

Ze probeerde weer haar gedachten te ordenen. 'Ik weet dat zij en Jeff hun problemen hebben gehad, maar wie heeft dat niet, als je zo lang getrouwd bent?'

Hij keek haar iets te lang aan en hoorde in de opmerking kennelijk meer dan haar bedoeling was.

'Dacht je ook niet?' zei ze. Ze wilde zijn blik in haar ogen kwijt.

Hij wreef met zijn knokkels over zijn kin, en ze hoorde Stieglitz achter de hordeur blaffen om te worden uitgelaten.

'Kun jij iemand bedenken die haar kwaad heeft willen doen? Waren er ruzies met buren of financiële problemen?'

'Nee. Volgens mij redt Jeff het aardig met zijn zaak, en haar vader is steenrijk. En nu ze weer contact hebben wil hij steeds zijn kleinkinderen zien, en ze gaat op vakantie met...'

Ze zweeg toen tot haar doordrong dat ze in de tegenwoordige tijd over Sandi sprak. De schokgolf overspoelde haar weer. *Het hoofd hebben we niet gevonden.* Het was meer dan ze op dat moment kon verdragen. De grond jojode weer. Ze voelde een flauwte opkomen.

'Is dit allemaal echt waar?' Ze keek hem aan.

Eduardo de tuinman kwam weer om de zijkant van het huis, met zijn grasmaaier en een oranje koptelefoon op zijn oren. De geur van vers gemaaid gras en het geraas van messen vulde haar hoofd. Ze moest opnieuw gaan zitten om dingen op een rijtje te zetten. Barry bellen. De school bellen om te horen of alles goed was met de kinderen. Haar zuster en haar andere vriendinnen e-mailen om na te gaan of er niemand op mysterieuze wijze was verdwenen.

Ze keerde zich weer naar Mike, alsof ze hem een paar seconden was vergeten. 'Ik was bijna vergeten dat jij haar bijna net zo lang hebt gekend als ik.'

12

Een scheermesdunne vis gleed voorbij als een sliert levende aluminiumfolie.

Barry stond op dat moment voor het zeeaquarium in de wachtkamer van het beleggingskantoor Montgomery-Young. Het was zo'n kostbaar geval van tweeëneenhalve meter lang, met een inhoud van tweeduizend liter, toegerust om het milieu en ecosystemen van de oceaanbodem volmaakt weer te geven, compleet met oranje koraal, grote zeeanemonen en rotspartijen.

In het dikke getinte glas zag hij Mark Young weerspiegeld toen deze langs de receptie liep om hem te spreken.

'Mooi aquarium,' zei Barry, zich omdraaiend ter begroeting.

'Wij zijn er blij mee.' Mark Young gaf een lauw handje.

Hij was een spits toelopende man in een gabardine pak met scherpe revers en een smalle taille, wat leek aan te geven dat hij het te druk had met het uitbenen van noodlijdende bedrijven om zich met trivialiteiten als eten in te laten.

'Is dat nu een zwartpunt-rifhaai?' Barry keerde zich weer om toen een gestroomlijnde Cadillac van een vis met zilveren flanken en dode ogen langsgleed.

'Jazeker.' Mark kwam naast hem staan. 'Ziet er gemeen uit, hè?'

'Hij heeft een soort boosaardige charme.'

'Ken je die uitdrukking, over de haai springen?' Mark grijnsde, waardoor zijn lange, strakke gezicht een U-vorm kreeg.

'Die heb ik denk ik weleens gehoord.'

'Die komt eigenlijk van de televisie.' Mark Young veegde een smetje van het glas. 'Heb je de serie *Happy Days* weleens gezien?'

'Met de Fonz en zo?' Barry haalde zijn schouders op. 'Die heb ik ooit voor een betere verruild.'

'Nou, dat was een paar jaar leuk, maar toen kwam die afleveringring waarin de Fonz in zijn zwarte leren jasje gaat waterskiën en over een haai probeert te springen. Daarna was het nooit meer hetzelfde. Ze waren alle geloofwaardigheid kwijt. Daarom zeggen we nu als we het over een bedrijf hebben dat naar de bliksem gaat dat het over de haai is gesprongen.'

'Is het heus?'

'En wij denken dat jullie lang geleden al over de haai zijn gesprongen.'

Barry gaf niet meteen antwoord. Hij zakte een beetje door zijn knieën, om een blauwgrijs gevlekte vis te bekijken die zich traag langs de bodem bewoog.

'Je moet weten dat ik ooit bij een bedrijf heb gewerkt met net zo'n aquarium in de vergaderkamer,' zei hij. 'Daar zaten ook veel van deze vissen in. Ik denk dat ze allemaal van dezelfde firma komen.'

'Zo veel weet ik er niet van.' Mark Young keek op zijn Patek Philippe-horloge. 'Ik ga niet over het onderhoud.'

'Deze vond ik altijd interessant.' Barry tikte tegen het glas bij een suffige blauwgrijze vis die met een bek als van Edward G. Robinson zand lag te happen. 'Die leeft van wat er in de bodem zit. Zie je wat hij doet? Hij vult gewoon zijn bek met zand of wat er zoal is, zuigt er alle bacteriën uit en blaast het uit zijn kieuwen. Weet je waarom? Omdat hij te beroerd is om zelf op jacht te gaan.'

'Goed, wat kan ik voor je doen?' vroeg Mark, terwijl hij zijn opvallende paarse stropdas met gouden schakeltjes erop rechttrok.

'Nou, omdat het nogal moeilijk was je telefonisch of per e-mail te bereiken dacht ik, kom, ik kan er net zo goed even heen lopen.'

Hij stond op, rechtte zijn schouders en liet goed uitkomen dat hij een stuk groter was dan de speculant.

'Ik heb gehoord dat je ons op het internet en CNBC het vuur na aan de schenen legt.'

'Niet meer dan jullie verdienen.' Mark stond even te wippen op zijn voeten en was duidelijk niet onder de indruk. 'Jullie hebben je groeimogelijkheden overdreven. Zevenentwintig miljoen in het tweede jaar dat jullie draaien? Ik weet niet wat voor pillen jullie slikken, maar die zijn sterker dan die jullie maken.'

'We hebben niet al onze cijfers gehaald, dat lijdt geen twijfel...'

'Er is heel wat meer dan dat gebeurd. Jullie zakten in nog geen twaalf maanden van eenenvijftig naar zestien.'

'Het is een onzekere markt geweest.' Barry haalde zijn schouders op. 'Dat weet iedereen. Maar de zaken begonnen dit kwartaal net weer aan te trekken tot jij met modder ging gooien.'

'Wacht even,' kwam Mark er met lichte stemverheffing tussen. 'Bij een publiek bedrijf draait alles om debat en onthullingen. Jullie kregen de buitenlandse contracten niet rond die jullie je investeerders hadden beloofd. En het ergst is nog dat jullie medicijnen niet worden toegelaten. Jullie zitten al sinds maart vast in fase-twee-processen voor Chronex.'

'Dat is omdat we het nodig vonden de testgroep uit te breiden.'

Hij was zich bewust van de blikken van de receptionistes, twee fleurig geklede, ontevreden blanke vrouwen van middelbare leeftijd die in headsets mompelden, met achter zich een laat abstract schilderij van De Kooning. Het publiek. Hij besefte dat ze Mark eerder zo bezig hadden gezien.

'Luister,' zei hij, 'je hebt beslist recht op je eigen mening. Maar je hebt niet het recht om valse geruchten en aantijgingen te verspreiden om onze prijs omlaag te drijven.'

'Wij doen het best denkbare onderzoek op Wall Street.' Marks adamsappel wipte op en neer. 'Wij weten meer over de bedrijven die we onder loep nemen dan de meeste grote institutionele beleggers. Soms zelfs meer dan hun eigen directeuren. Daarom wil ik je voorhouden, meneer Schulman, dat een bedrijf dat zijn algemene consul door de stad stuurt om gewettigde kritiek te onderdrukken, tijd en geld van zijn investeerders verspilt en weinig toekomst heeft.'

'En ik stel voor dat je er harder aan trekt om de juiste feiten te krijgen.'

Barry greep naar de bruine attachékoffer naast hem en haalde er een stapeltje gerechtspapieren uit. 'Op jullie website staat dat ons bedrijf vijftig miljoen gaat kwijtraken bij het proces over het apenpatent,' zei hij.

'Die apen zijn niet van jullie,' antwoordde Mark Young afgemeten. 'Nieman en Tsyrlin hebben ze in hun lab op het MIT ontwikkeld. Zij zijn degenen die hebben ontdekt hoe ze de apen voor de experimenten Alzheimer moesten bezorgen. Tegen de tijd dat dit proces achter de rug is, zijn zij al bezig jullie kantoor over te nemen en zoeken ze nieuwe gordijnen uit.'

'Ik geef je nu zes verklaringen en onderzoekspapieren van zes topgenetici van het land, waarin staat dat dit niet waar is.' Barry stak hem enkele van de documenten toe die Lisa Chang hem had helpen verzamelen. 'Ik heb van de beste mensen van Yale, Berkeley en Princeton zwart op wit dat deze claims geen steek houden. Waarschijnlijk komt deze zaak nooit tot een proces. Je hebt deze informatie nu in je bezit. Dus als je doorgaat deze valse aantijgingen via jullie website en op de televisie te verspreiden, garandeer ik je dat we je zullen aanklagen voor laster, en als we winnen zullen we niet alleen nieuwe gordijnen uitzoeken voor dit kantoor, maar ook nieuwe vissen voor jullie aquarium.'

Even kwam er een glimlach over het benige gezicht van Mark. Hier zat duidelijk een man die wel zin had in wat steekspel. In een andere tijd van zijn leven had Barry het graag tegen hem opgenomen.

'Praatjes vullen geen gaatjes,' zei Mark. 'Jullie zeiden binnen vier jaar een product op de markt te zullen brengen tegen hersenstolsels, maar dat is er op geen stukken na. En intussen leggen jullie het af tegen wel zes andere preparaten. Waarom geven jullie niet gewoon toe dat het spel uit is en sluiten jullie het circus niet?'

'Luister,' zei Barry met lage stem. 'Ik heb wat van jullie onderzoek gelezen en ik weet dat je een spitse vent bent. Maar dit is ook niet mijn eerste rodeo. Mijn eigen geld zit in dit bedrijf.'

'Het spijt me dat te horen.' Mark lachte. 'Gewoonlijk kun je beter de schurk zijn dan de dwaas.'

'Ik weet dat we wat tegenslagen hebben gehad, maar ik geloof in wat we doen. Ik zal je eens wat vertellen. Mijn ouweheer was de sterkste kerel die ik ooit heb gekend. Hij was de enige blanke winkelier die na de rellen in Newark niet zijn biezen pakte. Hij bouwde eigenhandig zijn zaak weer op, en toen ze die voor de tweede keer kwamen platbranden stond hij ervoor en zei: "Lik m'n reet, klootzak."' Barry besloot er niet bij te vermelden dat zijn vader na het mislukken van zijn tweede zaak uiteindelijk bij een supermarkt in Nutley boodschappen in tassen deed. 'En ik heb deze man voor mijn ogen zien wegglippen door alzheimer. Dus geloof me, hier wordt niet gezwendeld.'

'Waarom verkocht jullie CED dan vierduizend aandelen van zijn eigen pakket, vlak voor ze deze zomer naar dertig zakten?' vroeg Mark.

'Gelul.'

'Nee, het is waar,' zei Mark afgemeten. 'Ross Olsen heeft in augustus ongeveer een vijfde van zijn aandelenbezit weggedaan. Dat deed hij via een derde partij, maar onze onderzoekers hebben het ontdekt. Maar daar is niets onwettigs aan. Soms hebben mensen contant geld nodig. Of misschien willen ze alleen maar risico spreiden...'

Barry duwde zijn tong tegen zijn verhemelte. Uit zijn ooghoek zag hij een blauwe trekkervis een stuk koraal afbijten, waar deze zo hard op kauwde dat het happen van zijn kaken door het glas heen was te horen.

De telefoon in zijn borstzak ging. Hij haalde die er even uit, zag dat het Lynn was die belde en stopte hem weer terug.

'Luister,' zei hij met een niets verradend gezicht, 'dit is voor ons een zaak op lange termijn. Wij hebben medicijnen op stapel staan waar we nog niet eens ruchtbaarheid aan hebben gegeven. Als jij tegen ons wilt blijven ageren en met een kredietbeperking te maken wilt krijgen, ga je gang dan maar.' Alleen al het noemen van een kredietbeperking, waarbij Mark geld zou verliezen doordat de aandelen plotseling omhoogschoten, deed zijn nekspieren licht zwellen. Een klein stukje koraal viel uit de bek van de trekkervis en dwarrelde naar de grondel die over de bodem zwom.

'Ik snap gewoon niet waarom een intelligente jonge vent als jij al zijn tijd steekt in het naar de bliksem helpen van bedrijven van andere mensen die er het beste van proberen te maken,' zei Barry.

'Nou, dan zal ik je vertellen waarom.' Mark deed een stap achteruit en plantte zijn voeten stevig op de grond. 'Dat is omdat er een hoop klotebedrijven zijn die legitieme beleggers geld afnemen. Of, in een geval als het jouwe, geld onttrekken aan andere bedrijven die hun werk goed doen. Je vroeg me net naar het aquarium. Dat is precies hetzelfde. Je hebt een ecosysteem. Komt daar de verkeerde bacterie in, dan tast die al je vissen aan. Je moet een paar bodemvissen hebben om het overschot op te eten en de bak schoon te houden. Het ziet er misschien niet fraai uit, maar we spelen het klaar. En wat kan jou het schelen als er wat aan onze strijkstok blijft hangen?'

Barry keek hoe de grondel koraal en kiezelsteentjes opslokte en weer uit zijn kieuwen blies, zonder weet te hebben van de caleidoscoop van Spaanse zwijnslipvissen, gele doktersvissen, koraalduivels en rode keizervissen die boven hem cirkelde. 'Alles goed en wel,' zei hij, 'maar denk je niet dat als je eenmaal meer gaat uitgeven aan je aquarium dan aan je secretaresses, je misschien wat inboet aan moreel overwicht?'

Hij keerde zich om en zag de receptionistes gniffelen in hun headset.

'Je komt er zeker wel uit,' zei Mark, met een hoofdknik naar de liften.

13

Lynn voelde zich nog steeds duizelig en vaag misselijk, alsof ze verfverdunner had ingeademd. Ze reed met de Saab over de smalle weggetjes hoger de West Hills in. In elke bocht rammelde en piepte de wielophanging. Ze sloeg bij Prospect rechts af en vond het kloeke koloniale huis aan het einde van een doodlopende weg die Love Lane heette, een huis als een doos in geschenkverpakking, een huis als een zin, waar geen eind aan komt, een huis waar ze echt van had willen houden, met grote zwarte luiken, hoge

Griekse ramen, enorme gevelvlakken en een portiek met Georgiaanse zuilen.

Ze stopte halverwege de cirkelvormige oprijlaan, stapte uit en rende de trap op naar de voordeur. Hoewel het gezin er al sinds augustus woonde had Sandi Lynn nooit uitgenodigd, omdat ze niet wilde dat haar oudste vriendin het huis zag voor het helemaal klaar was. Alsof Lynn met een camera en een journalist van een woontijdschrift zou komen. De bel klonk sonoor, maar kwam nauwelijks boven de sirene in haar geest uit.

Na een paar seconden ging de deur open en keek Isadora, Sandi's zevenjarige dochter naar haar op, gekleed in een zwart balletpakje dat binnenstebuiten zat, een witte tutu, een zwarte spijkerbroek en gympen met losse veters. Een sjaaltje van zilverlamé was slordig over een warrige bruine paardenstaart gebonden.

'Waar is mammie?' vroeg ze ongeduldig, alsof Lynn haar verborgen had gehouden.

'Hm...'

Lynn wist niets te zeggen. Wat moest je onder zulke omstandigheden tegen een kind zeggen? Ze keek in de schemerige hal en hoorde de echo van stemmen dieper in het huis.

'Ik weet het niet, schatje.' Ze raakte de korstige witte wang van Isadora aan en zag dat niemand die morgen het gezicht van het meisje had gewassen. 'Is je pappa thuis?'

'Jaaah...' Ze rolde met haar ogen, met dezelfde voorbarige ergernis die Sandi op die leeftijd had, alsof ze toen al wist wat ze van de mannen in haar leven kon verwachten.

'Hij is boven in zijn kantoor,' zei ze, enigszins slissend. 'Alsmaar telefoneren.'

Ze rolde weer met haar ogen om te tonen dat ze van hem geen aandacht meer verwachtte. God, wat leek ze op haar moeder. Lynn huiverde als ze aan het verdriet dacht dat dit kind wachtte.

'Is er vandaag ontbijt voor jullie gemaakt?'

'Ik heb een tosti gemaakt met de broodrooster.' Isadora glimlachte trots. 'Ook een voor Dylan. Met boter.'

'Je kleine broertje boft maar met jou.'

'Dat zeg ik hem ook steeds.'

Lynn stapte over de drempel en sloot de deur achter zich. Dylan was vijf, en altijd brozer geweest dan zijn zusje. Zijn moeder moest de laatste vier maanden van haar zwangerschap het bed houden en evengoed kwam hij zes weken te vroeg. Lynn zag hem nog onder de blauwe lampen van de couveuseafdeling, als een schriele rode kip die voor zijn leven vocht. Hij was altijd wat depressief geweest, en hij ging naar de kleuterschool met een oud zijden slipje van zijn moeder als knuffeldekentje. Dus hoe moest die het de volgende driekwart eeuw gaan redden?

'Wil je boven tegen pappa gaan zeggen dat ik er ben?' zei Lynn. Ze weerstond de behoefte het kleine meisje in haar armen te nemen, uit vrees dat ze bang zou worden als de vriendin van haar moeder zomaar zou gaan huilen.

'Goed. En gaan we daarna een spelletje doen?'

'Wat? O, ja. Natuurlijk.'

Juist, glimlach, Doe gewoon. Laat er niets van merken dat haar wereld zo dadelijk instort. Kinderen hebben behoefte aan vaste patronen.

Ze keek hoe Sandi's dochter door de lange schemerige hal rende, de losse veters tikkend op de onyx vloer. Ze bleef onder aan de trap staan en maakte met gespreide armen een houterig pirouetje bij de trapstijl. De zon bescheen haar opgeheven gezicht door een bovenlicht en veranderde haar rokje in een doorschijnende nevel. En Lynn wenste de enige keer die morgen dat ze haar camera bij zich had gehad, om op een of andere manier dit laatste zorgeloze moment vast te kunnen leggen en het jaren later aan het meisje terug te geven, wanneer ze er zeker weer behoefte aan zou hebben.

Ze luisterde naar het gestommel van voeten op de trap en liet zich toen wat inzakken, nu ze die opgewekte façade niet meer overeind hoefde te houden. Waarom was het meisje trouwens vandaag niet naar school gegaan? Had Jeff er niet aan gedacht een van Sandi's vriendinnen te vragen haar te brengen? Hemel, het laatste wat ze zou willen was dat haar kinderen in huis rondhingen en vergeefs de rest van hun leven op haar wachtten.

Ze liep behoedzaam de hal door, aangetrokken door het geluid van een tv-toestel. De echo van haar voetstappen leek haar verdriet te versterken. Ze had Sandi altijd zo actief en ruimdenkend gevonden dat ze zeker wist dat er typerende dingen moesten zijn, zoals houten lokeenden, of haar schilderij van meneer T. met een elizabethaanse plooikraag, of haar acrylportret van zes grote Amerikaanse first ladies in ruimtepakken. Maar er was slechts een kille, sfeerloze ruimte, neutraal behang en een gewelfd plafond, zes meter boven de trap.

Ze stelde zich Sandi voor met de hand van een man over haar mond. Iemand had haar vastgehouden en haar keel doorgesneden.

Begreep ze toen wat er gebeurde? Had ze gesmeekt? Had ze aan haar kinderen gedacht, net voor haar hoofd werd afgehakt? Lynn wilde dat beeld helemaal niet in haar hoofd hebben, maar het bleef opkomen.

Ze liep de hoek om en zag dat de woonkamer nauwelijks meer meubilair bevatte. Een vrouwenpraatprogramma op het grote platte tv-scherm, met Barbara Walters die uitvoerig herinneringen aan Lady Di ophaalde. In een hoek stond een lamp zonder kap, waarvan de peer een zacht zoemend geluid maakte en spookachtige contouren zichtbaar maakte van plaatsen waar meubels tegen de muren waren geschoven. Dylan lag op het witte vloerkleed naast de lage glazen tafel met oud plastic Pokémon-speelgoed te spelen.

'Piek-aaaahh,' krijste hij met een schril stemmetje, terwijl hij met een plomp, geel katachtig wezentje naar een oranje drakentrol uithaalde. Pikachu!!'

'Charizard, val aan!' antwoordde hij zichzelf met de laagste bariton die hij in huis had. 'Vuurspuger! Terug, of ik sluit je in je kamer op en laat je er nooit meer uit.'

'Wat doe je daar, Dyl?'

Ze knielde bij hem, met een brok in haar keel toen ze dacht aan Clay op deze leeftijd, op de vloer spelend met zijn Ninja Turtles als Donatello en Michelangelo. De namen waren toen toch veel poëtischer. En was Pokémon trouwens niet een beetje uit? Het verbaasde haar dat hij geen nieuwer speelgoed had.

'Dyl?'

Een steil asblond gordijn van haar weigerde zich om te draaien en haar aandacht te schenken.

'Ik ga je in een kooi stoppen en je tot mijn slaaf maken,' bromde hij met hese drakenstem. 'Piek-ahhhh!'

Ze merkte op dat zijn stem naar uitzinnigheid neigde.

'Dylan, gaat het wel goed met je, schatje?'

'Hou je kop, stomme trut.'

Ze deinsde terug alsof hij met druipende gele giftanden op haar toe was geschoten.

'Wat zeg je nu toch?'

Hij sloeg geen acht op haar en was weer in zijn eigen wereld. 'Charizard, vlammenwerper! Hiuhhhh!'

'Dylan, wat zei je daarnet?'

Een snoeperig snuitje keerde zich ten slotte om met een kring van siroop om zijn mond. 'Wil je Halma met me spelen, Lynn?'

'Hm, natuurlijk. Maar Dyl, wie heb je zo horen praten?'

Ze herinnerde zich dat Sandi en Jeff altijd tuttig zeurden over grove taal in het bijzijn van de kinderen, hoewel ze allebei vloekten als bootwerkers als de kinderen er niet bij waren.

'Inspecteur Gadget, *goink, goink, goink!* Inspecteur Gadget, *goink, goink…!*'

Hij pakte een los robotbeen op en zwaaide ermee voor haar gezicht, bijna alsof hij haar bedreigde. Een prullerig plastic made-in-Taiwan filmfiguurtje van een paar jaar terug bij het Happy Meal van McDonald's.

'Dylan, leg dat even neer. Ik probeer met je te praten…'

'Inspecteur Gadget…'

'Dylan, alsjeblieft…'

Ze schudde misnoegd het hoofd, en heel even was haar blik gevestigd op een roodbruine veeg bij de telefoonstekker op de plint.

'Hallo Lynn, fijn dat je gekomen bent.'

Ze keerde zich met een ruk om en zag Jeff in een blauwe badjas in de brede deuropening achter haar staan. Hij zag eruit of hij de hele nacht bloed had opgegeven. Zijn wangen waren opgeblazen en het midden van zijn gezicht zag mat en vuil, alsof iemand had geprobeerd het schoon te vegen. Over zijn voorhoofd hing een lok haar als de tong van een uitgeputte hond.

'Grote hemel, Jeff…'

Ze stond op om haar armen om hem heen te slaan, terwijl hij daar stond, stijf en wankelend, naar zweet ruikend en naar Smirnoff.

Eigenlijk had ze, net als met het huis, altijd echt gewild dat ze Jeff mocht. Sandi had al sinds de middelbare school altijd zo'n vreselijke smaak met jongens gehad. Daar was Dougie Mason, de reserve-quarterback, altijd met twee of drie meisjes bij zich. En dan Larry de Bietser, die haar altijd alles liet betalen. En de allerergste, dat uilskuiken Jimbo van Piscataway, die paardrijdende idioot die ze van de reizende renaissancetentoonstelling kende, waar ze nadat ze van Sarah Lawrence af moest een halfjaar had gewerkt. Daarom was Lynn in 1993 opgetogen toen Sandi haar opbelde en vertelde dat ze eindelijk haar 'Barry' had ontmoet, een knappe, geslaagde liefdesgod van Harvard, zoals ze hem noemde. In feite was Jeff toen wel een spetter. Zijn kin was een beetje krachtiger en hij zat nog goed in zijn haar. Maar al bij hun eerste etentje in Bouley vond ze hem wat jong en onrijp. Hij was niet helemaal een volwassen man, eigenlijk nog maar een jongen die honkbalplaatjes verzamelde in de garage van zijn vader.

Ze omhelsde hem stevig en gaf hem een stilzwijgende wenk flink te zijn.

'Ik ben gekomen zodra ik het hoorde,' zei ze. Ze pakte zijn hand en voerde hem de hal in, zich afvragend of de politie hier al was geweest.

'Lynn, ik ben kapot.'

'Weet ik. De hele weg hierheen zei ik tegen mezelf: dit is een droom. Je kunt elk moment wakker worden.'

En dit was nog maar het verdriet van de eerste dag. Door de dood van haar moeder, het jaar daarvoor, wist ze dat verdriet zijn eigen onvermijdelijke curve kende. De schok en de verdoving, het gebrekkig proberen door te gaan omwille van de anderen, en dan de manier waarop je geest steeds onverwacht terugspringt. Een geel memobriefje op een koelkast of een oud telefoonnummer in een bekend handschrift op de achterkant van een envelop kon je voor maanden in wanhoop dompelen. Dat alles en meer wachtte de arme Jeff. Zij had tenminste de mogelijkheid gehad om zich op de dood van haar moeder voor te bereiden.

'Ze was de liefde van mijn leven,' zei Jeff. 'Wat moet ik zonder haar?'

'Je moet op ons gaan steunen. Je moet je omringen met vrienden.'

Ze gaf een kneepje in zijn hand om sterker door te dringen tot zijn hart, en merkte hoe klein en klam zijn hand aanvoelde, bijna als die van een klein meisje.

'En, wat heb je de kinderen verteld?' vroeg ze.

'Niets. Ik weet nog niet goed wat ik moet zeggen.' Zijn ogen leken gebruikte flitslampjes achter zijn brillenglazen. 'Ik probeer nog steeds te bevatten wat er is gebeurd. Ik sprak haar zondagmiddag nog via de mobiel. Ik zei haar dat ik met het vliegtuig van vier uur uit Boston zou komen zodat ik de kinderen nog kon zien voor ze maandagavond naar bed gingen. Toen kwam ik thuis en van haar geen spoor. Geen boodschap, niets. Alleen jouw stem op het antwoordapparaat.'

Ze voelde dat ze een beetje ongeduldig met hem werd. Ze wist dat dat niet redelijk was. De man was nog helemaal uit zijn doen, net als zij. Je kon dit niet bij hem forceren. Zijn vrouw was afgeslacht. Iemand had haar de keel doorgesneden. Haar kinderen hadden geen moeder meer. Het ongeduld maakte weer plaats voor diep afgrijzen.

In dit huis liepen kinderen rond met ongewassen gezichten. De oppas was er kennelijk nog niet, dus iemand moest eens gaan denken aan eten voor hen.

'Luister, je moet de kinderen íets vertellen,' zei ze, terwijl ze zich realiseerde dat ze ook voor háár spruiten aan eten moest denken. 'Izzy denkt nog steeds dat haar moeder thuis zal komen.'

'Wat moet ik tegen ze zeggen, Lynn? Ik kan het zelf niet eens aan!'

Zijn stem weergalmde door de hal, en ze keek rond om te zien of er geen kind in de buurt was. 'Je moet allereerst je stemgeluid matigen.' Ze haalde diep adem. 'En ten tweede moet je ze alle gruwelijke bijzonderheden besparen. Want dat hoeven ze niet te weten en dat willen ze ook niet weten. Maar lieg niet tegen ze. Ze zijn flinker dan je denkt en ze zullen je nooit meer geloven als ze zien dat je ze hebt bedrogen. Beantwoord gewoon hun vragen zo eerlijk als je kunt zonder ze bang te maken en laat ze weten dat je bij ze zult blijven.'

Ze herinnerde zich dat ze een vriendelijke oude rechercheur ooit een bedroefde Dominicaanse grootmoeder in de Bronx dezelfde raad had horen geven, nadat haar dochter verkracht en vermoord op een dak was gevonden, vijf kinderen achterlatend waar zij nu de zorg voor had. *Laat ze weten dat je bij ze zult blijven.* Ze was bezig zich door de vloedgolf van verdriet te worstelen om hem te bereiken en te voorkomen dat hij verdronk.

'Doe jij het,' zei Jeff opeens.

'Wat?'

'Jij bent sterker dan ik. Ze kennen jou hun hele leven al. Ze vertrouwen jou. Vertel jij het hun.'

'Jeff, jij bent hun vader. Niemand anders kan dit doen. Het moet van jou komen.'

Hij zakte in tegen de muur, waarbij zijn badjas iets openviel, zodat ze zijn rode ondergoed zag, en een pens die er sinds de vorige keer dat ze die zag niet bepaald minder op was geworden. Ze wendde haar blik af, want zo veel menselijkheid was haar te veel.

'Ik weet het. Je hebt gelijk.' Hij richtte zich op en trachtte zich te vermannen. 'Maar ze zullen hier nooit overheen komen. *Ik* zal hier nooit overheen komen.'

Ze voelde een trilling door haar lichaam gaan toen haar droefheid overging in woede. Ze hield zichzelf voor dat het een natuurlijke dierlijke reactie was op het kwaad dat haar vriendin was aangedaan, het meisje met wie ze een bed had gedeeld toen ze zes was, en een suède rok toen ze vierentwintig was.

'De politie is hier zeker geweest?' vroeg ze, in een poging haar uiterlijke kalmte te bewaren. 'Wat hebben ze gezegd?'

'Ik heb gisteravond haar vermissing gemeld, en vanmorgen belden ze me. De chef. Ik geloof dat hij Sandi van school of zoiets kende. Hij was daar heel… discreet over.'

'Harold is een goeie vent.' Lynn knikte.

'Hij vroeg of ze even iemand langs konden sturen om wat spullen van haar te halen voor vingerafdrukken, om na te gaan of zij het is, maar daar leek hij vrij zeker van.' Hij kromp weer ineen, als een ballon waar de lucht uitloopt.' God, ik kan niet geloven dat iemand dit zou doen…'

De roodbruine veeg op de plint kwam Lynn weer voor de geest. Ze wilde teruggaan om die te bekijken, maar durfde het niet. Het kon toch zeker niet zijn wat ze dacht? Bij andere mensen kwamen herinneringen boven door woorden, maar bij haar door beelden. Waar had ze precies dezelfde tint eerder gezien? Toen Hannah als kleuter in hun flat een geprakte zoete aardappel tegen de muur gooide? Iets vies in de onderbroek van Clay? Bewijs van verboden M&M's voor het eten?

'Ik heb er nog niet eens over nagedacht hoe ze moet worden begraven,' zei Jeff. 'Volgens mij moet dat volgens de joodse traditie zo gauw mogelijk gebeuren...'

Een ander beeld flitste door Lynns geest. De hal van een flatgebouw. Een in opdracht gemaakte foto van de plaats van een misdrijf. Opgedroogd bloed op witte tegels. De *News* had het niet gebruikt. Ze hadden toen nog geen kleurenpersen.

'En nu zal ik haar vader en stiefmoeder in de stad moeten bellen, en alle familie in Florida...'

'Wil je dat ik daarvan wat van je overneem?'

'Nee, je hebt gelijk.' Hij bonsde met zijn achterhoofd licht tegen de muur, als om zichzelf te herinneren aan wat hem te doen stond. 'Ik moet hier de zaak op de rails zien te krijgen. Voor de kinderen. Daar gaat het allemaal om. Toch? Ik moet sterk zijn voor de kinderen.'

'Ze hebben je nodig, Jeff.' Ze kneep in zijn elleboog, harder dan haar bedoeling was. 'Maar vergeet niet, we zijn hier allemaal voor jou. Voor wat je maar nodig hebt. Bel me wanneer je maar wilt. Ik zal met de begrafenis helpen, en ik zal wat regelen voor de reis van de familie. Ik meen het. Gebruik me. Steun op mij. Ik zal voor de kinderen komen koken. Of ze komen bij ons logeren. Wij hebben ruimte zat. Sandi had voor mij hetzelfde gedaan.'

Ze drong het sepiabeeld van de veeg uit haar geest en probeerde iets te bedenken wat ze voor de kinderen kon maken en langsbrengen. Lasagne. Gebraden vlees. Lamskoteletten. Aten deze kinderen ooit iets anders dan kipstukjes en frieten?

'Is er iets wat je nu meteen nodig hebt?' vroeg ze, vanuit haar grote behoefte te helpen, iets te doen om dit gevoel van verstikkende hulpeloosheid te verlichten.

'Wat dacht je van een nieuwe vrouw om Dyl en Izzy te helpen grootbrengen?'

Haar mond viel open. 'Jeff...'

'Het spijt me. Het spijt me.' Hij stak zijn hand op. 'Ik weet niet wat in me is gevaren. Ik ben nog steeds van de kaart.'

'Ik begrijp het.'

Ze hoorde buiten een auto voorrijden en snorrend tot stilstand komen. Het geluid van een portier dat opengaat en wordt dicht-geslagen. De sonore bel klonk nogmaals.

'Dat zal de politie zijn,' zei hij.

'Wil je dat ik blijf, zolang ze hier zijn?'

'Nee, ik zet wel een videoband op voor de kinderen. Dat is wel goed. Ik heb *Bambi* voor ze.'

'Dat meen je toch niet?' Ze keek ontsteld, want ze wist nog wat er in de film met de moeder van Bambi gebeurde.

'Ach verdraaid, je hebt gelijk. Een slechte keus. Misschien zet ik *Yellow Submarine* maar op. Die doet 't altijd goed.'

14

'En wie was die *mujer bonita* dan wel?'

Paco zat vijf minuten later op de rand van een badkuip en keek hoe Mike Fallon de wastafel bestoof op zoek naar vingerafdruk-ken.

'Wie? De vrouw die we net weg zagen gaan?'

Paco wreef zijn hand alsof hij die zojuist had gebrand. 'Ik heb je toch met haar bij het station zien praten?'

'Ze is een oude vlam van me.' Mike haalde zijn schouders op, terwijl hij omzichtig het donkere poeder over het witte oppervlak streek. 'Je kent dat wel.'

'*Ai, pappi!* Als je al mijn oude vlammen in een kamer zet zou-den ze een coalitie vormen. Vrouwen Verenigd Tegen Paco. Ze zouden subcommissies vormen om de verschillende dingen te be-spreken waarmee ik ze woedend gemaakt heb.'

'Hé, hebben jullie daar alles wat je hebben moet?' riep Jeff La-nier vanuit de aangrenzende slaapkamer.

Mikes oog viel op een rode tandenborstel, en hij verstijfde bij de gedachte dat daar haar DNA op zat. Hij wilde er al een plak-ker op doen en het ding opbergen, maar dan zou Paco vragen hoe hij meende te weten dat die van haar was. Schade beperken. Daar draaide het vandaag om.

'Och, we zijn zo klaar, meneer,' antwoordde Paco met zijn hese Bronx-accent. 'Sorry voor het ongemak.'

Mike schudde zijn hoofd en mimede het woord klootzak, terwijl hij weer poeder uit zijn flesje tikte en uitstreek, en de verborgen patronen bekeek die als kleine spiralen opkwamen.

Zeg iets. Zeg niets. Hij had een vreselijke nacht gehad en een nog ergere ochtend. Twaalf uur lang had hij elk kwartier het gesprek met Harold afgedraaid, waarbij hij wikte en woog, en duidelijk de plekken zag waar hij zichzelf wat meer lucht had kunnen geven. Jammer dus. *Je weet alles wat je weten moet.* Waarom zocht hij niet een leuke krappe ijzeren maagd om in te klimmen?

'Zie je dit?' Paco leunde over de rand van het bad en raakte een blinkend sproeiertje in de zijkant aan.

'Ze hebben hier een jacuzzi in de badkamer. Zouden ze ook een sauna hebben?'

Mike negeerde hem, stoof geduldig poeder over het witte oppervlak en wachtte tot er meer donkere patronen op de ombouw van de glanzende koperen kuip verschenen.

Hij herinnerde zich hoe groot de badkamer van Castleman hem altijd had geleken, hoewel die in werkelijkheid waarschijnlijk maar half zo groot was als deze. Hij zag de marmeren vloer nog voor zich, de diep verzonken badkuip, de groene Jean Naté-fles met de zwarte bol erop die op het puntje op de i leek, de witte Lancôme-poederkwast, het mandje met potpourri, de papieren handdoekjes met bloemmotieven, netjes over het koperen rek gedrapeerd, de roze en lila zeepschelpjes en het futuristische toilet, zo schoon en glanzend dat je er niet op durfde plaats te nemen.

Zijn moeder maakte daar vroeger twee keer per week schoon als ze langskwam om het huis en de kinderen van mevrouw Castleman te helpen verzorgen. Jaren later zou het ten slotte tot Michael doordringen dat het schelpzeepje en de gebloemde handdoek die hij later weleens in hun badkamer thuis zag, dingen waren die ze bij haar werkgever had ontvreemd, zo om de twee weken één.

Niet dat hij haar kwalijk nam dat ze ook zulke dingen wilde. De kinderen Castleman, Bobby en Erica, leken op Kennedy's. Ze schaakten en reden paard. Ze hadden een ouderwetse pianola in de woonkamer, een koelkast die automatisch ijsblokjes maakte, en een tennisbaan in de achtertuin. Alles in het huis rook nieuw.

Hij wist nog dat hij er als achtjarige heen ging, zijn vuile nagels zag en besefte dat hij nog nooit van het wetenschappelijke programma *Nova* had gehoord waar Bobby het altijd over had. Erica, die een jaar jonger was dan hij, maakte hem bij het scrabbelen in met woorden waar hij nog nooit van had gehoord.

'Ik zal je wat zeggen,' zei Paco, terwijl hij een plastic zak pakte en erin blies. 'Ik zorg dat ik vóór ben met alimentatie, en dan laat ik dat ook allemaal in mijn badkamer in Port Chester aanleggen. Mijn kinderen zouden dat prachtig vinden. Toen ze bij hun grootouders in Florida logeerden zaten ze de godganse dag in de jacuzzi. Ik was bang dat hun kleine *cojones* gekookt zouden worden...'

'Zeg, nu je hier toch bent, als jij eens ging kijken of je een schaamhaar uit het putje kunt pulken, zodat we wat vezels hebben om mee te werken.'

Paco trok met een vies gezicht latex handschoenen aan. 'Maar hoe komen we aan schaamhaar van hém, ter vergelijking?'

'Vraag niet wat je chef voor jou kan doen; vraag wat jij voor je chef kunt doen.'

Mike legde zijn kwastje even neer en ging kijken of Jeff Lanier nog in de slaapkamer was.

'Nou, wat denk jij?' vroeg Paco zachtjes.

Mike luisterde even tot hij zeker wist dat de echtgenoot beneden tegen zijn kinderen praatte. 'Ik denk dat ik eens een kijkje in hun slaapkamer ga nemen.'

Hij plaste in het toilet van de Laniers, trok door, stapte over de drempel en snoof diep. Een rode geurkaars stond op een antieke kersenhouten ladenkast. De witte linnen baldakijn zakte iets door boven het hemelbed met groene wandlampen en een rood met groen Perzisch tapijt eronder. De plafonds waren hoog, en de kasten groot genoeg voor een Volkswagen. Hij richtte zijn aandacht op de boekenkast aan de andere kant en zag dat die voor de helft Oprahs keuzeboeken bevatte, en voor de andere helft van die dikke boeken over de Tweede Wereldoorlog, waarboven zijn vader altijd in slaap viel. Maar helemaal rechts op de bovenste plank zag hij een bekende smalle blauwe rug. Het dagboek. Dat stond daar als een oogbal die vanaf de plank terug naar hem staarde.

'Ik moet zeggen, ze hebben wel iets moois van de kamer gemaakt.' Paco kwam naast hem in de deuropening staan. 'Heel veel licht en ruimte. Met de wandlampen en de gordijnen is het echt een warm geheel.'

'Helemaal haar smaak.' Mike snoof.

'O ja, hoe weet jij dat?'

Hij liep naar de ladenkast en deed of hij het juwelenkistje van Japans lakwerk bekeek dat erop stond.

'Hé vader,' zei Paco zacht, 'we moeten ons inhouden hier. We hebben geen huiszoekingsbevel. We mogen hier alleen haren en vingerafdrukken verzamelen. Alles wat we hier nog meer opdoen zal de rechter afwijzen.'

'Ik ken de wet, Paco. Die hoef je me niet te leren.'

Hij keerde zich om en ging gehurkt zitten, alsof wat hem echt interesseerde zich onder het bed bevond.

'Maar het is een mooi huis.' Paco zuchtte en ging de aankleding van de ramen bekijken.

'En bepaald groot.'

Het dagboek. Dat was hij helemaal vergeten. Hij herinnerde zich dat hij haar vroeg waarom ze eigenlijk alles moest opschrijven. Was ze niet bang dat haar man of iemand anders het zou zien? 'Wat kan het me schelen,' had ze gezegd. 'Dan zou ik tenminste nog wat aandacht krijgen.'

Destijds schreef hij het toe aan het gebruikelijke gezeur, en had hij nooit gedacht dat ze met een pen echte schade aan kon richten. Maar nu zat hij erdoor in het nauw, en hij besefte dat hij misschien ook haar laptop moest zoeken, voor het geval dat ze niet al haar oude e-mails had vernietigd.

'De vrouw waar ik nu aan vastzit, wil dat ik werk maak van een groter huis.' Paco geeuwde. 'Ze heeft drie kinderen van zichzelf, bijna volwassen. En dat zijn wilden, man. Die hebben een hoop ruimte nodig. *Ik* heb een hoop ruimte nodig. We zitten met twee slaapkamers, en daar heb ik zwaar de pest aan. Om twee uur 's nachts dat gekrijs van Jennifer Lopez en Christina Aguilera in mijn oren. Zwaar klote, man. Ik wil een tuin. Ik wil rozen kweken, en rododendrons zo groot als waterbuffels. Ik wil in mijn keuken een eiland, zo groot als San Juan. Zeg, je laat het me toch wel weten als je daar beneden een hoofd ziet?'

'Ik zal erom denken.'

Mike stond op, streek zijn broek glad en trachtte zijn gedachten door het drukke verkeer in zijn hoofd te loodsen.

'En wat vind je van onze man beneden?' Paco fluisterde nu.

'Vandaag mag ik hem wel.'

'Maar hij heeft zijn vrouw wel het grote huis met de grote keuken gegeven.'

'Met nauwelijks iets erin. Heb je dat opgemerkt?' Mike luisterde of hij Lanier beneden in de keuken hoorde telefoneren. Dat was tenminste één obstakel minder. 'Behalve deze kamer en die van de kinderen is het huis nauwelijks ingericht. Hij heeft een grote doorzonkamer, op een kaarttafel na helemaal leeg. Wat zegt dat jou?'

'Jij denkt dat het hem boven het hoofd groeit?'

'Hij zou de eerste niet zijn. Heel wat mensen leven tegenwoordig boven hun stand. Grote huizen, grote problemen.'

'Op het bureau vertelde hij me dat zijn onderneming goed draait.'

'Ja, wat daarvan te denken?' Mike grinnikte. 'Misschien moeten we zijn cashflow eens bekijken. Eens zien waar dat toe leidt.'

Paco bleef bij het raam staan. Op zijn hoofd had hij stoppels van één dag.

'Heb je die op vier wielen aangedreven Mercedes in de garage gezien?' vroeg Mike. 'Die zou ik best onder mijn kont willen hebben.'

'Als je het niet erg vindt om de studiepot van je kinderen om te keren.'

Mike schudde zijn hoofd en probeerde te bedenken hoe hij zijn collega een paar minuten de kamer uit kon krijgen. Een dagboek. Shit. EN een laptop. Waar was de discretie gebleven? Waarom werd er niet meer gewoon geluisterd en gezwegen? Waarom liep iedereen tegenwoordig te popelen om zijn geheimen uit te bazuinen?

'Ik wil je wat vragen.' Paco keek hem weer aan en bevoelde zijn oorring. 'Je zei dat je uit bent geweest met dat lekkere ding dat we in de portiek zagen.'

'Ja, en?'

'En zij is een vriendin van de vrouw die hier woonde?'

'Ja, waar wil je heen, Paco?' Mike klemde zijn tanden op elkaar, want deze wending beviel hem niet.

'Heb je het slachtoffer dan ook gekend?'

'Ja, natuurlijk.' Hij knarsetandde inmiddels. 'Heeft Harold je dat niet verteld? We kenden elkaar allemaal van school.'

'Krijg nou wat. Dat wist ik niet. Hoe moet dat nu?'

'Hebben we hier een probleem?' vroeg Mike. Hij zweeg en liet het zwijgen tussen hen een wapen worden.

'Nou, daar zijn we mooi klaar mee.' Paco's sikje werd een lange v. 'Het slachtoffer en de rechercheur kenden elkaar.' Beneden klonk de televisie.

'We leven in een klein stadje,' zei Mike traag. 'Er wonen hier nog geen twintigduizend mensen.'

'Alles goed en wel, maar *que le pasa?* Kom zeg, hoe ziet dat eruit als we naar de rechtbank gaan en…'

Mike behield zijn ijzige blik en liet de stilte bevriezen en verharden, zelfs toen hij zich voorstelde dat het scherm van de laptop ergens in de kamer licht begon uit te stralen.

'Hoor eens, ik werk al bijna twintig jaar bij deze club,' zei hij. 'Jij iets langer dan achttien maanden. Als onze werkwijze je niet bevalt, waarom donder je dan niet gewoon op?'

'Zijn jullie bijna klaar?' Jeff Lanier verscheen in de deuropening met een mobiele telefoon aan zijn oor.

'Nog vijf minuten, meneer.' Paco stak zijn hand met gummi handschoen op.

'Ik dacht dat jullie alleen in de badkamer zochten.' Jeffs ogen vernauwden zich.

Zowel Paco als Mike keek naar zijn schoenen, als ouders die ruziënd zijn betrapt door de kinderen.

'We kwamen hier even een luchtje scheppen.' Mike keek naar het bruine medicijnflesje op het nachtkastje.

Jeff wilde protesteren, maar zijn zoon riep van beneden. Die wilde dat zijn vader bij de enge delen van de film bij hem zat, en in de telefoon mompelend verwijderde hij zich.

'Denk je dat hij ons heeft horen praten?' Paco keek door de deur of Jeff echt weg was.

'Ik weet het niet,' mompelde Mike. 'Laten we dit even afwerken.'

Het kostte steeds meer moeite om niet naar de boekenkast te

kijken. Hij kon het dagboek niet eenvoudig daar laten en maar zien wat er gebeurde als ze een bevel tot huiszoeking hadden. Dat zou een beetje zijn als een hersentumor laten rusten en afwachten of het kwaadaardig zou blijken. Wanneer het dagboek eenmaal als bewijsmateriaal werd aangemerkt zou het deel uitmaken van het officiële dossier, en dan was het niet meer te verdonkeremanen.

'Hé man, *lo siento*.' Paco hief zijn vuist om solidariteit te tonen. 'Ik zal hier geen punt van maken. *No vale la pena.*'

'Je doet maar.'

'We moeten gewoon elkaar leren respecteren. Oké?'

'Ja, zeker.'

Zonder waarschuwing greep Paco opeens Mikes rechterhand, hij boog zich naar voren om met de schouders te botsen en klopte hem met zijn vrije hand joviaal op zijn rug. Mike verstijfde in de halve omhelzing. Op dit moment wilde hij niemand zo dichtbij hebben.

'Oké, al goed, al goed.' Hij maakte zich los en richtte zich op. 'Allen voor één, één voor allen.'

'*Todo sigue bien.*'

'Luister,' zei Mike, 'als jij eens naar beneden ging en hem vraagt of we toegang kunnen krijgen tot de creditcardafschriften van allebei, zodat we hun bewegingen en aankopen van de laatste paar dagen kunnen natrekken. Ik kom zo beneden om te zien of ik de kinderen aan het praten kan krijgen, terwijl jij hem bezighoudt.'

'Wat hebben we volgens jou nodig voor een zodanige verdenking dat we de boel hier eens goed overhoop kunnen halen?'

'Dat zou ik niet weten, maar je vertelt het me wel als je een beugelzaag vindt die onder het bloed zit.'

'Ja, doe ik.'

Hij zag Paco de kamer uitgaan, luisterde naar zijn voetstappen op de trap en griste toen het dagboek van de plank. Hij stopte het in zijn jasje, ritste dat dicht en ging serieus op zoek naar de laptop.

15

Toen de taxi van Grace Hill Road de oprijlaan in reed was Barry onaangenaam verrast toen hij de brievenbus plat zag liggen, met het zilveren deurtje wijd open, als de mond van een slapende man. Hij vloekte binnensmonds en dacht aan het diepe gat dat hij had gegraven om de paal met een moker in de grond te rammen. En dan haalt een of andere idioot het ding omver om indruk te maken op zijn debiele vrienden. Heel fijn. Ze konden dat niet hebben gedaan door met een honkbalknuppel uit een portierraam te hangen. Een of andere slimmerik was waarschijnlijk uitgestapt en had het ding met flinke inspanning omver getrokken.

Hij gaf de chauffeur zeven dollar voor de rit vanaf het station, stapte uit en duwde de paal weer in het gat, met de gedachte dat hij dit in het weekeinde zou herstellen. Hij liep de oprijlaan op en hield binnen het hek even stil om de zonnebril op te rapen die Slam de tuinkabouter van de neus was gevallen. Toen keek hij naar zijn huis en dacht aan alles wat hieraan vooraf was gegaan. De krekels kwamen opzetten, en de verlichting van de eetkamer verzachtte de avond. Hij zag zijn vrouw en kinderen zonder hem bezig met de gewone dingen, als figuurtjes in een antieke speeldoos. Clay met een grote fles cola light aan zijn mond; Hannah die zorgvuldig tarwekiemen strooide over de strikt vegetarische maaltijd die ze nuttigde, terwijl Lynn met een stapel kommen en blauwe glazen om de tafel liep. Hij vroeg zich af of die eerste man die hij op die morgen van de noordelijke toren had zien vallen, met zijn stropdas fladderend in de wind, vlak voor hij de grond bereikte ook zo'n beeld had gezien.

Hij haalde diep adem, zette de kabouter de zonnebril weer op en liep door de tuin naar de voordeur, alsof hij net terugkwam van een ommetje.

'Ik ben er weer,' klonk zijn stem, terwijl hij de deur achter zich sloot, zijn koffertje neerzette en zijn armen spreidde.

Met lichte pijn dacht hij eraan terug hoe enthousiast zijn kinderen hem vroeger begroetten. Nu kwam alleen Stieglitz aanlopen om tegen zijn been op te rijden.

'Ho maar, af.' Hij duwde de hond weg. 'Pappie heeft geen behoefte aan dat soort liefde.'

Ze maakten ruzie in de eetkamer, die aan de hal grensde. Hannah met een hoog kijfstemmetje tegen het lage, geduldige geluid van haar moeder.

'Wat ben jij een huichelaar,' zei zijn dochter. 'Ik heb niets gedaan wat jij niet deed toen je zo oud was als ik. Ik wil wedden dat je ieder weekeinde naar de stad ging toen je in de hoogste klas zat.'

'Dat is beslist niet waar.'

'Zeg, wat is hier aan de hand?' Barry liep de kamer in, trok zijn jasje uit en hing het netjes over de rechte stoel aan het hoofd van de tafel.

'Ik vind dit echt een kutstreek van mam.'

'Hé.' Hij rolde zijn mouw op en hief zijn hand, als toespeling op vooroorlogse tucht. Zijn vader had hem alle hoeken van de kamer laten zien als hij zo tegen zijn moeder had gesproken.

'Je dochter wil zaterdagavond in de stad bij haar zogenaamde vrienden blijven slapen,' legde Lynn uit, die grauw zag van moeheid. 'Maar ze kan me niet het telefoonnummer geven van de mensen bij wie ze logeert, zodat ik de ouders niet kan spreken om na te gaan of er enig toezicht is.'

'Dat is niet waar,' zei Hannah, haar witte lok naar achteren gooiend. 'Ik heb je het e-mailadres van Joannes moeder op haar werk gegeven.'

'Waarop ik vreemd genoeg geen reactie kreeg, na een boodschap van drie uur geleden.'

'Nou ja, zíj werkt.'

'In tegenstelling tot?'

Barry kreunde, want hij wist dat er geen vrede kwam als het over werken, de Bermudadriehoek of moeder-kindrelaties ging.

'Ik denk dat je moeder alleen maar bezorgd is bij het idee dat jij naar de stad gaat, na wat daar is gebeurd.' Hij liep op Hannah toe en kuste haar op haar kruin. Hij dacht eraan terug dat ze bij hem op schoot zat en hij haar voorlas. 'Ze wil gewoon niet dat je gevaar loopt.'

'O, pap, we komen niet eens in de buurt van de bruggen, het Empire State Building of een van die andere plaatsen. Het is een bijeenkomst van Vrienden van de Aarde. Ik denk niet dat daar iemand met een vliegtuig tegenaan vliegt.'

'Maar je moet wel via Grand Central Station.' Lynn keek verbeten. 'Barry, steun me hierin alsjeblieft.'

Hij hoorde haar stem bijna overslaan en bedacht dat hij haar die dag eerder had moeten terugbellen, in plaats van te wachten tot ze Clay ophaalde van karate. 'Het is belangrijk,' had ze er toen bij gezegd. Hij keek naar haar en was verbaasd te zien dat haar gezicht wat opgeblazen en vervormd was, alsof hij haar door een beregende voorruit zag.

'Zeg, wat heb je?' vroeg hij.

'Ik kan je niet voortdurend nalopen.' Ze keerde zich naar Hannah, en haar stem klonk verstikt. 'Begrijp je dat niet? Je moet leren voor jezelf te zorgen en de juiste beslissingen te nemen.'

Clay, die er nooit tegen kon als zijn moeder van streek was, keek in verwarring naar Barry.

'Ik zal er niet altijd voor je zijn,' zei Lynn.

'Waarom niet? Waar ga je heen?' Barry stond met een hand op de rugleuning van Hannah's stoel, bestudeerde Lynn en besefte dat er iets belangrijks was veranderd in de dertien uur die hij van huis was geweest.

Dus zo gebeurt het. Je bent vijf, zes, zeven dagen per week op je werk, en beetje bij beetje veranderen je dierbaren in andere mensen zonder dat je het in de gaten hebt.

'Is er iets om onder vier ogen te bespreken?' vroeg hij.

Lynn knikte en stond op, met achterlating van een warrige berg spaghetti dampend op haar bord.

'Jij was zestien toen je een pessarium had,' zei Hannah hatelijk tot slot.

'En dit is jouw dank omdat ik open tegen je ben.' Lynn veegde langs haar ogen terwijl ze naar de keuken liep. 'Alleraardigst.'

Barry zag de lege blik van Clay toen hij Lynn door de hal volgde, en hij besefte dat er fundamentele zaken over vrouwen waren die hij met de jongen moest doornemen.

'Wat is er aan de hand?' vroeg hij, de keukendeur krachtig achter zich sluitend.

Ze negeerde hem, strooide meel op het werkblad en haalde een bal deeg uit de koelkast.

'Lynn? Wat is er?'

Dikke tranen liepen over haar wangen, terwijl ze de deegbal met een klap in het bed van bloem kwakte.

'Sandi,' zei ze.

'Wat is er met haar?'

'Het was haar lichaam daar bij het station. Ze denken haar geïdentificeerd te hebben.'

Opeens keerde ze zich om en omvatte hem in een wolkje meel. Hij voelde de vochtigheid van haar tranen door zijn overhemd heen toen ze haar gezicht tegen zijn borst drukte. Dit was een vrouw die een man kon berijden als een cowgirl, die met twintig kilo foto-uitrusting door het smoorhete New York sleepte, die twee kinderen op de wereld had gezet en die in de tuin enorme speeltoestanden op kon zetten zonder een man om enige hulp te vragen. Maar plotseling was ze een kwetsbaar kind.

'Dat meen je niet.'

Hij pakte haar zacht bij haar schouders en hield haar iets van zich af. Haar gezicht kromp samen en op haar trui zaten meelvlekjes als opgedroogde witte tranen.

'Daarom probeerde ik je vandaag te bellen,' zei ze, weer tegen hem aankruipend. 'Maar je belde niet terug. Het was zo verschrikkelijk…'

Hij sloeg zijn armen om haar heen en liet het nieuws tot zich doordringen.

Na al die tijd was hij eindelijk begrip voor Sandi gaan krijgen. Jarenlang had hij zich afgevraagd waarom Lynn al dat gedoe en die gekte voor lief nam. De waanzinnige pr-stunts, de exorbitante kinderfeestjes, de belachelijke naaldhakken en laag uitgesneden truitjes die je ogen naar haar boezemspleet leken te dwingen, haar wilde krulletjeshaar, haar hoekige strenge voorkomen en haar obsessie met haar gewicht. Maar hij had respect voor haar gekregen. Hij was haar vriendschap met Lynn gaan zien als iets waardevols. Ze hadden elkaar meegemaakt tijdens een harde jeugd, moeilijke zwangerschappen en taaie huwelijksperikelen. Hij wenste dat hij zo'n trouwe vriend had. Sandi deugde, had hij geconcludeerd nadat hij haar de kankerdreiging had zien trotseren met een kalm soort stoïcisme dat de meeste mannen die hij kende niet hadden opgebracht. En toen hij haar deze zomer stijlvol van de duikplank zag duiken met haar rode badpak strak over haar borsten zag hij erotische mogelijkheden bij haar die hij niet eerder had opgemerkt.

'Heb je dit al aan de kinderen verteld?' vroeg hij, met de gedachte dat Hannah dit voorjaar twee of drie keer op Sandi's kinderen had gepast.

'Nee,' zei ze. 'Ik wilde wachten tot jij thuiskwam. Ik dacht dat ik het niet alleen aankon.'

'Godallemachtig.' Barry rekte zich uit en vlocht zijn handen tegen zijn achterhoofd ineen. 'En wat doet Jeff nu? Wie zorgt er voor de kinderen?'

'Hij was bijna verstard toen ik daar vanmorgen kwam. Maar toen ik vanmiddag terugkwam om wat eten te brengen, zei de oppas dat de vader van Sandi er was met haar stiefmoeder. Dat zijn hufters, maar ze kunnen de zaak tenminste draaiende houden.'

Hij herinnerde zich de vader een keer ontmoet te hebben, een dikke vent met zware wenkbrauwen en wit haar, die groot was geworden als projectontwikkelaar, door in de jaren zeventig tegen lage prijzen aan te kopen en tien jaar later met flinke winst te verkopen. Zijn tweede vrouw was als een appartement in zijn gebouwen op de East Side: bekrompen, veel onderhoud en beperkt uitzicht.

'Jeff was even gaan slapen toen ik terugkwam.' Ze haalde een deegroller uit een la. 'Hij had het kennelijk niet meer nadat de politie was geweest.'

'Wat doe je daar?'

'Ik moet gewoon met mijn handen bezig blijven.' Ze ging het deeg te lijf met de roller. 'Ik ben te zeer van streek en te nerveus om stil te zitten. Ik wil een taart voor ze bakken. Ik weet nog dat de kinderen dol waren op mijn appeltaart...'

'Jeff heeft zeker een goede advocaat benaderd?'

'Dat weet ik niet.' Ze ging verwoed aan de slag. 'Hoezo? Denk je...'

'De politie zal iemand in zo'n geval grondig onder de loep nemen.' Hij haalde zijn schouders op. 'Vooral als je bedenkt wat er met het lichaam is uitgehaald.'

'Jee, wat jij soms voor dingen zegt.' Ze hield op met deegrollen en keek hem aan.

'Ik denk alleen maar zoals een officier van justitie zou doen.'

'Hij heeft net zijn vrouw verloren, Barry!'

Hij vroeg zich af wat hij zelf onder deze omstandigheden zou doen. In feite kon hij heel goed in zijn kantoor zijn weggekropen als een veteraan met shellshock, whisky drinkend en kijkend naar herhalingen van *World at War* op History Channel. Jeff had hem toch al nooit zo'n harde geleken. Als je hem voor het eerst ontmoette leek hij een man met wie je een biertje kon drinken terwijl de kinderen in het zwembad speelden. Een legerjongen die in Babylon, Long Island terechtkwam, op Harvard wist te komen en elk basisteam van de Mets van de laatste vijfendertig jaar kon opnoemen. Iemand die je om de zes weken kon verdragen bij een barbecue of een etentje, terwijl de vrouwen als afgezonderde juryleden op een kluitje zaten. Maar als je eenmaal echt met hem aan de praat raakte, droop er een week soort zelfbeklag vanaf. Steeds had hij verhalen over hoe iemand hem had verneukt of zijn gaven niet wist te erkennen. Elk blijk van geringschatting was een zware belediging; elke koersdaling was een doodklap. In een goede bui kon hij zelfs nog beroerder te pruimen zijn. Eerder dit jaar had hij tegenover Barry op staan scheppen dat hij de voltooiing van hun nieuwe huis zou vieren door Sandi 'op zijn hondjes' – *op zijn hondjes!* – te nemen, gebogen over de badkuip van drieduizend dollar die ze boven hadden laten plaatsen.

Ook erg was zijn neiging tot wedijver. Toen hij hoorde dat Barry zelden tenniste wilde hij per se met hem naar de banen van de Stone Ridge Country Club. Maar na verlies van de eerste set en het verdraaien van zijn zwakke knie kreeg Barry de slag te pakken, en hij versloeg Jeff gemakkelijk in de volgende twee sets, waarna Jeff de rest van de middag mokkend in het clubhuis voor de televisie zat.

Anderzijds had de man zijn verzameling honkbalplaatjes uitgebouwd tot een zaak die souvenirs via het internet verkocht, met een omzet van twaalf miljoen per jaar. Hij had eind vorig jaar een splinternieuwe wijnrode Mercedes 320, een SUV, gekocht, terwijl iedereen met teruggang te maken had. Dus misschien was het alleen maar jaloezie wat Barry jegens hem voelde.

'Denk jij echt dat Jeff dat met haar kan hebben gedaan?' Lynn veegde nog meer tranen uit haar ogen en ging de taartbodem maken.

'Ik weet het niet. Als buitenstaander krijg je nooit het ware verhaal.'

'Ik zweer je dat ik hem persoonlijk vermoord als ik erachter kom dat hij er iets mee te maken had.'

Ze ging harder op de deegroller duwen en in haar ogen kwam die felle, bijna angstaanjagende vastberadenheid. Dit was een van de dingen aan haar waar hij het meest van hield en die hij tegelijk vreesde. Dat ze zich nooit liet terugdringen. Hij had gezien hoe ze op plaatsen waar een misdrijf was gepleegd agenten intimideerde die twee keer zo groot waren als zij, en potentaten van schoolleiders ertoe bracht meer geld te fourneren voor kunstprojecten voor de kinderen. Als ze eenmaal op gang was liet ze zich door niets of niemand weerhouden, maar diep vanbinnen baarde het hem altijd zorgen wat er zou gebeuren als ze met iemand te maken kreeg die aan haar gewaagd was.

'Luister, ik weet zeker dat de politie greep op deze zaak heeft. Zei je dat ze daar al zijn geweest?'

'Toen ik wegging zag ik Mike Fallon met nog een politieman naar binnen gaan.' Ze legde de deegroller neer en pakte een scherp mes uit het rek aan de muur.

'Zie je nu wel? Ik weet zeker dat ze vakmensen zijn.'

'Maar ik zag daar nog iets anders. Ik was zo verdoofd dat ik er niets over heb gezegd.'

'Wat dan?'

Ze weifelde met het mes in haar hand, alsof ze was vergeten waarom ze het had gepakt. 'Op de muur van de woonkamer zat een vlek. Eerst dacht ik dat het een handafdruk van chocola of zoiets was, maar nu...'

'Ach kom. Denk je dat het een bloedvlek was?'

'Barry, ze is vermóórd.' Ze pakte een appel uit de fruitschaal. 'Iemand heeft haar afgeslacht. Ze hebben een mes in haar keel geduwd...'

'Goed.' Hij maande met zijn hand dat ze zachter moest praten. 'Ik heb je gehoord. Misschien moet je het bureau bellen en het melden, mocht het hun zijn ontgaan.'

Ze begon de appel te schillen, met een ononderbroken sliert.

'Jezus, ik kan dit niet bevatten. Het is zo vreselijk te bedenken dat dit een vriendin van ons kon overkomen.'

'Ik weet het.'

'Ik bedoel, je komt naar een stad met goede scholen en geen misdaad, waar je alle mensen denkt te kennen. En dan...'

De schil brak voor ze ermee klaar was, en ze liet het mes op de grond vallen. Hij kwam bij haar en sloeg zijn armen weer om haar heen, waarbij hij de nietigheid van haar botten onder haar huid voelde bewegen, en het mes op de vloer zag blinken. Dit was niet het moment om over de omver gehaalde brievenbus of de mogelijke catastrofe op zijn werk te beginnen, vond hij.

'Het zal allemaal goed komen,' zei hij, met zijn kin op haar hoofd.

'Ik weet dat je dat blijft zeggen.'

'Nou, wat wil je dan dat ik zeg?' Hij deed weer een stap achteruit. 'Lieverd, laten we dit weekeinde naar het winkelcentrum gaan en een gasmasker en een MAC-10 kopen.'

Tussen haar ogen verscheen een verticale rimpel. 'Ik heb een gevoel alsof we onze ozonlaag kwijt zijn.'

'Luister, ik ga morgen wat bellen om de beveiliging van ons huis op te voeren, maar we weten allebei dat het niet een of andere gek zal blijken te zijn die willekeurig huizen binnendringt. Het is vast iemand die haar kende.'

'Wij kenden haar.'

'Kom mee.' Hij raakte haar gezicht aan en probeerde de rimpel weg te wrijven. 'Laten we weer naar de kamer gaan. De kinderen wachten.'

16

Ray Martin was momenteel zevenenzeventig en had allang de hoop opgegeven op een echte relatie met zijn enige zoon. Die had zijn leven verziekt met drugs, vijf of zes zaken en twee huwelijken afgewerkt, met niet meer resultaat dan een baantje als bedrijfsleider van een aftands tankstation aan de Route 12 en een zoon die Kyle heette en die als buigend riet in de wind was. Vijf jaar oud met een vreugdeloze glimlach en een paar ontbrekende tanden, maar niemand gaf iets om hem. Zijn moeder was ook aan de drugs en had de voogdij afgestaan. Ze bezocht de flat aan River Road alleen nog om geld te vragen, waarbij steeds weer het wankele evenwicht van het jongetje werd verstoord.

Maar Ray hield van het kind. Een paar jaar eerder was zijn vrouw gestorven en had hij besloten niet naar Florida te verhuizen en de dagen die hem restten te verdoen op de golfbanen, maar te blijven en Kyle zo goed mogelijk proberen groot te brengen, zonder in de fouten te vervallen die hij met zijn eigen zoon had gemaakt. Hij gaf zijn kleinzoon heel veel aandacht, hij zorgde voor eten, kocht kleren voor hem, en leerde zijn waanzinnig gewelddadige videospelletjes spelen. Soms dacht hij met zijn hand aan de joystick aan de blauwe helderheid die hij als gevechtspiloot boven de Stille Oceaan had gekend, en dan zinspeelde hij erop dat hij in een grote oorlog had gevochten. Andere keren genoot hij alleen maar in stilte van Kyles gezelschap, wanneer ze samen in de woonkamer op de bank zaten, warme melk dronken en via de schotelantenne naar herhalingen van *Barnaby Jones* keken, waarbij het blonde hoofdje doezelig werd op zijn schoot.

Ray had besloten zichzelf voor zijn verjaardag een beetje te verwennen. Volgens het weerbericht kon het wel vierentwintig graden worden, en hij besloot Kyle thuis te houden van de kleuterschool om in de vroege morgen te gaan vissen.

Hij wekte de jongen kort voor zonsopgang en ging met hem de rivier op in de roeiboot die in de jachthaven bij het station lag. Op een sticker tegen de zijkant stond: 'oude vissers zijn niet alleen sterk – ze ruiken ook sterk.'

'Gaan we een haai vangen, opa?' vroeg Kyle, nadat Ray de riemen had ingehaald en zijn snoer had uitgeworpen in het heldere water.

'Paling lijkt me beter.'

Hij zat voorover gebogen en negeerde de loense blik van de jongen en de jicht in zijn botten. Hij vroeg zich af hoeveel herfstochtenden als deze hem nog restten. Hij herinnerde zich dat zijn vader met hem ging vissen bij het einde van de oude kolenpier toen hij deze leeftijd had, en dat hij een steur uit het water had zien komen, maar liefst twee meter lang, met groen-gele flanken en een glanzende witte buik. Als een levende regenboog opgehaald uit de rivier. Terwijl de grote vis met een boog terugdook onder het oppervlak van zijn geheugen speelde de wind door zijn spaarzame grijze haar, en hij voelde enige weemoed bij het idee dat zijn kleinzoon nooit in een wereld zou leven waar zo'n simpel onbedorven wonder mogelijk was.

'Och, je hebt ook nog baars en zo, maar ik denk dat we alleen paling vangen,' zei hij. Hij voelde een licht rukje aan het snoer bij verandering van de stroom. 'Paling ken je toch wel?'

'Nee,' Kyle was nog niet helemaal wakker en leunde tegen hem aan.

'Aaseters zijn het. Dat doen ze 's nachts. Ze leven op de bodem van de rivier en het kan ze niet schelen hoe smerig en donker het wordt. Ze liggen daar gewoon te wachten in gezonken oude schuiten.'

Hij voelde de spanning in zijn hengel en begon het snoer in te halen.

'Heb je beet?' De jongen ging wakker rechtop zitten.

De top van de hengel boog door toen Ray inhaalde. 'Zo voelt het wel.'

'Kan ik je helpen?'

'Nee, blijf zitten.'

De hengel boog door en leek zich in zijn handen als karamel uit te rekken. Hij voelde de spanning in zijn schouders toen hij zich oprichtte en probeerde in te halen.

'Misschien is het een zwaardvis!' Kyle sprong opgewonden op en neer, wat de boot deed schommelen.

'Vergeet het maar,' zei Ray.

Hij voelde het gewicht wegvallen en weer terugkomen. Te zwaar voor zeewier en te licht om een anker te zijn. Misschien was het een vis. In feite had hij in geen jaren iets van betekenis gevangen, waardoor het des te belangrijker werd dat hij echt iets verschalkte waar zijn kleinzoon mee thuis kon komen. Een tastbare herinnering, bespoten met polyurethaan en aan de muur gehangen.

Hij draaide nog twee slagen met de molen en voelde dat het gewicht weer met hem vocht. Zijn kleinzoon pakte hem om zijn middel, zette zich af tegen de bootwand en trok uit alle macht.

'Niet loslaten, opa.'

Hij hield zichzelf voor dat hij niet zomaar de lijn kon kappen en zich gewonnen geven. De jongen rekende op hem. Hij beet zijn tanden op elkaar en hoorde iets knappen in zijn lendenen, terwijl de boot afdreef en het snoer strak trok. Hij haalde nog wat snoer in, waarbij de doorschijnende spoel dikker werd, en zocht op allerlei manieren houvast.

'Opa, laat mij de hengel vasthouden.'

'Het gaat wel goed.' Hij duwde de hand van de jongen weg.

Het was een persoonlijk gevecht. Het gewicht spartelde en trachtte van hem weg te zwemmen, maar hij haalde het terug, want hij wilde het meester blijven. Hij kreeg een tintelend gevoel in zijn borst.

'Gaat het wel, opa?'

'Natuurlijk gaat het.'

Hij merkte dat de tinteling overging in een brandend dof gevoel. *Mijn hemel,* dacht hij. *Ik ga een hartaanval krijgen midden op de Hudson, met een vijfjarig jongetje in een roeiboot. Ik ga dood en neem mijn kleinzoon met me mee.* Opeens kwamen alle woede en bitterheid die hij jaren had ingehouden boven. Vervloekt zij zijn waardeloze zoon. Vervloekt zij zijn kwezelachtige benepen vrouw, die zolang ze leefde hem nooit een dag rust had gegund. Vervloekt zij de hypotheek, de mensen voor wie hij op de bank had gewerkt, en het feit dat hij in geen twaalf jaar met een vrouw was geweest. En vervloekt zij het feit dat dit kind hem zo hard nodig had.

'Opa, laat me je alsjeblieft helpen hem in te halen.' Een kleine hand greep naar het nylon snoer.

'Ik zei blijf zitten,' snauwde hij. 'Ben je doof?'

Op dat moment verslapte de lijn. Hij draaide wat aan de molen om na te gaan of hij nog beet had. Er zat nog steeds iets aan zijn haak. Hij zei maar wat en keek opgewekt opzij naar de jongen, in de hoop dat die de rafelige rand was vergeten die hij even daarvoor in een flits zag. *Zie je wat je grootvader voor je vangt?* De boot schommelde op een golf, terwijl hij sneller inhaalde. Vooruit, kom op. De rivier leek bereid afstand te doen van deze buit. Hij voelde deze naar hem omhoog komen en het al bijna opgeven. Hij ging weer op het bankje zitten voor het laatste triomfantelijke inhalen, terwijl hij weer kleur op zijn gezicht kreeg.

Er volgde nog enige weerstand van beneden, en toen trok hij het gewicht uit de greep van het water hoog de lucht in. Hij kon alleen maar vaststellen dat het een gescheurde plastic tas was die naar hem omlaag kwam en met een doffe klap in het zanderige laagje water voor zijn voeten landde. Hij hoorde zijn kleinzoon een schreeuw geven voor hijzelf omlaag keek. Bij de klap kwam de inhoud uit de tas. Een groot blik houtimpregneermiddel lag op zijn kant, en was kennelijk gebruikt om de tas te verzwaren. En daarnaast het afgehakte hoofd van een vrouw met een lange gebogen neus, een zwart geworden tong en zeewier in het haar, dat hem vanaf de bodem van de boot aanstaarde.

17

Uiteindelijk was het de stoel die Lynn de volgende morgen van haar stuk bracht. Een rechte Franse stoel met bruine bekleding. Ze kon alles goed aan tot ze die leeg zag staan bij de onverwachte bijeenkomst van hun leesclub die Jeanine had belegd. Ze was erin geslaagd met een helder hoofd op te staan, te douchen en zich te kleden, ontbijt te maken voor Barry en de kinderen, en hen vervolgens naar hun verschillende bestemmingen te rijden, voor ze bij het huis aan Love Lane stopte om voor Jeff Isadora naar school te brengen. Ze wist zich zelfs vrolijk voor te doen toen Izzy op de achterbank *The Piña Colada Song* begon te zingen, met het aanstellerige vibrato van haar moeder.

Maar de aanblik van die lege stoel in de halve kring van vriendinnen die die morgen bijeenkwamen deed haar de das om. Die bezorgde haar verdriet, net zo echt en concreet tegenover haar als een ijsberg, en daagde haar uit. Ze had tientallen misdaadplaatsen gefotografeerd, maar dit was de dood buiten beeld. De dood was hier in de woonkamer. De dood zei: *Kijk eens goed.* De dood zei: *Zou je niet met me willen werken?* De dood zei: *Daar heb ik er weer een.* De dood zei: *Hebt u het goed kunnen zien, dame?*

'Sandi zei altijd: "Doodgaan kan ik niet zo erg vinden,"' hoorde Lynn zichzelf beginnen. '"Geef me alleen nog zestien jaar om het afstuderen van de kinderen te halen. Daarna kunnen jullie me wat mij betreft wegbrengen in een vurenhouten kist." Ze wilde alleen langer blijven dan haar moeder had gedaan.'

De andere vier vrouwen in de kamer keerden zich naar haar en letten niet op de klaargezette crackers en kaas. Jeanine zag er keurig verzorgd maar ook glazig uit, alsof ze zich eerst volmaakt had weten te beheersen en vervolgens een enorme joint had opgestoken toen de kinderen eenmaal naar school waren. Molly Pratt met haar Dorothy Hamill-kapsel had een boek op haar schoot, alsof ze die dag echt een roman zouden gaan bespreken. Dianne de Groot droeg een kraagloos shirt en vlechten, net als haar achtjarige dochter. En Anne Schaffer trok een gezicht en kreunde zachtjes, met haar gebroken been nog steeds tot de heup in het gips, met enorme Frankensteinachtige bouten die uit de enkel staken.

'Ze was geschift, maar we hielden van haar,' zei Jeanine triest.

'Weten jullie nog de vierde verjaardag van Dylan, met het steekspel van geharnaste ridders in de tuin?' Het gezicht van Dianne de Groot lichtte op.

'Vond je dat niet een beetje overdreven?' vroeg Molly, haar neus optrekkend. Zij had in een tijdschrift een rubriek met advies voor alleenstaande moeders. 'Dat moet ze wel vijfduizend dollar hebben gekost. Daar kunnen wij met onze verjaardagspartijtjes toch niet tegenop?'

'O, maar ik vond het prachtig,' zei Lynn, die zich in moest houden om haar hand niet te heffen. 'Ik begreep het helemaal. Zo gaat dat als je op jeugdige leeftijd je moeder verliest. Je hebt het gevoel dat je dat voor je eigen kinderen goed moet maken door alles op en top te hebben. Ze had toch heel veel leven in zich?'

'Dat zeker,' bromde Anne Schaffer, die drie aspirines wegspoelde met haar Bloody Mary. 'En nog heel veel meer.'

Er hing die morgen spanning in de lucht, nu iedereen aarzelde tussen de neiging zich te laten gaan en de behoefte alert en volkomen beheerst te zijn. Voor Lynn was het gezelschap van andere vrouwen voor het moment al genoeg. De stilte van het huis, waar ze het hele vorige jaar naar had gesmacht toen aannemers haar het leven zuur maakten en er geen einde leek te komen aan schoolbijeenkomsten, was opeens drukkend en onheilspellend. Ze had behoefte zich met vrienden te omringen, ter verzachting van de slag. Om andere stemmen in de puinhopen te horen, die haar zeiden dat ze niet alleen was.

'Alles wat ze deed was tien keer groter dan levensgroot,' monkelde Jeanine in een glas witte wijn. 'Weten jullie nog dat ze die heteluchtballon huurde als reclame voor dat nieuwe restaurant op de West Side, en dat die bijna vast kwam te zitten tussen de Twin Towers?'

'Of dat ze het uitmaakte met die zak van een Scott Lewin en steeds maar weer *I Will Survive* in zijn antwoordapparaat speelde, zodat hij geen boodschap van zijn nieuwe vriendin kon ontvangen.' Lynn glimlachte weemoedig, en even week de triestheid.

'En dan de trouwerij in het Waldorf met vijfhonderd gasten en het orkest van Lester Lanin, waarbij de schoenen van de bruidsmeisjes waren geverfd in bijpassend roodborstjesei-blauw.' Jeanine liet haar hand bungelen alsof er diamanten afdropen.

'Het lag voor de hand dat ze niet als een gewoon mens zomaar in een bejaardenhuis zou sterven,' zei Anne Schaffer, moeizaam met beide handen haar gipsbeen verplaatsend.

'Wat bedoel je daarmee?' Lynn ging achteruit zitten.

'Anne wil alleen zeggen dat Sandi altijd alles in het extreme trok.' Jeanine kwam ertussen als een tolk van de VN. 'Ja toch?'

'Precies.' Anne knikte.

Iets in haar stem maakte dat Lynn weer recht ging zitten. De andere vrouwen in deze kring hadden Sandi wel vijfentwintig jaar of ten minste anderhalf jaar gekend, maar nu viel Lynn in dat ze mogelijk Sandi met een iets afgunstiger oog hadden bezien dan zijzelf.

Voor Lynn was er nooit zo'n kritische afstand geweest. Sandi was haar maatje. Haar deelgenoot. Ze waren de Bende van Twee. Voor alle anderen waren ze misschien altijd een beetje verdacht omdat ze niet tot een bepaalde groep behoorden. Ze waren geen lid van de plaatselijke countryclubs zoals Anne; ze waren niet bij de ouderbond zoals Dianne, of de schoolraad zoals Molly; ze waren niet actief in de plaatselijke kerken of synagogen; ze deden geen werk bij het historisch genootschap of de bibliotheek; en ze behoorden niet tot de nietsnutten of fanatieke tennisvrouwen zoals Jeanine. Ze waren gewoon Lynn en Sandi die hun gang gingen en zich er niet echt om bekommerden wat anderen ervan dachten.

Lynn keek weer naar de lege stoel en dacht eraan hoe Sandi haar vorig jaar had verdedigd toen ze *White Teeth* bij de groep had aanbevolen en de anderen hadden geklaagd: 'Ik kan me niet in deze mensen verplaatsen!' Nooit zou ze vergeten hoe Sandi haar tong uitstak toen ze tegen Jeanine zei: 'Wees wat soepel, schat; je kunt heus wel wat rek hebben.'

De laatste tijd evenwel, bedacht Lynn, had Sandi zich wat afzijdig van hun clubje gehouden, waarschijnlijk om aan haar huis te werken.

'Ik begrijp niet wat je bedoelt,' zei ze, zich naar Jeanine kerend. 'Ze trok dingen in het extreme? Wat voor dingen?'

'Wist je dat niet?'

'Wat wist ik niet?'

Er volgde een geladen stilte, een mobiliseren van krachten en een gespannen verwachting als bij het begin van een paardenrace.

'Wat wil je zeggen? Dat ze een verhouding had?' Lynn voelde haar bloeddruk dalen.

De vier andere vrouwen begonnen door elkaar te praten.

'Luister, luister, ze was heel gesloten, zelfs tegenover mij.' Jeanine gebaarde kalmerend met haar handen. 'Jullie moeten weten dat zij en Jeff al lange tijd problemen hadden.'

'Maar ik dacht dat die achter de rug waren.' Dianne de Groot fronste.

'Ooooh, neeee...' Jeanine pakte haar glas Chardonnay. 'Hij verkeert met zijn zaak in grote moeilijkheden. Hij is al maanden depressief.'

'Ben jij naar hun nieuwe huis geweest?' vroeg Molly Pratt met verholen ontsteltenis in haar stem, terwijl ze Lynns knie aanraakte.

'Gisteren ben ik daar voor het eerst binnen geweest.' Lynn liet haar schouders zakken. 'Ze bleef maar zeggen dat het nog niet klaar was. Ik dacht dat er dit najaar wel een groots inwijdingsfeest zou komen om het te laten zien.'

'Ah, ja, natuurlijk.' Anne Schaffer snoof.

'Het is een bende, hè?' Jeanine rolde met haar ogen. 'Ze konden een van de badkamers boven bijna niet afmaken omdat ze de aannemer niet konden betalen...'

'Maar hoe kan het dat ik daar niets van weet?' Lynn keek weer naar de lege eetkamerstoel, alsof ze een verklaring verwachtte. 'Ze is een van mijn beste vriendinnen geweest sinds we zes waren. Na de dood van haar moeder heeft ze een maand bij ons gelogeerd.'

'Nou, dan is dat waarschijnlijk de reden.' Jeanine begon wat in de brie op de salontafel te snijden. 'Schaamte. Het pijnlijke. Ze wilde voor jou niet meer afgaan. Niemand wil graag de verschoppeling zijn. En ze dacht dat jij het zo geschoten had met Barry dat ze niet wilde dat jij dacht dat ze achterop raakte.'

'Maar dat is belachelijk,' protesteerde Lynn. 'Alsof mij dat wat had kunnen schelen.'

'Ze wedijverde zeer met jou,' zei Jeanine, zorgvuldig brie op een cracker smerend. 'Dat heb jij nooit kunnen zien.'

'Beslist waar.' Anne Schaffer knikte.

'Waar heb je het over?' Lynn keek niet-begrijpend in het rond. Ze had het gevoel dat ze in haar tuin over een steen was gestruikeld, met haar neus in een nest kronkelende wormen.

'Ze had het altijd over jou,' zei Molly onbevangen, ook een cracker nemend. 'Ze mat zich altijd aan jou af.'

Lynn hield zich aan de zijkanten van haar stoel vast alsof iemand haar om had willen duwen. Kon dit waar zijn? Haar verdriet werd iets wat op zichzelf stond. Niet alleen had ze net haar beste vriendin verloren, ze kreeg nu te horen dat ze haar nooit echt had gekend. Dit voelde als verraad. Nee, als een samenzwering. Nee, het was gewoon een vreselijk misverstand. Zij hadden het helemaal mis. Hete tranen kwamen weer op in haar ooghoeken en ze hapte naar lucht. De zwarte cirkel van de vorige dag was weer terug en duwde tegen haar ingewanden.

'Oef,' zei ze, in een poging de cirkel terug te dringen. 'En nu wil je me ook nog vertellen dat ze een verhouding was begonnen?'

'Moet je horen, mensen zoeken op allerlei manieren troost.' Jeanine haalde haar schouders op en veegde met een servetje haar mond af. 'Van jou is bekend dat je nog weleens een joint rookte toen je moeder ziek werd. Marty gaat elke avond aan de whisky als hij thuiskomt van zijn werk aan het tijdschrift, omdat hij zich zorgen maakt om ontslagen. Je moet weten dat Sandi altijd een beetje onzeker is geweest door haar grote neus en dikke kont.'

'Als er dan een man voorbijkomt die je wat positieve aandacht geeft, terwijl je man alleen maar medelijden met zichzelf heeft, fleur je op.' Anne Schaffer zuchtte veelbetekenend.

Lynn haalde diep adem en dacht aan Jeff. Ze stelde hem zich voor in zijn smoking in het Waldorf, omringd door zijn kantoormaatjes, waar hij te veel Cristal dronk en te luid opgaf van de stripteaseuses bij Shenanigans. Maar ze herinnerde zich ook hoe hij Sandi voor de eerste dans over de dansvloer had geleid, en dat ze toen dacht dat dit een man was die heel wat had doorgemaakt om liefde te vinden. Toen Sandi's vader en Jeffs vrienden hem op de stoel hesen om met hem rond te gaan voor het traditionele deel van het feest werd zijn glimlach een filmlamp die de gezichten bescheen, en ze kon precies zien wat Sandi in hem had aangetrokken.

'Denk je dat Jeff erachter is gekomen en haar heeft vermoord?' hoorde Lynn zichzelf vragen.

Het boek van Molly Pratt gleed van haar schoot en viel met een klap op de grond. Ieder leek daarvan op te schrikken.

'God Lynn, wat cru gezegd.' Anne boog zich moeizaam om het boek op te pakken. 'Die man moet nu in rouw verkeren.'

'Wie anders kan het dan hebben gedaan?' vroeg Lynn, denkend aan wat Barry de vorige avond had gezegd.

'Hij kan het niet zijn geweest,' verkondigde Jeanine op de besliste toon die ze bezigde wanneer vrienden niet goed naar haar instructies luisterden. 'Hij is een paar dagen naar Boston en Providence geweest, om geldschieters te spreken die zijn zaak weer op poten kunnen zetten. Zaterdag zag ik Sandi met haar kinderen in het skateboardplantsoen, en zij zei dat hij begin deze week terug zou komen.'

'Heb je dat aan de politie verteld?' vroeg Lynn.

'Natuurlijk. Een latino-rechercheur met een kaalgeschoren hoofd en een oorring kwam gisteren langs. Als je het mij vraagt is deze stad echt veranderd. Toen ik hem de oprit op zag komen dacht ik dat hij een van Eduardo's tuinlieden was.'

'Goed, maar als Jeff het niet was, wie dan wel?' Lynn keerde zich naar de anderen voor bijval. 'Waarom heeft ze niemand van ons willen vertellen met wie ze een verhouding had?'

'Ik denk dat ze probeerde het uit te maken,' zei Jeanine binnensmonds.

'Hoezo zeg je dat?' vroeg Lynn, die de anderen hoorde fluisteren.

'Zaterdag zei ze tegen me: "Waarom doet iedereen altijd of vrouwen degenen zijn die niet kunnen loslaten als iets voorbij is?"' zei Jeanine, Sandi enigszins imiterend.

'Echt waar?' Het meisjesachtige gezicht van Dianne de Groot verstrakte. 'Heeft ze *dat* gezegd?'

'Ja.' Jeanine snoof. 'Het was zo'n gesprek met kinderen in de buurt, waarbij je nooit een zin kunt afmaken. Zak kwam naast de baan te vallen en schaafde zijn knie. Het was net een Oliver Stone-film in dat skatepark...'

Lynn onderdrukte een verrast lachje.

'Je weet wel: Kop dicht en verbijt je pijn, soldaat!' Jeanine snifte en kreeg het te kwaad. Molly hoestte. Dianne maakte een hikgeluid. Toen gingen de sluizen open en begonnen ze allemaal tegelijk te huilen. De woonkamer werd een republiek van tranen in een land dat al twee weken niet ophield met huilen. Ze huilden om hun vriendin en om zichzelf. Ze huilden om de kinderen die hun moeder kwijt waren en ze huilden omdat ze bang waren. Ze huilden omdat ze niet wisten wat er vervolgens ging gebeuren, en ze huilden omdat ze wisten dat al dat huilen nergens iets aan zou veranderen.

'God, ik weet niet hoe ik dit moet doorstaan.' Lynn huiverde en droogde haar tranen.

'Wat is het alternatief?' vroeg Anne Schaffer, die het gevallen boek liet voor wat het was en een papieren zakdoekje van Jeanine aannam om haar neus te snuiten.

'Ik weet het niet,' zei Lynn. 'Het geeft zo'n nutteloos gevoel hier te zitten en er alleen maar over te praten.'

'Laat de politie zijn werk maar doen, liefje.' Jeanine probeerde haar gerust te stellen. 'Ze weten waar ze mee bezig zijn.'

'Denk je?'

Lynn merkte dat ze weer naar de lege fluwelen stoel staarde. Daar had ze gezeten, nietwaar? Vlakbij, met één been onder zich gevouwen en haar schoenen onder de stoel. Haar gedachten gingen terug naar een wintermiddag in de hoogste klas van de middelbare school. Een lange treinreis naar de stad, haar adem die het raam deed beslaan en een smal stroompje koffie dat over het gangpad liep. De eerste keer dat ze zonder haar moeder naar Manhattan ging. Zij en Sandi hadden elkaar beloofd dat als in de ondergrondse een van hen achter zou blijven, de ander naar haar terug zou komen. En jawel, op Times Square gingen de deuren dicht, en ze zag het gezicht van Sandi verdwijnen met de trein naar het centrum, zodat zijzelf achterbleef tussen de perronprofeten, de stuntelaars van omstanders, en de monkelende engerds in vuile regenjassen. Het volle leven waar ze naar op zoek dacht te zijn. Ze wist nog dat een griezel in een zilveren pak met een videocamera haar bleef vragen mee naar zijn flat te gaan en zich uit te kleden. Maar toen hoorde ze een kreet en toen ze zich omdraaide zag ze Sandi de trap op rennen om haar te redden. Ze had na één halte de trein terug genomen en hield zich zo aan haar belofte. Wanneer de een verdwaalt moet de ander naar haar terugkomen. Zonder meer doen, erewoord en geen smoesjes.

'Zo,' zei Molly Pratt, die zich eindelijk bukte om haar boek te pakken. 'Wil iemand het nog over de roman hebben?'

18

Mike kwam die morgen een paar minuten te laat op zijn werk en trof de meeste collega's in de meldkamer aan, waar ze weer die belachelijke en vervelende video van *Riverdance* bekeken, terwijl Larry Quinn, die voor de gelegenheid achter de balie zat, een met isolatieband beplakt pakje in ontvangst nam van de eerbiedwaardige burger die op het bureau bekend stond als Rare Clark.

'Wat is er loos?' vroeg Mike met stemverheffing, om boven het geratel van tapschoenen en het zagen van violen uit te komen.

'Je bent nergens meer veilig,' zei Rare Clark. 'Het is overal.'

Hij was een elegante, warhoofdige oude man in een pak met dubbele rij knopen en melkvlekken, die in de jaren veertig fortuin zou hebben gemaakt met het ontwerpen van suikerzoete vakantiekaarten voor een van de grote wenskaartondernemingen. Maar tegenwoordig woonde hij alleen in een enorme Victoriaanse ruïne in de West Hills, en minstens twee keer per week liet hij zich vollopen en kamde hij zijn haar glad naar achteren om tussen de rekken van Stop & Shop jonge voetbalmoeders lastig te vallen.

'Meneer De Cavalcante zegt dat hij mogelijk een terroristisch doelwit is geweest,' zei Quinn, de verslagenschrijver van het bureau, en zelf een opmerkelijke figuur, die aan een ingevette snorpunt zat te draaien. 'Hij heeft een verdacht pakketje ontvangen.'

'Vanmorgen zat er een kanten damesslipje met een obsceen briefje erbij in mijn brievenbus.' Clark leunde op zijn oude wandelstok met wolfskop, en zijn gezicht was geplooid als een leeg scrotum. 'Daar heb ik niet om gevraagd.'

'Werkelijk?' zei Mike. 'Waar denkt u dat het om gaat?'

'Biologische oorlogvoering.' Clark knikte veelbetekenend toen Larry het pakje in een speciale zak deed. 'Een slipje vol met anthrax. De terroristen proberen het eerst op oude mensen uit omdat ze denken dat we toch niet gemist zullen worden.'

'Zou heel goed kunnen.' Mike nam de zak aan van Quinn. 'Dat moest ik maar eens aan de chef laten zien.'

'Bedankt, jongen.' Clark drukte hem de hand. 'Ik ben blij dat iemand inziet dat het menens is.'

Mike salueerde met twee vingers en rende de trap op naar het kantoor van de chef. Hij probeerde zich de laatste keer te herinneren dat hij Harold echt aan het lachen had gekregen. Het ging waarschijnlijk om zo'n ouderwetse onderbroek waar een olifantje in paste. Mogelijk was het van een hoer geweest waar Clark in 1953 mee had geslapen. Maar misschien vormde het een opening, een manier om wat informeler met Harold in gesprek te raken over Sandi. Na de vorige avond een groot deel van het dagboek te hebben bekeken, besefte hij dat hij het met de chef koelbloedig moest spelen, en dat hij wegen moest vinden om van tevoren handig wat details te regelen, om te voorkomen dat Harold door het lint zou gaan en zíjn hoofd eraf zou hakken.

Hij liep door het kantoor van Deb Ryan, de secretaresse, negeerde de vinger die ze opstak om hem tegen te houden en wierp de deur van Harolds kantoor open.

Harold en Paco Ortiz keken verrast op, als katholieke schoolmeisjes die rokend in het toilet worden betrapt.

'Hé, zijn jullie met iets bezig?'

Hij klemde de zak tegen zijn zij en besloot de grap maar te bewaren.

'Er komt schot in de zaak.' Harold legde zijn pen neer. 'Een oude man en zijn kleinzoon hebben vanmorgen een hoofd uit de rivier gevist.'

'Sandi?'

'Daar lijkt het wel op. De medische dienst heeft het al opgehaald. Gisteravond hebben ze sectie verricht op het lichaam en ze zeiden dat ze geen water met zuurstof in de longen hebben gevonden.'

'En wanneer had je me dit willen vertellen? Kon er geen telefoontje af?'

Mike zag de stoppels op Paco's hoofd als ijzervijlsel samentrekken en vroeg zich af waar die twee voor zijn binnenkomst over gesproken hadden. Er smeulde beslist iets na. Harold vermeed opzettelijk hem in de ogen te kijken. Wisten ze al iets?

Nee. Zo vroeg konden ze nog niets tastbaars tegen hem hebben.

'Ik wilde het je vanmorgen bij aankomst vertellen,' zei Harold voorzichtig. 'Niemand houdt voor iemand iets achter.'

'Blij dat te horen.' Mike wierp Paco een kille blik toe, om hem eraan te herinneren wie hier de leiding had.

'En wat hebben we nog meer?' vroeg hij, alsof de andere twee nog rook in hun longen hielden.

'We zijn een verklaring in elkaar aan het draaien voor een huiszoekingsbevel bij Lanier,' zei Harold. 'Brian Bonfiglio van het Openbaar Ministerie kan elk moment hier zijn om ons te helpen bij het opstellen.'

'Zeg, wat moet dit allemaal?' Mike keek van de een naar de ander. 'Ik dacht dat we niets zouden doen tot we allemaal vonden dat we een zaak hadden.'

Hij wist zeker dat hij alles onder controle had toen hij gisteren het huis van Lanier met het dagboek verliet. Maar nu werd hij onderuit gehaald en moest hij moeite doen om zich staande te houden.

'Het was mijn telefoontje,' zei Harold.

'Jouw telefoontje.' Mike staarde hem aan over de vaalbruine globe van Paco's hoofd.

'Vijf minuten geleden ging de telefoon. Iemand heeft in het huis van Lanier een bloedvlek op de muur gezien.'

'Als je me nou belazert.'

'Ach man, wat kan jou het schelen dat het ons is ontgaan.' Paco draaide op zijn stoel naar hem toe. 'We waren daar alleen maar voor vingerafdrukken in de badkamer. Op deze manier is het beter. Nu hebben we een getuige.'

'Wie dan?'

'Ja, dat is de 64.000-dollarvraag.' Harold hield zijn vingertoppen opeen. 'Een rechter wil altijd een echte naam zien, maar we willen niemand onnodig risico laten lopen.'

'Hou toch op,' zei Paco. 'Vermeld die naam. Hij komt er te zijner tijd toch achter. Hoeveel andere mensen zijn gisteren in zijn woonkamer geweest?'

'Ja, misschien heb je gelijk,' zei Harold. 'Hij zal de eigenlijke verklaring met de naam pas zien als we dichter bij een proces zijn. En tegen die tijd heeft hij wel wat anders om zich druk over te maken.'

'Wacht even.' Mike keek of hij de deur achter zich dicht had gedaan. 'Was het soms Lynn Stockdale?'

Harold knikte.

'En ze belde jou en niet mij?'

'Het is een politiekwestie, Mikey. Ze was niet uit op een afspraakje of zo.'

Mike staarde voor zich uit, en in zijn hoofd gloeide harde, donkere kool.

'Is dat de vrouw die we gisteren zagen?' Paco legde zijn hand op zijn kale hoofd.

'Ik zou gewoon niet weten waarom ze jou zou bellen in plaats van mij,' zei Mike, in een poging de pijn vlug af te doen. 'Het is gewoon grappig, meer niet.'

'Nou, het is hoe dan ook een doorbraak, en we moeten snel handelen voor hij de kans krijgt om schoon te maken.' Harold pakte zijn pen weer op. 'We willen ook een kijkje in zijn garage en zijn kelder nemen als we daar zijn, en zien wat voor zagen hij heeft.'

'Ik weet hoe we te werk gaan, Harold,' kwam Mike ertussen. 'Wie gaat er met het bevel naar de rechter om het te laten tekenen?'

Zo vroeg op een woensdagmorgen zou de oude Highball Harper, de onroerendgoedjurist die drie keer per week zitting hield voor lokale zaken, waarschijnlijk op de golfbaan van de Stone Ridge Country Club zijn, met alle andere uitgedroogde oude conservatieven, herinneringen ophalend aan de regering-Ford en pogend hun subtiele greep op de machtsmiddelen van de stad te handhaven.

'Ik zal Paco vragen het te doen,' zei Harold, die nadrukkelijk zijn keel schraapte en zijn pen tussen zijn vingers rolde. 'Hij is primair in deze zaak. Hij zal de eed moeten afleggen op het bevel en vragen beantwoorden die naderhand voor het hof rijzen...'

'Maar...' Mike wilde heftig protesteren.

'Ik zei dat Paco primair is, en jij bent de supervisor,' zei Harold op de bruuske toon die hij sinds hij chef was bezigde. 'Ik heb erover nagedacht en kwam tot de conclusie dat jij misschien een beetje te dik bent met te veel van deze mensen.'

'Dus jij wilt het zo?'

'Zo wil ik het.'

Mike moest even slikken en zag Paco met zijn vinger aan zijn sik krabben. Dat opgeblazen lulletje moest Harold iets hebben verteld over de woordenwisseling die ze gisteren in het huis van Lanier hadden. En dit waren de mannen die zijn lot in handen hadden?

Zwaar klote.

Hij bedacht dat sommige oudgedienden misschien gelijk hadden inzake Harold: dat hij zich er ineens van bewust was een zwarte te zijn, toen hij eenmaal zijn insigne had. Hij trok Paco voor ten opzichte van mannen die langer in dienst waren. Hij ging naar dat diner van het Nationaal Genootschap ter Verheffing van Kleurlingen, na al die hevige protesten over het doodschieten van Woyzeck. Hij maakte in de kleedkamer lol met de andere drie zwarten, met al die subtiele codes die blanken niet geacht werden te snappen.

Wanneer was het politieblauw uiteengevallen in blank en zwart. Wat te denken van loyaliteit en broederschap? En van de herinnering aan mannen die hun leven voor je waagden? Wat te denken van het feit dat ze elkaar al vanaf hun tiende kenden? Heel geleidelijk begon het idee in zijn geest te rijpen dat hij zich hier niet helemaal meer thuis voelde.

Zuchtend stak hij zijn handen op, wetende dat omzichtigheid geboden was. Van Harold had hij niets te verwachten. Geen genade voor de blanke man als je die eenmaal op de knieën hebt.

'Goed chef, je zegt het maar. Het is jouw spel.'

Harold ging achteruit zitten en hoorde de wrange ondertoon.

'Luister,' zei hij, 'niemand probeert hier iemand te overtroeven, Mike. We zijn allemaal teamspelers.'

'Ik heb er geen probleem mee om met Paco te werken, als Paco dat niet met mij heeft. Heb jij een probleem met me, Paco?'

'Nee, man.' Paco liet met een waakzame blik in zijn ogen zijn arm over zijn stoelleuning hangen. 'Wij begrijpen elkaar wel.'

'Mooi, dan zijn we één gelukkige familie.' Mike toonde hem een zuur lachje. 'Laten we de schurk vatten.'

Hij zag Harold ongedurig draaien in zijn stoel, aarzelend of hij het hierbij zou laten of op zijn strepen moest gaan staan.

Hij keek naar Paco, alsof deze zijn nieuwe strijdmakker was, en leek het signaal op te pakken om voorlopig kalm aan te doen.

'Zeg, wat zit daarin?' Harold richtte zijn aandacht op de zak die Mike nog steeds vasthield.

'Laat maar.' Mike deed de deur open om weg te gaan. 'Niets van belang.'

19

Luisterend naar NPR, toen ze die morgen terugreed van Jeanines huis, hoorde Lynn de minister van Justitie zeggen dat er zeker meer terreuraanslagen zouden komen, al kon hij niet zeggen waar of wanneer. Vlug zette ze de radio uit toen ze de oprijlaan opreed, en merkte op dat de brievenbus scheef stond, alsof de paal eruit was getrokken en provisorisch was teruggezet. Dode gele bladeren ritselden onder haar wielen en een vallende eikel ketste van de motorkap. De bomen volgden het gebruikelijke verhaal van de herfst ook als de zon zich daar niet aan stoorde. Bij het uitstappen zag ze dat de plastic uil die de kraaien moest verjagen van het dak was gevallen, en de tuinlieden hadden bij de garage een hoop onkruid achtergelaten.

Ze bleef even staan en beloofde zichzelf niet weer in een diepe depressie te vallen. Dat had ze vorig jaar na de dood van haar moeder al meegemaakt. Maar meteen na het uiteengaan van haar leesclubje kwam haar geest weer in een vallende spiraal. Iemand die voorgaf een mens te zijn had haar vriendin dit aangedaan. Iemand die naar de supermarkt ging en waarschijnlijk een paar keer per week tankte. Iemand tegen wie ze misschien had geknikt bij een stoplicht. Iemand die misschien weleens dicht bij haar had gezeten en haar kinderen de straat had zien oversteken. De gedachte bokte en schokte in haar hoofd en dreigde te knappen als een slagader. Ze brak door deze verlamming en liep door het hek naar de studio in de achtertuin, vastbesloten bezig en geconcentreerd te blijven.

De studio met witte dakspanen stond koel in de schaduw van een overhellende ceder. Haar eigen toevluchtsoord met badkamer en al. Toen ze dit huis kochten was een van afspraken dat ze eindelijk een echte werkruimte zou krijgen, in plaats van als een amateurpornograaf haar foto's tussendoor in de badkuip te moeten ontwikkelen. Dus hadden ze ruim twaalfduizend dollar uitgegeven om de oude schuur te verbouwen. Er kwam een compleet ingerichte donkere kamer, sanitair, een iMac met een eersteklas scanner, en een gerieflijk kantoor met strak Scandinavisch meubilair. Een in de muur aangebracht raam bood een prachtig uitzicht op de rivier onder de heuvel. Door vijf dagen per week deze rustige zone in te stappen had ze naast haar kinderen een eigen deel van leven. Maar nu voelde ze zich geïsoleerd en hol, en wenste ze dat ze gewoon de telefoon kon pakken om haar moeder of Sandi te bellen.

Ze deed de deur open en knipte de lichten aan. Wat Jeanine had gezegd zat haar nog steeds dwars. *Ze wedijverde heel sterk met jou. Dat heb jij nooit aan haar begrepen.*

Kon dat waar zijn? Ze ging er prat op het meisje te zijn dat nooit wegkeek. Al in de vijfde klas, in de schoolbus, dwong ze zichzelf naar de platgereden eekhoorns op de weg te kijken, terwijl de andere meisjes gilden en de jongens kokhalsgeluiden maakten. Zij was het meisje dat altijd nog een paar trapjes hoger ging, voor de foto waar alle andere fotografen naast grepen. En nu vertelde iemand haar dat ze haar beste vriendin niet eens helder kon zien.

Ze richtte haar aandacht op de koffiekleurige archiefkasten naast haar kantelbare tekentafel, met de gedachte dat dit niet helemaal waar kon zijn. Misschien was er meer wedijver dan ze ooit echt had onderkend, maar Sandi was haar welgezind. Zij was de eerste vriendin geweest die zei dat ze Lynns foto's mooi vond. En ze zou zeker niet hebben gewild dat Lynn zich in haar studio naar voelde na zo'n losse opmerking. Aan de slag. Ze was toch al van plan geweest oude foto's door te nemen voor haar retrospectief, maar ze had er tegenop gezien omdat sommige delen van haar archief net zo'n ongeordend rommeltje waren als haar herinneringen. Ze trok een la open en kreeg een wolk stof in haar gezicht. Ze blies het weg en pakte een oude envelop, waar een stel roodgetinte negatieven uit viel.

Ze stak de halogeenlamp aan en ging de afzonderlijke negatieven bekijken, in het besef dat dit haar eerste foto's waren met de Kodak Brownie die ze van haar vader had gekregen toen ze zeven werd. Hampton, de hond, nogal onscherp, op weg naar zijn waterbak. Een weinig geslaagde opname van haar moeders rozenstruiken. En dan het onmogelijke: een volmaakt familieportret van haar moeder, haar vader en haar zusje Carol, staande voor het oude huis aan Birch Lane, waarop alle elementen in één vluchtige seconde samenvielen. Haar moeder voor ze MS had, in haar witte geribde coltrui, een beetje op Natalie Wood lijkend met haar donkere kuifkapsel. Bij het terugzien voelde ze weer die pijn. Haar moeder, minstens twaalf jaar jonger dan zij nu, leek er nog steeds versteld van te staan dat ze in een voorstad was beland, en ze haar bohémien-schilderjaren, toen ze met drie andere serveersters in een flat zonder warm water aan Perry Street woonde, ver achter zich had gelaten. Met de gedachte dat ze nog ruim een half leven voor zich had. Haar vader, uitermate knap in een shirt van Brooks Brothers, met zijn initialen rechts op de borst, nog niet in de verte starend en een scheiding overwegend. Carol die tussen hen in stond met haar hand boven haar ogen, alsof ze al voor haar ouders terugdeinsde en erover dacht naar een hippiecommune in Oregon te verhuizen.

Bij het zien van deze opname werd Lynn eraan herinnerd dat net als herfstbladeren en de stem van Billie Holiday, gezinnen soms vlak voor ze uiteenvielen op hun mooist waren. Ze herinnerde zich de warmte die haar doorstroomde toen die foto was afgedrukt en haar ouders links en rechts naast haar stonden, binnensmonds zeggend dat ja, ze er echt oog voor had.

Een jaar later nam haar moeder haar voor het eerst mee naar het Museum of Modern Art, om de fotoverzameling te zien. Ze zag zichzelf nog voor *Gemaskerde vrouw in een rolstoel* van Diane Arbus staan. Haar moeder kon toen nog zonder rolstoel. Geheel in de ban legde ze Lynn uit dat deze kunstenares zo naar de wereld keek. 'En wat ze zag maakte dat ze zelfmoord wilde plegen,' zei haar moeder. 'Kun jij je dat voorstellen?'

Terugkijkend besefte Lynn dat dit de eerste wenk was. De tweede kwam toen haar moeder haar een jaar later haar oude Roloflex gaf, alsof ze het estafettestokje doorgaf. Ze hield een ander negatief tegen het licht en zag dat het van een latere serie foto's was. Haar moeder alleen aan de keukentafel, midden jaren zeventig. *De energiecrisis.* Het eerste 'onmiskenbare symptoom', zoals de dokter het noemde, was een verandering in haar waarneming van de kleur rood. Haar moeder merkte dat een door haar getrokken rode lijn op het papier leek te trillen als een snaar van een gitaar. Toen kwam het geleidelijke verlies van tastzin – ze kon geen zijde, zand, of de aanraking van haar man meer voelen. Na verloop van tijd kon ze haar eigen voeten niet eens meer voelen, waardoor ze bijna niet meer kon lopen. Haar moeder wilde nooit veel kwijt over haar beperkingen. Ze sprak veel liever over de nieuwe levendigheid van haar dieprode penseelstreken.

Lynn pakte er een vergrootglas bij en zag de lege ezel op de achtergrond naast de oude Amana-koelkast, waar haar moeder nog wat probeerde te schetsen voor de beverigheid te erg werd. Op de vloer lag een rood potlood dat van de tafel was gerold. Het gevallen stokje. Haar moeder was te zwak om het op te rapen. Dus bleef het daar bijna vijf uur liggen tot Lynn thuiskwam. Een hete golf van schaamte overspoelde haar bij de herinnering dat haar moeder per se wilde dat ze de foto nam, omdat het een goed beeld was. *Mam, laat me je helpen, ik vind het echt niet erg. Echt niet. Het is goed zo, mam. Niet huilen. Ik vind opruimen niet erg. Ik wil je best in bad helpen, en je eten klein snijden.* Het dagelijkse touwtrekken tussen schuldgevoel en plicht. Het leven dat steeds kleiner werd. Tot de dag waarop Lynn iets in de bureaula vond wat op een kladje voor een afscheidsbrief leek, en dat ze in de badkamer aan haar moeder voorhield. *Wat is dit?* En haar moeder, naakt en beduusd op de rand van het bad zittend, keek naar het plafond en zei: *Je vader heeft gelijk. Eén van ons moet kunnen leven.*

Op een of andere manier nam haar moeder toen het besluit verder te gaan. Ze dwong zich de wereld weer in te gaan, beetje bij beetje. Eerst deed ze weer wat in de keuken, toen ging ze de auto weer in, en ten slotte hobbelde ze over de gangpaden van de supermarkt. Ze probeerde dat vibrerende rood tot een sterkere bloedlijn te maken, alsof ze door wilskracht alles kon. Als een wrak strompelde ze met een zwarte wandelstok naar Lynns eerste tentoonstelling op de middelbare school, vastbesloten ten minste één van haar dochters de race voor haar af te zien maken. Zelfs als tiener begreep Lynn dat de enige ware manier om haar te eren gewoon doorgaan was.

Een klop op de deur bracht haar met een schok in het heden terug.

'Wie daar?' riep ze.

Misschien was het de boomchirurg, die eindelijk de esdoorn kwam snoeien waarvan de takken door de ruiten van de slaapkamer dreigden te komen. Ze had er een hekel aan als aannemers of zulke mensen weken na hun afspraak onaangekondigd kwamen opdagen.

'Hallo. Ik ben het,' hoorde ze Michael Fallon zeggen.

Iets in zijn stem deed haar denken aan het tweede glas van de avond, als het nieuwe eraf is en er moeilijkheden kunnen komen.

Ze deed de deur open. 'Ik verwachtte je niet.'

'Die titel zat ook in de jukebox van de Copperhead.' Hij kwam binnen. '*Hello It's Me.* Weet je die nog?'

'Wat is er?' Ze perste haar lippen opeen.

'Alleen een paar aanvullende vragen.' Hij liep langs haar heen en keek rond. 'Dit hier is ook niet gek. Wat heb je hier voor moeten neertellen?'

'Michael, ik heb werk te doen. Gaat het over Sandi?'

'Uiteraard. Waarom zou ik hier anders zijn?'

Hij kwam met zijn gezicht dicht bij een foto aan de muur. Een familieportret met Barry en de kinderen in Yosemite in de schemering, met een dimmende hemel alsof iemand een hand voor de zon hield, en de bergen ommanteld met zwart fluweel achter hen.

'Toen ik daar op Ground Zero in de puinhopen werkte waren er heel wat fotografen in de buurt,' zei hij zacht. 'Je had daar al die mannen in speciale pakken die er nog steeds op uit waren levens te redden. Al die brandweerlieden die lichaamsdelen vonden. Politierevolvers gingen af in de hitte. Maar je had ook al die parasieten met Nikons. Ik weet nog dat ik de arm van een brandweerman onder het puin zag, en ik ging op zoek naar iemand om me daarmee te helpen. En dan draai ik me om en daar flitst zo'n kreng pal in mijn gezicht. Ik zweer je, ik had haar bijna een stamper verkocht.'

'Ze was waarschijnlijk alleen maar bezig met haar werk.'

'Ja, vast wel.'

Hij ging met zijn gezicht nog dichter naar de foto, alsof hij de chemicaliën door het glas wilde ruiken. Ze herinnerde zich dat deze neiging van hem haar langzaam op de zenuwen was gaan werken als ze uitgingen. Die griezelige onbeweeglijkheid, als bijna dierlijke waakzaamheid.

'Ik hoorde dat je Harold vanmorgen hebt gebeld,' zei hij.

'Ik zag in dat ik informatie had die nuttig kon zijn, nadat ik gisteren het huis had verlaten.'

'Ja, maar je belde *Harold*. Waarom deed je dat?'

'Dat weet ik niet. Wat maakt het voor verschil? Jullie werken toch allemaal samen?'

Hij schoof met de lijst aan de muur, hoewel die volkomen recht hing. 'Waarom vertelde je het dan niet aan mij? Toen je het huis verliet heb je mij gezien.'

'Ik weet het niet. Ik denk dat het even duurde voor ik besefte wat het kon zijn.'

'Wat heb je nog meer aan informatie achtergehouden?' Hij keerde zich langzaam om, met half dichtgeknepen oogleden alsof hij lange tijd voor een vuur had gezeten. 'Of moet ik dat ook van Harold horen?'

'Michael!'

'Wat je ook van mij persoonlijk mag denken,' zei hij, 'ik heb nog steeds de leiding in deze zaak.'

'Dat begrijp ik.'

'Waarom krijg ik dan geen rechtstreeks antwoord uit je? Ze was toch jouw beste vriendin?'

Ze ontdekte een blauw vlekje aan de onderkant van zijn borstzak.

'Hebben jullie aanknopingspunten?' vroeg ze.

'Daar zou ik me momenteel niet druk om maken. Geef jij me maar eens de antwoorden die ik zoek.'

De blauwe vlek werd zienderogen donkerder. Hij had een lekkende pen.

'Het is niet zo dat ik opzettelijk dingen heb verzwegen,' zei ze, wegkijkend van de blauwe vlek. 'Ik was gisteren zo van de kaart dat ik niet helder kon denken.'

'Denk je vandaag dan helderder?'

'Dat zal wel.' Ze haalde haar schouders op.

'Goed, laten we verder gaan. Wat kun je me over hun huwelijk vertellen?'

'Ik weet het niet.' Ze leunde tegen een archiefkast. 'Niet veel meer dan ik gisteren wist. Ze kenden grote financiële problemen met de zaak van Jeff. Als je alleen al in hun huis rondloopt kun je dat zien.'

'Wat nog meer?' vroeg hij bruusk.

De vlek breidde zich geleidelijk uit doordat de indigoblauwe inkt zijn weg zocht langs het netwerk van katoenen naden.

'Het kan zijn dat er een derde in het spel was.'

'Bedoel je dat je hebt gehoord dat ze een verhouding had?'

Ze knikte, zich afvragend waarom hij automatisch aannam dat de vrouw in de fout was gegaan.

'En van wie heb je dit gehoord?' Hij kneep zijn wenkbrauwen samen.

'Moet ik je dat echt vertellen?' vroeg ze. Ze wilde Jeanine hier liever niet bij betrekken.

'Dit is onderzoek naar een moord.'

Ze knikte begrijpend, maar wilde nog steeds niet dat hij alle geheimen van de club zou horen.

'Ik heb Jeanine Pollack gesproken op mijn leesclub.'

'Goed. Wat zei ze nog meer? Wist ze wie de man was?'

'Nee. Ze wist alleen dat Jeff depressief was en dat Sandi misschien een manier zocht om hem een beetje wakker te schudden.'

'Logisch,' zei hij, een mondhoek omlaag trekkend.

'Waarom zeg je dat?'

'Een vrouw laat een man het werk voor haar doen. En zodra er de klad in komt gaat ze op zoek naar een ander.'

'Dat lijkt me een beetje simplistisch,' zei ze.

'Vind je?'

De blauwe ogen bekeken haar argwanend, als om haar uit te dagen voor het aankijkspel van vroeger. Wie het eerst wegkijkt heeft verloren. Mensen zeiden altijd dat ze een stel werden omdat ze allebei net als uilen vrijwel nooit met hun ogen knipperden. Ze sloeg haar ogen neer en zag dat de indigo vlek onder de borstzak nu zo groot was als een flink muntstuk.

'Zei Jeanine ook dat hij erachter is gekomen dat ze het elders zocht?' vroeg hij.

'Nee, maar ik kreeg niet die indruk. Maar je kunt het haar misschien beter zelf vragen. Er is veel dat ik niet weet.'

'Zeg dat wel.'

'Pardon?' Ze kneep haar ogen half dicht.

'Laat maar.' Hij schudde zijn hoofd. 'Het doet er niet toe.'

De vlek liep uit als bij een kogelwond.

'Michael, hoort dit echt bij je onderzoek?'

'Hoezo? Waar zou het anders voor zijn?'

'Ik weet het niet,' zei ze. Ze probeerde niet naar de vlek te kijken. 'Ik blijf gewoon het gevoel krijgen dat je hier kwam om over iets anders te spreken.'

'Nou, we hebben ook een boel niet afgehandelde zaken.'

'Ik dacht dat we hadden besloten dat te laten rusten.'

'Werkelijk?' Hij keek haar strak aan.

'We hadden het over Sandi.' Ze wendde haar blik af en trachtte hem weer ter zake te krijgen. 'En over Jeff.'

'Ik weet waar we over spraken. Van hem kwam het grote geld niet meer en ze ging eens rondkijken. Een man zonder portefeuille op zak is geen moer waard. Hetzelfde als met jou en mij gebeurde.'

'Grote hemel.'

Ze had een gevoel van déjà vu terwijl ze de vlek van vorm zag veranderen, als een exploderende nova.

'Kom nou,' zei hij, 'laten we het niet verbloemen. Je dumpte me omdat mijn moeder zegelboekjes volspaarde. En mijn vader reed 's zomers in zijn Rambler rond met de ramen dicht, opdat de mensen zouden denken dat hij airco had.'

'Ik dacht dat we over Sandi spraken.' Ze probeerde hem met een strakke blik te bezweren.

'Dat zouden we ook, maar heb jij Harold niet al gebeld en hem alles verteld?'

Hij was op minder dan een decimeter afstand van haar, dichterbij dan een man behalve Barry en een paar metroreizigers in achttien jaar waren gekomen.

'Vind je jezelf niet een beetje onprofessioneel?'

Ze sloeg haar ogen op om hem uit te dagen. Wie knippert het eerst? Gewoonlijk vroeg je ergens om als je een man zo lang en indringend aankeek.

'Misschien,' zei hij.

'Waarom beginnen we hier dan over?'

'Weet ik niet.'

Hij staarde terug naar haar en liet het zwijgen duren. Daarbij werd het drukkend, daarna onbehaaglijk, en toen gevaarlijk. Ze dacht aan de tergend lange ontwikkeling in een piratenfilm als twee schepen heel langzaam dicht genoeg bij komen om hun kanonnen te richten en elkaar de volle laag te geven.

'Ik bedoel, dit met Sandi doet me denken aan al die andere oude ellende in mijn bovenkamer,' zei hij ten slotte, tegen zijn hoofd tikkend.

'Waar heb je het over?' Ze deinsde terug tegen een kruk.

'Ik wil zeggen dat het zo niet had hoeven lopen.' Een spier in zijn gezicht vertrok. 'Met jou en mij.'

'Ik weet zeker dat we allebei dingen betreuren,' zei ze zo rustig mogelijk. 'Maar vind je niet dat we momenteel belangrijker zaken hebben om ons druk over te maken?'

Hij keek omlaag en bleef een halve minuut in gedachten verzonken. Hij liet het zwijgen de kamer weer vullen.

'Het is wel goed,' zei hij, net voor het ondraaglijk werd. 'Ik heb besloten je te vergeven.'

'Je hebt wát besloten?'

'Ik heb besloten het erbij te laten.'

'Pardon?' Ze knipperde met haar ogen. 'Jíj hebt besloten míj te vergeven?'

'Hoezo? Heb je daar een probleem mee?'

De dreiging in zijn stem was onmiskenbaar. Ze herinnerde zich de keer dat hij haar sloeg. Die ratelslang-vlugge klap met de rug van zijn hand na het feestje van Gary Livingstone. Een lichtflits en ze lag op haar rug, bloedend uit haar mond, terwijl zijn silhouet smeulde tegen de achtergrond van platanen. Wat haar bijbleef was niet zozeer de verdoving in haar kaak, haar loszittende kies, of zelfs het straaltje bloed van haar gespleten lip. Het was de wijze waarop hij zijn ogen sloot en zijn mond vertrok toen hij het had gedaan, alsof hij altijd had geweten dat dit zou gebeuren, maar hij zich niet in kon houden. En hoe hij haar als een gebroken pop in zijn armen nam, haar kuste en om vergeving vroeg.

'Nee, ik heb er geen probleem mee.' Ze zag de inkt verder omlaag als hartenbloed over zijn overhemd kruipen.

'Mooi.' Hij knikte. 'Het leven is te kort om wrok te blijven koesteren. Je moet de rottigheid gewoon loslaten, wil die je niet vergiftigen.'

'Ik ben het helemaal met je eens.' Ze wierp een blik op de deur.

'Dus geef me een knuffel,' zei hij, terwijl hij weer een wedstrijdje staren begon.

'O Michael, dat lijkt me niet zo'n goed idee.'

'Heel even maar.'

'Echt.' Ze keek hem weer aan en had bijna geen verweer meer. 'Ik moet weer aan het werk, en jij vast ook.'

'Kom op, even knuffelen. Daar ga je niet dood van.'

Voor ze kon antwoorden nam hij haar in zijn armen en tilde haar bijna van de vloer. Hij was een stukje kleiner dan Barry, maar zijn borst was breder, en iets in de manier waarop hij haar vasthield suggereerde dat hij nog steeds enig recht op haar lichaam had, als een gewezen huiseigenaar die door zijn vroegere kamers loopt. Heel even liet ze haar kin op zijn schouder rusten, want ze wist nog hoe fijn dat altijd voelde.

'Michael, kom nu.' Ze probeerde hem zachtjes weg te duwen.

Hij omvatte haar nog steviger, alsof hij zich aan een mast vast-

hield. 'Het is goed zo,' fluisterde hij in haar haar. 'Het is goed zo.'
'Nee Michael.' Ze voelde zijn adem op haar hoofdhuid. 'Echt.'
Maar hij luisterde niet. 'Het is goed zo,' herhaalde hij. 'Maak
je geen zorgen.'

Zijn armen zakten voor een stevige greep om haar middel, en
zijn ribben drukten tegen haar borsten. Ze worstelde, probeerde
los te komen, hief haar knie, en hij vatte de draaiing van haar
heup als een uitnodiging op. Hij schoof een hand onder haar tail-
leband, op zoek naar het plekje boven haar bilnaad. En terwijl
zijn lichaam haar insloot rook ze een geur als van rode wijn en
lijm, en besefte ze dat ze met net zo'n blauwe vlek op haar trui-
tje zou komen te zitten.

20

Jeffrey Lanier zat in trainingspak op de treden van zijn veranda
met een zwarte mobiele telefoon tegen zijn nek geklemd mismoedig het huiszoekingsbevel te bestuderen.

'Wanneer kun je hier dan zijn?' vroeg hij de advocaat die zijn
accountant had aanbevolen. 'Ze kunnen alles met me uithalen.'

'Over vijf minuten heb ik een hoorzitting voor Skeezy G. in
Manhattan,' zei Ronald Deutsch met een stem die aan- en uitging
door de slechte verbinding.

'Skeezy hoe?'

'Dat is een grote rapper. Hij doet dat liedje, *Slap My Ass, Bonita*, waar mijn zoon zo dol op is. Vertel me maar wat er in de
machtiging staat.'

Zes politiemannen van Riverside waren bezig in het grote huis
achter Jeff. Ze verzamelden tapijtvezels en haren in plastic zakjes,
en dozen vol kleren en papier.

'Hemel, eens even kijken.' Jeff zette zijn bril goed en leunde
naar opzij, terwijl een jonge brigadier met doorlopende wenkbrauwen en een voortijdige onderkin langs hem snelde met de laptop van zijn vrouw. 'Er staat: "In naam van het volk van de staat
New York," bla, bla, bla, "is er reden om aan te nemen dat ze-

kere bezittingen, met name kleren, gereedschappen, haar, een bloedvlek in de woonkamer, keukenmessen," bla, bla, "zijn aan te treffen op Love Lane 22." Jezus, wat een kloterige toestand.'

Hij zette zijn bril af en hield zijn pols tegen zijn ogen.

'Jemig, hoe komen ze aan dat bloed op de muur?' vroeg Ronald Deutsch. 'Ik dacht dat ze alleen voor vingerafdrukken in de badkamer zijn geweest toen ze gisteren kwamen.'

'Ik weet het niet.' Jeff schudde zijn hoofd. 'De enige mensen die in de woonkamer zijn geweest zijn ik, de kinderen, de grootouders, de oppas en Sandi's vriendin Lynn...'

Hij zette zijn bril weer op en werd even verblind door de zon op de verchroomde bumper van een politieauto.

'Tja, een van hen moet iets tegen de politie hebben gezegd,' zei de advocaat. 'Daar zullen we wat mee moeten doen als we naderhand de huiszoeking willen laten verwerpen.'

'Goed, hoe laat ben je klaar op de rechtbank?'

Paco Ortiz kwam het huis uit en ging naast hem staan wachten tot hij zijn telefoongesprek onderbrak.

'Ik kan op zijn vroegst om halfvijf bij je zijn, makker,' zei de advocaat. 'Het spijt me zeer.'

'Shit, dat is over tweeëneenhalf uur.' Jeff hield zijn hand op de telefoon. 'Ja, wat is er?'

'Meneer, we willen uw huis niet onnodig overhoop halen.' Paco trok aan zijn oorring. 'Zou u ons daarom willen vertellen of u een werkplaats in uw kelder hebt, of een andere plaats waar u gereedschap bewaart?'

'Wat voor gereedschap?'

'Hebt u geen zagen, hamers, tangen?'

'Mijn vrouw zei dat ze me in tien jaar huwelijk nooit zelfs maar een schroevendraaier ter hand heeft zien nemen.' Hij nam zijn hand van de telefoon. 'Ronald, hoor je dit?'

'Laat ze alleen kijken op in de machtiging aangegeven plaatsen...' zei de advocaat, wiens stem begon weg te vallen. 'En... hoor je me? Geef ze geen... ja? En beantwoord geen andere vragen voor ik er ben.'

'Je valt weg. Ronald.'

De verbinding viel weg terwijl beroering klonk in het huis achter hem. Er werden banken verplaatst en tapijten opgerold. Op de bovenetage klonk enorm gebeuk. Jeff hoorde binnen agenten naar elkaar schreeuwen als een stel Beierse toeristen die op een bierterras zijn gestuit. Toen deed een langgerekt gekraak van planken, uitlopend op een soort knal, hem overeind komen.

'Mijn kinderen hebben eergisteren hun moeder verloren en moeten nu toezien hoe hun huis wordt gesloopt?'

'We zijn zo voorzichtig als we kunnen, maar we moeten ook grondig werken.' Paco knikte meelevend. 'Dat zult u begrijpen. We willen hier allemaal hetzelfde.'

'Ja, ja, natuurlijk, maar...'

'Zijn de kinderen bij uw schoonfamilie?'

'Ja, ze hebben ze meegenomen naar een pretpark, maar...' Jeff voelde al het bloed uit zijn hoofd wegvloeien.

Hij hield zich staande aan de leuning. 'Mijn kleine jongen wil een feestje als mammie eindelijk terugkomt.'

Paco trok een wenkbrauw op. 'Hebt u het hem uitgelegd?'

'Hij wil me niet geloven.'

Hij hoorde de garagedeur opentrekken en had een gevoel alsof zijn hart kloppend blootlag.

'Het spijt me u dit aan te moeten doen, meneer Lanier,' zei Paco. 'Maar voor u het weet zijn we weer weg.'

De brigadier met de doorlopende wenkbrauwen en de onderkin kwam om de hoek van de garage, sjouwend met een wit en bruin verfblik. 'Hé, kijk eens wat ik hier heb.'

Hij hield het blik zo hoog dat ieder het etiket van Thomson's Houtbeschermer kon lezen.

'Kijk nou toch eens.' Paco trok een scheve mond. 'Waar heb je dat gevonden?'

'Toen ik in de garage kwam stond het zo voor mijn neus. Ik hoefde er niet eens naar te zoeken.'

De rechercheur streek zijn sik glad en keek naar Jeff. 'Wilt u me hierover vertellen?'

'Wat?' Jeff haalde zijn schouders op. 'Dat is van een van jullie mensen. Het zal wel voorkomen dat hout gaat rotten.'

'Wat zegt u nu?'

Paco keek van Jeff naar het blik en weer terug.

'Een van jullie mensen heeft hier van de zomer een hek tegen herten gemaakt. Mike Fallon. Een oude vriend van mijn vrouw.

Ik dacht dat u dat wel wist.'

Paco's hoofd werd een stoppelige bol vol randen en kloven. 'Wat doet het hier dan nog?'

'Ik zou het niet weten. Ik bemoei me nauwelijks met zulke dingen. Hij nam twee of drie andere blikken mee toen hij vorige week zijn gereedschap kwam halen.'

De mond van de brigadier viel iets open.

'Dus Mike is vorige week langs geweest?' vroeg Paco, wiens huid weer strak over zijn hoofd zat.

'Jazeker.' Jeff keek hem bevreemd aan. 'Spreken jullie elkaar nooit?'

21

'Wát heeft hij gedaan?'

Barry ging vlug rechtop zitten, alsof hij zou gaan stikken. Toen de kinderen naar bed waren wilde hij even tegen Lynn aan liggen, maar op een of andere manier ontaardde dat in een woest soort liefdesspel. Na achttien jaar kon ze hem nog steeds boeien en schokken, verleiden en betoveren. Ze kon zo tomeloos met hem vrijen dat zijn halve familie, het schoolbestuur en het Mormonenkoor allemaal de kamer in konden marcheren, en dan nog zou hij zich niet van haar los kunnen maken. Maar toen... hield het op. Rusteloos draaien met de heupen en een poging overeind te komen. Een gemompeld: 'Het spijt me... ik...' Oké. Hij trok zich terug; ze had tijd nodig. Haar beste vriendin was dood. Laat maar gaan.

Opeens klom ze van de vloer in bed en vertelde hem dat haar vroegere vriend haar in haar studio had opgezocht.

'Dat kun je niet menen,' zei hij, terwijl hij naast haar kwam liggen. 'die vent moet onderzoek doen naar een moord. Waarom komt hij überhaupt onaangekondigd langs?'

'Hij zei dat hij nog wat vragen had.'

'Die had hij ook vast wel.'

Hij stompte zijn kussen bol, terwijl hij zich Fallon voorstelde zoals die naar hem had geglimlacht op het parkeerterrein van het station. *Wil je zeggen dat ze het nooit over me heeft gehad?*

'Je hebt hem toch niet laten denken dat je wel in was voor een spelletje?'

'Natuurlijk niet.' Ze trok het linnen laken over haar borsten. 'Ik zei hem dat hij weg moest gaan.'

'Toch moet ik zeggen dat je wat ontwijkend deed toen ik je eerder naar hem vroeg.'

Ze zuchtte en trok een deken van hem weg. 'Het is ingewikkeld.'

'Dat zeg je steeds.'

Hij voelde de verplaatsing van haar gewicht in het bed. Het had jaren geduurd voor hij werkelijk begreep dat als je met iemand trouwt, je er een hele geschiedenis bij krijgt. Niet alleen de genen die je zoon een grote neus en je dochter te veel cholesterol bezorgen. Je krijgt er intieme vriendinnen, oude grammofoonplaten, grapjes die alleen de familie begrijpt en aloude vrijdagavondtradities bij. Ook krijg je er onmin bij die je nooit hebt veroorzaakt, afspraken waar je in geen miljoen jaar mee had ingestemd, en beloften waaraan je je nooit zou willen houden.

'Wil je me dan op de hoogte brengen van deze diepe achtergrond, of laat je me gewoon verder sukkelen, struikelend over mijn eigen pik?'

Ze ging rechtop zitten en klopte de kussens achter haar zacht. In het kaarslicht van de slaapkamer leek ze op een portret van een van die blonde porseleinen schoonheden die altijd midden in negentiende-eeuwse schandalen opdoken en grote wereldrijken te gronde richtten.

'Ach weet je, het werd wat moeilijk toen mijn moeder ziek werd,' begon ze.

'Ja, zal wel.'

'Mijn ouders waren al uit elkaar en mijn vader woonde in de stad, waar hij de swingende vrijgezel uithing bij Maxwell's Plum of waar ook.'

Barry snoof bij het noemen van haar vader, die net op tijd uit het gezin was gestapt om het staartje van de seksuele revolutie te missen. De briljante reclameman die ons de beroemde chimpansee Mr. Muggleby had gebracht, een Winston rokend in een Chevrolet cabrio. Barry herinnerde zich de man zoals hij in zijn eentje in zijn hippe coltrui en tweedjasje op hun trouwreceptie stond en met jonge langslopende serveersters flirtte.

'In feite modderden we dus met ons drieën voort,' zei Lynn, het laken onder haar oksels instoppend. 'Ik had net mijn oefenrijbewijs gehaald, en ik had die belachelijke Chrysler Cordoba van mijn vader, dus ik kon met mijn moeder naar de dokter en boodschappen doen...'

'Ah, Cordoh-bah,' knorde Barry als Ricardo Montalban. 'Voel het rijke Korinthische lede-er.'

'Precies. En hij stuurde als de Love Boat.'

Het viel hem in dat ze deze auto nooit eerder had genoemd. Maar hij had haar ook nooit zozeer uitgevraagd over de middelbare school.

'Maar goed,' zei ze, 'op een keer sloeg de motor af op de parkeerplaats van de school, en die song van Eric Clapton klonk uit de cassettespeler. Je weet wel, *Sister will do the best she can...*' Ik had het niet meer. Ik had er geen greep meer op. Mijn ouders waren gescheiden. Mijn moeder had MS. Het was net uit met mijn vriend. En daar zat ik. De tranen stroomden over mijn wangen omdat we als een lekke boot elke dag meer water binnen kregen.'

'En je vader dan? Waar was hij?'

'Die klooide een eind in de rondte,' zei ze. 'Hij probeerde een vestiairemeisje te versieren, kwam zo een keer per maand langs en beknibbelde op de alimentatie.'

Hij kon zich niet herinneren wanneer ze voor het laatst zo heftig over haar vader had gesproken. Maar deze avond klonk alles anders. Hij vroeg zich af of er meer aan het verhaal van haar en de politieman in de studio vastzat dan ze tot dan toe had verteld.

'Hoe ging het verder met de auto?'

'Ik keek op en zag Michael Fallon naar me staren. Ik dacht, mijn hemel.'

'Waarom?'

'Omdat ik dacht dat hij een idioot was. Zijn oudere broer, Johnny en hij waren van die bekende figuren die in de rivier visten en elkaar als inboorlingen met inkt beschilderden. En we wisten allemaal dat hun vader gevangenbewaarder was en hen als rottweilers aftuigde, zodat ze zich nog gekker gedroegen.'

'Ik heb met zulke jongens op school gezeten.' Barry schudde zijn hoofd. 'De broertjes Lobrano. Hun reclasseringsambtenaren kwamen naar onze diploma-uitreiking.'

'Goed, ik dacht dat ik zou worden meegesleurd en verkracht, maar hij deed de motorkap omhoog, verdween eronder met zijn grote hoofd, dook een minuut later weer op en zei: "Oké. Starten maar. Je bougies waren vuil."'

'Zo gaat dat met ware liefde. Hij heeft je auto gemaakt.'

'Hoor eens, van mijn vader hoefde ik zoiets niet te verwachten.' Ze pakte een haarband van het nachtkastje om haar haar naar achteren te doen. 'Het was goed een man in de buurt te hebben.'

'Dat zal wel.' Hij bewoog met zijn wenkbrauwen en wilde tonen dat hij dit niet al te ernstig nam.

'Het was niet alleen dat holbewonergedoe,' wierp ze tegen. 'Hij was echt lief voor me. Ik denk dat hij als het ware erkende dat we allebei beschadigd waren. Ik weet nog dat hij me een week na het maken van mijn auto mee vroeg om ijs te gaan eten. En ik gaf zo'n beetje te kennen dat ik aan het uitzoeken was hoe ik mijn moeder voor haar volgende afspraak in de auto moest krijgen. Dus kwam hij de volgende dag gewoon en droeg haar letterlijk de auto in, alsof ze een kostbare vaas was. Het was... lief.'

'Het klinkt alsof je veel in hem zag,' zei hij. Hij merkte op dat haar gezicht nog verhit was.

'Ja, maar zal ik je wat zeggen? Ik zag niet zozeer iets in hem als man. Als vriend. Ik zag meer iets in alles om hem heen.'

'Wat bedoel je daar nu mee?'

Hij zweeg en dacht aan kleine details die hij normaliter had weggewuifd en vergeten. Hij had altijd maar aangenomen dat ze zwijgzaam was over deze tijd in haar leven, omdat ze zo plotseling de volwassenheid in werd gekatapulteerd. Maar nu begon hij zich af te vragen of er een andere reden was.

'Ik bedoel, ik werd als het ware verliefd op zijn hele wereld. Voor een tijdje.' Ze toonde hem een bezorgde blik en wilde dat hij het begreep. 'Hij was echt zo'n jongen van deze buurt, en ik groeide op in een straat die niet eens trottoirs had. Letterlijk. Zijn familie was echt geworteld in deze stad. Ze waren tijdens de aardappelcrisis hierheen gekomen en hadden geholpen de tunnels en aquaducten te bouwen.'

'Zandvarkens noemden ze die.'

'Ze namen me helemaal op,' zei ze. 'Zijn moeder kookte grote hoeveelheden lasagne en ziti voor me om mee naar huis te nemen voor mijn moeder en mijn zus, toen wij op junkfood en pizza's leefden. En zijn vader gaf Mike altijd extra geld om me mee uit te nemen naar echt leuke restaurants in de stad, zoals Florio's en...' Ze zweeg hoofdschuddend en beschuldigde zichzelf in stilte. 'Ik begreep niet hoe geweldig dat was. Dit waren arbeiders. Ze gingen zelf niet eens uit.'

'Waarom heb je het dan met hem uitgemaakt?'

Hij merkte dat hij de lagen afpelde en voor aanklager speelde, en vroeg zich af hoe het kon dat ze deze mensen nooit eerder in zijn bijzijn had genoemd.

'Ik weet het niet. Ik denk dat ik er te veel doorheen ging kijken. Zelf was ik ook niet helemaal naïef. Ik heb dingen gedaan die misschien wel wat twijfelachtig waren.'

'Zoals?'

Hij zag door haar gedraai onder het dek bulten en heuvels ontstaan en verdwijnen. Hier een knie, daar een gebogen arm. Hij merkte dat hij wat waakzaam werd, alsof het net tot hem doordrong dat ze een groot mes onder de matras verborgen hield.

'Ik had dus dat fototoestel van mijn moeder gekregen en begon al die foto's te maken van hem en zijn familie.' Ze ging zachter spreken. 'Ik bedoel, ze had altijd gezegd dat je als je eenmaal je onderwerp hebt gevonden, je er met twee handen aan vast moet houden. Ik werd zo'n beetje hun officiële familiefotograaf. Heel die andere wereld leverde de ene geweldige foto na de andere op. Oude dronkelappen op doopfeesten, lachend met een baby op de arm en een biertje in hun hand. Vrijwillige brandweerlieden die patiomeubilair in veiligheid brengen terwijl de markt verderop in brand staat. Toen gaf zijn vader me een keer een rondleiding in de gevangenis, en maakte ik die foto van de bewaker die in de oude elektrische stoel zat te slapen.'

'O, maar die ken ik zeker,' zei Barry.

Een van zijn persoonlijke favorieten. Toen hij die voor het eerst zag moest hij heel hard lachen. Maar als je die weer bekeek werd hij luguberder: de cipier met zijn hoofd achterover en zijn mond open, alsof hij werkelijk een dodelijke stroomstoot had gehad.

'Toen kwam ik er pas goed achter waar ik mee bezig was,' zei ze.

'En wat was daar mis mee?'

'Dat ik er zelfs toen ik wist dat ik het met hem uit zou maken mee doorging.' De lakens waren om haar heen gefrommeld als klonterige room. 'Ik heb altijd ergens wel geweten dat het op den duur niets zou worden. Alles moest veel te veel gaan zoals hij het wilde.'

'Werkelijk?'

Al dat gewoel van haar liet hem niet onberoerd. Het was alsof ze nog nooit samen naakt waren geweest.

'Kijk, al die geweldige foto's van hem en zijn familie heb ik genomen. Mooi van korrel, als werk van W. Eugene Smith en Dorothea Lange. Ze waren gewoon fantastisch als onderwerp. Zijn moeder was een forse Ierse vrouw met dikke enkels, die bij gegoede families op de heuvel de huishouding deed. Maar altijd met een air alsof ze Jackie Kennedy was. Ze had allemaal mooie borden en badhanddoeken die nooit bij elkaar pasten, alsof ze die her en der vandaan had. En zo maakte ik die foto van haar achter de strijkplank, met een nepparelsnoer en een zwart helmkapsel vol haarlak. Die is heel aandoenlijk omdat je de afstand kunt zien tussen wie ze is en wie ze wil zijn. Ze was keurig gekleed in een mouwloze blouse en een broek, maar ze had een blauw oog en haar man zat aan de keukentafel achter haar, als een kromme kachelpijp in een onderhemd, met een sigaret op zijn blikje bier. En zijn arm zat in het gips door een gevecht met een gedetineerde. Het was een soort studie over frustratie. Ik noemde het *Someday My Prince Will Come*.'

'Waarom heb ik die dan nooit gezien?' vroeg Barry.

Hij had honderden andere foto's van haar gezien. Zo zei hij weleens voor de grap dat hij de eerste keer dat hij haar in het oog kreeg met haar naar bed wilde, maar dat hij besloot met haar te trouwen toen hij haar foto's zag en besefte dat ze de eerste zestig jaar iets hadden om over te praten.

'Ik moest hem van Mike vernietigen.'

'Echt waar?'

'Ja. Hij verdroeg het niet zijn vader zo te zien, omdat hij van hem hield. Ik zei dat ik de foto nooit aan iemand zou laten zien, maar dat was niet genoeg. Hij wilde dat ik het negatief verbrandde omdat hij de manier waarop ík hem weergaf niet verdroeg. Alsof ik zijn moeder dat blauwe oog had bezorgd. Dus toen begonnen we ernstige problemen te krijgen.'

'Hoe ernstig?' Hij kneep in een vetrolletje op zijn middel en bedacht dat het tijd werd weer met oefeningen te beginnen.

'Tja...' Ze stopte haar kin in en keek beteuterd. 'Ten dele was het mijn schuld. Misschien heb ik hem een verkeerd idee gegeven over hoe het zou lopen.'

'Waar heb je het over?'

Met een misselijk gevoel in zijn maag besloot hij dat hij van het vroegere seksleven van zijn vrouw wel de grote lijnen wilde weten, maar niet de plastische bijzonderheden.

'Ik bedoel dat hij dacht dat we gingen trouwen. We spraken zelfs heel serieus over kinderen. En toen hij inzag dat dit niet zou gebeuren werd hij heel erg kwaad.'

'Wil je zeggen dat hij je sloeg?'

'Eén keer maar,' zei ze, bijna alsof ze het goedpraatte. 'En met heel veel dingen als aanleiding.'

'Het is toch verdomme wat.' Hij stond op en trok zijn onderbroek aan. 'Waar is de telefoon? Ik ga de chef bellen.'

'Luister' – ze reikte over het bed en pakte zijn elleboog vast – 'ik zeg niet dat ik het verdiende, maar er was toen heel wat gaande. Zijn vader kreeg uiteindelijk een hoop problemen door die foto van zijn slapende collega in de elektrische stoel. Hij werd naar een heel beroerde afdeling overgeplaatst, en toen daar weer eens een oproer was is hem bijna de keel doorgesneden. En intussen zou ik een beurs krijgen voor Pratt. En dan was er nog die kwestie met zijn broer...'

'Doet er niet toe,' kwam Barry ertussen. Hij ging op de rand van het bed zitten. 'Ik kan er niet tegen dat een man een vrouw slaat.'

'Eerlijk gezegd denk ik dat ik er eerder overheen was dan hij.'

Hij bestudeerde haar profiel tegen de achtergrond van de witte lampenkap. Stipje voor stipje vormde zich in zijn geest een portret van een vrouw die sterk op de zijne leek, maar op een of andere manier onbekend was.

Hij schoof op naar haar, en spanning trok op langs zijn ruggengraat, wervel voor wervel. 'Hoe komt het dat je me hier niets van hebt verteld voor we naar hier terug verhuisden?' vroeg hij.

'Het leek niet belangrijk. Het was allemaal zo lang geleden. Het laatste wat ik hoorde was dat Mike ergens in Arizona werkte.'

'Jij zat al die tijd met dit geheime wereldje, en ik kom daar nu pas achter.'

'Dat is niet waar.' Ze trok haar knieën op en maakte zo een linnen berg tussen hen. 'Ik heb Michael niet gebeld om te vragen of hij langs kwam. Waarom beschuldig je me?'

'Ik wil dat hij wegblijft,' zei hij.

'Ik denk niet dat hij terug zal komen. Ik heb hem behoorlijk afgepoeierd.'

'Dat dénk je niet?' Hij stond weer op en pakte zijn kamerjas, waarbij hij een stroom adrenaline voelde. 'Nou, waarom pak ik de telefoon dan niet om te zorgen dat hij de boodschap begrijpt? We zullen er eens voor gaan zitten, hij en ik.'

'Ik verzoek je met klem dat niet te doen, Barry. Echt.'

Hij was even te kwaad om haar goed te horen.

'Barry,' herhaalde ze, uit op zijn aandacht.

'Wat?'

'Ik ken hem. Het zal hem niet bevallen als een andere man hem zegt dat hij weg moet blijven.'

'Wat stel jij dan voor dat we doen?'

'Provoceer hem niet. Dat is alles wat ik vraag.'

Hij keek over zijn schouder en vroeg zich af of er nog meer was dat ze hem niet had verteld. 'Jullie zullen hier gelukkig zijn,' had de makelaar gezegd toen ze naar deze stad verhuisden. En hij was ermee akkoord gegaan, vanuit het idee dat hij na al het verhuizen voor zijn werk Lynn de gelegenheid moest bieden ergens te aarden en bij haar moeder te zijn. En er was natuurlijk die appelboom. Maar nu vroeg hij zich toch af wat hij had aangehaald.

'Alsjeblieft,' zei Lynn, hem met haar armen om haar knieën aankijkend.

'Ach... shit.'

Hij ging naast haar liggen. Hij had basketballers verslagen die lichter waren dan hij, en advocaten met tien jaar meer proceservaring, maar hij had nooit enig talent gehad om tegen haar te vechten.

'Wil je me ten minste beloven dat je me belt als hij weer komt?' vroeg hij.

'Natuurlijk.' Ze ging dicht tegen hem aan liggen. 'Wil je dan nu je mond houden en zo blijven liggen tot ik slaap?'

22

Het feest aan de overkant kwam net op gang toen Mike voor zijn huis aan Regan Way stopte. Hij rook geroosterd varkensvlees, hoorde Marc Anthony galmen en zag een Mexicaanse vlag over de verandaleuning van het huisje waarin de neef van zijn vader, Brian Moran had gewoond. Hoe kregen die latino's het in vredesnaam voor elkaar? Elke dag waren ze op de heuvel bezig putten te graven en gazons te maaien, en 's avonds waren ze dan vaak in de achtertuin, om *cerveza* te drinken en feest te vieren, alsof ze niet konden geloven hoe gelukkig ze waren dat ze in Amerika terechtgekomen waren. Sommige van die mensen woonden zelfs niet in een huis. Minstens vier van hen sliepen in een oude auto die op de oprit geparkeerd stond. Maar terwijl hij hun luide gelach hoorde en zijn eigen huis binnenging, een kleurloos geval met dezelfde betonnen oprit en dezelfde verzakte veranda als de overburen, gebouwd in de helling van de heuvel, voelde het alsof in zijn hart een roestige schroef werd omgedraaid.

Binnen rook het naar Murphy Oil Soap en houtsnippers van de hamsterkooi. Stapels wasgoed lagen keurig opgevouwen op de trap. Voorbij de korte gang zag hij Marie in de keuken, nog in haar werkkleding, bezig een pot thee voor zichzelf te maken. Hij sloot de deur achter zich en hoorde het geluid van water dat bijna kookt.

'Wat moet dit?' vroeg hij. 'Bergt het nieuwe meisje het wasgoed niet weg?'

'Ze weet niet waar alles heen moet.' De ketel begon te fluiten. 'Ik heb geen tijd gehad om het haar te wijzen.'

Zijn schouders streken langs de muur toen hij binnenkwam om met haar te praten. Was de gang altijd al zo smal? Nu hij weer had gezien hoe groot het huis van Lynn vanbuiten oogde, viel hem op hoe laag de plafonds hier waren, hoe oud het behang was, en hoe klein de keuken, zodanig dat ze samen nauwelijks tussen het fornuis en de koelkast pasten.

'Hoe is het leven tussen de wanbetalers?' vroeg hij. Hij zette zijn attachékoffer op het aanrecht en zag waar er kit was weggesleten rond de gootsteen.

'Ongelooflijk.' Haar ogen merkten de inktvlek onder zijn borstzak op. 'Deze mensen hebben een rijbewijs en een bankkrediet. En geen greintje persoonlijk verantwoordelijkheidsgevoel.'

Hij probeerde zijn vroegere Burt Reynolds-glimlach op haar. 'Heb je vanavond veel van die tweede en derde aanmaningen weggewerkt?'

'Ja, maar over de hele linie loopt de betaling terug. Elke keer als we een aanmaning sturen gaat het percentage van mensen die betalen omlaag. Uiteindelijk gaan we toch bij de helft van hen invorderen, dus ik weet eigenlijk niet waarom we hun nog een kans zouden geven.'

'Hmm...' Hij schoof langs haar heen om zijn handen te wassen en zag een bergje zaagsel op de vensterbank boven de gootsteen.

De betaling loopt terug. Geen greintje verantwoordelijkheidsgevoel. Waarom zouden we hun nog een kans geven? Niet bepaald bemoedigende woorden om als man bij thuis te komen. Wat was er gebeurd met het toegewijde meisje dat elke avond zijn schouders masseerde? Hij miste haar dankbaarheid. De manier waarop hij zichzelf in haar ogen groter kon zien worden in plaats van kleiner, zoals vandaag bij Lynn gebeurde. Hij miste het zoals het hele gezin zich verdrong als hij thuiskwam. En het meest van alles miste hij de man die hier altijd was.

Hij dacht dat dit iets gezamenlijks was toen ze trouwden. Hij was een geschenk voor haar. Hij had haar gered. Zij woonde in een schamele woning boven de tuinbenodigdhedenwinkel aan Evergreen met haar moeder, twee zussen en haar schizofrene broer. Hij haalde haar daaruit. Hij zou de held zijn die de compensatie vormde voor haar asociale vader die het gezin in de steek liet zonder ooit een cent te betalen. Hij zou degene zijn die compensatie bood voor alle mislukkingen en teleurstellingen met andere mannen. Maar op de een of andere manier ging dit gegeven ter ziele. Ja, hij had het gigantisch verpest. En ja, hij had haar moeten smeken om hem terug te nemen en hem nog een kans te geven. Maar pas echt grievend was dat zij had besloten dat zíj de held zou worden, door weer te gaan studeren, zakenkleding te kopen bij Talbots, een bobbykapsel te nemen en zich een baan te verwerven bij een ziekenhuis, waar ze geld inde van achterstallige betalers. Ze leek te zeggen dat ze hem niet zo hard meer nodig had. Ze kon hun leningen afbetalen, de helft van de maandelijkse kosten opbrengen, en nog tijd overhouden om wraak te nemen op alle andere wanbetalers in de wereld.

'Hoe staat de zaak?' vroeg ze.

'Ach. We proberen gewoon de losse draden een voor een samen te brengen.'

'Toch lijkt het me nog steeds niet goed dat jij eraan werkt. Je hebt haar tenslotte gekend.'

Toen hij zijn handen afdroogde bleef zijn oog rusten op het bergje zaagsel. Ze had toch zeker niet het dagboek gevonden dat hij beneden had verstopt?

'Ik ken iedereen,' zei hij. 'Als ik me daardoor laat weerhouden zou ik nog geen bekeuring kunnen uitschrijven.'

'We moeten praten.' Ze draaide het gas laag onder de ketel.

Hij zette zich innerlijk schrap terwijl hij de blauwe vlammen onder de ketel zag doven.

'Timmy,' zei ze. 'De school heeft weer gebeld.'

Hij hoorde het water nog borrelen in de pot. 'Wat is er gebeurd?'

'Mevrouw Wagner zei dat hij op de speelplaats weer heibel met Lanny Taylor heeft gehad.'

'Shit.' Hij hoorde het water sissen toen ze de pot optilde. 'Nou ja, wat moet hij als dat andere joch op hem blijft hakken?'

'Twee weken geleden zou jij een morgen op school zijn om te helpen hem op het goede spoor te krijgen.'

'Neem me niet kwalijk, maar heb je gemerkt wat er intussen is gebeurd?'

'Ze willen dat we vrijdagmiddag komen voor een nieuw gesprek over zijn impulsbeheersing.'

Hij zag de stoom opstijgen toen ze water in haar kop schonk.

'Heel fijn. Ik zit midden in een belangrijke moordzaak. Ik kan dit missen als kiespijn.'

'Tja, het spijt me dat Timmy het niet eerst even met jou opnam toen hij besloot weer door het lint te gaan.'

'Waarom noem je dat zo? Dat andere joch jat steeds zijn overblijfgeld. Wat moet hij dan? Non worden?'

Hij zag haar de honing van de overvolle kastplank pakken. 'En wat heb jij hem gezegd dat hij moest doen?' vroeg ze.

'Ik zeg hem dat hij eruit moet zien te komen, maar dat hij zich niet moet laten koeioneren. Je weet niet hoe het is met mannen. Je kunt gebrek aan respect niet accepteren. Eerst pikken ze je kam, de volgende dag je radio. Soms moet je je eens goed laten gelden en iemand de waarheid zeggen.'

'Ja, leuk bedacht, Mike.' Ze hield de pot honing onder de hete kraan en vroeg hem niet eens die voor haar te openen. 'Is dat weer zo'n briljante gedachte van je vader?'

'De man heeft eenendertig jaar in Owenoke overleefd. Hij moet iets goed hebben gedaan.'

'Neem me niet kwalijk, maar is het ooit bij je opgekomen dat wat in een cellenblok goed werkt minder geschikt is voor het schoolplein?'

'Natuurlijk, maar is het ooit bij jou opgekomen dat het er hier misschien om gaat dat jij weer bent gaan werken?' sloeg hij terug. 'Misschien denkt hij dat je hem in de steek laat.'

'Nou, als jij geen twintigduizend dollar had uitgegeven aan een nieuwe Toyota pick-up, terwijl we elke maand al vijftienhonderd kwijt zijn aan jouw alimentatie, zou ik zo hard niet hoeven werken.'

'Hartelijk dank, Marie. Dat helpt echt.'

'Zeg, ik was niet degene die me door klanten in aandelenopties liet betalen voor het plaatsen van hekwerken. Het is niet mijn schuld dat je geld hebt verloren aan die klussen. Ik heb je gezegd het niet te doen.'

Hij keerde zich van haar af en zag weer het hoopje zaagsel. Houtmieren. Zou het niet prachtig zijn als ze daar een leger van hadden dat heel het inwendige van hun huis wegvrat? Hij kreeg al het gevoel dat ze in zijn hoofd bezig waren.

Hij rukte de koelkast open voor een flesje bier en zag de melk en de jus d'orange bovenin staan, daaronder de Tupperware-bakjes met etiket, potten op grootte gesorteerd in de deur, en fruit en groenten wijselijk gescheiden in de groentela. *Impulsbeheersing.* Zo'n geitenwollensokkenfrase die je het gevoel gaf dat iemand gaten in je hersens boorde. Beheers al die akelige aandriften. Kijk niet naar andere vrouwen. Raak niet achter. Geef niet zo veel geld uit. Loop jezelf niet voorbij. Verhef je stem niet. Hef je hand niet. Denk niet dat dingen weer worden zoals ze waren.

'En wat wil je nu van mij?' vroeg hij.

'Ik wil dat je bent waar je zegt dat je zult zijn. Ik wil dat je mij en de kinderen niet meer vernedert.'

'Wanneer heb ik...'

'Jij weet verdomd goed waar ik het over heb. Ik wil dat je beslist of je deel gaat uitmaken van dit gezin.'

Hij bleef gebogen bij de open koelkastdeur staan voor de verkoeling. *Eierschaal-land*, dacht hij. *Sinds ze me terugnam leef ik op een continent van eierschalen. Bij elke verkeerde beweging kan een scherf afbreken.*

'Volgens mij willen ze erover praten hem Ritalin te laten slikken,' zei ze met gedempte stem.

'Kut.' Hij pakte een flesje bier en sloeg de deur harder dan bedoeld dicht, zodat de inhoud rammelde.

'Ik begin te denken dat het niet eens zo'n slecht idee is.' Ze keek hem aan.

'Ja, ja, fantastisch. Hou hem permanent onder de dope en maak goddomme een robot van hem.' Het bedauwde zilveren etiket rimpelde tegen zijn hand. 'Waar is de flesopener?'

'In de la naast het fornuis.'

Hij trok de la open en merkte dat de greep loszat. Die moest hij een dezer dagen eens vastzetten. Hij was vroeger zo goed in klusjes in huis. Zij vond dat altijd heerlijk aan hem. Moest er een plank boven de wasmachine komen, of lekte de gootsteen, dan hoefde ze daar nooit iemand voor te bellen. En in die tijd had ze een manier om een man te tonen dat hij gewaardeerd werd. Als hij eraan terugdacht besefte hij dat ze vaak het heerlijkst vrijden als hij net glasvezelisolatie had aangebracht of een roestige pijp vervangen.

Maar de laatste tijd zag hij boorschroefbits en schroeven liggen als hij thuiskwam, want ze deed die dingen zelf.

'We hebben altijd geweten dat hij driftig was,' zei ze.

'We weten tenminste dat hij er eerlijk aan is gekomen.'

'Dat moet je mij vertellen.'

Hij maakte het flesje open en hoorde het gulzige inzuiggeluid.

'Hoeveel keer moet ik nog zeggen dat het me spijt, Marie? Wil je me binnenkort een aantal noemen? Drieduizendvijfhonderdzevenentwintig? Wil je dat ik een week lang alleen maar zeg: het spijt me, het spijt me, het spijt me...'

'Praat zachter. De kinderen slapen.'

Hij nam een lange verkwikkende teug uit het flesje. Hemel, hoelang wilde ze hem nog zo laten bungelen? Hij had het gevoel voorwaardelijk vrij te zijn, op zeer strenge voorwaarden. Geen verbroedering met ongewenste elementen. Geen verbroedering met gewenste elementen. Geen gerotzooi meer met andere vrouwen. Geen gezuip meer met de collega's. Geen onnodige ruwheid meer met vrouw en kinderen. Niet meer toegeven aan onbeheersbare aandrift. Geen gelazer. Hij wist dat hij zich niet nog een scheiding kon veroorloven, financieel noch mentaal. En zij had al duidelijk gemaakt dat dit zijn laatste kans was.

Hij dacht weer aan de passage die hij de vorige dag in het dagboek had gelezen ('Begin te denken dat er iets aan de hand is met M'), en nog meer houtmieren waaierden uit in zijn hoofd.

Wat het echt angstaanjagend maakte was hoeveel hij te verliezen had. Niet alleen de kinderen en het huwelijk, maar ook het respect van zijn collega's, de glimlach van de moeders bij het voetbalveld, de leraren en dames op Saint Stephen's die hem allemaal bij zijn voornaam kenden, de kerstkaarten van stadsbestuurders, de bestuurscommissie die hem kwam bedanken voor het schoonvegen van de binnenstad, de knik van herkenning van de barmannen in de Gate die het glas van zijn vader en grootvader nog hadden gevuld en nog steeds zijn geld wegwuifden.

'Ik maak me echt zorgen om hem,' zei Marie, terugkomend op het hoofdonderwerp. Haar woorden leken veel op die in het dagboek.

'Waar heb je het over?'

'Je hebt gezien hoe hij is. Hij kan met een vriendje stoeien en worstelen, en dan gaat er ineens een schakelaar om in zijn hoofd.'

'Dat heb ik nooit gezien,' zei hij, het bier voor zijn borst houdend.

'Dat heb je wel. Pal voor je ogen wordt hij een ander mens. Je weet precies waar ik over praat.'

Hij keerde zich van haar af en nam nog een slok, terwijl koude vingers naar zijn hart tastten.

De andere kinderen gingen goed. De tienjarige Mike junior was een woelwaterige durfal, net als zijn dode oom. De elfjarige Cheryl was meer als haar moeder en zat altijd met haar neus in een Harry Potter-boek. Maar Timmy, zijn jongste, leek het meest op hem. Ook uiterlijk: ze hadden dezelfde lange groef tussen neus en bovenlip, dezelfde brede kaak en dezelfde diepliggende ogen. Maar hij had ook een schaduwzijde die volgens hem tot dan toe nog niemand anders had opgemerkt. Iets wat onder de oppervlakte gistte. Hij had het vorig jaar op een middag bij het voetbal onderkend, toen Timmy aan de zijlijn wat gekheid maakte met een andere jongen. Bijna in slow motion zag hij zijn zoon een stokje oppakken en het in het oog van de andere jongen steken. Mike wist tussenbeide te komen voor er ongelukken gebeurden, maar daarna was hij wekenlang heel bang. Omdat hij wist wat het was. Hij wist het omdat hij er zelf elke dag mee worstelde. Die vuist die nooit geheel ongebald kon zijn. Die rode mist die soms over hem leek te vallen, die schreeuw altijd diep in zijn keel.

'Weet je waar het echt om gaat?' vroeg hij. 'Het gaat om onroerend goed.'

'Hoe kom je daarop?' Ze tikte met het deksel van de honingpot tegen het aanrecht.

'Ze willen gewoon dat alle kinderen er als strebertjes bij zitten, opdat ze betere cijfers halen en de mensen meer voor hun huizen zullen betalen. Er is niets mis met Timmy.'

'Zo is het, Mike. Blijf dat maar zeggen. Je hoeft niet naar de bespreking te komen. Je hoeft zelfs helemaal niet meer thuis te komen.'

Hij had opeens de aandrift om haar te slaan. Het idee van een stomp vormde zich in zijn schouder en verplaatste zich door zijn arm. Of misschien zou hij haar gewoon met het halfvolle bierflesje boven haar neus slaan en zien of dat haar deed zwijgen. Maar toen draaide ze het deksel van de honingpot en keek hem met meisjesachtige trots aan omdat ze geen hulp had gevraagd. Hij liet zijn vuist langs zijn zij zakken. Zie je wel? *Impulsbeheersing.*

'Er is niets mis met het kind,' herhaalde hij.

Ze stak haar theelepel in de open pot en liet een helder gouden straal in haar kop zakken.

'Vrijdag kwart over drie,' zei ze, de theelepel aflikkend. 'Ik ga naar bed. Er staat nog wat kip in de koelkast. Die kun je warm maken in de magnetron.'

'Ja, leuk je gesproken te hebben.' Hij groette met een slap handje toen ze haar thee pakte en weg wilde gaan.

'Wat is er met je overhemd gebeurd?' Ze bleef in de deuropening staan en keek naar zijn borstzak. 'Je lijkt wel blauw bloed te hebben.'

'Een lekkende pen. Ik had geen ander overhemd in mijn kast.'

'Geef het mij maar.' Ze zuchtte en stak haar hand uit. 'Al zou ik niet weten wat ik ermee aan moet.'

23

Barry zette Lynn de volgende morgen vroeg bij de garage af om hun Explorer op te halen en reed met de Saab verder naar het station. Toen hij parkeerde zag hij Harold Baltimore aan de overkant uit zijn blauwe Buick LeSabre stappen en naar de Starbucks om de hoek lopen. Barry besloot vrijwel meteen dat hij een derde kop koffie nodig had om de dag te beginnen.

Hij stak over, baande zich een weg door de menigte van dagloners voor het pand, en ging door de getinte glazen deuren naar binnen, waar hij Harold al vooraan in de rij zag staan.

'Geef mij een *venti* cappuccino,' zei Harold met een vermoeid schor geluid.

'Het is gratis,' zei de jongen achter de toonbank, die een kaalgeschoren hoofd had en een gouden ringetje in zijn wenkbrauw. 'Met de complimenten van onze chef.'

'Ik heb geen complimenten nodig.' Harold legde een tiendollarbiljet neer. 'Geef me wel goed geld terug.'

'Wat zeg je me daarvan?' Barry kwam achter hem staan. 'Onze vaders vochten in oorlogen in Duitsland en Korea, en onze generatie vond de kop koffie van vijf dollar uit. Qua beschaving geeft dat toch te denken.'

De chef draaide zich om en bromde, zo vermoeid dat het leek of hij vochtige graanzakken onder zijn ogen had.

'Hoe gaat het?' vroeg Barry.

'Het gaat.'

Hij kende Harold oppervlakkig van de begrafenis van Lynns moeder vorig jaar, die de familie Baltimore met ingetogen decorum en stijl in hun uitvaartcentrum aan Bank Street had afgehandeld.

'U kent me nog wel? Barry Schulman.'

'Natuurlijk. De schoonzoon. Een rozenhouten kist, een dienst om elf uur, drie limousines naar de begraafplaats.'

De chef zelf had vooraf in hun woonkamer geduldig met Lynn de catalogus met kisten doorgenomen, om haar de moeizame taak te besparen van naar het uitvaartcentrum komen om er een uit te zoeken.

'Dat is verbluffend,' zei Barry. 'Herinnert u zich elke uitvaart?'

'Mevrouw Stockdale was mijn lerares tekenen in de vijfde klas.' Harold nam zijn cappuccino aan en liet wat kleingeld in de fooienpot vallen. 'Een geweldige vrouw. Zij heeft me zonsondergangen leren tekenen.'

'Ah.'

'En ik heb bij uw vrouw in de klas gezeten.' De chef moest iets verderop zijn voor suiker. 'We hebben altijd gemeenschappelijke vrienden gehad.'

'Geef mij een gewone zwarte koffie alsjeblieft,' zei Barry tegen de jongen bij de kassa, voor hij achter de chef doorschoof. 'Het ziet ernaar uit dat u een moeilijke zaak in de schoot is geworpen. Er stond vandaag een stukje over in de krant'

Harold hield de suikerstrooier hoog en schonk een constante korrelstroom in zijn bekertje.

'We klaren het wel,' zei hij.

'Zijn er al aanknopingspunten?'

Harold maakte met de suikerstroom figuren in de lucht.

'Geluk is het resultaat van een zorgvuldig ontwerp,' zei hij. 'Net als een passend graf.'

Barry betaalde, nam zijn koffie en staarde naar de dampende zwarte vloeistof, eraan denkend dat Lynn hem had gevraagd geen moeilijkheden te maken.

'Hoe gaat het met uw wederhelft?' vroeg Harold.

'Die is behoorlijk van streek, zoals u zich kunt voorstellen. Sandi Lanier was een goede vriendin van haar.'

'Huh,' zei de politiechef, en wist daarmee deelneming, grimmige aanvaarding en beroepsmatige afstand in één lettergreep te vatten.

Een van de jongens achter de toonbank klopte met een hamertje op de koffiemolen om die tot de laatste korrel leeg te krijgen.

'Zeg, een van uw mensen kwam gisteren bij ons langs,' zei Barry.

'O? Wie was dat?'

'Uw inspecteur, die brede vent, Fallon.'

Harold deed zorgvuldig een plastic dekseltje op zijn cappuccino, en maakte duidelijk dat hij daarmee weg wilde lopen.

'Het verbaasde me een beetje dat te horen,' zei Barry, 'omdat hij de dag daarvoor mijn vrouw al vragen was komen stellen.'

'Misschien wilde hij achteraf nog wat dingen nagaan, aangezien uw vrouw het slachtoffer zo na stond.' De chef haalde zijn schouders op en liet niet merken of dit hem stoorde.

'Dat begrijp ik, maar het was ook wat netelig omdat uw rechercheur ook mijn vrouw kent. Ik denk dat ze mogelijk een soort... een ongemakkelijk gesprek hebben gehad.'

Eigenlijk wist hij dat hij het moest laten rusten zoals Lynn hem had gevraagd, maar weglopen op dit moment zou voelen als onachtzaamheid, zoals de binnenverlichting van een auto laten branden, of een heel klein kind alleen laten in bad terwijl de hete kraan loopt.

'Ik begrijp niet goed wat u daarmee bedoelt.' Harold masseerde met zijn vingertoppen de randen van zijn oogkassen.

'Ik wil niet in bijzonderheden treden, maar ik kreeg de indruk dat er dingen zijn gezegd die niet rechtstreeks betrekking hebben op het onderzoek.'

Hij kon zien dat hij Harold diep ongelukkig had gemaakt. De chef beet zijn lippen naar binnen en fronste zijn voorhoofd, waardoor zijn gezicht er wat samengeperst uitzag.

'Luister, ik begrijp dat u een moord moet oplossen en dat u gewoon probeert uw werk te doen. En wij zullen onze volledige medewerking geven. Sandi was een goed mens. Alleen, als het mogelijk is…' – Barry was nu voorzichtig, want hij wist dat hij al te ver was gegaan – 'het zou ons beter uitkomen als u ons van tevoren wat meer kon laten weten. Mijn vrouw zou met alle liefde op het bureau willen komen praten.'

De spanning om Harolds mond nam toe. Hij zette zijn koffie bruusk neer.

'U bent jurist, nietwaar?'

'U ontgaat niet veel, hè?'

'Mijn vrouw heeft u uw huis verkocht,' zei de chef met een effen gezicht.

'Is het waarachtig? Emmie?'

Barry begreep dat hij zijn inzichten wat moest herschikken. De chef was dus getrouwd met een blanke vrouw. Een zeer blanke vrouw. Niet gek. Emmie met de grote brillenglazen, de turkooizen armband en het steile blonde haar, die hen in haar Navigator had geladen en naar het boerenhuis aan Grace Hill Road had gereden, nog geen twee maanden geleden. *Jullie zullen hier gelukkig zijn.* Ze verkondigde het als een voorspelling uit een van de verschoten new-ageboeken op haar dashboard. Geen typisch voorstedelijk stel. Dat ze had gezegd met een politieman getrouwd te zijn was hij vergeten.

'We zijn ruim twintig jaar getrouwd,' zei de chef luchtig. 'Ik wil maar zeggen dat dit een kleine gemeenschap is. Nietwaar? Heel veel mensen kennen elkaar. Ik kende zelfs het slachtoffer. Dus we mogen dan wat grootsteedse problemen hebben, we moeten allemaal met elkaar leven. Begrijpt u wat ik bedoel?'

'Zeker, maar…'

'Drie weken geleden moest een van mijn mannen mijn neef arresteren wegens het verkopen van marihuana, minder dan honderdvijftig meter van de middelbare school. Was ik daar blij mee? Wat dacht u?'

'Het lijkt me dat er wat spanning zal zijn als de familie met de feestdagen weer bijeen is.'

'Reken maar van yes. Maar ik heb mijn werk te doen, en dat doe ik. Tegenwoordig wonen er allerlei soorten mensen in onze kleine gemeenschap. We hebben hier effectenmakelaars en bank-directeuren, hoofden van organisaties en heel wat juristen van naam zoals u. Maar lijkt het u juist als ik hen anders behandel dan mijn neef die wat probeert bij te verdienen om een nieuwe auto te kopen?'

'Natuurlijk niet,' zei Barry.

'Ik weet wel dat mijn mannen soms fouten maken – geloof me, dat wéét ik – maar ik weet ook dat ik aan de mensen van dit stadje verplicht ben een grondig en compleet onderzoek te doen zonder vrees of begunstiging, en dat Michael Fallon een van mijn beste mensen is.'

'Hij probeerde iets in de richting van mijn vrouw.'

'Nou, daar zal ik hem zeker op aanspreken,' zei Harold afgemeten, maar kennelijk van binnen in beroering. 'Maar ik zou het ook waarderen als u volledig meewerkt als mijn rechercheurs nog meer vragen hebben. U en uw vrouw kenden het slachtoffer en u kunt andere belangrijke informatie hebben die we in deze zaak nodig zullen hebben.'

'Natuurlijk.' Barry deed een dekseltje over zijn koffie en pakte zijn tas. 'Daar kunt u op rekenen.'

Hij zag de chef diep zuchten en begreep op slag de kern van diens dagelijkse dilemma: hoe houd je zowel je mannen als je kiezers tevreden, wanneer de meesten van hen je toch al niet vertrouwen? Waarschijnlijk door gewetensvol iedereen in precies dezelfde mate kwaad te maken.

'Wel, dat was het dan.' De chef maakte een gebaar naar de uitgang. 'Mis uw trein niet.'

24

Toen Mike die morgen de rechercheurskamer betrad ging de telefoon op het bureau van Paco Ortiz. Mike was het antwoordapparaat voor en kwam te spreken met ene Cotter van de staatspolitie.

De rode Audi van Sandi Lanier was aangetroffen op de parkeerplaats van een motel, acht kilometer buiten de stad. Hij was niet afgesloten, er waren geen sporen van een worsteling, en nergens in het voertuig waren bloedsporen te vinden. Ze hadden het motelpersoneel een foto van Sandi getoond, maar niemand herinnerde zich haar en er was op haar naam geen kamer geboekt.

Mike schreef de informatie op in zijn blocnote, bedankte de man en zei te zullen regelen dat de auto de komende dagen werd opgehaald. Toen hing hij op en staarde naar zijn eigen handschrift, cryptisch als een doktersrecept, zich afvragend wat hij moest doen.

Twee dagen op zee en nog steeds geen enkel zicht naar voren. Had de mist niet moeten optrekken? Had de volgende stap zich niet moeten voordoen? Maar het enige duidelijke was dat hij de vorige keer méér tegen Harold had moeten zeggen. Net genoeg om het stuur een beetje te draaien en zichzelf een frontale botsing te besparen.

Natuurlijk, nu hij het dagboek helemaal had gelezen wist hij dat hij niet eenvoudig op zijn schreden kon terugkeren en zich verontschuldigen omdat hij niet meteen openhartig was geweest. Hij kon alleen maar rechtdoor varen naar het einde van de kaart. Maar in het sombere waas van zijn vroege ochtendkater voelde hij zich verward, zeeziek en tekort gedaan door alle vrouwen in zijn leven.

Begin te vermoeden dat niemand ooit echt van me zal houden. Iedere man die ik ooit heb gekend bleek een bedrieger. Krijg wat, schatje! Kijk verdomme naar je eigen. Geen van de mannen die je kende liet vet wegzuigen of zijn haar verven.

Hij besloot een beslissing over de boodschap van Cotter uit te stellen tot hij ten minste de gifstoffen kon uitzweten. Na te hebben nagegaan of er geen boodschappen op zijn antwoordapparaat stonden kleedde hij zich om in zijn korte broek, een T-shirt en sportschoenen en ging naar de sportzaal in de kelder. Op een bord aan de muur stond: vermoeidheid maakt lafaards van mannen. Greaseman, de agent die in werktijd schoolkinderen voorlichtte over drugs en in zijn vrije tijd steroïden verstrekte, was bezig op de StairMaster terwijl hij naar zijn walkman luisterde en tegelijkertijd de aandelenkoersen op CNBC volgde, die heftig fluctueerden. Op het mosterdbruine tapijt zaten donkere zweetplekken en de airconditioning raasde astmatisch.

Mike ging op het bankje zitten en veranderde het gewicht in honderd kilo. Toen ging hij achterover liggen met zijn ogen dicht en concentreerde zich volkomen op de inspanning van het heffen en laten zakken van die pakketten zwarte ijzeren schijven.

Zijn spieren voelden lui en pijnlijk; hij was te laat opgebleven om het dagboek te lezen in de kelder, op het internet te surfen en whisky te drinken uit een SpongeBob-glas. Hij probeerde zijn kracht in het midden van zijn borst te verzamelen en uit de duwen, waarbij hij zichzelf als Atlas zag die de wereld omhooghield. Hij voelde de spanning in zijn buikspieren, het zware zwoegen van zijn hart, en het gif dat uit zijn poriën begon te komen. Zijn ellebogen blokkeerden en hij probeerde langzaam zijn armen te strekken, en zijn greep werd vaster, zelfs toen elke zenuw in zijn lichaam schreeuwde dat hij op moest houden. Het was een kwestie van het dode punt beheersen. In het leven ging het om beheersing.

Ik zei M. dat ik dit niet wilde blijven doen, had ze in haar dagboek geschreven. *Maar hij houdt zo aan. Hij wil het er gewoon niet bij laten. Hij begint echt op mijn zenuwen te werken...*

Val dood. Hij concentreerde zich op het flikkerende licht boven zijn hoofd en trok zich dieper terug in zichzelf, om de harde, ondoordringbare kern van zijn wezen te vinden, het deel dat onbreekbaar was.

Gisteravond toonde ik hem de tatoeage op mijn enkel...

Honderd kilo en hij was rijp voor een dubbele hernia. Zijn broer kon honderdvijftien kilo heffen en zonder probleem met vijfendertig kilo uitrusting duiken. Maar hoe kon dat? Johnny had niets van zijn massiviteit. Hij was maar een schraal kereltje. Dus hoe kon hij zo veel sterker zijn geweest?

Ik maakte een stomme opmerking, dat ik hoopte geen hepatitis C te hebben opgelopen door de naald die ze gebruikten, en hij werd razend op me...

Zijn pezen gloeiden en een boos blazen ontsnapte aan zijn mondhoeken.

Hij begon te razen en te tieren: hoe kon ik dit hem en zijn gezin aandoen? Stel dat ze allemaal besmet raakten?

Langzaam kwamen zijn ellebogen los, en de gewichten kwamen hoger alsof ze meegaven met hydraulische druk. Ik ben een man.

Ik ben de zoon van een man die de zoon was van een man.

Hij duwde me op het bed en deed zijn handen om mijn keel. Ik dacht echt dat hij me ging wurgen...

Zijn armen trilden een beetje toen hij eraan terugdacht dat hij het dagboek bij het lezen hiervan dichtsloeg. Zo was het niet gegaan. Ja, toch wel. Nee, zo was het níet. Ze was gek. Ze overdreef. Niemand had haar ooit geloofd als ze nu nog leefde. En ze maakte toch niet voor niets een grapje over die naald? Dat moest wel. Dat moest wel. Ik ben een man. Ik ben de zoon van een man die de zoon was van een man... Hij klemde zijn tanden op elkaar, duwde steeds krachtiger en spreidde langzaam zijn armen tot ze niet meer konden heffen. Op dat moment doemde Harolds gezicht boven hem op en verduisterde het flikkerende licht.

'Waar ben jij mee bezig?'

'Nou, waar lijkt dit op?' Mike liet de gewichten langzaam zakken en werd zich steeds meer bewust van het geluid van zijn hartslag.

'Begrijpen wij elkaar soms niet goed?'

'Wat is er aan de hand?'

Hij ging vlug zitten, met de gedachte dat Paco mogelijk wist van het verdwenen dagboek. Het bloed begon in zijn oren te bonken.

'Denk jij dat het een grapje is dat ze een zwarte tot politiechef maakten?'

'Laat dat gelul eens achterwege en zeg me waar je mee zit.' Mike veegde met een handdoek over zijn gezicht, en voelde iets kloppen onder in zijn keel. Hij was nooit eerder bang geweest voor Harold, en dit beviel hem helemaal niet. Greaseman was weggegaan, maar de presentatrice van CNBC rebbelde nog steeds verder over teleurstellende rendementen en dalende indexen.

'Ik heb je toch gezegd dat je een stap terug moest doen?'

'Zeg me nu maar wat ik fout heb gedaan.' Een zweetdruppel parelde over Mikes neus.

'De man van Lynn Stockdale sprak me vanmorgen bij Starbucks aan en zei dat jij gisteren thuis zijn vrouw lastig kwam vallen.'

'Heeft hij dat gezegd?'

De druppel viel van zijn neus op Harolds voeten.

'Wil je me jouw lezing vertellen?' De chef keek naar de vlek die de druppel maakte.

'Ik ben langsgegaan om een paar details helder te krijgen.'

'Nadat ik je had gezegd dat Paco de primaire man is. Twee keer.'

'Er zijn bepaalde soorten informatie die hij misschien niet kan krijgen omdat hij niet van hier is.' Mike veegde zweet van onder zijn neus. 'Soms praten mensen gemakkelijker met iemand die ze hun hele leven al kennen. Dan gaan er minder alarmbellen af.'

'Nou, dat werkte zeker als toverij, hè? Wat heb je gedaan, je pik uitgeslagen?'

'Niets wat ze niet honderden keren eerder heeft gezien. Ik heb een relatie met haar gehad, mocht je dat vergeten zijn.'

'We zitten midden in een moordonderzoek!'

Harolds stem weergalmde tegen de muren en stierf weg. Op de televisie sprak een voormalig presidentskandidaat over erectie-problemen.

'Luister, er is niets gebeurd,' zei Mike. 'In het geheel niets. Toen ik wegging kreeg ik een kusje op mijn wang.'

'En dat was het?'

'Ach kom nu. Je weet hoe het is als je iemand ziet met wie je intiem bent geweest. Er is nog steeds een soort energie. Het droogt nooit helemaal op. Daarom wilde ze me een afscheidskus geven. Niets bijzonders.'

'Waarom heeft ze haar man er dan over verteld?'

'Wie zal het zeggen? Misschien voelde ze zich achteraf schuldig. Of misschien zag iemand me weggaan en heeft die er later naar gevraagd. Wat het ook zij. Luister, het zou precies zo zijn als jij Sharon Carson terugzag.'

Bij het noemen van zijn eerste blanke vriendin ontspanden de wenkbrauwen van de chef en zijn gezicht werd zachter. Het had hem ruim een halfjaar gekost om eroverheen te komen, zoals Sharons moeder er een einde aan maakte, omdat ze haar dochter die naar Bryn Mawr zou gaan niet haar leven wilde zien vergooien aan zo'n zwarte jongen die na school afwaste bij Copperhead.

'Je blijft me met mijn rug tegen de muur zetten, Mikey,' zei de chef met hernieuwde vastberadenheid. 'Ik heb je gezegd dat je in moest binden.'

'Wat wou je eraan doen, Harold? Me inpakken in glaswol? Ik

woon in deze stad. Ik word nog steeds geacht lopende operaties voor deze afdeling te leiden.'

'En ik ben je chef,' zei Harold kil. 'Ik heb je loopbaan al een keer gered. Dat kan ik niet nog eens doen.'

'En ik heb je leven gered toen Brenda Carter met een slagersmes op je af kwam. Ik heb je niet horen klagen toen ik een kogel in haar joeg.'

Bijna onbewust ging Harolds hand naar de rechterkant van zijn buik.

'Ik ben het niet vergeten,' zei hij. 'Ik ben je veel verschuldigd, maar als ik bij dit onderzoek nog een keer een probleem met je krijg, zal ik je moeten vragen meer dan een stap terug te doen.'

'Begrepen. Ik heb je gehoord.' Mike stond op en veegde zijn gezicht weer af. 'Jij bent nu de grote man, Harold.'

De chef kneep met zijn ogen en vroeg zich af of hij was overtroefd met de uitspraak van zijn eigen vader.

'Trouwens,' zei Mike, die het luchtig en terloops speelde, 'heb je de uitslag nog gekregen van het forensisch lab?'

Harolds gezicht verkleinde zich, alsof hij weer zou gaan blaffen. 'Je zei dat je me op de hoogte zou houden,' herinnerde Mike hem.

De chef keek omlaag naar de hand bij de oude wond, als erkenning van onvereffende schuld.

'Ja, dat heb ik,' zei hij onwillig. 'Ze was acht weken zwanger. Maar doe me een plezier en houd dat onder de pet, wil je?'

25

Een ivoorwitte BMW 525i stond te glimmen op Sandi's oprijlaan, alsof haar grote witte huis er op een of andere manier het leven aan had geschonken.

Lynn zette de Explorer erachter en stapte uit met drie schalen eten die ze die morgen voor Jeff en zijn kinderen had bereid. De BMW moest van Sandi's vader zijn, besefte ze. Elke keer als ze hem zag had hij een andere auto, zo'n beetje zoals welgestelde mannen altijd een nieuwe vrouw hadden.

Ze hoorde zijn bekende rochelstem toen ze naar de deur liep en aanbelde.

'Oi, jij daar, Lynn?' Hij trok de deur open en stond hoofdschuddend voor haar. 'Wat hebben ze met mijn kind gedaan?'

'Saul, het is vreselijk.'

Ze zette het eten neer en sloeg haar armen om hem heen. Hij was een kleine, gedrongen, ongedwongen sigarenroker, van wie de meeste mensen dachten dat hij op eigen kracht miljonair was geworden. In feite had zijn vader kort na de grote recessie een klein fortuin vergaard in de tapijthandel, waarvan Saul eind jaren zestig na de dood van zijn eerste vrouw het meeste verspeeld had door slechte investeringen. Maar in de jaren zeventig kreeg hij de slag te pakken. Hij kocht kwijnende panden op in Manhattan, knapte de hal ervan op, zette quasi-Europese namen boven de ingang en rekende exorbitante huren toen de markt kenterde en mensen zaten te springen om een woning.

'Moet je jou zien.' Hij sloot de deur en deed een stap achteruit, haar opnemend. 'Je ziet er net zo uit als toen je van school kwam.'

'Wat aardig dat je dat zegt, Saul.'

'Ik heb altijd gezegd dat als mijn Sandi maar de helft van jouw zelfvertrouwen had, ze zich de jongens met een stok van het lijf had moeten houden.'

Ze kromp een beetje ineen, want ze herinnerde zich dat Saul zo lang ze hem kende een beetje een geile beer was geweest.

Hij knikte ernstig met zijn witte haar. 'Ze zag er fantastisch uit toen ze voor de zomer zo was afgevallen,' zei hij. '"Knap als een sjikse," zei ik tegen haar.'

Dat zou vijf jaar psychotherapie waard zijn geweest als Sandi nog had geleefd, dacht Lynn.

'Is Barbara hier?' Ze vroeg naar de tweede mevrouw Feinberg.

'Boven, ze slaapt. Dit is voor haar ook heel zwaar. Ze gaf veel om Sandi.'

In feite had Sandi haar stiefmoeder altijd geminacht en ze noemde haar koningin Botoxica. Aan Barbara was meer verbouwd en gesleuteld dan aan een kernonderzeeër, en als Saul zin had gehad had hij van al haar overtollige delen een derde vrouw kunnen maken.

'Hoe maken de kinderen het vandaag?' vroeg Lynn, zich afvragend of Jeff eindelijk de moed had gehad om hun het nieuws te vertellen.

'Wie zal het zeggen?' Saul trok zijn borstelige wenkbrauwen op. 'Ik denk dat het nog niet eens tot hen is doorgedrongen.'

Ze hoorde gekletter en geroep van dieper in het huis. Ze tuurde door de hal en zag Dylan en Isadora bij de trap, elkaar en hun oppas, Inez, belagend met houten zwaarden en plastic honkbalknuppels. Zo op het oog gewoon kinderen die met een wild spel bezig waren. Maar toen zag Lynn Dylan zijn zwaard met twee handen pakken en er zo hard als hij kon mee tegen het dunne kartonnen schild slaan dat Inez ophield. Dit was de razernij van een kleine jongen die heel goed begreep dat hij zijn moeder nooit meer zou zien.

'Zie je wat ik bedoel?' Saul wuifde met een slap handje. 'Ze zijn oké.'

Lynn keek van terzijde en bedacht wat een onnozele hals hij was en hoe Sandi moest hebben geleden onder het opgroeien bij hem. Geen wonder dat ze zo'n mannengek was en aandacht wilde.

Anderzijds, Saul was toch maar hier. Hij was erin geslaagd Sandi en haar twee broers voornamelijk in zijn eentje groot te brengen, en nu was hij hier om op zijn kleinkinderen te helpen passen. De man had in zijn leven een vrouw én een dochter verloren, maar zijn toestand was veel beter dan die van Jeff gisteren. Misschien was het dus nog zo gek niet om onnozel en niet fijngevoelig te zijn.

'En Jeff?' vroeg Lynn. 'Is hij thuis? Ik zag zijn auto niet.'

'Ach, die is weg om dingen te regelen,' zei Saul met een verachtelijk gezicht. 'Wat valt er nu helemaal te regelen? Pak de telefoon en bel de rabbijn. Stop het lichaam in de grond en zeg kaddisj. Het gaat niet om het herbouwen van het centrum. Je probeert een begrafenis te regelen.'

'Gebruikt hij het uitvaartcentrum van Harold Baltimore?'

'Ik weet niet wat hij zoal doet.'

Lynn besefte dat ze nooit eerder de diepte van Sauls ware gevoelens voor zijn schoonzoon had gepeild.

'Je klinkt niet gelukkig,' zei ze.

'Ach, wat gaat het mij aan? Ze was mijn dochter maar.'

In zijn bitterheid hoorde ze een uitnodiging om door te vragen.

'Saul,' zei ze voorzichtig, 'had jij de indruk dat het niet boterde tussen Sandi en Jeff?'

'Dacht je dat ze mij wat vertelden? Ik ben maar de vader die cheques uitschrijft. Meer niet...'

Hij sloot zijn mond en leek even op zijn woorden te kauwen.

'Ik zal je één ding zeggen,' zei hij, want hij wilde er nu alles uitgooien. 'Als ik had gedacht dat hij haar niet volkomen als een prinses behandelde had ik hem jaren geleden al laten vallen.'

'Wat bedoel je met laten vallen?'

'Wie heeft er dacht je betaald voor dit huis?' Hij hield zijn handpalmen omhoog. 'Je zou denken dat ze ten minste in staat waren het zelf in te richten.'

'Wacht even. Heb jij aan dit huis meebetaald?'

'Mijn naam staat op de koopakte. Tenzij mijn briljante schoonzoon heeft besloten de naam Feinberg aan te nemen.'

'Maar ik dacht dat Jeff een goed bedrijf had.' Ze zette haar handen in haar zij.

'Nou en of. En ik zie eruit als Cary Grant.'

Hij gromde als een oude keukenmachine en ze dacht echt heel even dat hij op de onyx vloer ging spugen.

'Wie heeft dan het oude huis betaald?' vroeg Lynn. 'Hebben ze dat niet verkocht voor ze hierheen verhuisden?'

'Dat was ook van mij. Ik kreeg het voor dertigduizend onder de vraagprijs en ik heb het voor bijna het dubbele verkocht. Dacht je dat ik in onroerend goed ben gegaan om geld te verliezen?'

'Maar ik begrijp het nog steeds niet.' Ze knipperde met haar ogen alsof ze last had van een vlieg. 'Hoe zit het met de firma van Jeff? Ik dacht dat ze tien, twaalf miljoen omzet per jaar maakten.'

'Liefje, weet jij wat de eerste grote les uit de bijbel is?' Hij bekeek haar met een soort vaderlijke toegeeflijkheid. 'Dat is niet: heb uw naasten lief. Dat is: als iets te mooi lijkt om waar te zijn, is het dat waarschijnlijk ook. Vijf jaar lang heb ik die jongen overeind helpen blijven, en heb ik hem gezegd dat zijn bedrijfsplan op papier geen hout snijdt. Ik vraag hem steeds maar: waar komt de winst vandaan? Wat zijn je inkomsten? En hij zegt steeds maar dat ik er niets van snap, dat ik niet weet waar ik het over heb, en dat er een nieuw' – hij kromde zijn vingers als aanhalingstekens

– '"paradigma" voor het internet is. Ha!'

'Dus jij hebt al die tijd borg gestaan voor de zaak van Jeff?'

'Noem jij het maar borgstelling; ik noem het een aderlating. Dit voorjaar zei ik hem dat het zo genoeg was. Ik zei dat hij zijn onkosten met de helft moest terugbrengen en met een nieuw plan moest komen om binnen een jaar met dit bedrijf naar de beurs te gaan, anders trok ik de stekker eruit.'

'O.' Lynn slikte. 'Dat lijkt me begrijpelijk.'

Ze vroeg zich af hoe Barry en zij zich zouden houden als ze zo met de rug tegen de muur stonden. Ze hield zichzelf voor dat ze sterk zouden zijn en elkaar zouden steunen. Maar de laatste tijd was haar opgevallen dat Barry stil en gespannen leek te worden wanneer ze hem vroeg hoe de aandelen Retrogenesis het deden.

'Luister,' zei Saul, 'ik hield van mijn dochter, maar ik heb nog andere kinderen en kleinkinderen, en een vrouw met stiefkinderen die ik moet proberen te helpen ondersteunen. Ik ben Warren Buffett niet en mijn zakken zijn de Grand Canyon niet. Je moet grenzen stellen, zelfs bij je kinderen. Anders leren ze nooit op eigen benen staan.'

'Natuurlijk. Je hebt gelijk, Saul.'

Ze luisterde naar de geluiden van de zwaarden en knuppels van de kinderen en merkte op hoeveel leger het huis leek nu ze deze informatie had. Bijna als een verlaten filmset.

Ze zag Inez terugwijken voor de kracht van de klappen, die leken te zeggen: jij bent mijn moeder niet; jij bent mijn moeder niet. De oppas trok zich in de keuken terug en deed de deur achter zich dicht. Dylan en Isadora keken elkaar aan en richtten hun aandacht op de voorkant van het huis.

'Opa, kom je spelen?' Dylan hief zijn zwaard, als een wenkende kleine krijger. 'Ik zal de boef zijn.'

'Kun je geloven dat ik dit gedoe nog eens moet meemaken?' Saul zuchtte en trok met tegenzin zijn jasje uit. 'Op mijn leeftijd.'

26

'Nog nieuws? vroeg Ross Olson toen Barry zijn kantoor in liep. 'Het spijt me dat ik er gisteren niet was om je terug te bellen. 's Middags een afspraak bij de chiropractor en een voorlichtings-avond op Dalton. Dat heb je als oudere echtgenoot met een jonge vrouw.'

De tweeëndertigjarige blonde Kara glimlachte op een foto op een boekenplank, naast ingelijste vingerschilderingen van de kinderen en een foto van Ross met zijn vroegere artillerie-eenheid in Vietnam.

'Ik heb Mark Young opgezocht,' zei Barry.

In plaats van te gaan zitten bleef hij voor Ross staan, met zijn handen diep in zijn zakken en met iets gebogen knieën, alsof hij klaarstond om op het bureau te springen.

'En wat kwam er uit die zwakke geest?' Ross draaide met zijn zwarte leren bureaustoel naar opzij.

'We hebben problemen.'

'Vertel op.'

'Hij weet hoe lelijk we vastzitten in fase-tweeprocessen voor Chronex. Ik denk dat ik hem heb afgeschrikt om meer informatie over het apenproces te gebruiken, maar er is niets wat ik kan doen om onze medicijnen sneller door de pijplijn te krijgen. Als het Bureau voor Voedsel en Medicijnen onze deadline voor het indienen van resultaten naar vijftien december vervroegt, zoals ze hebben gedreigd, zullen we niet klaar zijn en dan krijgen we hem weer over ons heen, omdat we onze beleggers zouden hebben misleid.'

'Ik zal Paul Fleming in Washington bellen,' zei Ross. Hij bedoelde het gewezen congreslid uit Florida, dat voor Retrogenesis had gelobbyd. 'Misschien kan hij ons een paar maanden extra bezorgen.'

'Er is nog iets.' Barry hield zijn hoofd naar rechts om even langs Ross naar precies dezelfde plek te kijken waar hij de vliegtuigen van American Airlines laag had zien aanvliegen.

'Ja?'

'Waarom heb je me niet verteld dat je deze zomer vierduizend aandelen hebt verkocht?'

Het gezicht van Ross werd strak in het midden en rimpelig rondom, als een zeil dat bij regen over een honkbalveld wordt gelegd.

'Wie heeft je dat verteld?' vroeg hij.

'Young. Zijn onderzoekers zijn erachter gekomen.'

'En waarom zou jou dat iets aangaan?'

'Ross, ik heb net een toespraak gehouden voor de directeuren van deze onderneming, waarin ik uitlegde waarom ze het schip niet zouden moeten verlaten. En nu zie ik de kapitein al in de reddingboot.'

'Ach, wat een gelul.' De stoel van Ross liet een beledigd piepje horen. 'Je wist dat ik bezig was een zomerhuis op de Vineyard te kopen.'

'Ik dacht dat dat al rond was.'

'Kara en ik vonden dat we er meer eigen geld in moesten steken om de maandelijkse aflossing te verminderen. Daar is toch niets mis mee?'

'Natuurlijk niet. Maar ik wil je er alleen aan herinneren dat heel wat mensen bijna alles wat ze hebben riskeren om deze onderneming drijvende te houden. En die hebben er recht op te weten of het schip zinkt.'

'Het schip zinkt niet,' zei Ross. 'De komende zes maanden gaan we een nieuw 'pad naar winstgevendheid'-rapport opstellen voor de beleggers. Coridal komt in januari op drie nieuwe Aziatische markten. Ik wilde zo vroeg nog niets zeggen, maar ik heb net een bespreking geregeld voor volgende week met een van de grote farmaceuten, die interesse kan hebben om ons wat extra steun te geven in de eindfase van de ontwikkeling van Chronex.'

'Dat zijn toch niet dezelfde mensen met wie Steve heeft gesproken?'

'God, nee.' Ross grinnikte schor. 'Hij heeft een vriend bij Pfizer die denkt hem op mijn stoel te kunnen zetten. Die jongen heeft meer ambitie dan verstand.'

'Met wie ga je dan praten?'

'Wel, ik wil niet dat het bekend wordt, maar je weet dat Bill Brenner en ik het nog steeds goed kunnen vinden...'

'Krijg nou toch wat.' Barry verstijfde. 'Brenner Home Care? Bill Brenner is een psychopaat. Ik heb vijf jaar met jou aan die pesticidezaak gewerkt, Ross. Ik weet hoe hij te werk gaat. Hij zal zich

met jaknikkers omringen en de rest van ons een voor een inpakken...'

'Ik heb Bill al duidelijk gemaakt dat hij niet de grote man zal
worden van deze club. Ik zei hem dat we meer dachten aan een
ondersteunende rol.'

'Bedoel je dat hij een van onze crediteuren zou worden?'

'Dat is één mogelijkheid.' Ross verdraaide zijn stoel. 'Maar ik
zal geen definitieve stappen zetten zonder de rest van de directie
te raadplegen.'

'Luister' – Barry rommelde met de munten in zijn zak – 'ik vraag
alleen maar of je de rest van ons een beetje wilt inspireren als je
een dergelijke zet serieus overweegt. Het zal een heksentoer zijn
om bij deze economie een andere baan te vinden.'

'Barry' – Ross stond op – 'het is zoals ik in Vietnam tegen mijn
mannen zei. Ik kan jullie vragen risico's te nemen, maar ik zal jullie nooit vragen iets te doen wat ik zelf niet zou doen.'

'Hou me op de hoogte,' zei Barry kortweg.

Maar toen hij het kantoor uit en de gang in liep dacht hij eraan dat de eenheid van Ross in een vuurgevecht bij Da Nang meer
dan de helft van haar mannen had verloren.

27

Lynn liep de keuken van Sandi in om de lasagne, de appeltaart en
de salade die ze had gemaakt op te bergen en zag daar Inez de oppas buiten adem tegen het aanrecht leunen.

'Allemachtig.' Inez legde haar kartonnen schild neer en veegde
over haar voorhoofd. 'Ik word doodmoe van ze.'

'Het is goed dat je er hier voor ze bent.' Lynn deed de koelkast
open en schoof het eten erin. 'Ze zullen momenteel veel aandacht
nodig hebben.'

'Ach god, vertel mij wat. Ik ben hier zondag de hele dag en de
hele nacht geweest, en toen de hele maandag tot twaalf uur
's avonds, ach god, toen Jeff terugkwam van het politiebureau,'
zei Inez met haar Jamaicaanse accent. 'Daarna moest ik mijn

kleindochter naar school helpen en naar Jeanine om tien uur de volgende dag, want hier ben ik maar drie dagen per week. Daarna moest ik hier gisteren om vier uur terugkomen zodat Jeff weg kon. Wil je wel geloven dat ik me af begin te vragen of ik ooit nog thuiskom?'

Inez was de Heilige Graal van de voorstedelijke kinderoppassen, die fantastisch kon koken en een rijbewijs had. Ze was een gezette vrouw van midden veertig met beweeglijke ogen en een vriendelijk rond gezicht. Een vrouw die stilletjes haar gang ging maar wie nooit iets ontging. Lynn leerde haar kennen toen ze op de kinderen van Jeanine paste en vond haar geweldig om mee te praten, niet alleen omdat ze wijs was met kinderen, maar ook omdat ze scherp, inzichtelijk en puur was, zoals de meeste blanke middenklasse-mensen in de voorsteden dat niet tegenover zichzelf konden zijn.

'En intussen moet Jeff al zijn overhemden gesteven op een hanger, ongevouwen, in de kast hebben. Wist je dat hij al zijn pakken van de stomerij terug moet hebben, zodat hij ze kan bekijken en dan beslissen welke hij voor de begrafenis aantrekt?'

'Hmm.'

Lynn zag damp uit de vriezer komen en dacht nog steeds aan haar gesprek met Saul. Merkwaardig dat hij Sandi en Jeff zo lang financieel overeind had gehouden. Wat moest dat voor hun huwelijk hebben betekend? Ze herinnerde zich dat Sandi haar kort voor hun huwelijk toevertrouwde dat ze aan Jeff het meest waardeerde dat ze door hem minder afhankelijk van haar vader was.

'Inez' – ze keerde zich om – 'hadden Jeff en Sandi vaak ruzie voor ze verdween?'

'Wat noem je vaak?' Inez was bezig theedoeken op te vouwen. 'Hij verweet haar altijd dat ze te veel geld aan het huis uitgaf, en zij maakte hem altijd verwijten over de nare gewoonten die hij heeft. Ach god. Ik praat niet graag over sommige dingen waar ik van weet.'

Die brave Inez. Je kon er altijd op vertrouwen dat ze met vuile was kwam. Enkele jaren geleden was Jeanine weer parttime gaan werken, en Inez vertelde Lynn langs haar neus weg dat zij degene was die persoonlijk de schone urine leverde waarmee Jeanine door de drugstest van het bedrijf kwam.

'Wat voor dingen?'

'Ach, weet je, mannendingen.' Inez trok haar neus op. 'Ze hebben hun nare dingen. Ik vertel je niet graag over sommige van de videobanden op de plank in zijn werkkamer.'

Hoe Inez echter wist wat er op de banden stond als ze die niet zelf vrij nauwgezet had bekeken zou Lynn niet weten.

'Denk je dat hij haar ooit heeft geslagen?' vroeg ze.

'O' – Inez keerde zich naar het aanrecht en ging met de hand glazen afwassen – 'ik heb dat nooit gezien.'

'Was er dan iets veranderd tussen hen?' Lynn keek rond en besefte dat er geen vaatwasser was.

'Ik zal je naar waarheid vertellen wat ik zag gebeuren,' zei Inez, die geen gelegenheid voorbij liet gaan voor een verhaal. 'Sandi vroeg hem altijd de dakgoten schoon te maken. Snap je wel? Maar hij zat altijd boven naar sport te kijken. En toen op een dag, een paar weken geleden, liet ze hem niet met rust, zodat hij eindelijk de ladder opging en uitgleed. Ik was binnen en opeens hoor ik van buiten een hoop geschreeuw en gevloek. Want hij hing aan zo'n aluminium goot en zij stond onder hem te roepen dat hij los moest laten voordat de goot het zou begeven.'

'Echt waar?' zei Lynn, die het beeld van de bungelende Jeff levendig voor zich zag. 'Hoe liep dat af?'

'Hij liet dus los en viel in haar rozenstruiken, en toen begon het geschreeuw van voren af aan. Hij liep het huis in, hinkend en haar stijf vloekend, omdat ze meer van het huis hield dan van hem. En zij liep gehaast rond, zei dat het niet waar was en pakte ijs voor zijn been. De kinderen hielden boven hun oren dicht. Ach god, dat was me wat.'

Lynn schudde haar hoofd met het tafereel nog voor ogen. Portret van een huwelijk onder druk.

'Heb je hier al met de politie over gesproken?' vroeg Lynn.

'Jaaa,' zei Inez traag. 'Ze zijn hier gisteravond geweest en vanmorgen weer.'

'Daar had ik geen idee van.'

'Ja. Ik heb met enkelen van hen gesproken. Met een grote blanke en een kleine kale Latino.'

'Ze zullen je wel gevraagd hebben of Jeff of Sandi met anderen omging.'

Inez draaide met een vlugge polsbeweging de kraan dicht en keek naar de draaikolk rond de afvoer. Lynn had het gevoel dat er zojuist een vage maar onmiskenbare sociale grens was overschreden.

'Mevrouw Schulman, ik heb deze baan nodig,' zei Inez afgemeten. 'Ik moet voor mijn gezin dit geld verdienen. Ik heb een dochter in de bijstand, en een die seropositief is en haar medicijnen niet in wil nemen. Ik heb vier kleinkinderen die ik help verzorgen. Ik kan geen problemen met de politie of de mensen voor wie ik werk gebruiken.'

Lynn keek omlaag en zag Inez zo hard in een schuurspons knijpen dat de roze zeep tussen haar vingers door liep.

'Het spijt me,' zei Lynn. 'Ik wilde je niet van streek maken.'

Inez keerde zich weer naar de gootsteen en liet zulk heet water lopen dat de stoomwolken tot het plafond kwamen.

'Wie was het dan?' vroeg Lynn.

'Dat weet ik niet. Mevrouw Pollack heeft me hier al naar gevraagd.'

'O ja?'

'O, ik kan wel spreken van derdegraads verhoren!'

Lynn snoof en dacht eraan hoe kritisch Jeanine de vorige dag was. Laat de politie zijn werk doen. Natuurlijk. En nu bleek dat ze zelf aan het vissen was geweest. En zij noemde Sandi wedijverend?

'Je hebt haar dus gezegd dat je niets weet,' zei Lynn, die er zelf ook wat van kon.

'Ik weet ook niets.' Inez spoelde een longdrinkglas en een bekertje met Pikachu erop af. 'Het gaat mij niet aan.'

'Ik geloof je niet. Ik weet van alle extra uren die je Sandi gaf. Ik zag je daarnet zwaardvechten met de kinderen. Ik weet dus dat het voor jou niet zomaar werk is.'

Ze kon zien dat Inez met zichzelf vocht aan de bruuske manier waarop ze de glazen ging afdrogen, terwijl het vuile water langzaam wegliep.

'Van mij hebt u niets gehoord,' zei ze ten slotte, terwijl ze een kast opendeed om de glazen weg te zetten. Ach god.'

'Wat is er?'

'Ik kwam een keer vroeg thuis met de kinderen omdat de bibliotheek gesloten was, en ik zag de wagen van de man die de omheining tegen herten maakte staan, maar er was niemand aan het werk in de tuin. Ik ging het huis binnen en hoorde toen van die geluiden boven in de slaapkamer...'

Inez keerde een wijnglas om en keek erdoor. Ze liet geen twijfel bestaan aan het soort geluiden dat ze bedoelde.

'En wat deed je toen?'

'Ik ging met de kinderen een halfuur naar de supermarkt.' Inez zette het glas behoedzaam op de plank boven de mokken van de kinderen. 'Toen ik terugkwam stond de auto er nog. Daarom ging ik met ze naar de videotheek tot het donker werd en belde toen op om na te gaan of de kust vrij was om ze terug te brengen.'

'Is Jeff daar ooit achter gekomen?'

Lynn voelde een elektrisch schokje in haar benen toen ze net buiten de keukendeur de stem hoorde van Jeff, die geduldig tegen de kinderen sprak. Hij moest net thuis zijn gekomen.

'Ik weet het niet.' Inez dempte haar stem. 'Ik heb nooit iets gezegd.'

Ze deed de kast dicht en droogde haar handen af met een theedoek.

'Wie was hij dan?' fluisterde Lynn, vastbesloten alles uit Inez te halen voor deze vluchtte. 'De man van het hertenhek. Stond zijn naam op de auto?'

'Hij was een politieman,' mompelde Inez, terwijl ze langs haar glipte om de tafel te gaan dekken. 'Eén van de mannen die met me spraken. Hij wist niet dat ik hem die dag had gezien.'

28

Juist toen de trein die avond Grand Central uit reed keek Barry op en zag een bekende figuur met een rood hoofd over het gangpad zwoegen. Zijn man. Zijn reisgenoot. Zijn schaduw, die hij sinds de Elfde niet meer had gezien. Op dat moment was Barry zo opgetogen omdat hij hem levend terugzag dat hij zich niet in kon houden toen de man op zijn gebruikelijke plaats zat uit te hijgen en zomaar 'Hoe gaat het met u?' zei. De man verstijfde met zijn laptop halfopen, verbijsterd omdat een vreemde hem aansprak, en wendde zich vlug af.

Kort na achten, bij aankomst op Riverside Station verloor het gebeuren zijn glans toen Barry ernstig nadacht over de toekomst van Retrogenesis. Een president-directeur die heimelijk duizenden eigen aandelen verkocht wekte geen vertrouwen. Maar de gedachte aan teruggaan naar bedrijfsprocesvoering bracht die verblindende migraine in herinnering. De vijf jaar dat het proces van Brenner Home Care zich voortsleepte had iets in hem geknakt. Het was geen idealisme dat hem ervan weerhield daar weer aan te beginnen; hij was nooit vies geweest van wat stoten onder de gordel. Nee, het was het gevoel dat hij zijn werkende leven wijdde aan rondrennen om na te gaan of alle lichten uit waren.

Hij vond de Saab op de donkere parkeerplaats en dacht erover een boodschap naar Lisa Chang te mailen. Over opties op lange termijn moest worden nagedacht. Te veel uren op het lab, late pizzafeestjes, kletsavonden, omstreden octrooi-aanvragen en aapjes met hersenbeschadiging waren in dit project gestopt om het allemaal waardeloos te laten worden. En diep vanbinnen moest Barry toegeven dat het voorkomen van Lisa zonder bril hem begon te bevallen.

Hij startte de motor en reed het parkeerterrein af, in de hoop dat Lynn en de kinderen nog aan tafel zaten. Toen hij haar die middag aan de telefoon had was ze in het huis van Sandi met de kinderen en hun grootvader, in afwachting van de komst van Jeff. Weer hoorde hij toen die kleine hapering in haar stem, die korte pauze met geruis, wat aangaf dat er op de achtergrond allerlei storends was.

Hij ging linksaf Prospect op en de heuvels in, zich nog steeds afvragend wat ze nog meer achterhield. Het zat hem dwars dat ze zo lang had gewacht met hem dat hele verhaal te vertellen over haar schoolvriendje. Wat kon het iemand schelen wat vijfentwintig jaar geleden was gebeurd? Anderzijds kwam het verhaal niet geheel uit de verf. Het klonk als een enorme hoeveelheid emotie die werd opgerakeld, en dat alleen door een stel oude foto's? Misschien dat ze toch één of twee sleuteldetails had weggelaten. Natuurlijk kon dat gevoel door zijn eigen schuldige geweten komen, dacht hij, terwijl achter hem twee koplampen naderden. Het zou een verdraaid moeilijk gesprek worden als hij haar zou vertellen dat het bedrijf mogelijk met het grootste deel van hun geld ter ziele ging. En dat Bill Brenner erbij betrokken werd maakte het alleen nog maar erger. Lynn had hem altijd geminacht en ze noemde hem 'die inhalige trol'.

Hij ging harder rijden toen de auto achter hem groot licht ontstak, wat een felle witte vlek in zijn binnenspiegel gaf. *Waarom zit die vent zo achter me?*

Bij Indian Ridge probeerde hij vaart te minderen om de auto te laten passeren, maar die bleef koppig achter hem rijden op de enige rijstrook. Het groot licht ging uit en weer aan, als een oog dat even knippert tijdens een lange, kille blik.

Barry trapte het gaspedaal in en passeerde het in aanleg zijnde golfcomplex en het landgoed Van der Hayden, iets te hard in een poging hem kwijt te raken. Maar het schijnsel van de koplampen leek alleen maar feller te worden in zijn nek.

Hij keek in zijn binnenspiegel en probeerde te bedenken waar de man op uit was. Maar hij zag alleen een scherp silhouet achter twee verblindende lampen. Barry's banden gierden toen de Saab in de bocht overhelde. *Doe me een lol.* Hij stak een hand op. Hij dacht er net over om voorbij het weiland de afrit te nemen, toen de andere automobilist opeens een zwaailicht op zijn dak zette.

'Aan de kant,' klonk een stem uit een luidspreker, alsof Barry vanuit de hemel werd aangesproken.

'Verdomme.' Barry remde af en reed de verlaten strook voor de molenkolk op, in het besef dat hij dit letterlijk en figuurlijk had moeten zien aankomen. Het zwaailicht achter hem bleef kersrode golven over zijn voorruit werpen.

Uiteraard nam Michael Fallon de tijd om uit de auto achter hem te stappen, alsof hij wegens het onhandige formaat van zijn ballen speciaal transport moest regelen. Barry pakte zijn mobiele telefoon en probeerde Lynn te bellen. Na twee keer overgaan ging het antwoordapparaat lopen.

'Schat, ik denk dat ik een ernstig probleem ga krijgen met je vroegere vriendje,' begon hij.

Fallon stapte langzaam uit. Zijn silhouet werd langer en smaller toen hij de Saab naderde.

'Bel me meteen terug...'

'Wilt u die telefoon wegdoen.' Fallon stond bij zijn open raam.

'Als je me mobiel niet kunt bereiken, probeer dan het politiebureau...'

'Meneer, ik vroeg u die telefoon weg te doen...'

'Hij heeft me net zonder reden op Prospect aangehouden.' Barry ging sneller spreken om zo veel mogelijk van dit gesprek op band te krijgen.

'Meneer, een politiefunctionaris draagt u wat op...'

'Ik hou van je,' zei Barry, de politieman aankijkend en ervoor zorgend dat hij ieder woord hoorde.

Nu zijn gezag werd genegeerd deed Fallon opeens door het raam een greep naar de telefoon. Instinctief trok Barry zijn hand weg, als om de bal af te schermen. Hij wist meteen dat hij een ernstige fout had gemaakt.

'Uitstappen met uw autopapieren.' De inspecteur stapte achteruit en was niet langer een man om grapjes mee uit te halen. 'Zorg dat ik te allen tijde uw handen kan zien.'

Mechanisch zette Barry de telefoon uit en haalde de papieren uit het handschoenenkastje. 'Zou ik mogen weten waarom u me aanhoudt, agent?' vroeg hij zo beheerst mogelijk.

'U reed twaalf kilometer te hard. Ik heb u met het radarpistool geklokt.'

'Nadat u bijna op mijn achterbank belandde omdat u zo dicht op mijn bumper zat. Dat noem ik nog eens professioneel politiewerk.'

'Wilt u uit de auto komen?'

Barry bleef achter het stuur zitten. 'Ik geloof dat ik dat mag weigeren.'

Omdat het zo lang geleden was dat hij strafzaken deed wist hij niet precies hoe de wet op dat moment luidde.

'Meneer, u hebt me al aangeraakt, dus ik kan u obstructie en verzet bij aanhouding ten laste leggen als ik dat nodig vind,' zei Fallon. 'En kom nu die auto uit en geef me uw rijbewijs en kentekenbewijs.'

Met bewuste bewegingen, alsof ieder gebaar werd gefilmd, stapte Barry uit. Hij merkte op dat het hier in de heuvels beduidend killer was dan bij de rivier.

Fallon nam de papieren aan en bekeek ze bij het zwaailicht. Hij leek deze avond dikker, en het viel Barry in dat hij waarschijnlijk een kogelvrij vest onder zijn jack droeg, en ook een Glock in zijn schouderholster.

'Ik heb begrepen dat u vanmorgen met de chef hebt gesproken,' zei Fallon, Barry's pasfoto bekijkend.

'We kwamen elkaar tegen toen we een kop koffie namen. Maar dat wist u denk ik ook al.'

'Ik weet een heleboel.'

Een zilverkleurige Nissan Pathfinder reed hard langs en schampte hen bijna, maar Fallon keek niet eens op.

'Je zou denken dat als een man een probleem met iemand heeft, hij hem rechtstreeks aanspreekt en niet bij zijn baas gaat klagen.' Hij legde de papieren op het dak van de Saab, waar ze zo konden wegwaaien. 'Mij lijkt dat een beetje aan de schijterige kant. Vindt u ook niet?'

'Goed' – Barry hief zijn kin – 'laat ik u dan persoonlijk aanspreken. Blijf bij mijn vrouw weg. Is dat rechtstreeks genoeg?'

'Uw vrouw kan een belangrijke getuige zijn bij een moordonderzoek. Ik ben gerechtigd haar alles te vragen wat ik wil.'

'Ja, maar wat ze mij beschreef klonk totaal niet als legitiem ondervragen.'

'Misschien gaf ze u niet alle relevante bijzonderheden. Had u daar al aan gedacht?'

'Ik heb genoeg gehoord,' zei Barry. 'De volgende keer dat u haar wilt spreken denk ik dat er een advocaat bij moet zijn.'

Hij wilde zijn papieren pakken toen er een GMC Safari met luide muziek langsreed.

'Wacht even,' zei Fallon. 'Ik heb toch niet gezegd dat u die terug kon pakken, wel?'

'Hoezo? Hebt u dan nog meer te zeggen?'

'Omdraaien en handen op de rug.'

'U neemt me in de maling. Ik ben jurist.'

'Kan me niet schelen wat u bent. U hebt een politiefunctionaris in zijn werk belemmerd. En nu hier die handen of ik gebruik pepperspray.'

'Godallemachtig.' Barry draaide zich langzaam om en presenteerde zijn polsen, als om een onredelijk kind zijn zin te geven.

Hij hoorde gerammel van handboeien die van Fallons gordel kwamen en voelde toen koud staal diep in zijn polsen bijten.

Een Volvo stationwagon kwam langzaam voorbij, en drie kinderen staarden door de achterruit naar hem. Hij voelde enige gêne toen hun bevreemde gezichten terugweken en de remlichten van de Volvo in de verte opflitsten.

'U hebt het recht te zwijgen.' Fallon pakte hem stevig bij zijn elleboog en liep met hem naar zijn Caprice. 'Alles wat u zegt kan tegen u worden gebruikt...'

Door de kou ging Barry's oude knieblessure weer opspelen, met een pijnlijk kloppen in het kraakbeen, wat hem eraan herinnerde dat de machtigste man in de Verenigde Staten op ieder gegeven moment niet de president was, niet het hoofd van de chefs van staven, zelfs niet de president van General Electric, maar een politieman met een geladen wapen en volledige bevoegdheid.

Fallon opende het achterportier, duwde Barry naar binnen en sloeg het portier achter hem dicht. Toen ging hij tegen de zijkant van de auto leunen, als om even op adem te komen en zijn hoofd helder te maken. Barry zag condenswolkjes uit de mond van de inspecteur komen en dacht: ik ben verneukt. Hij hield zijn hoofd tegen het raam en nam zich voor kalm te blijven.

De auto bewoog toen Fallon ophield met ertegen aan te leunen. Hij ging achter het stuur zitten.

'Hoor eens, je bent echt op weg om een heel grote fout te maken,' zei Barry. 'Je kunt nog terug.'

'Neem me niet kwalijk, maar ik ben degene die rijdt.' Fallon wierp een blik achterom en startte de motor.

Het dashboard werd verlicht en Barry zag een oranje cursor knipperen op een klein scherm. De auto maakte een scherpe u-bocht en de Saab bleef langs de weg achter als een gestrande auto.

Achter in de Caprice was het warm en benauwd. Ondanks de geurboom die aan de achteruitkijkspiegel hing, rook het bovenmatig naar poetslappen en benzine. Barry voelde voor ze zelfs maar bij het eerste stoplicht waren zijn maag omdraaien.

'Je wilt zeker geen raam openzetten?'

'Ik vind het prima zo,' zei Fallon.

'Vind je het echt nodig om hier werk van te maken?' Barry leunde met zijn hoofd tegen het glas, alsof dit niet zo belangrijk was.

'We zijn over vijf minuten op het bureau,' zei Fallon scherp. 'Wou je mij gaan vertellen wat ik moet doen?'

'Nee. Gewoon nieuwsgierigheid. Meer niet.'

Toen ze langs het Victoriaanse huis aan Birch Lane reden zette Fallon de cassettespeler aan, en de aansprekende oude hit van 10CC klonk: *The Things We Do For Love*.

'Je vrouw hield vroeger van dit nummer.' Fallon tikte met twee vingers de maat op het stuur. 'Wist je dat?'

'Het klinkt niet als haar smaak.'

'Ik moest het eindeloos voor haar draaien op de jukebox. Het heeft me talloze kwartjes gekost.'

Barry keek uit het raam en negeerde hem opzettelijk, terwijl ze over een ruw stuk weg hobbelden. De kleine verlichte portieken van Indian Ridge leken bij het passeren in het donker te doven.

'Ze hield ook van frieten met mayonaise. Wist je dat? Daar moest ze mee ophouden omdat ze er uitslag van kreeg.'

Barry boog zijn hoofd en probeerde door wilskracht mentaal in de Zone te komen, de plaats waar je midden in het spel leek te zijn, en tegelijk ergens erboven. Maar hij werd steeds afgeleid door gerammel van een breekijzer bij zijn voeten.

'Zie je, ik weet een boel dingen die jij niet weet,' zei Fallon.

De Zone. Blijf in de Zone. Laat hem geen vat op je hebben. Concentreer je. Doe of je alleen op een bergtop bent. Of op de vrijeworplijn. Laat de rest van de wereld vervagen, zodat er alleen een hoepel met een net vrij in de ruimte zweeft. De koevoet tinkelde toen ze over een kuil reden.

'Houdt ze nog steeds van ruig?' Fallon keek grijnzend om naar hem.

'Wat?'

'Ik zei: houdt ze nog steeds van ruig?' Ze reden sneller, op weg naar de lage bebouwing bij de rivier.

Plotseling was Barry uit de Zone en zag hij zichzelf het breekijzer in beide handen pakken en er Fallon de hersens mee inslaan.

'Waarom hou je verdomme je kop niet?'

'O, ja,' zei Fallon, die zich begon te amuseren,' ze was altijd voor alles in. Maar dan ook alles.'

Barry's polsen deden pijn en zwollen op door de belemmerde bloedsomloop.

'Tja, dat zal nu allemaal wel over zijn. Jij hebt daar waarschijnlijk niets van meegemaakt. Het is nooit meer hetzelfde als het nieuwe eraf is. Vooral niet nadat ze kinderen hebben gehad. Het is als het zien van de Yankees in '71 of de Stones in '89. Alle jeu is eraf. Daarna is het een verplicht nummer, toch?'

Barry voelde woede borrelen in zijn buik, die dreigde over te koken. Natuurlijk, dat was precies wat deze smeris wilde. Een excuus om hem verrot te slaan.

'Ik zit me hier af te vragen wat zieliger is,' zei hij, starend naar de pezen in Fallons nek. 'Het feit dat je hier een kwart eeuw later nog over praat, of het feit dat je überhaubt meende dat het iets bijzonders was.'

'O, het was bijzonder. Geloof me. Het was bijzonder.'

'Hoe komt het dan dat ik je naam nooit eerder had gehoord?' vroeg Barry, zich concentrerend op de bijgeschoren haarlijn. 'Voor mij klinkt het of je er veel tijd in hebt gestoken om hier iets van te maken wat het niet was.'

Fallon werd opeens zwijgzaam, en in zijn nek verscheen een kleine huidplooi. Ze stonden voor een stoplicht onder aan de heuvel. Maanlicht deed de rivier voor hen rimpelen als wrakhout. Het politiebureau was pal rechts. Maar links, herinnerde Barry zich, waren een stel leegstaande fabrieken, een plantsoen en grote lege gedeelten met te huur erop. Hij wist nog dat Lynn Hannah waarschuwde daar nooit te komen, omdat niemand haar kon horen als ze in problemen zou komen.

Hij zag de plooi in Fallons achterhoofd langzaam uitgroeien als rijzend deeg.

'Heeft zij dat gezegd?' vroeg Fallon, zijn binnenspiegel verdraaiend.

'Mijn vrouw is fotografe. Ze geeft me altijd het volledige beeld.'

'O, doet ze dat?' Hij verdraaide de spiegel nog wat om zijn passagier te bekijken. 'Heeft ze het ooit over mijn familie gehad?'

Barry keek uit het raam. Hij probeerde niet in het aas te bijten en de haak niet dieper in zijn mond te drijven.

'We gaan dus naar het bureau?' zei hij. 'Of had je een ander idee?'

Fallon zette de muziek abrupt af. Door zijn korte nekharen heen zag Barry vaag een tweede huidplooi, vlak boven de eerste.

De inspecteur gromde wrevelig. 'Hm,' zei hij zacht, 'jij weet geen reet van het volledige beeld.'

Ik heb hem gekwetst. Barry zag de twee plooien verdwijnen. *Zo zittend met mijn handen op mijn rug geboeid is het me op een of andere manier gelukt hem pijn te doen.*

'Neem me niet kwalijk.' Hij boog zich naar voren. 'Moet je op de kaart kijken? Ik weet namelijk de weg naar het bureau, mocht jij het niet weten.'

Een trein reed voor hen langs, met verlichte ramen als de gaatjes van een film die door een projector loopt.

'Nou goed dan. Zoals je wilt.' Fallon sloeg gedwee rechts af. 'Misschien heb ik je daar op tijd voor de laatste bus naar de districtsgevangenis.'

29

Toen ze door de glazen deuren liep herinnerde Lynn zich de laatste keer dat ze op het politiebureau was geweest. Ze zat toen in de hoogste klas en was aangehouden toen ze samen met Jeanine met neplegitimaties bier probeerde te kopen. Op aandringen van Jeanine had Lynn het zakje wiet dat ze bij zich had in de politieauto van voren in haar broek gestopt, en ze was vijf minuten in het toilet bezig geweest om het door te spoelen, terwijl een strenge dame voor de deur wachtte. Ze beleefde nog de verschrikking van het steeds maar weer boven komen van het groene spul in het spoelwater.

Nu welde datzelfde gevoel van vrees bij haar op toen ze op het bureau van de brigadier toeliep.

'Hai, ik kom voor mijn man, Barry Schulman,' zei ze. 'Ik geloof dat jullie hem beneden in een cel hebben.'

De brigadier had een weke kin en een warrige rups van haar

tussen zijn wenkbrauwen, waardoor hij er streng en onverbiddelijk uitzag. Vier andere agenten waren in de meldkamer achter hem bezig met telefoneren en op toetsenborden tikken. Lynn zag twee vishengels in de hoek naast de enorme witte sectorkaart van Riverside.

'Ik wil graag zijn borgsom betalen,' zei ze, in haar tas zoekend naar haar portefeuille. 'Ze zeiden door de telefoon dat ik dat kon doen.'

'Het is wel goed zo, Eddie.' Mike Fallon verscheen in de deuropening van een kantoortje rechts. 'Ik handel dit wel af.'

Hij had iets officieels en ongevoeligs in zijn stem dat haar deed denken aan een bankdirecteur die een lening terugvordert. De brigadier stond op om de telefoon op te nemen, en Mike ging achter de balie zitten.

'Het is niet best, Lynn,' zei hij hoofdschuddend. 'Het is niet best.'

'Wat is er gebeurd?'

Ze had zich al voorbereid, want ze wist door de boodschap van Barry dat ze die avond waarschijnlijk op zeker moment met Mike te maken zou krijgen.

'Je man reed te hard bij een terrein waar kinderen spelen, en toen ik hem aanhield werd hij handtastelijk. Op dit moment dienen we hem een ontnuchteringsmiddel toe.'

'Ach, in 's hemelsnaam, Mike. Hij rijdt nooit met drank op.'

'We hebben in onze gemeenschap een ernstig probleem met rijden onder invloed,' begon hij prekerig. 'En toen werd hij handtastelijk naar een politiefunctionaris, wat een ernstig vergrijp is alhier...'

'Kom nu toch, Mikey...'

Hij keek haar ernstig en vermanend aan. Barry moest zijn belofte aan haar hebben gebroken en verhaal hebben willen halen over wat er gisteren in de studio gebeurde.

'Goed, hoeveel moet het zijn?' Ze deed haar portefeuille open om er snel van af te zijn. 'De agent die ik aan de telefoon had zei de borgsom te schatten op vijfentwintighonderd dollar. Dus heb ik daarvan tien procent opgenomen...'

'Niet zo haastig.' Mike hief een pafferige hand. 'Hij zit al in het systeem.'

'Wat bedoel je? Waar heb je het over?'

'Hij zit al in het systeem,' herhaalde Mike, langzamer nu, alsof hij tegen een debiel sprak. 'Ik heb zijn gegevens al in de computer ingevoerd.'

'En, wat betekent dat?'

'Wat dat betekent?' Hij deed ongelovig. 'Dat betekent dat ik er niets meer aan kan doen. Hij zit in het systeem. Over een kwartier brengt de bus hem naar de districtsgevangenis.'

'En moet hij dan de nacht in de cel doorbrengen?'

'Hoor eens, de rechtbank is dicht. Highball Harper ligt waarschijnlijk al met een warme kruik op één oor.'

Ze zag Barry voor zich in het gevang, tussen de overvallers, verkrachters en gestoorden uit het hele district.

'Ik kan dit niet laten gebeuren,' zei ze, vechtend tegen paniek. 'Wat kan ik doen om hem er vanavond uit te krijgen?'

'Niets.' Hij keek naar de brigadier met de doorlopende wenkbrauwen, die in de telefoon sprak en zeer heftig naar hem gebaarde.

'Als iemand eenmaal ín het systeem zit, moet die ook dóór het systeem,' zei hij met een soort hyprocriete rechtvaardigheid. 'Je man is jurist. Hij begrijpt dat.'

'Wil je ophouden dat te zeggen!' Haar stem sloeg over. 'Je hoeft niet over het systeem te blijven praten alsof het iets onbeheersbaars is!'

Iedereen in de kamer zweeg en keek alsof ze net een startpistool had afgeschoten.

Ze besefte dat ze geen idee meer had wat Mike voor iemand was, of waar hij toe in staat was. Ze was nog steeds het idee aan het verwerken dat Sandi een verhouding met hem had gehad. Het was als vernemen dat een huis dat je honderd keer hebt bezocht een martelkamer in de kelder bevatte. Hoe waren de betrekkelijk rechtlijnige jongens die ze had gekend zulke moreel bizarre, hopeloos geperverteerde en angstwekkend onbetrouwbare volwassenen geworden?

'Luister eens' – ze stond op haar tenen over het bureau geleund en poogde beheerst te blijven – 'heeft dit te maken met wat er tussen jou en mij is gebeurd?'

'Hoe kom je daar zo op?' Hij zag haar aan met een masker van onverschilligheid.

'Ik weet dat je iets van me wilt wat ik je niet kan geven,' fluisterde ze. 'Maar ik wil niet dat je het op mijn man botviert.'

Hij schoot ineens naar voren alsof hij haar gezicht in zijn handen wilde nemen. 'Wil je mij gaan vertellen hoe ik mijn werk moet doen?'

'Nee.' Ze voelde zijn adem op haar lippen. 'Ik wil alleen geen problemen meer met jóú.'

Ze keek over zijn schouder en zag dat alle mannen in de kamer nog steeds vol aandacht waren, alsof ze in een sportcafé de laatste inning van de World Series op de televisie zagen.

De brigadier gebaarde heftig dat iemand Mike op zijn schouder moest tikken.

'Ik wil je wat vragen, Lynn.' Mike leunde nog verder over zijn bureau en zijn adem kwam nu bijna in haar mond. 'Heb je echt nooit om me gegeven?'

'Wat zeg je nu?'

Weer dwaalden haar ogen langs hem heen. Ze zag de brigadier de telefoonhoorn ophouden en hij zei: 'Mike?'

'Je hebt me gehoord.' Fallon negeerde hem.

Ze ging weer plat op haar voeten staan, ervan overtuigd dat hij alle gevoel voor het betamelijke kwijt was. 'Ik vind dit echt niet de plaats om dit te bespreken.'

Ze zag de andere agenten doen alsof ze bezig waren en proberen tegelijk wel en niet te kijken. Kleinsteedse rangordetypes, mannen wier ontzag Mike duidelijk nodig had. Ze waren nu als bergbeklimmers die de top van de Mount Everest een beetje zagen smelten.

'Mike?' De brigadier met de telefoon. 'Ik heb de chef aan de lijn.'

'Ja, wat wil hij?'

Mike bleef Lynn aanstaren, alsof ze zou verdwijnen op het moment dat hij wegkeek.

'Hij zegt laat hem los.'

De brigadier zwaaide met het toestel.

'Wat?'

'Hij zegt dat we de man beneden moeten vrijlaten. Een borgsom is aanvaardbaar.'

Mike keek over zijn schouder en de spieren in zijn nek verkrampten. 'En hoe komt het dat hij van die man blijkt te weten, Eddie?' vroeg hij fel.

'We hebben hem meteen gebeld toen je hem binnenbracht. Zo wil de chef het voortaan. Bel hem bij elke aanhouding thuis.'

Ze zag dat Mike achter zijn bureau begon te koken, zwaar leunend op zijn elleboog.

'Wil je hem zelf spreken?' vroeg de brigadier, de hoorn tegen zijn oor klemmend.

'Nee, zeg maar dat ik de boodschap heb gekregen.'

Mike begon zwaar door zijn neus te ademen en rommelde met papieren op zijn bureau, alsof dit slechts een klein ongemak was geweest.

'Nou, dat is dan dat,' zei hij. 'Je kunt je meneer van ons overnemen. Hij hoeft de aanklacht niet bij ons af te wachten. Hij krijgt een dagvaarding thuis.'

'O, mooi.' Ze herademde opgelucht toen de brigadier ophing en zijn hoofd schudde naar zijn collega's. 'Ik wil hem alleen maar naar huis halen. Meer niet.'

Vlug ging ze de opgenomen tweehonderdvijftig dollar neertellen om hier zo gauw mogelijk weg te zijn.

'Jullie kunnen de auto weghalen waar die staat; die is nog niet in beslag genomen.' Mike pakte de bankbiljetten op. 'Overigens, begrijp wel dat je nu verantwoordelijkheid op je neemt, en dat als hij niet op de rechtbank verschijnt je de borgsom verspeelt en wij hem gaan zoeken.'

'Dat is best. Ik denk niet dat hij wegloopt.'

Ze keek hem aan met de bedoeling een luchtiger moment met hem te delen, maar zag nog steeds een zekere gewonde, gevaarlijke mannelijke onverzoenlijkheid in zijn ogen.

'Zorg maar dat hij in die tussentijd geen gekke dingen doet,' zei hij.

30

Een halfuur later ging de bel, gevolgd door boos, aanhoudend kloppen, steeds harder tot het bijna als onweer klonk.

'Ik kom al, ik kom al.' Mike ging opendoen. 'Stop je knuppel weg, wil je?'

Hij deed de deur open en zag Paco en Harold ernstig en vastberaden voor hem staan. Een vlieg vloog om de portieklamp achter hen.

'Je weet zeker wel wat voor stomme streek je hebt uitgehaald?' Harold liep langs hem heen de hal in. 'Dat hoef ik je niet te vertellen, wel?'

'Kom binnen.' Mike glimlachte geforceerd toen Paco volgde, en hij sloot de deur achter hen. 'Leuk jullie te zien.'

'Hoe lang dacht je het bij welk ander korps dan ook vol te houden na de stunt die je vanavond hebt uitgehaald?'

Mike nam niet de moeite zich te verontschuldigen. Hij wist meteen toen hij het zwaailicht op zijn dak zette dat hij zich voor de jacht op Schulman zou moeten verantwoorden. Maar hij had zijn voet al op het gaspedaal. Hij stond volledig in de stand van jagen of gejaagd worden. Inhouden zou hem alleen een whiplash opgeleverd hebben.

'Kom verder,' zei hij, het tweetal voorgaand door de smalle gang en langs de keuken.

'Hallo, schoonheid,' riep Marie, die haar avondthee aan het zetten was. 'Kan ik de heren iets te drinken maken?'

'Nee dank je.' Harold boog hoffelijk in de deuropening. 'We blijven niet lang.'

'Mag ik een biertje?' Mike keek na hem naar binnen, wetende dat hij een versterkertje nodig zou hebben.

'Waarom pak je het zelf niet?'

Hij zag de stoom uit haar theepot ontsnappen en vroeg zich af hoe ze het zou vinden als hij die over haar hoofd omkeerde.

Hij besloot van het bier af te zien en voerde de bezoekers door de kleine woonkamer, waar Timmy al anderhalf uur te lang op was en met een potlood door de tralies van de kooi naar de hamster stak.

'Zeg, had ik je niet gezegd daarmee op te houden?' Mike zag het knaagdier wegdribbelen van de scherpe punt. 'Als je dat arme dier blijft pesten bijt het je nog een keer.'

'Hai Tim, hoe is-t-ie?' Harold hield hem zijn geheven hand voor, waar Timmy lachend een klap op gaf.

Fantastisch, dacht Mike wrokkig. Ze zijn blijer hem te zien dan mij. Misschien kan hij blijven en ik gaan, dan hebben we weer een minderheidsgezin in de straat.

In plaats van te blijven staan en Paco aan zijn vrouw en zoon voor te stellen liep hij door naar de hordeur en hield die voor zijn bezoekers open.

'Na jullie, jongens,' zei hij, klaar voor de storm.

'Nou' – Harold wachtte tot de hordeur achter hen dichtging – 'je moet jezelf wel een geweldige vent vinden.'

'Laten we terzake komen.'

De nacht deed geen goed aan het geheel. Koud genoeg voor ademcondens en een trui, maar nog steeds warm genoeg voor wat insecten. De tuin leek wel heel klein en schamel nu er drie volwassen mannen in stonden. Er was nauwelijks genoeg ruimte voor het terras, de vaste barbecue, de kwijnende eenjarige planten van Marie en de schommel, die hij door de helling van de heuvel nooit goed kon hangen.

'Je wist toch dat hij jurist was toen je hem aanhield?'

Harolds linkerooglid vertoonde een zenuwtrekking. 'Je kon niet even vaart minderen om daaraan te denken?'

'De wet is de wet wat mij betreft, Harold. De man reed te hard en werd handtastelijk toen ik hem zei dat zijn telefoon uit moest...'

'Hij gaat waarschijnlijk de gemeente en het korps aanklagen. Dat besef je toch?'

'Hij hangt voor verzet en belemmering, Harold.'

'Twaalf uur nadat hij me aansprak over jou en zijn vrouw? Vergeet het maar. Ik trek de aanklacht in.'

'Wat?' Mike kromp wat ineen, alsof hij een klap op zijn ribbenkast kreeg met een aluminium honkbalknuppel.

'Zeg me nog eens waarom ik je vanmorgen niet heb geschorst toen ik met je kwam praten.'

'Bank Street drie-nul-vijf.' Mike herinnerde hem aan het adres van Brenda Carter. 'Dat is een goed vertrekpunt.'

'Man, wanneer hou je nu eens op met terugbetaling vragen?' Harold trok een grimas. 'Dat je daar zelf niet moe van wordt.'

'Ik weet het niet. Word jij het leven moe?'

Ze zwegen even en dachten beiden terug aan de groenblauwe keuken in het socialewoningproject. Was dat echt al tien jaar geleden? Een melding van huiselijk geweld over de mobilofoon. De buren klaagden dat iemands grootmoeder aan het flippen was. Het leek niet veel te betekenen. Tot ze er kwamen en een woeste vrouw van honderdvijftig kilo met een slagersmes zagen zwaaien, jammerend over Rockefeller die haar niet zwanger had gemaakt. Harold, die haar van de kerk kende, probeerde haar voorzichtig tot rede te brengen. En toen kwam die lieve dikke oude dame als een vuilniswagen op hem af gedenderd. Ze raakte hem met het mes vlak onder zijn kogelvrije vest, en dreef het hard in zijn buik, waarbij net geen vitale delen werden geraakt. Ze stond op het punt dieper te steken toen Mike zijn pistool hief en haar hersenen over haar gasstel deed spatten.

'Ik zei je toch verdomme dat je moest dimmen?' Harolds wijsvinger priemde naar hem. 'Waarom wilde je niet luisteren?'

Mike stak zijn handen in zijn zakken. 'Dezelfde reden waarom ik toen niet terugschrok om mijn wapen te gebruiken.'

'Ach, dat is gelul.' Harold veegde het excuus uit de lucht. 'Het een heeft niets met het ander te maken.'

'Ja, dat vind jij.'

Hij merkte dat Paco naar zijn gezicht staarde. Wat wisten deze kloothommels ervan? Je haalt de trekker over. Je trapt op het gaspedaal. Het is allemaal hetzelfde – overlevingsinstinct. Je kunt het gewoon niet uit elkaar halen, net als DNA-ketens.

'Waarom heb je hém meegenomen?' vroeg hij Harold. 'Mis je het lef om alleen met me te praten?'

'Paco heeft een paar vragen voor je,' zei de chef. 'Het leek me dat je meer op je gemak zou zijn als je die beantwoordt buiten bereik van alle bewakingscamera's en microfoons die we in het bureau hebben geplaatst.'

Mike knipperde met zijn ogen bij het noemen van al die apparatuur die na het doodschieten van Replay Washington was geïnstalleerd, om te zorgen dat de kostbare rechten van verdachten niet werden geschonden.

'Nou, wat kan ik voor je doen, Paco?' Hij keek de rechercheur gemelijk aan.

Paco's kale hoofd leek een beetje te glimmen in de avondkilte, alsof hij energie had bespaard door niet te spreken.

'Nou man,' zei hij met dat verbasterde stadsaccent dat Mike bepaald op de zenuwen begon te werken. 'Hoe komt het dat je me niet hebt verteld dat de staatspolitie me vanmorgen gebeld heeft om te vertellen dat ze Sandi's auto bij dat motel hadden gevonden? Ik kreeg de boodschap pas toen hij me nog een keer terugbelde.'

'Sorry. Er kwam wat tussen,' zei Mike blozend.

'En hoe zit het dat je me niet hebt verteld dat je naar dat huis aan Love Lane was geweest, een week voor we daar de boel doorzochten?' Paco kruiste zijn armen voor zijn borst als zo'n machorapper die op posters is te zien.

'Ik heb je verteld dat ik haar kende.' Mike haalde zijn schouders op. 'We hebben haar allemaal gekend. Harold weet dat ik aan haar hek heb gewerkt.'

Mike voelde een donkere schim in de diepte bewegen, onder alle rondzwemmende witvisjes.

'We hebben een paar problemen met de bewijsketen in deze zaak,' zei Paco.

'Waar heb je het over?' Mike keek Harold aan.

'Heb jij een dagboek gezien toen we in het huis van het slachtoffer waren?' vroeg Paco.

Mike hoorde aan de overkant de pitbull van de dagloners boven het merengue-lawaai uit blaffen. 'Nee. Jij wel?'

'We hebben informatie van mensen die het slachtoffer goed kenden dat ze een dagboek bijhield. Vrienden hebben het onlangs nog in het huis gezien.'

'Och, misschien heeft haar man het weggedaan. Misschien stond er iets in wat we van hem niet mochten zien.'

Jezus. Hij was nu aan het spartelen.

'Misschien,' zei Paco, die de blik van honderd watt gewoon beantwoordde. 'Alleen heeft de echtgenoot ook gemerkt dat het weg was, en dat heeft hij aan ons gemeld. Hij zei dat hij het vlak voor wij toen kwamen op een boekenplank heeft zien staan.'

Die stomme trut. Ze moest het daar opzettelijk neer hebben gezet, alsof ze wilde dat de hele wereld het wist.

'Die liegt dan kennelijk.' Mike liet een benauwd lachje horen. 'Zei hij toevallig wat erin stond?'

'Nee,' kwam Harold ertussen. 'Maar, Mike, ik begin te denken dat je niet honderd procent oprecht bent geweest over sommige dingen die ik je vroeg...'

'Zoals wat?'

Een deel van zijn geest trok zich terug in de kamer die hij als kind had, waar hij de stemmen van zijn ouders in de keuken kon horen.

'Ik ben hier mede om je te vertellen dat we een Interne Zaken-onderzoek gaan beginnen naar de manier waarop dit allemaal misging,' zei Harold.

'Ga verdomme nou toch gauw. *Ik* doe de Interne Zaken-onderzoeken.'

'Dit keer niet, partner.'

De zaken begonnen hem boven het hoofd te groeien. Het kwam allemaal te snel op hem af om een rationele beslissing te nemen. Het lijk dat aanspoelde, het dagboek dat te voorschijn kwam, het feit dat ze werkelijk zwanger was zoals ze had gezegd. Hij was een piloot die hoogte verloor, en zijn meters draaiden dol. Wanneer spring je eruit?

De hordeur achter hem ging open en hij draaide zich met een ruk om.

'Ja, wat moet je goddomme?'

Timmy stond in de deuropening, met glinsterende ogen en een stukgebeten lip. 'Ik wilde jou en Harold even goedenacht zeggen,' zei hij met beverige stem.

'Ga terug naar binnen!'

Hij zag de jongen terugwijken en de hordeur langzaam dichtdoen, als een grijze rechthoek van fijn gaas tussen hen.

Spijt doordrenkte hem als ijzige regen. 'Zeg, kom eens terug...'

Maar de jongen was al teruggerend, de woonkamer in en de trap op, waar zijn blote voeten onvast op de houten treden stampten.

'Hartelijk dank, mannen.' Mike keerde zich weer naar zijn gasten en voelde nog de schroeiplekken op zijn tong. 'Gezien waartoe jullie me brengen?'

Harold zette zijn diep getekende plechtige gezicht, alsof hij de nabestaanden hun rekening ging presenteren. 'Mike, ik wil je nogmaals vragen: is er iets aan je relatie met het slachtoffer wat je ons nog niet hebt verteld?'

Mike schokschouderde om zich van het gewicht te ontdoen. *Oké, ik had wat met haar.* Hij probeerde de zin uit in zijn hoofd. *Oké, ik heb erover gelogen. Oké, ik heb het dagboek meegenomen. Oké, er stonden een paar dingen in die jullie van mij niet mochten zien. Oké, ik heb haar soms een beetje afgetuigd. Oké, kan zijn dat ik mijn handen om haar keel heb gedaan. Oké, kan best dat het kind dat ze droeg van mij was.* Oké, wanneer houd je op *oké* te zeggen?

'Ik kan niet geloven dat jullie je tijd verdoen aan deze flauwekul,' zei hij, in een poging hen af te leiden. 'We zouden de echtgenoot uit moeten wringen, zijn financiële gegevens doornemen, een man naar Boston sturen om zijn alibi na te gaan. Hij is degene die haar heeft vermoord.'

'Hoe kom je daarop?' Paco trok aan zijn oorring.

'Ze was bang voor hem.'

'En hoe weet jij dat?' vroeg Harold scherp.

Een straal licht viel over Mikes gezicht. Marie deed boven een lamp aan.

'Ik denk niet dat ik nog vragen wil beantwoorden zonder advocaat erbij,' zei hij opeens.

'Dan vrees ik dat ik je ga vragen verlof te nemen.' Harold boog zijn hoofd alsof hij hen wilde voorgaan in gebed. 'Ik heb het van tevoren nagegaan, en je hebt nog een week aan vrije dagen die je voor het einde van het jaar op moet nemen...'

'Wat doe je nu in godsnaam?' vroeg Mike. 'Wil je me schorsen? Ik heb niets verkeerds gedaan. Mijn enige probleem is dat ik een oude vlam heb met een grote mond en een jaloerse echtgenoot.'

'Nee, jouw enige probleem is dat je een belangrijke getuige gaat worden in een moordzaak, en dat je door een lid van deze gemeenschap kunt worden aangeklaagd wegens machtsmisbruik. Maar verder doe je het fantastisch.'

'Het spijt me dat ik je in verlegenheid heb gebracht, Harold. Wil je dat ik dat zeg?'

'Ik ben niet degene bij wie je je moet verontschuldigen.'

'Ach, weg met dat gekloot.' Mike sloeg een mug in zijn nek dood. 'Jullie laten deze zaak zo door jullie vingers glippen.'

'Je laat me geen enkele keus.' Harold dempte zijn stem. 'Er komt een disciplinaire hoorzitting als Lynn en haar man een klacht indienen. Maar als je nu gaat meewerken kun je erop rekenen dat alles wat soepeler verloopt.'

'Ik heb je gemaakt, Harold. Zonder mij was je nooit chef geworden.'

'Dat weet ik. Maar ik ga voor jou niet de gevangenis in.'

'Ik zal je wat vertellen.' Mike deed een stap achteruit. 'Als je me probeert te verzuipen trek ik iedereen mee de diepte in.'

'Dan neem ik aan dat je al de naam van een goede advocaat hebt.' Harold keek hem veelbetekenend aan.

'Maar je geen zorgen. Ik kan voor mezelf zorgen.'

Hij zag Harold zijn hoofd schudden naar Paco, alsof ze een stel grafdelvers waren die in hun handen wreven. Tweeëndertig jaar. Zo begraaf je dus een vriendschap. Je brengt een vreemde mee.

'Kijk,' zei Harold, een wit kaartje uit zijn achterzak halend. 'Ik heb het telefoonnummer van dr. Friedman van de Psychotherapeutische Dienst bij me, voor het geval dat jij het kwijt was. Ik weet nog hoe ze je heeft geholpen na de dood van Johnny.'

'Net wat ik nodig had. Een beroepsmatige vriendin.'

Mike nam het kaartje aan voor de chef, scheurde het in tweeën en gaf het hem terug.

'Hier. Nu kun je zeggen dat je het hebt geprobeerd.'

Harold staarde naar het verscheurde kaartje in zijn hand. 'Je kunt een mens niet dwingen een reddingslijn te pakken als hij niet wil.' Hij zei het niet zozeer tegen Mike, of zelfs tegen Paco, maar tegen zichzelf.

'Nee, jij kunt dat zeker niet,' zei Mike, die zijn broek ophees en zich vol oprichtte.

'Best, dan doen we het op jouw manier.' Harold zuchtte berustend. 'Ga je wapen en je insigne voor me halen. We zullen hier wachten. Niemand wil je ten overstaan van je gezin vernederen.'

31

Bij elke plof van aarde op het deksel van de doodskist voelde Lynn de leegheid in haar borst.

Het waaide over de begraafplaats Green Hill, waar ze het ritueel bezag van rouwenden die aarde op Sandi's graf schepten, na te hebben geluisterd naar Saul en rabbijn Heyman van B'nai Israel die kaddish zegden.

'*Yisgadal v'yiskadash sh'mei rabbaw...*'

De woorden leken nog steeds in de wind te wervelen. Maar in haar hoofd klonk een andere tekst.

Dat is mijn vriendin daar in die rozenhouten doos. Dat is echte aarde die ze op haar gooien. Dit zijn dertig mensen die we beiden kenden in het zwart, in een kring verzameld rond dit gat in de grond. Dat zijn haar kinderen in de gehuurde Lincoln bij de ingang, met hun stiefmoeder. Dat zijn haar lamlendige broers, daar achter in de menigte. Dat is de man met wie ze trouwde, lijkbleek en bloedarm. Dit is mijn man hier naast me, met een zwart keppeltje op, die mijn hand vasthoudt en zijn hoofd buigt.

Amen.

Verdriet bleef zichzelf heruitvinden en nieuwe wegen naar haar zoeken. Ze herinnerde zich een vrouw die ze in het voorjaar met Sandi had ontmoet, een oude dame met alzheimer die twee borstamputaties had ondergaan. Elke avond was ze vergeten wat haar was overkomen, en elke morgen begon ze weer te huilen als ze wakker werd.

Ze zag Saul, met brillantine in zijn haar en bijgeknipte wenkbrauwen, de schep pakken en zijn schoonzoon bitter aanstaren. Met een gromgeluid bukte hij zich om de spade diep in de aardhoop te steken, waarna hij de aarde liefdevol in het graf van zijn dochter strooide. Een afgedankt oorlogsschip, stuurloos op een donkere rivier. Ze begreep dat hij een uitweg zocht voor zijn opgekropte woede, maar dit leek verkeerd. Nog geen halfuur eerder had Jeffrey op B'nai Israel de grafrede uitgesproken en zo ontroerend gezegd dat Sandi zijn zielsvriendin en zijn geweten was geweest, dat de tranen in Lynns ooghoeken brandden als kerosine. Deelden ze dus niet allen in dit verdriet?

Ze keek naar het bosschage op de heuvel waar ze het vorige jaar haar moeder had begraven. Harold en Paco Ortiz stonden in de schaduw van een iep bij het graf, met hun hoofd gebogen maar met opvallend waakzame ogen. Hen hier zo te zien druiste in tegen de sfeer. Bewezen ze iemand de laatste eer of was dit werk?

Ze keerde zich weer om en zag Saul gebogen heen en weer wiegen boven het graf. Overmand door verdriet sloot hij zijn ogen en ging nogmaals kaddisj zeggen, blijkbaar vergetend dat hij dat al had gedaan. Marty Pollack kwam naar het hoofdeinde van het graf en nam de schep van hem over. Hij boog zich om de schep in de piramide van aarde te steken, maar hield in en tastte naar zijn rug, alsof hij pijn had. Jeanine kwam er vlug bij, nam de schep over, wierp een klein beetje aarde op de kist en voldeed aldus aan de familieverplichting. Weer gaf de roffel Lynn het gevoel dat er een dieptebom afging. Het definitieve ervan. De korrel-voor-korrelwerkelijkheid van het bedekken van iemand die ze haar leven lang had gekend. De overgave van vlees aan de aarde. Ze wilde dat dat aan haar voorbijging als het haar beurt was.

Barry liet haar hand los en nam de schep van Jeanine over. Zoals ze hem zijn jasje zag losknopen en aan het werk gaan, gaf het Lynn een wat afstandelijk gevoel. Hij kon wel zeggen dat hij begreep wat ze doormaakte, maar in werkelijkheid kon hij dat niet. Net zoals zij hem niet helemaal had bereikt toen zijn vader was gestorven. Verdriet zette een fluwelen koord om je heen. Mensen konden komen en kijken, maar niet aanraken. Barry keerde de schep om, en een hard brok aarde viel stuk op het kistdeksel. Het geluid deed Saul opkijken van zijn gebed.

'V'yis'halawl sh'mei d'kudshaw b'rich hu...'

Langzaam gingen alle ogen weer naar het graf, behalve die van Harold. Lynn zag hem staren, met zijn massieve gelaatstrekken star van waakzaamheid.

'L'aylaw min kol...'

Barry gaf met een plechtige knik van man tot man de schep over aan Jeffrey en kwam weer naast Lynn staan. 'Hij redt het wel,' mompelde hij. Maar ze werd afgeleid doordat ze Harold Paco zag aanstoten.

'B'all'maw v'imru: Amein.'

'Amein,' antwoordden de aanwezige mannen.

Jeffrey snotterde, en schepte met onvaste hand aarde op. Maar toen hield de schep stil boven Sandi's kist, en vielen er alleen wat korrels op het deksel. Hier was iets niet goed. Zijn mond ging iets open en zijn brillenglazen werden ondoorzichtige witte rondjes. Barry volgde zijn blik en keek om. Toen begon Jeanine tegen Marty te fluisteren en dringend te wijzen.

'*Y'hei shlawmaw rabbaw...*' Sauls stem verstomde.

Lynn draaide zich om en zag Mike Fallon tegen de heuvel op naar hen toekomen, over de plat liggende grafstenen en het keurig onderhouden gras. Hij leek een hooglijk geladen ionenveld mee te brengen. De aanblik van de dikke polsen die uit de mouwen van een slecht zittend pak bungelden verhoogde alleen maar het gevoel dat de man hier niet op zijn plaats was.

'*Min sh'mayaw, v'chayim...*' begon Saul weer, zich niet bewust van de stoornis.

Lynn zag de borst van Paco Ortiz zwellen toen hij de heuvel af wilde lopen om hem te onderscheppen. Maar Harold trok hem aan zijn arm terug, in afwachting van wat er ging gebeuren. Sauls verbijsterde ogen vonden die van Lynn en vroegen om uitleg. Maar ze kon alleen maar hulpeloos haar schouders ophalen.

'*Awleinu v'al kol yisroel...*'

Jeffrey keerde de schep met aarde om en liet hem zakken, terwijl de kring van rouwenden uiteen week. Mike liep er brutaalweg tussendoor op Jeffrey af. Ze staarden elkaar wezenloos aan, als vreemde wezens die elkaar voor het eerst tegenkomen.

Dit was, vond Lynn, de pijnlijkste scène die ze ooit had gezien.

Mike, die zo'n vijf centimeter groter en dertien kilo zwaarder was dan Jeff, nam hem resoluut de schep uit handen en keek de kring rond, ieder uitdagend hem deze af te nemen. Zijn ogen bleven op Barry rusten, met verdubbelde uitdaging. Lynn kneep in de hand van haar man en smeekte hem in stilte zich niet weer te laten provoceren.

'*Oseh shawlom bim'ro'mawv...*' De rabbijn ging het gebed voor de tweede keer meebidden, om de oude woorden af te maken die een volk gebruikte om tijdens de strijd zijn doden te begraven.

Tevreden omdat niemand hem de schep betwistte, maakte Mike zijn stropdas los, boog door zijn knieën en stak de schep in de berg alsof hij kolen in een stoommachine ging scheppen. Aarde viel massaal op rozenhout. De meeste andere rouwenden hadden er maar een symbolisch beetje in geworpen. Maar Mike keerde zich om en wierp de ene lading na de andere, terwijl een straaltje zweet langs zijn slapen liep en zijn rode hoofdhuid door zijn korte haar schemerde. Verscheidene vrouwen in de kring gingen achteruit omdat ze niets met deze confrontatie te maken wilden hebben. Saul keek zijn nutteloze zoons aan, en toen alle andere mannen in de kring, met de smeekbede dat iemand zou ingrijpen. Maar opeens vond Mike dat hij zijn bijdrage had geleverd en hij hield op. Hij draaide zich om en gaf Jeffrey de schep terug, als om te zeggen: kijk, zo doe je dat.

Toen liep hij de kring uit en de heuvel weer af.

32

Drie dagen later pakte Lynn het bronzen doodskistje op dat op het bureau van de chef stond. Ze draaide er langzaam mee en bewonderde het vakmanschap – de scharniertjes opzij, de minuscule inkervingen die de schroeven in het deksel voorstelden, en de in de zijkant gegraveerde naam van het uitvaartcentrum.

'En, wat vond jij van de begrafenis van Sandi?' vroeg ze aan Harold, die voor haar zat, half achterover in zijn leren stoel en met zijn bifocale bril laag op zijn neus, terwijl hij haar klacht over Mike bekeek.

'Met understatement zit je altijd goed,' zei hij, een blad omslaand en haar nog steeds niet echt aankijkend.

'Ik bedoel wat Mike deed bij het graf.'

In plaats van meteen te antwoorden schommelde Harold alleen maar in zijn stoel en bladerde heen en terug, alsof hij een abrupte overgang niet begreep.

'We rouwen allemaal op onze eigen manier,' zei hij ten slotte.

Arme Harold. Zijn kantoor begon aan te doen als een versterkte luchtsluis, met alle druk van buiten. In de week sinds het lichaam van Sandi was gevonden waren er spoedbesprekingen van het gemeentebestuur geweest, buurtbewakingsgroepen gevormd, en de beveiliging rond scholen was opgevoerd. Er was een lijn voor anonieme tips met het politiebureau gekomen, en blauwe en rode bordjes van beveiligingssystemen van ADT en Slomin's Shield rezen als paddestoelen uit de grond. Maar niets daarvan was genoeg om wie dan ook gerust te stellen, vooral niet nu activistische moeders klaagden dat er te weinig werd gedaan om de kerncentrale twintig kilometer verderop te beveiligen tegen een terreuraanslag. Opeens leek ieder gesprek op de parkeerplaatsen en opritten neer te komen op de vraag: *Wanneer gaan ze nu eens wat doen?* En de onuitgesproken suggestie kon Harold duidelijk niet zijn ontgaan: dat alles naar de bliksem was gegaan zodra een zwarte de leiding kreeg.

'Je hebt zeker wel gehoord dat ze omgang hadden, Sandi en Mike,' zei Lynn voorzichtig.

'Waar heb je dat dan gehoord?' vroeg Harold zo neutraal mogelijk.

'Hmm, van mensen die daar over de vloer kwamen.' Lynn sprak zacht, want ze wilde Inez niet als haar bron onthullen en haar vertrouwen beschamen.

'Ja, daarover kan ik jou geen commentaar geven,' zei Harold. 'Dat is strijdig met het onderzoek.'

'Uiteraard.'

Ze zette het doodskistje weer op het bureau en bleef peinzend zitten, nog steeds met het beeld voor ogen van Mike die aarde op Sandi's graf schepte. Wist Harold toen al van de verhouding? Het zou wel heel raar zijn als hij het na de begrafenis niet had vermoed.

'Hoe is het met de zaak van Sandi?' vroeg ze, om van onderwerp te veranderen.

'Zo goed als te verwachten is.'

'Wordt er veel gesproken over assistentie van de staatspolitie?'

'We hebben de meeste middelen die we nodig hebben binnen onze eigen afdeling,' zei hij kortaf.

'Dat zal zeker waar zijn.'

Ze vouwde haar handen in haar schoot en hoopte dat hij niet beledigd was. Haar genegenheid voor Harold was voor haar in deze stad een van de echt vaste gegevens geweest. Reeds als tiener had hij een soort onverstoorbaar geduld voor iemand van zijn leeftijd. Hij hoorde iemands argumenten tot het laatste heetgebakerde woord aan en bracht iemand dan tot rede. Hij wist altijd het juiste te doen en te zeggen om iedereen te kalmeren, of het nu midden in een opstootje op het schoolplein was, of op een begrafenis met tweehonderdvijftig wachtende gasten in de aula.

Hij zette opeens zijn stoel recht en zijn bril af.

'Lynn, kan ik met je spreken?'

'Ja, natuurlijk. Daarom vroeg je me hier te komen.'

'Nee, ik bedoel, kan ik echt met je spreken? Open en eerlijk. Over die andere zaak.'

Hij keek naar de klacht van twee pagina's die Barry haar had laten uittypen, over Mike die haar studio binnenkwam en haar probeerde te kussen.

'Natuurlijk.' Ze voelde haar oren knappen alsof de kamer van hoogte was veranderd. 'Ik besef dat het vreselijk triviaal lijkt, vergeleken met alles wat gaande is...'

Hij onderbrak haar. 'Ik heb je man gevraagd buiten te wachten terwijl we spraken, omdat je me in een moeilijke positie hebt gebracht.'

Ze keek om naar de deur, zich afvragend wat Barry in het voorkantoor deed met de oude tijdschriften aldaar. Minstens zes politiemannen waren langs komen lopen toen ze daar zaten te wachten, om onbeschaamd te kijken naar die lui die een klacht hadden ingediend tegen de tweede man van hun korps.

'Normaliter zou Mike degene zijn die een Interne Zaken-onderzoek tegen een functionaris leidt, maar aangezien het in deze zaak hem betreft is dat duidelijk geen optie.'

Hij legde zijn bril op de verklaring, en door de glazen zag ze met koeienletters de woorden: *op dat moment trachtte Michael zijn hand van achteren in mijn broek te schuiven.*

'Mijn andere hoofdrechercheur, Paco Ortiz, doet het moordonderzoek, dus hem kan ik het ook niet vragen.' Harold wreef in zijn ogen en duwde blindelings door. 'Dan blijf ik over. En ik ken jullie al het grootste deel van mijn leven.'

'Harold, als het anders had gekund...'

'Wacht.' Hij stak een hand op. 'Ik ben niet in de positie om jou te zeggen dat je geen klacht tegen Michael moet indienen. Dan zou ik misbruik maken van mijn functie. Het is mijn taak de verklaringen van jou en je man aan te nemen en door te geven aan een daartoe aangewezen officier van justitie. Als dat is gebeurd ben ik van de hele zaak af.'

'Hoe bedoel je?'

'Er komt een disciplinaire hoorzitting, en jij zult moeten getuigen voor de rechtbank. En als die bal eenmaal gaat rollen is die niet meer tegen te houden.'

Er kraakte iets in haar keel en ze besefte dat ze sinds ze het kantoor in was gelopen niet meer had geslikt. 'Ik wil dit niet doen,' had ze de vorige avond tegen Barry gezegd. 'We moeten in deze stad leven.'

'Wil je wat hij deed vergoelijken en ons zeggen dat we het maar hierbij moeten laten?' vroeg ze omzichtig. Ze likte langs haar lippen en vroeg zich af of ze te veel make-up op had gedaan.

'Nee, dat doe ik niet. Maar ik wil je wel laten weten waar je aan begint, voordat je besluit hiermee door te gaan.'

'Harold, dat klinkt een beetje als een waarschuwing.'

Hij keek haar aan met de befaamde grafsteenblik, die zei: *Ga niet verder.* 'Ik hoef jou niet te vertellen hoe lang de familie Fallon al in deze stad woont. Michael is een belangrijk lid van deze gemeenschap. Hij heeft vorig jaar achttienduizend dollar vergaard met een bowlingtoernooi voor brigadier Quinn en zijn vrouw, toen hun dochter leukemie kreeg. Hij heeft het met zijn voetbalteam drie keer op rij tot de districtsfinales gebracht en betaalde zelf mee aan de trofeeën voor de lagere plaatsen. En je moet ook bedenken dat je hier niet eens zou zitten als hij het crackprobleem bij het station niet had opgelost. Want dan had je geen huis in Riverside willen kopen...'

'Moet dat dan betekenen dat de wet voor hem niet geldt?'

Hij trok met zijn ene mondhoek, als voor een glimlachje. 'Dit is geen mening,' zei hij. Dit is weergave van feiten.'

'Maar jij zegt me dat iedereen automatisch aan zijn kant zal staan.'

Hij boog zich zuchtend naar voren en zijn vingers vormden een soort driehoek. 'Ik wil zeggen dat dit een situatie is waarbij twee mensen zijn betrokken om wie ik geef. En jullie kunnen het allebei behoorlijk zwaar te verduren krijgen.'

'O?'

Ze kruiste haar enkels en ging onderuit zitten, om onschuldig over te komen.

'In de getuigenbank zul je onderworpen worden aan allerlei vervelende vragen. Bij een disciplinaire hoorzitting gelden de normale regels voor bewijs niet. Een verdediger kan je alles vragen wat hij wil.'

'Juist ja.'

Ze voelde een pijntje opkomen, zo'n beetje als gewrik met een schroevendraaier onder een schouderblad.

'Ze kunnen van alles uit het verleden oprakelen, wat voor iemand met een gezin uiterst pijnlijk is om in het openbaar te horen bespreken.'

'Je bent me toch niet aan het chanteren, Harold?'

Ze zag iets van woede opflitsen in zijn ogen en heel even voelde ze iets van de fysieke zwaarte en spanning van zijn leven, en alle moeite die het kostte om te verhinderen dat anderen ooit iets van de ware diepte van zijn woede zagen.

'Ik probeer je de informatie te geven die je nodig hebt voor een intelligente beslissing,' zei hij, alsof er een stalen bit tussen zijn kiezen geklemd zat. 'Wat je ermee doet is jouw zaak.'

Het wrikken onder haar schouderblad werd scherper. Ze had Barry meer moeten vertellen voor ze vandaag hier kwamen. Maar er waren elementen in haar vroegere leven waar ze zelf nauwelijks van wilde weten, laat staan dat ze die aan anderen wilde uitleggen. Ze waren als foto's die te lang in de ontwikkelaar hadden gelegen, helemaal donker geworden.

'Barry zei dat de kans groot was dat Mike schuld zou bekennen bij het zien van onze verklaringen, liever dan het hele proces te doorlopen.'

Harold trok zijn schouders op. 'Ik kan niet in de toekomst kijken. Ik had gedacht dat jullie deze klachten misschien zouden intrekken na het nietig verklaren van de arrestatie van je man.'

'Dan ken je Barry niet. Die weet niet van wijken.'

'En Mike ook niet. Die zet vaart achter deze hoorzitting om gauw weer in zijn functie te worden hersteld. En de burgemeester staat daarachter. Die wil dit gedonder in het korps niet, terwijl we proberen een moordzaak op te lossen en vertrouwen te herstellen. Ze willen deze zaak volgende week voor laten komen.'

Ze aarzelde, want ze had zich niet gerealiseerd dat het allemaal zo vlug zou gaan. 'Heeft ieder dan genoeg tijd om zich voor te bereiden?'

'Dat bepaal ik niet.' Hij stond op, ten teken dat dit gesprek ongeveer ten einde was. 'Dus wat wordt het, Lynn? Het is nog niet te laat om eruit te stappen.'

Ze keek naar hem op en besefte dat de tijd dat hij haar als vanzelf tot zijn vrienden rekende op dit moment voor haar ogen voorbijging. Ze voelde het verlies al in haar gebeente.

'Het spijt me,' zei ze zacht. 'Dit gaat niet meer alleen om mij, Harold. Mike heeft Barry van de weg gehaald en geboeid afgevoerd.'

'Ik begrijp het.' De chef knikte, alsof hij steeds al had geweten dat ze dit zou zeggen. 'Ik zal jullie beider klachten aan de rechtbank en de officier doorgeven.'

'Ik denk dat het zo moet zijn.' Ze stond op en stak hem haar hand toe. 'Ik zou willen dat ik niet degene was die je het leven nog ingewikkelder maakt.'

'Geloof me' – hij glimlachte ondanks zichzelf – 'je bent de enige niet.'

33

'Pappa, wie is het engste monster van de wereld?'

'Ik zou het echt niet weten.'

Mike zat aan de keukentafel, met een mobiele telefoon en een stapel papieren bij zijn ene elleboog, en een halfvol glas whisky bij de andere. Hij probeerde angstvallig zijn jongste zoon Timmy in de deuropening te negeren, en de ritmische merengue-muziek die uit het huis aan de overkant schetterde, terwijl hij de beschuldigingen tegen hem nog eens las.

Michael trachtte zijn hand van achteren in mijn broek te schuiven...

'Wie denk je dat een gevecht zou winnen tussen Voldemort en Spawn?'

'Wat?'

Hij keek op en zag Timmy in een verkreukelde cowboypyjama met grote ogen naar hem staren. Hij liet een verfomfaaid stripboek slap hangen, en met de tenen van zijn ene blote voet masseerde hij verlegen de wreef van de andere.

'Cheryl zegt dat niemand van Voldemort kan winnen, maar...'

'Timmy, laat me even, wil je?'

Op dat moment verzocht ik de inspecteur mijn studio te verlaten...

Hij pakte de telefoon om zijn vakbondsman te bellen, Frank Murray. Hij deed of hij het gegil en gestommel van zijn oudere kinderen niet hoorde, die boven ruzie maakten welke videofilm ze zouden draaien. Bijna acht uur op een doordeweekse dag. Hadden die kinderen soms geen huiswerk te maken, moesten ze nog niet naar bed? Jezus, misschien moesten ze allemaal aan de Ritalin. Die verdomde Marie. Die werkte weer laat en gooide hem voor de wolven. *Iemand* moet het geld inbrengen, zei ze altijd.

Eind volgende week waren zijn vrije dagen opgebruikt, en dan had Harold de mogelijkheid om hem officieel te schorsen zonder salaris. Weer brak er een stuk van de eierschaal waarop ze leefden. Natuurlijk, ze zéí dat ze voorlopig bij hem bleef. Het had hem slechts een halve nacht gekost om omslachtig uit te leggen dat de beschuldigingen tegen hem overduidelijk quatsch waren, dat iedereen uit het lood geslagen was door die lugubere moord, en dat Lynn van de algemeen heersende paranoia gebruik maakte om een paar dingen te overdrijven die hij tegen haar had gezegd, zodat die voddenbaal van een man van haar een aanklacht in kon dienen. *De oudste truc uit het boekje*, had hij tegen haar gezegd. *En Harold zwicht gewoon omdat hij zijn baan wil houden.*

Maar drie dagen later knaagde nog steeds de gedachte aan hem dat hij haar misschien wat wijzer had kunnen maken. Niet met een bekentenis, compleet met tranen of zo, maar met wat strategisch geplaatst gebrom en gemompel om de grond een beetje op te rullen en zichzelf alvast een beetje in te dekken. Het laatste waar hij op zat te wachten was dat zijn vrouw hem aan de vooravond van de hoorzitting publiekelijk verliet.

Het doffe geluid van de telefoon bracht zijn gehoorbeentjes in trilling.

'Pap...'

'Laat me nog even, Timmy.' Met een uitgestrekte vinger smeekte hij om consideratie.

Hij deed heel erg zijn best om zijn leven te beteren sinds de avond dat Paco en Harold langskwamen. Al voor hij kinderen had, had hij gezworen nooit zijn zelfbeheersing te verliezen en te gaan schreeuwen zoals zijn ouders deden. Maar ze maken je murw; dat doen ze echt. Honderd kleine gevechten per dag over de onbeduidendste zaken. Duizend kleine vragen, gesteld op precies het verkeerde moment.

'Pappa, Cheryl zegt dat Voldemort van Spawn kan winnen...'

Het kind wilde kennelijk alleen maar bij hem zijn. Ze hadden onlangs in de auto een leuk gesprek gehad over monsterfilms – voor het eerst in maanden was er contact geweest. Gewoon twee jongens die 's middags samen naar de bouwmarkt gaan en daarna een Fanta drinken op de veranda. Je kon de jongen niet kwalijk nemen dat hij in dat sfeertje wilde blijven. Maar nu klonk er geklik en het antwoordapparaat van Frank draaide.

'Hé Frankie! Mike Fallon nogmaals,' sprak hij in nadat hij het bericht had beluisterd. 'Ik heb het dossier van de chef, en het wordt tijd dat we ophouden met klooien. Ze hebben me echt bij mijn staart, makker.'

Timmy bleef verstijfd in de deuropening staan, alsof hij precies begreep wat er werd besproken. Mike wuifde hem weg naar de woonkamer.

'Ik heb al met Duffy Springer gesproken, en die zal het 'm deze keer niet flikken,' zei hij. 'Ik moet een echte advocaat hebben.'

Zeker, Duff was een handige scharrelaar als het ging om een autoverzekering of ziektekostenverzekering, maar bij god, het was zijn leven waar het nu om ging. Zodra Mike de woorden disciplinaire hoorzitting en moordonderzoek in één zin had uitgesproken, was Duff begonnen te stamelen en haalde hij de verkeerde wetboeken van de plank. Van deze man was niet het wonder te verwachten dat Mike momenteel nodig had.

De volgende keer dat ik de inspecteur zag was toen ik naar het bureau kwam om de borgsom voor mijn man te betalen. Hij vroeg me of ik ooit echt om hem had gegeven...

Hij had kramp in zijn darmen. Nee, dit was al te ver gegaan.

Hij moest iemand vinden die hem kon helpen hier een einde aan te maken. Hij legde de telefoon neer, nam nog een slok whisky en greep naar het adressenboek voor Franks mobiele nummer.

'Pappa, waarom heb je een advocaat nodig?' vroeg Timmy.

'Waarom luister je mee als ik bel?'

'Ik wacht op je. Ik dacht dat we zouden dammen.'

'Wordt het geen bedtijd voor je?' Mike keek naar het plafond, want boven klonk het of de andere kinderen aan het stierenvechten waren. 'Wat doen ze daar toch? Zijn ze al in pyjama?'

'Weet ik niet.' De jongen haalde zijn schouders op.

Hij keek op de klok en hoopte maar dat Marie gauw thuiskwam. Eigenaardig. Zodra hij had ingezien dat er deze keer een kans was dat hij haar voorgoed kwijtraakte, had hij gemerkt dat hij meer aandacht van haar wilde. Hij was weer wat karweitjes gaan doen, opdat ze het merkte. De badkuip opnieuw voegen, en de kastdeuren repareren waar ze altijd over kankerde. Kleine dingen waar ze zelf niet aan toe was gekomen. Alleen om haar eraan te herinneren dat het soms nuttig was een man in huis te hebben.

'Ik moet nog een keer bellen,' zei hij, vlug het mobiele nummer kiezend.

Zijn oog viel weer op Lynns verklaring toen de telefoon overging.

De inspecteur leek kwaad toen de chef gelastte mijn man vrij te laten... Geleidelijk en met tegenzin begon hij te begrijpen hoe zwaar het voor zijn vader moest zijn geweest om de orde te handhaven. *Brrrrrp.* Het lawaai van het cellenblok nog naklinkend in zijn oren als hij 's avonds thuiskwam. *Brrp.* De noodzaak ieder gevecht te winnen, hoe klein ook. Het kille feit dat je je nooit zwak of wankel kon tonen.

Brrp. De vrouw die op hem vitte omdat de enige vakantie die ze zich konden veroorloven een bekrompen blokhut in New Hampshire was zonder behoorlijk toilet of verwarming. *Brrp.* Zijn zoons die op de achterbank maar bleven donderjagen. *Brrp.*

Versta je me niet als ik zeg dat je verdomme je handen thuis moet houden? Wat is daar niet duidelijk aan?

Johnny die brutaal wordt.

Moeder die zegt: *Pik jij dat van hem, dat hij zo tegen zijn ouders spreekt?* De auto die opeens een parkeerterrein op zwenkt op vrijdagavond laat, en pa die iedereen beveelt uit te stappen en zijn zoons op een rij zet, als gedetineerden op een appèlplaats. Johnny die niet wil bijdraaien. Ma die vindt dat pa de jongen manieren moet bijbrengen. Die wil dat hij een aframmeling krijgt. De stompe graversvingers en de gemelijk geknepen Ierse blik. Waar ze zich voor geneerde. *In godsnaam, geef hem op zijn donder, Ier. Leer hem dat hij zo niet tegen zijn ouders kan spreken.* Johnny die brutaalweg grijnst. *Ja, laat maar zien wie de baas in huis is, pa. Laat maar zien wie werkelijk de broek aan heeft.* Pa die hem in zijn gezicht slaat, zelfs als Mike zijn broer smeekt op te houden. *Kom nou, Johnny, je maakt hem alleen maar kwader.* Johnny die tartend zijn neus afveegt met zijn mouw en zijn moeder in haar gezicht uitlacht. *Jemig, is dat alles wat je kunt, pa? Sla nog eens.* Mike die wegkijkt als pa door het lint gaat en zijn grote broer een gebroken sleutelbeen bezorgt.

Brrp. Hij gaf het op met Frank en koos het nummer van het bureau.

'Politie Riverside,' klonk de temerige stem van Larry Quinn.

'Quinnman! Quinnosaurus! Nog wat loos, maatje?'

Er volgde een stilte, zo lang dat de kilte die door de telefoon lekte bijna was te voelen. 'O, hallo, Mike…'

'Hoe staan de zaken daar?'

'Prima, Mike.' Zijn naam werd iets te luid uitgesproken, als om een andere aanwezige te waarschuwen dat hij aan de lijn was.

Maar hij duwde gewoon door. 'Wat is er aan goed nieuws? Ik voel me als op een onbewoond eiland. Nog iets gehoord van boven?'

Deze pauze duurde ietsje langer. 'Nee. Nee, niet veel.'

'Jullie zijn me toch niet vergeten, hè?'

'Nee. Niemand die je vergeet.'

'En hoe doet onze vriend van over de zuidgrens het?'

'Wie? Paco?'

'Hebben we nog andere import?'

'Kom nou, Mike,' zei de brigadier binnensmonds.

'Wat, kom nou? We praten gewoon wat.'

'Ja, weet ik. Maar jíj weet dat ik hierover nu niet met je kan praten.'

'Waarom niet? Ik help jou; jij helpt mij. Het mes snijdt aan twee kanten. Heb ik gelijk? We willen allemaal hetzelfde.'

'Ik kan het niet doen, Mike.'

'Brigadier, wees me ter wille. Ik wil alleen maar die arme vrouw recht doen. Haar twee kinderen zijn alleen achtergebleven bij die miserabele klo...'

Hij hoorde boven een zware dreun en Cheryl begon te huilen met een hoog indringend vrouwelijk geluid dat zijn gehoorbeentjes weer pijn deed.

'Ik kan het niet doen, ouwe jongen,' zei Larry. 'Mijzelf zou het niet uitmaken.'

'Vast niet.' Mike zuchtte ontgoocheld.

'Maar dit kan ik je wel zeggen. Die andere vrouw die haar kende was gisteren bij de chef...'

'Wie? Lynn Stock... Schulman?'

Hij hoorde opeens luide vioolmuziek uit *Lord of the Dance*, en Harolds strenge stemgeluid op de achtergrond. 'Mike, ik moet nu toch echt weg.'

'Lar?'

Maar de lijn was al dood. Hij legde de telefoon neer en spreidde zijn handen voor zich op tafel, op zoek naar houvast.

'Pap...'

'Nog heel even, Timmy.' Hij haalde diep adem. 'Alsjeblieft. Ik heb nog even nodig.'

Hij wilde het blauwe boek met reglementen pakken, om na te gaan of de vakbond zijn advocaat en alle aan zijn verdediging verbonden kosten zou betalen. Maar zijn linkerarm schoot opeens uit en zijn vuist sloeg op de tafel.

Hij schrok van het geluid en uit zijn ooghoek zag hij Timmy met gekruiste benen op de vloer zitten en het stripboek waarin hij las laten zakken. Een fractie van een seconde voelde hij een soort opluchting, alsof hij zijn keel had geschraapt. Maar toen verkrampten zijn darmen weer en hij sloeg zo hard op de tafel dat de telefoon opsprong. Hij sloot zijn ogen, opende zijn vuist en probeerde rustig te worden.

'Pap?' zei de jongen voorzichtig.

'Ja?'

'Wie is denk je het engste monster van de wereld?'

Hij kneep zijn ogen halfdicht. 'Wil je dat echt weten?'

'Jaaah.'

Oké Timmy, wil je weten wie het engste monster is? Hij zag zichzelf met zijn arm over tafel vegen en in blinde woede het glas en de papieren over de keukenvloer smijten. *Wil je het echt weten? Het is het schijtmonster! Ja! Het SCHIJTMONSTER! Je probeert het zo lang mogelijk binnen te houden, maar het wil eruit. Ja, dat wil het! Het komt uit een lange donkere buis schieten en alles zit onder. Het overdekt je met stront zodat niemand in je buurt wil komen. En zit het eenmaal op je, dan krijg je het er nooit meer af, want het zit vol walgelijke wormen en onzichtbare bacteriën. Het besmet je voor het leven en je kunt het nooit wegspoelen. Oké? Snap je het?*

Hij keek naar zijn zoon en merkte dat zijn eigen ogen waren gaan tranen door de inspanning om alles binnen te houden. Je leven lang zeg je tegen jezelf dat je niet wilt eindigen als je ouweheer, en dan kijk je een keer in de spiegel en *daar is hij*. Een gemeen grapje van de biologie. Het is erger dan erg. Het maakt je een beetje dood. Omdat het betekent dat niets wat je ooit probeerde ook maar iets verandert.

'Pap? Waarom kijk je zo naar me?'

De jongen hield zijn hoofd iets opzij, alsof hij de open ruimte rond zijn vader voor het eerst zag. Hier begint het, dacht Mike. Hier begin je te denken dat je echt zou kunnen wegvluchten.

'De Wolfman.' Hij raapte zijn papieren op. 'Hij is de engste.'

'Waarom?'

'Omdat hij weet wat er aan de hand is, maar hij kan er geen eind aan maken.'

34

Lynn aarzelde toen ze voor het grote gangpad met tuinbenodigdheden achter in Home Depot stond.

Waar was iedereen? Voor in de zaak stonden lange rijen dikke aannemers, nerveuze vrouwen in flanellen shirts, en prikkelbare othodoxe joden van elders met karren vol bouwmaterialen. Maar hier achterin, bij het kippengaas en de zakken kunstmest, was het stil en grimmig als een mausoleum, afgezien van af en toe het zenuw tergende geluid van een cirkelzaag in de buurt.

Wat was er met haar aan de hand? Ze was altijd zo dapper en onbevangen. Bij de *Daily News* zat ze er totaal niet mee om met haar dure camera's een crackpand binnen te gaan. Maar sinds de begrafenis van Sandi was ze schichtig, en verstijfde ze zelfs als Barry van achteren zijn armen om haar heen sloeg.

Langzaam duwde ze haar karretje voort, waarvan de rubberen wielen over de betonnen vloer hobbelden. Haar ogen zochten op de schappen naar opbinddraad voor haar rozen, en een herten werend middel. Ze wist dat het laat in het seizoen was, maar ze hoopte ten minste de jonge loten tot het voorjaar te houden. Urine van coyotes hielp, zei Jeanine. Niets schrikt ze meer af dan de geur van roofdieren.

Ze hoorde het rammelende geluid van een andere kar. Ze keek over het gangpad maar zag niemand. Weer wenste ze dat ze met een vriendin had afgesproken om inkopen te doen. Deze toevallige momenten van alleen zijn waren de laatste tijd beklemmend. Ze liep verder, langs de zakken met ammoniumnitraat. Gebruikten terroristen dat niet soms om bommen te maken? Hemel, de paranoia kreeg haar echt te pakken.

Het metaalgekletter van de andere kar werd luider. Ze ging vlugger lopen en merkte dat het geluid van dichtbij kwam, alsof ze vanuit het volgende gangpad werd geschaduwd en door gaten tussen de schappen bespied.

Het gekrijs van de cirkelzaag snerpte in haar oren en deed haar weer aan Sandi denken. Ze maakte aanstalten om haar kar naar het einde van het gangpad te duwen en probeerde zich te herinneren of ze die morgen de batterij van haar telefoon had opgeladen. Waarom luisterde ze niet naar Barry? Het gedender van de andere kar was zo dichtbij dat ze het in haar kiezen voelde. Ze zag in dat ze de verkeerde kant op was gelopen en recht zijn pad ging kruisen. Hij zou dadelijk de hoek om komen en aan het einde van het gangpad op haar stuiten. Haar wielen klapperden toen ze probeerde te keren.

Maar toen verscheen de kwieke oude Clark De Cavalcante voor haar in zijn driedelige pak, als een geest uit 1948 met een wandelstok met wolvenkop aan zijn lege kar hangend.

'Goedenmiddag, mevrouw.' Hij tikte hoffelijk tegen zijn gleufhoed.

'Goedenmiddag, meneer De Cavalcante.' Ze knikte en gunde zichzelf een zuchtje van opluchting.

'U ziet er vandaag heel erotisch uit.'

'Wat... vriendelijk van u.' Ze vroeg zich af hoe ver de voorrechten van de ouderdom zich eigenlijk uitstrekten.

'Zou ik u mogen vragen me naar mijn atelier te vergezellen?' Hij glimlachte en toonde een rij gele tanden.

'Nee, vandaag niet, dank u.'

'Ach, ja.' Hij haalde zijn schouders op alsof zijn voorstel die dag al zes keer was afgewezen. 'Ik denk dat ik mijn geluk in de keukenafdeling moet beproeven.'

'Dat denk ik ook.'

'Adieu, madame.'

Ze zag hem wegsloffen, en toen ze zich omdraaide stond ze oog in oog met Michael Fallon.

'Ik wil je wat vragen,' zei hij. 'Ben je trots op jezelf?'

Zijn stem was als een hartdefibrillator, die haar abrupt een stap terug deed doen. Hij moest haar door de zaak zijn gevolgd tot hij haar alleen kon spreken.

'Hoorde je wat ik zei?' Zijn gezicht werd verbeten. 'Ik vroeg of je trots bent op jezelf.'

Ze moest er nog steeds van bekomen dat hij haar zo had beslopen. 'Hallo Michael.'

Zijn onderlip krulde. 'Ik heb dat stuk vuiligheid gezien dat je aan de chef hebt overhandigd. Je verklaring.'

Hij zag er ouder en misschien wat zwaarder uit dan op de dag van de begrafenis. Hij had drie groeven in zijn voorhoofd, en schaduw verdonkerde zijn wangen. Zijn bovenlip leek breder, alsof het hem moeite kostte zijn woorden in te houden. Zijn werkhemd rook naar vers gezaagd hout. Naast hem stond een oranje pallet met een stapel balken en een paar scherp gepunte hekpalen.

'Michael, het lijkt me echt niet gepast om hier met jou zo te praten...'

'O, dat lijkt jou niet gepast? Krijg nou wat. Lijkt het je voor jou wel gepast om me te laten schorsen, terwijl ik een vrouw en drie kinderen moet onderhouden? Nou?'

De cirkelzaag snerpte weer en ging haar door merg en been. Hij staarde haar aan, wachtend op antwoord. *Wie zal het eerst weg-kijken?*

'Jij deed wat je deed, en ik deed wat ik nodig vond,' zei ze, in een poging alles neutraal en onpersoonlijk te laten klinken.

De geur van zaagsel sloeg op haar keel. Waar waren al die andere klanten? Had ze soms een alarmsirene niet gehoord, zodat ze alleen was achtergebleven?

'Je bent een gemene leugenaar, Lynn. Weet je dat?'

'Ik ben geen leugenaar. Ik heb alleen maar gezegd wat er is gebeurd.'

'Volgens jou! Volgens jou!'

Ze kreeg een kloddertje spuug op haar wang. Ze herinnerde zich opeens de keer dat hij haar had gesmoord. Zijn duimen die door de zachte weefsels duwden en in het harde kraakbeen van haar strottenhoofd, net voor ze hem van zich af duwde. Hij zei toen dat het per ongeluk ging, dat het zijn bedoeling niet was, maar ze had het zich altijd afgevraagd.

'Aan ieder verhaal zitten twee kanten.' Hij stak met zijn wijsvinger naar haar gezicht. 'Zelfs die prachtige klotefoto's van jou kunnen liegen. Je laat dingen uit beeld. Je toont een man die een geweer oppakt, maar je laat niet zien dat het daar oorlog is of dat een vriend dood voor zijn voeten ligt.'

De cirkelzaag sneed weer door een stuk hout, met gekrijs dat overging in laag gegrom.

'Nou, ik denk dat je voor de rechtbank je dag wel zult hebben,' zei ze, haar rug rechtend tegen een rek met bungelende tuinscharen.

Laat hem niet zien dat je bang bent. Dat zal hem alleen maar sterker maken.

Zijn blik ging heen en weer en bestookte haar gezicht, terwijl hij over haar heen hing en met één hand tegen een schap boven haar leunde.

'Je gaat dit echt doorzetten, hè?' zei hij, ongelovig zijn hoofd schuddend.

'Ik zie niet wat voor keus ik heb.'

'Je moet beseffen dat je niet alleen míjn leven verwoest.'

'Wat moet dat nu weer betekenen?'

Hij trok zijn vinger terug. 'Denk maar na.'

'Hé maatje?' Een gedrongen bediende van Home Depot in een oranje shirt met een Everlast-gordel riep Mike van de andere kant van het gangpad. 'Wil je dat geïmpregneerde hout nog?'

'Ja, ik kom zo bij je,' bromde Mike, die langzaam bedaarde.

'Het ligt opgestapeld in gangpad negen.'

'Is goed, ik kom eraan.'

Eindelijk kwamen er meer klanten hun gangpad op, terwijl hij zich heel langzaam van haar gezicht losmaakte. Het was alsof ze een paar minuten in een duistere eigen droom opgesloten waren geweest, terwijl de rest van de wereld zijn dagelijkse gang ging.

'Je moet weten dat ik net iets begon te bereiken in de zaak van Sandi, toen ik dankzij jou werd geschorst,' zei hij zacht. 'Ik was bezig die ploert met zijn kop tegen de muur te spijkeren.'

Ze hield haar mond stijf dicht. Hij is krankzinnig, dacht ze. Hij is echt geschift. Ze wist dat zodra ze hem de schop uit Jeffreys handen had zien nemen en aarde op Sandi's graf scheppen.

'Weet je, ze was ook een vriendin van mij.' Hij begon tegen de hoog opgetaste pallet te duwen. 'Stom loeder.'

35

De gemeenteadministrateur, Beverly Crawford, was een vaag Pruisisch uitziende vrouw met haar in de kleur van dof koper en een gezicht als iets wat haastig op een servetje was getekend. Vooraan op haar bureau stonden een kalender van een bank en een donkerpaarse vaas met twee verwelkte narcissen. Op de achterkant van haar Compaq-monitor was de tekst geplakt: 'Ik kan maar een persoon per dag van dienst zijn en vandaag is niet uw dag.' In kleine letters stond daaronder: 'En voor morgen ziet het er ook niet best uit.'

'Wat kan ik voor u doen?' vroeg ze met een stem die sterke, zwaarbewapende mannen in wanhoop hun hoofdsteden had doen ontvluchten.

'Ik kom in verband met mijn verzoek op grond van de Wet openbaarheid van bestuur.' Barry leunde met zijn elleboog op de formica balie tussen hen. Hij had zich vanuit zijn werk gehaast om hier te zijn voor het kantoor sloot. 'Dit is de derde keer in vier dagen dat ik probeer uitsluitsel te krijgen.'

'Waar ging het ook alweer om?'

Mevrouw Crawford tikte zes keer op dezelfde toets en tuurde op haar computerscherm.

'Ik had gevraagd om verslagen van de Toeziende Raad voor Burgerklachten over Michael Fallon.'

Barry glimlachte, meer uit gewoonte dan met het idee dat hij haar voor zich in kon nemen.

'U hebt mijn officiële brief met het verzoek sinds vorige week.'

'Tja, ik weet niet waar die brief momenteel is. Ik heb die waarschijnlijk doorgegeven aan de gemeenteraad en het hoofd van de politie. Ik zal beslist spoedig van ze horen.'

Ze pakte een getypt vel papier van de inkomende post, bekeek het vluchtig en liet het in haar groene aluminium prullenbak vallen.

'Eigenlijk,' zei Barry, 'valt er voor hen niets aan te bespreken. Die verslagen zijn openbare informatie. Als ik erom vraag hebt u me die te geven.'

'Excuseert u me.'

Mevrouw Crawford liet haar ogen traag over zijn gezicht gaan, alsof ze haar laatste beetje belangstelling kwijt was, en nam de telefoon op.

'Ja?' bromde ze, met haar neus wringend.

Barry bleef voor het bureau staan, alsof hij wachtte op de terugstuitende bal.

'Tja, ik weet niet wat u van me verwacht dat ik doe met dat memo,' zei ze in de telefoon. 'Hij heeft al die getallen gewoon uit een hoge hoed getrokken.'

Barry kuchte en staarde naar haar kruin, zich ervan bewust dat ze op zo'n mythisch figuur leek uit een middeleeuwse sprookjesroman waar Clay en Hannah vroeger van hielden, zo'n wezen dat haar macht recht evenredig ontleende aan de hoeveelheid frustratie die ze bij de held van het verhaal kon wekken.

'Stuur hem gewoon nog een rekening en kijk of hij twee keer

betaalt,' zei ze. 'Maar val mij er niet mee lastig.'

Ze tikte de verbinding weg en ging een nummer draaien.

'Ik ben er nog,' zei Barry.

'Dat weet ik.'

'Ik zou hier graag weggaan met die dossiers.'

'En ik zou graag in maat achtendertig passen.' Ze drukte met een dikke vinger op een toets. 'Waar hebt u die dossiers trouwens voor nodig?'

'Daar hebben we het al over gehad. Ik hoef u dat niet te vertellen.'

Alsof ze niet al deels konden raden waar hij mee bezig was. Zelfs een klein kind kon doorhebben dat Fallon die truc met het radarpistool eerder had uitgehaald. De eerste vraag was of er eerdere klachten over deze handelwijze op schrift stonden. De tweede vraag was of hij in het verleden andere vrouwen net zo had lastiggevallen als Lynn. Barry had een halfjaar op het kantoor van de officier van justitie klachten over huiselijk geweld en corruptie bij de politie behandeld, en vermoedde dat het antwoord ja luidde.

Hij had besloten dat hij zelf met andere getuigen moest komen voor de disciplinaire hoorzitting, aangezien de aanklager nog contact met hen op moest nemen over hun verklaringen. Hij begon te vermoeden dat bepaalde lieden de zaak in de doofpot wilden stoppen. Hij wilde Lynn niet laten spartelen als de enige getuige tegen haar ex-vriend. Hij had al gemerkt dat ze bepaald mismoedig en benauwd keek als het onderwerp ter sprake kwam, en liever over Kerstmis in Parijs of haar voorjaarstentoonstelling sprak.

'Van hoe ver terug wilt u deze verslagen?' vroeg Beverly Crawford.

'Vanaf het moment dat hij in dienst kwam.' Ervan uitgaande dat Fallon ongeveer net zo oud was als zijn vrouw moest hij er begin jaren tachtig bij zijn gekomen. 'Minstens twintig jaar.'

'Nou, veel geluk dan. De meeste van die oude verslagen van de TRB zijn waarschijnlijk opgeslagen in Wisconsin. Het kost minstens zes weken om die boven water te krijgen.'

'Dan zou ik maar een manier bedenken om de zaken te bespoedigen...'

Een brigadier van de politie kwam fluitend binnen en legde een map op het bureau van mevrouw Crawford.

'Hé, schoonheid...'

Hij bleef naast haar staan en keek met wie ze in gesprek was. Toen hij Barry herkende hield hij abrupt op met fluiten. De brigadier keek van Beverly Crawford naar Barry en weer terug, en trok langzaam zijn conclusies.

'Hoe gaat het?' vroeg Barry, die besefte dat dit dezelfde agent was die hem vingerafdrukken had afgenomen op de avond dat Michael Fallon hem opbracht. Het leek alsof hij de geur van het inktkussen nog meedroeg.

'Gaat wel,' mompelde de brigadier, die zich met afhangende schouders omdraaide om de last van deze informatie mee te dragen naar het bureau aan de overkant. Barry vroeg zich af of het een kwestie van seconden of minuten was voor Fallon wist wat hij hier kwam doen.

'Er komt binnenkort een openbare raadsvergadering, hè?' zei Barry.

'Ik geloof dat er voor eind deze week een op de agenda staat.' Beverly Crawford keek de brigadier na, en de erotische gloed in haar ogen week langzaam. 'De burgemeester probeert gewoon iedereen op de hoogte te houden van het geval, zoals dat zich ontwikkelt.'

Ah, het geval-Lanier. Dus zo noemden ze dat deze week. Alsof het gebruik van het woord moord tot nog meer schade kon leiden.

'U moet weten dat ik het heel naar zou vinden deze zaak met hem op te nemen voor een publiek forum.'

Ze verbeet zich en gaf hem eindelijk haar volle aandacht.

'Ik begrijp niet goed wat u daarmee bedoelt,' zei ze.

'Ik bedoel dat ik hem op de volgende raadsvergadering kan vragen waarom zijn ambtenaren informatie achterhouden over wangedrag van de politie, die voor het publiek beschikbaar dient te zijn. Het lijkt me dat hij het wat pijnlijk zou kunnen vinden dat te horen, ten overstaan van alle scherpslijpers uit de stad die de laatste keer op hem hebben gestemd.'

Ze bleef even stil zitten en ging toen door met haar bezigheden, zoals nietjes trekken uit een hoge stapel documenten.

'Dat is denk ik uw recht als belastingbetaler,' zei ze.

'En ik zou hem ook kunnen vragen naar dat regelingetje met Northern Coastal voor het nieuwe golfcomplex en de flats die ze aan Prospect bouwen. Ik heb begrepen dat zijn zoon zich daar aardig aan het innestelen is als onderdirecteur. Ook heb ik gemerkt dat er weinig debat was toen de gemeenteraad die regeling goedkeurde. Eigenlijk herinner ik me helemaal geen bekendmaking van de stemming die moest komen.'

Hij had er alleen achteraf op het station over gehoord toen Marty Pollack het er vier weken eerder terloops over had. Dit soort onfrisse voor-wat-hoort-wat zou in de grote stad tot schreeuwende koppen in de *Daily News* leiden, maar hier stoorde nauwelijks iemand zich eraan omdat de meeste mensen zich alleen voor lage belastingen en goede scholen interesseerden. Maar volgend jaar waren er verkiezingen, en gezien de huidige omstandigheden werd de burgemeester scherp in de gaten gehouden en kon iedere misstap het bewijs vormen van diepe, onderhuidse morele verrotting.

'Ik weet zeker dat er iets over in de plaatselijke krant heeft gestaan,' zei mevrouw Crawford, milder nu, want ze besefte dat ze hier terrein verloor.

'Als dat zo is stond het zeker tussen de advertenties voor tweedehands auto's, met zulke kleine lettertjes dat alleen een mier met een dubbelfocusbril het kon lezen. Ik weet zeker dat zulke bekendmakingen volgens de reglementen "prominent" en "gemakkelijk toegankelijk" dienen te zijn. Dus wilt u dat ik hierover stampei ga maken, of gaat u me geven waar ik om vraag?'

Haar ogen vertoonden al de troebele blik in de verte van een slang die zijn oude huid gaat afwerpen. Ze greep naar de telefoon.

'Van hoeveel jaar terug zei u dat u die dossiers wilde?'

'Twintig jaar minstens. En laat geen jaar ontbreken. Ik zou niet graag terugkomen om dit hele gedoe nog eens over te doen.'

Ze ging een nummer draaien. 'Nou, u hoeft niet onvriendelijk te worden.'

36

'"Er was eens een konijntje dat weg wilde lopen..."'

Nog steeds ontdaan door haar ontmoeting met Michael kwam Lynn haar belofte na om langs Sandi's huis te gaan en de kinderen na school voor te lezen.

'"Als je wegloopt," zei zijn moeder, "kom ik je achterna."'

Dylan hing tegen haar aan op het bed, met zijn hoofd zwaar tegen haar borst. Wat miste ze deze troost van haar eigen kinderen. Zoals ze dan doezelig werd van het voorlezen, haar oogleden zwaar werden, en haar stem bewuste en onbewuste gedachten samenbracht, wanneer ze merkte dat ze het midden in *The Runaway Bunny* over 'John Sununu' en 'zilverbromide' had. Ze snotterde en merkte dat ze het wel erg te kwaad kreeg bij de aanblik van het moederkonijn dat in een beek met forellen naar haar kind vist.

'Verder,' eiste Dylan. Zijn hoofd week terug en bonkte als een bowlingbal tussen haar borsten. *'Lees voor!'*

'Zie je wel?' Lynn sloeg een blad om. 'Als hij een krokus wordt in een verborgen tuin, wordt zijn moeder een tuinman en vindt hem...'

Haar stem werd nasaal; de voorbode van tranen. God. Waarom wilde hij per se dit boek? Een schrijver die tweeënveertig jaar oud onverwacht overleed. Een van een ouder gescheiden kind. Dat constante gevoel van verlies en moeten zoeken. De fantasie van een overheersende moeder, zei Sandi ooit voor de grap.

'O, kijk' – Lynn veegde een traanspetter van het papier – 'ze is koorddanser geworden.'

'Mamma zei dat ze me altijd zou gaan zoeken,' zei Dylan.

'Wat?'

'Mamma zei dat als ik bij haar werd weggehaald, ze me altijd terug zou halen.'

Weer had hij dat griezelige, onkinderlijke mechanische in zijn stem.

'Wie dacht ze dan wie je mee zou nemen?' Ze pakte hem zachtjes bij zijn schouders en probeerde hem om te draaien. Maar hij hield zich stijf en weigerde haar aan te kijken.

'Dylan?'

Zijn hoofd draaide naar de deur.

'Dacht mamma dat iemand je zou willen stelen?'

Ze kreeg weer dat prikkelende gevoel in haar nek. Alsof iemand haar bekeek.

Dylans hoofs kwam los van haar borst.

'Pappa!' Hij kwam van het bed en snelde naar de deuropening.

Daar stond Jeff in een wit poloshirt, en hij zag er maar weinig minder ontdaan uit dan op de dag van de begrafenis.

'Hai, Lynn,' zei hij, genietend van het gevoel dat zijn knieën werden omvat. 'Ik zal het van je overnemen.'

'Jemig, ik heb je niet eens boven horen komen.' Ze zuchtte diep toen ze haar voeten op de grond zette en haar schoenen zocht.

'Zo ben ik,' zei hij. 'Het sterke, stille type.'

Dus die kant gaat het op. Zelfs een kinderboek kan me van streek maken. Ze schoof in haar schoenen en gaf Jeff een kusje op zijn wang toen ze hem in de deuropening passeerde. 'Ik moest maar gaan. Mijn kinderen kunnen elk moment uit school komen.'

'Je bent geweldig, Lynn.' Hij raakte haar elleboog aan. 'Sandi wist altijd dat ze op je kon rekenen.'

Ze haastte zich de trap af en de lege hal in, met in haar oren nog steeds: *Als je wegloopt kom ik je achterna.*

37

'Ontbreekt hier nog wat?' vroeg Harold van achter een batterij open bakjes met Chinees eten op zijn bureau, en de rapporten die Paco voor hem had geschreven.

'Dat is alles wat ik in het systeem heb gestopt.'

Paco zat aan de andere kant van de Chinese Muur van afhaaleten te spelen met de oranje rugbybal die Harold voor tijden van extreme stress in zijn la bewaarde.

'De man van Sandi Lanier is het hele weekeinde voor zakenbesprekingen in New England geweest.' Harold liet zijn dubbelfocusbril zakken. 'Wat denk jíj daarvan?'

'Het klopt allemaal.' Paco wierp de bal tussen zijn handen heen en weer. 'Lanier landt donderdagmorgen op Logan, en schrijft zich rond elf uur in bij het Four Seasons-hotel. De volgende drie dagen toert hij rond in een gehuurde Tempo en spreekt mensen met risicodragend kapitaal. Op zondag gaat hij met twee studievrienden zeilen in New London. Op maandag heeft hij nog twee gesprekken in Providence. Om halfvier levert hij op Logan de auto in bij Avis. Om vijf uur landt hij op La Guardia. Kort na zevenen komt hij thuis, bijna twaalf uur nadat zijn vrouw zonder hoofd de rivier is af komen afdrijven.'

'Heb je zijn mobiele telefoon en hotelgegevens nagetrokken?'

'Hij belde dat weekeinde twee keer naar huis en zo'n zes keer over zaken vanuit het hotel. Volgens mij mag hij dan zijn zaak wat te mooi hebben voorgesteld, maar daarmee is hij niet anders dan de meeste mensen hier.'

De chef stopte zijn bril in zijn vestzak, terwijl ze samen even de morele soepelheid van blanke mensen en hun geld beschouwden.

'Denk jij dat hij het hoe dan ook toch kan hebben gedaan?' vroeg hij zijn rechercheur.

'Als die mogelijkheid er is, zie ik die niet.' Paco liet de bal op zijn schoot rusten. 'Ik heb mensen gesproken die hem op al die dagen hebben gezien. De enige hiaten zijn de tijden waarop hij sliep en zondagavond een paar uur, toen hij naar zijn zeggen *Moulin Rouge* is gaan zien. Hij zou zo'n driehonderd kilometer moeten hebben gereden om op tijd terug te zijn voor zijn bespreking op maandagmorgen. Het is mogelijk, maar...'

Hij hield zijn handen op, waarmee hij aangaf hoeveel hard bewijs hij momenteel had om aan een jury voor te leggen. Een tweedejaars student rechten zou er de vloer mee aanvegen.

'Kan hij iemand hebben betaald om het voor hem te doen?' vroeg de chef.

'Terwijl we denken dat hij krap bij kas zit?' Paco trok zijn schouders op. 'Ik zal proberen het na te gaan, maar ik moet je zeggen dat huurmoordenaars geen vakantiekorting geven, zelfs niet bij deze economie.'

'Shit.' Harold duwde het blik *beef lo mein* weg waar hij onverschillig wat van had gegeten en wenste dat hij binnenkort eens vroeg naar huis kon om met zijn gezin te eten. 'Ik denk dus dat we de andere man eens moeten gaan bezien. Wilde je dat niet zeggen?'

'Tja broeder, ik spreek niet graag kwaad van een collega, en ik weet dat jullie elkaar al heel lang kennen. Maar dan trek je je conclusies.'

'Laat maar horen.'

Harold veegde zijn handen af met een papieren servetje en ging naar voren zitten, waardoor een scheurtje in het leer achter hem zichtbaar werd.

'Hij kent het slachtoffer van vroeger en werkt rond het huis als de kinderen en de echtgenoot er niet zijn,' zei Paco.

'Mmm.' Harold bromde en dacht weer aan wat Lynn had gezegd over 'omgang' tussen die twee. Verdomme. Dat zouden ze hard moeten maken met een echte bron. Niet dat hij het niet al zelf had bedacht, maar wat wisten de vrouwen in deze stad nog meer? En hoe abonneerde je je op hun gesloten vierentwintiguurse nieuwsnetwerk?

'Hij was die eerste morgen op de plaats van het misdrijf bij het station,' vervolgde Paco zijn uiteenzetting, alsof hij een fiets in elkaar zette, 'dus zijn voetafdrukken waren overal op de oever toen ik met gips ging werken. Vervolgens doet hij erg schutterig over de aard van zijn relatie met mevrouw Lanier als ik ernaar vraag. En hij blijft mevrouw Schulman lastig vallen en wil weten of Sandi haar ooit heeft gezegd dat ze een verhouding had. En dan duikt er een blik van hetzelfde houtconserveringsmiddel dat hij gebruikt op in de tas met het hoofd van het slachtoffer...'

'Denk je dat het kan zijn dat iemand hem erin wilde luizen?' Harold trok zijn wenkbrauwen op.

'Ik ben nog niet klaar.' Paco schudde zijn hoofd. 'Hij heeft toegang tot al het fysieke bewijs in de kluis, dus ik weet niet eens wat we behalve het dagboek nog meer missen. Er kunnen vingerafdrukken, tapijtvezels en haarmonsters zijn die ik nooit heb kunnen bekijken omdat hij me voor was.'

'Verdomme...' Harold bekeek de bak met witte rijst, maar moest er niets van hebben.

'En dan is er nog de laptop.'

'De laptop?'

'Die we uit haar huis hebben meegenomen. Die bevatte een stel e-mails van iemand met de codenaam Topcat 105.'

'O ja?' zei Harold. Hij herinnerde zich de vroegere stripfiguur Top Cat, die mensen altijd een kwartje aan een touwtje gaf en het dan uit hun handen rukte.

Topcat werkte momenteel waarschijnlijk voor de federale regering.

'In de laatste e-mail vroeg deze Topcat mevrouw Lanier hem te treffen in hetzelfde motel waar de staatspolitie haar Audi een paar dagen later vond. Er staat: "Ik heb een paar dingen van je die je misschien terug wilt hebben. Mis je die oorbel?"'

Harold keek of zijn deur wel goed dicht was. 'En wie is deze Topcat?'

'Zijn ledenprofiel geeft de naam J.C. Martin en zegt dat hij een atletisch gebouwde wetshandhaver is met de glimlach van een filmster.'

J.C. Martin. Harold nam even tijd om zijn ogen te sluiten en probeerde de naam in de databank van zijn geheugen. Het was al gauw raak en hij moest ervoor terug naar de lunchroom van de middelbare school. Hij zat tussen een stel blanke leerlingen rond een kleine transistorradio te luisteren naar het verslag van de vierde wedstrijd in de World Series van '69. *En de bal raakte Martin op zijn pols toen hij op weg was naar het eerste honk!* Een reservevanger van de Mets, die zijn ene moment van glorie beleefde omdat een verdwaalde bal van Baltimore hem raakte en hij een vrije loop kreeg. Hij herinnerde zich dat de lunchroom ontplofte van blijdschap. Iedereen sprong juichend op en klopte hem op zijn rug alsof hij eindelijk een van hen werd, alleen door een Mets-fan te zijn. Hoe meer hij erover nadacht, hoe zekerder hij wist dat Mike een van de blanke jongens was die een arm om hem heen sloeg.

'Het is een schuilnaam,' zei hij.

'Dat leek mij ook, ook al ben ik een fan van de Yankees.' Paco kneep in de bal op zijn schoot. 'Het ziet er niet goed uit.'

'Kun je bewijzen dat het om Mikes account gaat?'

'Ik werk eraan met de juridische afdeling van het internetbedrijf. Ze hebben allerlei privacywetten om de identiteit van mensen te beschermen.'

Harold plofte achterover in zijn stoel, en een bliksemschicht van woede schoot door zijn brein. Lang geleden had hij zich bij het feit neergelegd dat dit een onvolmaakte wereld was, en dat er weinig anders opzat dan de bittere, onveranderbare feiten te aanvaarden. Toen hij zeventien was hoorde hij dat zijn vader, van wie hij heel veel hield, een verhouding met een weduwe had en dat nooit aan zijn moeder had verteld. Maar op dit moment voelde het alsof hij langzaam gewurgd werd door zijn stropdas.

'Heb jij een theorie voor het motief?' vroeg hij, zijn stropdas losser makend.

'Nog niet, maar het is verrekte duidelijk dat er iets met hem loos is, na dat idiote gedoe met mevrouw Schulman en haar man. En dan die vertoning op de begraafplaats. Ik dacht dat hij water ging aanboren met dat gegraaf...'

'Ik heb hem steeds gezegd dat hij het erbij moest laten,' mompelde Harold, in ritmische frustratie aan zijn stropdas trekkend. 'Ik zei het één keer, ik zei het verdomme wel honderdvijftig keer.'

'Je liet hem veel ruimte.'

'Hij heeft me het leven gered, Paco. Niet alleen met die gekke oude vrouw, maar ook honderdduizenden andere avonden op straat. Weet jij hoe het is als je zo'n patatbaal achter in je auto moet zien te krijgen, met vijftig man familie en vriendjes eromheen die roepen: "Pak ze hun wapens af?"'

'Nou en? Ik probeer je baan te redden.'

Harold trok een grimas en raakte zijn rechterzij weer aan, want hij voelde de oude steekwond een beetje schrijnen.

'Ik zie het niet,' zei hij.

'Wat zie je niet?'

'Ik zie hem Sandi niet vermoorden. Ik zie een echtgenoot zijn vrouw vermoorden omdat ze bij hem weg wil. Maar een minnaar als de dader?'

'Ik heb het meegemaakt.' Paco haalde zijn schouders op. 'Hij moet alles per se in de hand hebben. Misschien probeerde ze het met hem uit te maken.'

'Het zegt me nog steeds niets.'

Harold trok zijn bureaula open en zocht de Motrin. Hij hoefde tenminste die akelige antibiotica niet meer te slikken waardoor hij om de vijf minuten naar het toilet moest rennen, toen de wond nog heelde.

'Hoe is hij in het algemeen in de omgang met vrouwen?' vroeg

Paco, om een andere invalshoek te proberen.

'Goed... oké... niet slecht. Beter dan sommigen, slechter dan anderen. Waar wil je naartoe?'

'Ik wil maar zeggen dat ik in de Bronx een paar jaar aan zedenmisdrijven heb gewerkt. Ik weet hoe het spel gaat. Heeft hij hierin een voorgeschiedenis?'

'Luister, de man is geen heilige.' Harold pakte het flesje Motrin en ging met de dop worstelen. 'Ik verdedig zijn optreden bij mevrouw Schulman niet. Of het feit dat hij een verhouding met Sandi had. Maar ik zie hem niet iemands hoofd afhakken en het lijk in de rivier gooien. Dat verband moet je voor mij plausibel maken.'

'Sommige mannen beginnen klein en komen dan van kwaad tot erger.' Paco haalde zijn schouders op. 'Het is als een drug, broeder. Je moet steeds wat verder gaan en wat meer van het spul nemen om het nog te kunnen voelen.' Hij sloeg met zijn vuist in zijn hand voor nadruk. 'Misschien heeft hij een paar keer te veel genomen.'

'Ik zie het nog steeds niet.'

'Dan zit je er misschien te dicht op. Ik wil je wat anders vragen, chef: als hij Sandi naaide, maar haar niet vermoord heeft, waarom vertelde hij ons dat dan niet gewoon?'

'Ik weet het niet.' Harold trok de dop van het Motrin-flesje en zag dat er alleen nog watten in zaten. 'De bevelsketen. Hij was bang dat ik hem dan van de zaak zou halen en de weg op sturen. Problemen thuis. Hij dacht dat Marie hem dan de zak zou geven en de kinderen zou meenemen. Je kunt van de man zeggen wat je wilt, maar hij houdt van die kinderen.'

'Dan is het gunstigste scenario dat hij een onderzoek heeft belemmerd en het bewijs heeft besmet tegen degene die zijn minnares heeft vermoord.'

'Misschien dacht hij het roer in handen te kunnen houden en om de problemen heen te sturen.' Harold wierp het Motrin-flesje nijdig over zijn bureau. 'Wie zal zeggen wat hij dacht? De man heeft in zijn leven meer rottigheid gezien dan veteranen van twee wereldoorlogen. Misschien werd het hem te veel.'

Had een vriend moeten proberen meer te helpen? Harold wilde zich er niet te gemakkelijk van afmaken. In zijn nieuwe baan als chef had hij zich voorgehouden dat hij zich niet meer kon veroorloven te dicht bij de mannen te staan, maar tegelijk wist hij dat hij niet zo veraf kon staan dat hij geen idee meer had van wat er bij hen leefde.

'Heb je al dit materiaal dus in het systeem ingevoerd?' vroeg hij.

'Ben je gek geworden?' Paco liet de bal van zijn schoot rollen. 'Zodat een verdediger het allemaal kan opvragen als we uiteindelijk iemand anders arresteren? We zijn gesjochten als ze de hand kunnen leggen op al die notities. Daarom wilde ik het eerst met jou bespreken.'

Harold zag de oranje bal onder zijn bureau naar zijn voeten rollen.

'Wat zou je dan willen doen?' Hij bukte zich om de bal op te pakken en voelde een scheutje in zijn zij.

'Ik wil hem rechtstreeks aanpakken.'

'Je bedoelt menens?'

'We hebben bijna genoeg voor een aanhoudingsbevel,' zei Paco. 'En hij zit al in de rats door die hoorzitting. Laten we het allemaal voor hem neerleggen. Hem hard aanpakken. Frontaal. Liegen over die verhouding! Bewijs verdonkeremanen! Onze vragen niet beantwoorden! De e-mails. Vraag hem om DNA-materiaal zodat we dat met de vloeistoffen op het lichaam kunnen vergelijken en zien of ze van hem zwanger was. Geef hem het gevoel dat hij boft als we hem even met rust laten.'

'Het zal niet werken.' Harold schudde zijn hoofd.

'Waarom niet?'

'Het is niet genoeg. Ik ken deze man. Er mag een draadje aan hem loszitten, maar de lichten branden nog. Hij zal dwars door ons heen kijken. Als we maar één keer op hem mogen schieten moeten we maken dat hij niet meer opstaat en wegloopt.'

'Hoe zou jij het dan willen spelen?' vroeg Paco.

'Blijven graven. Geef ons wat meer concreets. Zie of je kunt bewijzen dat die e-mails van Mike zijn. Doe buurtonderzoek om getuigen te vinden die misschien het lijk hebben zien dumpen. Geef het nog een paar dagen.'

'Goed.' Paco knikte.

'Toch maak ik me om één ding zorgen.' Harold hield de bal bij zijn oor en voelde een felle pijn in zijn zij.

'Om wat dan wel?'

'Of we erop kunnen vertrouwen dat Mike intussen zijn handen thuis houdt.'

'Ik weet het niet.' Paco stond op. 'Jij kent hem beter dan ik.'

38

'Ik heb hem vandaag weer gezien,' zei Lynn.

Het was halfeen 's nachts, en ze zat rechtop in bed te luisteren naar de takken die tegen het raam tikten, en te kijken naar het spel van maanlicht op het profiel van haar man.

Barry's oogleden trilden. 'Wie?'

'Michael. Hij was in het gangpad bij Home Depot.'

Barry draaide op zijn zij en was opeens klaarwakker.

'Waarom heb je me dat niet eerder verteld?' vroeg hij.

'Ik wilde het niet zeggen met de kinderen erbij.'

'Probeerde hij met je te praten?'

'Hij was behoorlijk kwaad, zoals je kon verwachten.'

'Wat zei hij precies?' Ze hoorde iets van ongeduld in zijn stem, als bij een gewezen aanklager die nauwkeurigheid verlangt.

'Hij bleef maar vragen: "Ben je trots op jezelf?"'

'Ben jíj trots op jezélf?' Hij keerde ieder woord om, als om de onderkant goed te bekijken. 'Wat moet dat nu weer betekenen?'

Hier is het, Lynn. Hier is je opening.

'Ik denk dat hij bedoelde dat we elkaar al heel lang kennen,' begon ze voorzichtig.

'Ja. En?'

Luister naar me, dacht ze. *Hoor niet alleen de woorden. Hoor wat ik niet zeg.*

'Sommige familieleden van hem stonden me ook heel na.' Ze drukte wat verder door. 'Heb ik je ooit over zijn broer verteld?'

'Nee,' zei hij, mannelijk en frustrerend onvermurwbaar blijvend. 'Hij was vast geweldig. Maar wat zou dat? Attila de Hun had waarschijnlijk ook een aardig zusje. Moet dat een excuus zijn?'

Nee. Hij heeft het signaal gemist. Er was voorheen een soort onderfrequentie tussen hen, een stille manier om hem ertoe te brengen de juiste vraag te stellen, maar ze verstonden elkaar niet meer zo goed. Te veel ruis op de lijn. De signaal-ruisverhouding was zoek. Zelfs hun seksleven kwakkelde de laatste tijd. Lange tijd was dat geweldig geweest, echt geen saaie getrouwde-stellenseks, maar kosmische postapocalyptische superseks. Maar de laatste tijd hadden ze vluchtelingenseks, een beetje verholen en ongemakkelijk, alsof ze het tussendeks deden, te midden van horden andere ondervoede immigranten.

'Heb je de politie gebeld om het te melden?' Barry duwde de dekens weg.

'Ik sprak een van de brigadiers, Larry Quinn. Hij zei dat er geen wet bestaat die verbiedt dat je iemand aanspreekt in een gangpad van een bouwmarkt.'

'Nonsens.' Hij ging platliggen en stootte zijn hoofd tegen het bedschot. 'Jij bent een belangrijke getuige in een disciplinaire procedure tegen een politiefunctionaris.'

'Ze zeiden dat iemand hem informeel zal aanspreken om afstand te houden.'

'En moeten we ons daar beter bij voelen?'

Ze zwegen beiden even en keken naar de schaduwen van esdoornbladeren op het plafond.

'Ik wil dit eigenlijk niet doen,' zei ze. 'Ik wil niet tegen hem getuigen.'

'Fantastisch,' zei hij, 'wij houden onze mond dicht en hij gaat vrijuit? Is dat het idee?'

'Zou dat nu echt zo vreselijk zijn?'

'Verdomme nou! Ik ben net een hele middag kwijt geweest om oude klachten tegen hem op te diepen. Die vent heeft een dossier als de *Sunday Times*. Klachten over lastig vallen van minstens twee vrouwen, en vier klachten over geweld bij de schoonveegactie in het rivierkwartier. Als we hem laten lopen, wat zal hij dan de volgende keer doen als hij langskomt?'

Ze hoorde in het bos ver weg een geluid als het knappen van een scheepstros. Je zou het hem moeten vertellen. Hij zal het begrijpen. Of niet.

'We zouden weer kunnen verhuizen,' zei ze, haar kin tegen haar knieschijf wrijvend. 'Ons oude appartement in Manhattan doet waarschijnlijk een paar honderd dollar minder aan huur sinds de Elfde.'

'Meen je dat?'

'Zo'n beetje. Als we eens na de kerstvakantie in Parijs bleven? Weet je nog dat we het altijd hadden over daarheen verhuizen?'

'Ja, voor we kinderen hadden, en hoge cholesterol.'

Ze tastte in het donker naar zijn hand. 'Wil je echt niet nadenken over verhuizen?'

'Lynn' – hij zuchtte en beroerde met zijn knokkels zacht de hare – 'al ons geld zit in dit huis. We kunnen niet zomaar inpakken en wegwezen. Als we het bij deze markt proberen te verkopen houden we weinig over.'

'Ik dacht dat je zei dat onze aandelen elk moment weer de hoogte in konden schieten.'

Ze voelde hem naast haar verkrampen, als een centrum van zwaartekracht dat in de matras wegzonk. 'Het is laat,' zei hij, en wilde wegdraaien. 'We moesten hier morgen maar over praten.'

Hij was als een televisiezender die ging sluiten. *Dit is het einde van onze uitzendingen van vandaag.*

'Heb je voor je in bed kwam gecontroleerd of alle deuren op slot zijn?' Ze zag hem de dekens over zich heen trekken. Zijn silhouet golfde van haar weg en werd een vormeloze hoop.

'Ja.'

'Heb je de kinderen ingestopt?'

'Hannah is zeventien,' mompelde hij. 'Als ik die probeer in te stoppen stuurt ze de kinderbescherming op me af.'

'Ze zijn nog steeds erg jong.'

'Lynn' – hij tastte naar haar in het donker – 'alles zal in orde komen. Dat weet je toch?'

'Dat blijf je tegen me zeggen.' Ze sloeg de sprei terug en wilde uit bed stappen. 'Ik ga nog even bij ze kijken. Dat moet ik gewoon.'

Ze liep op blote voeten over het koude parket de gang in en pakte onderweg haar blauwe flanellen ochtendjas. Volgens de thermostaat was het in huis twintig graden, maar dat leek onwaarschijnlijk. Zelfs met haar pyjama onder haar ochtendjas drong de kilte tot haar botten door.

Noem me Cleopatra, Koningin der Ontkenning.

Ze ging eerst naar Clays kamer en trof hem ineengerold aan onder zijn sprei, met een actiepoppetje in zijn hand, als een talisman om boze geesten te verjagen.

Bijna dertien jaar oud. Moest ze zich zorgen maken? Hannah had de meeste van haar poppen weggedaan toen ze tien was. Zou hij niet ten minste iets moeten hebben wat meer bij zijn leeftijd paste, zoals een seksboekje onder zijn kussen? Ze streek zijn haar glad en ging naar de kamer van haar dochter.

Het hol van verdorvenheid. De deur liet een langgerekte piep horen en ze kromp ineen, in afwachting van een misprijzend geluid en de onvermijdelijke geërgerde vraag – *Wat doe je?* Naar haar gevoel was het weken geleden dat ze deze ruimte onuitgenodigd betrad. Schijnsel van een rood wandlampje verlichtte de poster van Marilyn Manson en de Egyptische amulet die aan een spijker boven het bed bungelde. Ze voelde een steek toen ze aan de vingerverfschilderijen van de kleuterschool en aan de gekleurde potloodtekeningen dacht die ze vroeger met tape op de muren plakten. In de tijd dat Hannah net als haar moeder foto's wilde maken.

Ze liep behoedzaam, want ze wist dat ergens in het donker stapels romans van Anne Rice en cd's van de Cure stonden. Om een of andere reden duurde haar gothic-obsessie langer dan haar andere fasen. Er hingen vaag de geuren van patchoeli en pas gebrande wierook. Hé, wat was er gebeurd met het flesje Chanel 5 dat ze vorig jaar voor Hannahs verjaardag bij Bloomingdale's had gekocht? Haar dochter lag met haar gezicht naar boven op haar kussen, de volle maan deed haar babyvet wegsmelten, en een dun zwart hemdbandje was van haar blote schouder gegleden, alsof ze wachtte om genomen te worden.

Het werd weer tijd voor zo'n gesprek tussen hen, als die tijd niet al voorbij was. Bij het zien van die zachte witte schouder voelde ze met een redelijke mate van zekerheid aan dat Hannah aan seks was begonnen met Dennis Paultz, en alles wat ze daar nu aan kon doen was zorgen dat haar waarschuwingen over bescherming ter harte werden genomen, en Barry voorbereiden, opdat hij niet met zware beperkende maatregelen hoefde te komen als hij het te weten kwam.

Ze ging op de rand van het bed zitten en vroeg zich af of ze het moment had gemist. Tegenwoordig keek ze steeds vaker rond en vroeg ze zich af waar haar kinderen heen waren. De details van hun dagelijkse leven waren niet langer een tweede natuur voor haar. Midden in gesprekken doken vrienden, plaatsen en gewoonten op waar ze nog nooit van had gehoord.

Ze voelde aan Hannahs satijn-zachte gezicht, een voorrecht dat haar overdag niet meer was vergund.

Ben je trots op jezelf? Waarom zei ze op dit moment niet iets tegen Barry? Alles was er klaar voor. Het licht was perfect. Maar op een of andere manier miste ze de kans om in te kaderen en de sluiter te laten klikken. Waarom kon ze er niet gewoon mee komen? Maar hier zat ze, rond middernacht op zwerftocht door het huis, te luisteren naar de geluiden van het huis, die echoden en de tegenstrijdigheid in haar gedachten versterkten.

Het viel haar in dat geheimen soms waren als een stad, met hun eigen sociale rangorde. De geslaagden die zich koesterden op de top van de heuvel en bezig waren achtenswaardig te worden. De statuszoekers in het midden, die trachtten bezig te blijven zodat niemand hen te zeer aan de tand zou voelen. En helemaal onderaan de onnoembaren, de dingen waaraan je probeerde niet te denken, de herinneringen die je zelfs nauwelijks aan jezelf kon bekennen. Ze werkten als een gemuteerde werkploeg onder de oppervlakte, zwoegden in de dampende, malende infrastructuur, duwden de molenstenen voort, laadden kolenwagens, groeven steeds dieper in het sediment en troffen soms een ader, waardoor het schuim opspoot in de bovenwereld.

In het besef dat ze niet gauw in zou slapen wandelde ze weer de gang op. In de grote slaapkamer snurkte Barry onbekommerd voort als de verre branding. *Alles zal in orde komen,* had hij gezegd. En daar ging ze dan van uit. *Ben je trots op jezelf?*

Ze zag de deur van de kleine werkkamer aan de andere kant van de gang halfopen staan. Er kwam een zacht schijnsel uit, als een baken. Haar hart sloeg over bij de gedachte dat daarbinnen iemand was. Maar toen ze de deur voorzichtig open duwde, zag ze dat de kamer leeg was, en de computer aan stond. Toen ze die wilde uitzetten zag ze een grijsblauwe grijnzende duivelskop op het scherm, met in zijn mond een venster met de vraag: 'Weet je

zeker dat je wilt worden vrijgelaten uit het duistere rijk? Ja/Nee.'
Hemel, weer zo'n spel van Clay voor het creëren van je eigen wereld, en dan de bewoners martelen als een kwaadaardige god. Ze
zette het uit en vroeg zich af of Barry de jongen te veel onder druk
had gezet met dat bar-mitswagedoe en hem een boze-messias-
complex had bezorgd. De duivelskop verdween en er verscheen
een begroeting van America Online. Waren ze daarbij aangeslo-
ten? Buiten hoorde ze een zacht *tjak-tjak*, als het tegen elkaar tikken van twee natte knikkers. Een specht? Een krekel? Ze had altijd een ongebreidelde fantasie gehad in de late uren. Zo vertelde
ze haar jongere zusje, Carol, verhalen over ruiters zonder hoofd
en in stukken gehakte schoolmeisjes, waar ze beiden zo angstig
van werden dat ze in één bed moesten slapen. Ze ging in de stoel
zitten en betreurde het dat ze die knusheid nooit meer terug hadden gekregen. Door met de ziekte van haar moeder op slag volwassen te worden, was Lynn in een van de mensen veranderd waar
Carol van weg moest. En zo was ze helemaal in Oregon bij een
commune gegaan. Daarna was ze met een architect getrouwd en
had een eigen gezin gesticht. Ze had meer dan genoeg van MS,
haar bazige oudere zus en Riverside in het algemeen. Misschien
had ze het juist gezien, dacht Lynn, door helemaal opnieuw te beginnen, in plaats van met hangende pootjes terug te komen, als
de verloren dochter.

Lynn keek op de klok in de hoek van het scherm en zag dat het
bijna een uur was, maar in Portland nog voor tienen. Haar neef-
jes zouden wel slapen, en Carol zou bijna zeker hondsmoe zijn,
maar Lynn had behoefte aan voeling met iemand. Er was een soort
wanhopige eenzaamheid over haar gekomen, een verlangen naar
vrijblijvend contact.

De poten van de stoel kraakten toen ze een koude voet onder
haar zitvlak trok. Haar vingers dansten over de toetsen toen ze
haar naam en haar wachtwoord invoerde. De computer maakte
dat rare geluidje als van een zekering die doorbrandt, wat haar
eraan herinnerde dat er nu maar eens een DSL-lijn moest komen.
Ze drukte op *sign-on* en wachtte op verbinding, terwijl de elek-
tronische pulsen door kilometers glasvezelkabel schoten en zich
als ranken over het land vertakten, op zoek naar iets of iemand
om zich mee te verbinden. En net voor die heldere, onpersoonlij-

ke mannenstem 'welkom!' zei, hoorde ze een geruis alsof iemand tegen het huis plaste.

Ze verstijfde even en probeerde een goedaardige verklaring te vinden. Een dier. Herten en wasberen doen ook kun behoefte. Waarom zouden ze het daarbuiten niet doen? Misschien had ze die middag terug moeten gaan voor die zak coyote-urine, om ze weg te houden.

'U hebt mail!' verkondigde de stem in de computer, als de meest ambitieuze stewardess ter wereld.

Ze klikte de gele envelop aan en zag dat ze drie boodschappen had van François in de galerie, waarschijnlijk omdat hij het wilde hebben over hun lunch op donderdag en de meest recente afdrukken die ze hem had gestuurd voor de voorjaarstentoonstelling. De gastarbeidersserie voor het pand van Starbucks. Ze wist dat hij die vreselijk zou vinden. *Te kleurloos*, zou hij zeggen. *Te pittig. Is dit niet een beetje ouwe koek, sociaalrealisme uit de jaren dertig? Waar is de zeggingskracht? Waar is de schoonheid omwille van de schoonheid?* Ze dacht erover François te vragen de expositie een maand uit te stellen. Hoe kon ze trouwens momenteel aan werken denken? Het zou zijn alsof ze midden in een zandstorm een foto probeerde te maken.

Ze opende de eerste e-mail en net toen ze de woorden *Union Square Cafe, halfeen?* ging lezen klonk buiten hevig geritsel. Een windvlaagje blies de kamer in. Met haar handen op haar armen voor warmte ging ze het raam dichtdoen, waarbij de vloerplanken klaaglijk zuchtten, alsof er een lied onder gevangenzat.

De wind waaide hard tegen het raam. Ze zag het onophoudelijke buitelen van boomtoppen in het maanlicht. De kilte bekroop haar. Het *tjak-tjak* kwam van recht onder het raam. Vlug deed ze het dicht en deed een paar stappen. Rustig daar. Mike komt toch niet midden in de nacht naar je huis? Nee toch?

Het lunchvoorstel stond nog op het scherm, braaf te wachten op haar antwoord. Nee, Mike zou dat niet wagen. Larry Quinn had gezegd dat iemand met hem zou praten. Maar toch was er onmiskenbaar iets in de nabijheid. Bij het raam had ze het sterk gevoeld, als een verstilling in de lucht, een kopersmaak in haar mond die haar aan deze middag herinnerde.

Genoeg. Ze maakte zichzelf bang. Ze tikte op de antwoordtoets en typte 'tot dan' terug naar François, plus iets wat naar ze hoopte als kranig zelfvertrouwen klonk, en wilde de computer uitzetten. Maar net voor ze rechtsboven op het kruisje drukte knipperde het scherm. Een soort van goedkoop windgonggeluidje kwam uit de luidsprekers en in de linkerhoek verscheen een wit venstertje wat een chatbericht inhield.

Scherpe zwarte woorden vulden de bovenste regel.

IK WEET WAT JE AAN HET DOEN BENT.

Haar hart klopte in haar keel. Hoe kon iemand zelfs maar weten dat ze op dit uur op was? Kon hij haar zien?

Ze wilde opstaan van haar stoel. Toen verscheen er een tweede regel. BEKIJK JEZELF.

In paniek zette ze het scherm uit voordat de naam van de afzender volledig tot haar doordrong. Ze kon niet toelaten dat dit verder ging. De dreiging zat al aangestampt en brandend in haar hoofd. Langzaam week ze achteruit en gooide haar stoel om, alsof er een hand uit het scherm zou komen. 'Tot ziens!' zei de ambitieuze stewardess. Ze keerde zich om en rende weg, met haar blote voeten op de overloop stampend, wat de holle ruimte onder de planken hoorbaar maakte. Haar slaapkamerdeur stond nog halfopen en ze dook erin naast Barry, tegen wiens lichaam ze haar toevlucht zocht. Huiverend in het donker drong het tot haar door dat ze in haar haast om de boodschap kwijt te raken er niet aan had gedacht hoe ze de bron ervan moest terugvinden.

Bekijk jezelf. Het beeld van die kleine zwarte letters op een egaal witte ondergrond deed haar denken aan verloren lichamen in een sneeuwstorm.

Ze lag ineengerold en luisterde of er iets te horen viel. Maar buiten was het weer stil, op die ene uil na die steeds maar iets liet horen wat als 'hoe waar' klonk. Ze probeerde haar hoofd tegen zijn borst te laten rusten, maar die bijzondere gestoffeerde plek waar ze altijd zijn hart kon horen was er niet meer. In plaats daarvan was er bikkelhard bot, alsof de dimensies tussen hen op een of andere manier waren veranderd sinds ze de kamer verliet.

'Wat is er toch?' vroeg hij, wakker wordend.

39

Toen hij de volgende morgen uit de beige betegelde Holland Tunnel kwam en de morsige tankstations en binnenwip-motels dicht opeen voor zich zag, voelde Barry een vreemde mengeling van nostalgie en weemoed. New Jersey: zijn natuurlijke staat. Hij sloeg rechtsaf de tolweg op, ving een glimp op van het gereduceerde silhouet van Manhattan aan de overkant van de rivier, en herinnerde zich dat gevoel van voorbeschikking dat hij altijd had, die rotsvaste overtuiging dat hij ooit voor zichzelf een plaats tussen de wolkenkrabbers zou uithakken.

Het Vrijheidsbeeld stond aan de rand van de horizon te oxideren, en vanaf Newark Airport gingen de vliegtuigen schuin de lucht in, met vage sporen van zwarte dampen. Op de autoradio werd gemeld dat Amerikaanse troepen werden samengetrokken in Afghanistan.

Barry zocht een andere zender. Hij had het gevoel alsof er een kleine haai door zijn ingewanden wentelde. *Bekijk jezelf.* Iets aan het gebruik van die woordspeling bij een fotograaf maakte de dreiging nog tastbaarder. De schrijver had er zorgvuldig over nagedacht, zijn keuzen overwogen en zijn woorden afgestemd op maximaal effect, alvorens op de zendtoets te drukken. *Ik weet wat je aan het doen bent.* Dit klonk niet als een onschuldige zonderling. Dit klonk als iemand die zijn voet tussen de deur stak.

Barry was deze morgen laat op zijn werk gekomen, na Chris van de afdeling Operations te hebben gevraagd of het mogelijk was een chatbericht van een hard drive terug te halen, en vertrok toen naar zijn geboortestad.

'We moeten die lui gewoon terug naar het Stenen Tijdperk bombarderen en dan een McDonald's op de puinhopen bouwen,' klonk de stem van een jongeman in een belprogramma.

Newark. Het was twaalf jaar geleden dat hij voor de begrafenis van zijn vader door de stad reed. Over oude wonden was nieuwe huid gegroeid. Op de dichtgespijkerde ramen van de huurkazernes aan Halsey Street waren affiches geplakt van het opknapproject van de Newarkse binnenstad. Langs de rivier de Passaic stond een nieuw honkbalstadion, en in het hart van de binnenstad stond een achtenswaardig centrum voor podiumkunst. Maar op Central Avenue, waar ooit de winkel van zijn vader was, stond op een stoffige oude poster in een lege etalage: IN AMERIKA ZIJN VEEL MENSEN DIE NIET OM JE GEVEN. WORD NIET EEN VAN HEN. STEM.

Dus hier lag zijn oorsprong. Mensen die slechts een paar kilometer verderop in Nutley en Livingston waren opgegroeid had je een pistool tegen het hoofd moeten zetten voor ze toegaven dat ze ooit een voet in Newark hadden gezet. Maar zo had hij het nooit gevoeld. Hij had een zwak voor de oude mannen die boccie speelden in Branch Brook Park; de kersenbloesempracht; middagen bij Bamberger's met zijn moeder; de lichten voor de Diary Queen; *La Traviata* en Jimmy Rosselli die uit deuren aan Bloomfield Avenue klonken; de oude rechtbank met de roestige hoepels bij de Colonnade; vrijdagsmiddags zijn vader helpen in de winkel; potten met verse olijven en kersen op brandewijn op de toonbank; zijn vader die alleen voor hen tweeën *kasha varnishkes* maakte op het fornuis achterin. En natuurlijk de appelboom die zijn vader zo graag zag groeien in hun dorre achtertuintje aan Clifton Avenue. Ze behoorden tot de laatste joodse gezinnen in hun deel van de North Ward. Zijn vader was van Prince Street gekomen en betaalde in 1953 twintigduizend dollar voor een huis met een echte tuin, dus die verdomde het om dat na de onlusten van '67 voor bijna een derde minder te verkopen. *'Als ik nu vertrek, wanneer krijg ik dan mijn appelboom?'* placht hij te zeggen.

Aldus werd Barry twee keer per week afgerost voor zijn overblijfgeld, op weg naar de Barringer High School, tegenover de kathedrale basiliek van het Heilig Hart. Het enige dat hem redde, dag na dag, was basketbal. Andere jongens waren sneller, langer, en soepeler. Andere jongens hadden betere jumpshots, betere instincten en beter springvermogen. Maar niemand die meer uren besteedde aan training. Niemand die langer mis bleef schieten. Niemand die vaker naar vrije ballen dook. Niemand die meer overtredingen beging, en ervoor werd bestraft. Ze noemden hem Keltisch omdat hij zich als een blanke jongen bewoog, ontvelde knieën had en geschaafde ellebogen. Hij had zijn neus een keer gebroken en zijn hamstrings voelden soms als gekookte *linguini*. Maar hij bleef doorgaan omdat niemand méér geloofde dat het harde werken en de lange uren zouden lonen, dat het allemaal tot iets leidde, dat vastberadenheid, wilskracht en intense emotie voldoende zouden zijn om hem boven de menigte te verheffen.

Het is goed, ik weet hoe ik dit moet doen, dacht hij toen hij bij Don Frederico's in het Ironbound District parkeerde en de motor uitzette. Hij haalde het frontje van zijn autoradio en deed het beugelslot op het stuurwiel.

Het restaurant wilde de glorie van het oude Spanje levend houden. Er waren muurschilderingen met stierengevechten, en conquistadores hoog te paard. Er klonken flamencogitaren en castagnetten uit de luidsprekers, en de weinig fraaie Passaic stroomde voor de ramen langs. Zijn neef Richie Marcus zat aan een tafeltje achterin achter een bord seviche, in een grijze gebreide trui met een gedurfd zwart zigzagpatroon.

Hij was een gezette man van begin vijftig met een glimmend voorhoofd, dikke, rubberachtige lippen, en een zwarte haarknot boven op zijn hoofd, waardoor hij een beetje een voorstedelijke samoerai leek.

'Wat heb jij nu aan; Armani?' vroeg hij toen Barry tegenover hem kwam zitten.

'Davide Cenci.' Barry keerde even zijn rever om, in de hoop dat zijn neef de naam van de kleermaker op Madison Avenue niet zou herkennen.

'Nordstrom.' Richie trok aan zijn kraag alsof die niet wijd genoeg was voor zijn nek.

'Nou, wat dacht je, Rich? Je ziet er goed uit.'

'Wou je leuk zijn? Ik word een soort Dom DeLuise. Sinds de regering-Reagan heb ik mijn pik niet meer gezien.'

'Hm, bedankt dat je zo vlug hebt willen komen. Ik schaam me omdat ik niet in contact ben gebleven.'

'Nou ja, wat moet ik? Het kind van mijn liefste tante zegt een probleem te hebben.' Richie haalde zijn schouders op. 'Ik moest vanmiddag toch nog iemand spreken, dus dacht ik, laten we elkaar maar treffen bij de oude buurt. Voor jou eenvoudiger dan Bloomfield.'

'Hoe doet je dochter het op Rutgers?'

Barry had van tevoren besloten tussen neus en lippen door de aanbevelingsbrief die hij voor Chloe aan de decaan had geschreven te noemen.

'Ze heeft verkering met een Dominicaanse jongen en ze wil interpretatieve dans als hoofdvak.' Richie prikte in een grote mossel. 'Is dat niet geweldig? Help me onthouden dat ik het vier door mezelf door m'n kop te schieten.'

Barry tikte met zijn lange vingers in de maat van de muziek tegen zijn glas water. 'Misschien leert ze de flamenco.'

'De kunst van het klappen voor je eigen kont. Daar moet ze nodig voor gaan studeren.'

'En hoe gaat het met de zaak?'

Richie bestudeerde even de mossel aan zijn vork. 'Wat zal ik je zeggen? Het is heel slapjes in de sportartikelenbranche. De verkoop van alles is gedaald, behalve van wapens.'

'Werkelijk?' Barry sloeg nonchalant zijn menukaart open.

'Ja, het aantal aanvragen voor een wapenvergunning is sinds de Elfde verviervoudigd.' Richie stak de mossel in zijn mond en kauwde met scheve mond. 'Ik snap niet waarom iedereen denkt dat het hebben van een blaffer ze zal redden als er een vliegtuig een gebouw in vliegt, maar moet ik dan hun geld niet aannemen?'

Barry gaf even geen antwoord, terwijl een ober met een kuif in een beige jasje erbij kwam om met een licht Castiliaans accent de specialiteiten op te sommen. Barry had er lang en hard over nagedacht voor hij de telefoon pakte om Richie te bellen, tot hij zeker wist dat dit de beste was van alle slechte opties. Niet dat hij niet met zijn neef overweg kon, maar ook na al die jaren was er een soort niemandsland vol landmijnen tussen hen.

'Weet je wat?' Hij gaf de ober de menukaart terug. 'Ik denk dat ik het maar even bij mineraalwater laat.'

De ogen van zijn neef vernauwden zich, alsof hij zich net realiseerde dat hij vandaag met de rekening kon blijven zitten. 'Heb je geen honger?'

'Ik heb de laatste tijd wat last van mijn maag.'

'O ja?' Richie ging vertrouwelijk over tafel hangen, terwijl de lichte geur van garnalen de ruimte vulde. 'Luister, Barry, ik weet dat je niet helemaal hierheen bent gekomen om naar mijn huis en mijn gezin te vragen. Je zei door de telefoon dat je een probleem had waar ik je mogelijk bij kon helpen.'

Barry keek instinctief rond om te zien wie er mee zou kunnen luisteren. Maar het was nog geen lunchtijd, en de enige andere eters in het restaurant waren een oudere zwarte vrouw met een honkbalpet waar 'ondeugende gedachten' op stond, en een grijze man met een snor en een fluwelen trainingspak aan.

'Kom maar op, je hoeft je bij mij niet in te houden,' zei Richie. 'Maar ik weet wél dat je nooit iets met mijn kant van de familie te maken hebt willen hebben.'

'Kom nou, Richie.' Barry veinsde verontwaardiging. 'Je weet waar dat om ging. Het was niets persoonlijks.'

Richie keek hem net lang genoeg aan om te laten zien dat hij niet geheel overtuigd was. Het geval wilde dat Barry altijd een beetje schichtig deed over zijn moeders kant van de familie, ook vóór Richie als façade ging optreden voor de groep van Bobby 'Gaspijp' Caglione, die onroerend goed opkocht in Cherry Hill. Toen ze nog kinderen waren had hij opgemerkt dat de familie Marcus nooit boeken in huis had en al hun tijd aan de eettafel doorbracht, bezig met tandenstokers en het belachelijk maken van andere mensen die minder materialistisch waren dan zij. Hij herinnerde zich dat zijn vader ooit vol afschuw van de seider wegliep omdat hij niet akkoord kon gaan met een plan dat Richie's vader had om het bedrijf te bezwendelen waarbij hun beider zaken aan Central Avenue na de rellen verzekerd waren.

'Goed, weg ermee.' Richie schoof weer terug en veegde zijn hand aan zijn trui af. 'Laat het verleden rusten. Wat heb je van me nodig?'

'Ik dacht erover een pistool te kopen.'

'Je meent het!' Iets van spot speelde om Richie's lippen. 'En waarom geen geweer? Daar heb je in de staat New York geen vergunning voor nodig.'

'Je moet bedenken dat het niet iets is wat ik wil laten rondslingeren, zodat mijn kinderen het vinden. Een pistool is wat eenvoudiger uit het zicht te houden.'

'Hm. Heb je hier met Lynn over gesproken?'

'Niet expliciet. Maar ik denk dat we tegenwoordig allebei wat bezorgd zijn om onze veiligheid.'

Sandi Lanier dood. Zijn vrouw gestalkt door haar vroegere

vriend. *Ik weet wat je aan het doen bent.* Ja, bezorgd was het goede woord.

'Wat is er dan, heb je moeilijkheden met iemand?' Richie trok zijn wenkbrauwen hoog op.

'Moet je echt alle bijzonderheden weten, Richie? Ik wil gewoon een beetje extra bescherming kopen, voor mij en mijn gezin.'

Het laatste dat hij kon gebruiken was dat deze affaire aan de New Jersey-kant bekend werd. Hij wist nog dat Richies zusters hatelijk deden bij hun trouwen achttien jaar geleden, omdat ze daarvoor naar het Loeb Boathouse in Central Park moesten, en dat ze Lynn een beetje belachelijk maakten omdat ze maar twee bruidsmeisjes had.

'Interessant wel, dat jij na al die tijd hulp zoekt bij míj,' zei Richie. 'Heb je moeite gedaan om een vergunning voor New York te krijgen?'

'De behandeling van een aanvraag duurt drie tot zes maanden. En ik heb begrepen dat in mijn woonplaats de politiechef bij alle aanvragen een vinger in de pap heeft. Dat is ook iets wat ik graag zou omzeilen.'

'En waarom dan wel?' Richie kauwde met zijn mond halfopen.

'Politiek. Het is gewoon lastig als mensen alles van je moeten weten.'

De schorsing van Fallon stelde Barry totaal niet gerust, vooral niet na de e-mail van die nacht. Ze hadden het de volgende morgen meteen aan de politie gemeld, maar het feit bleef dat Fallons goede vriend Harold Baltimore nog steeds de chef was en dat minstens zes eerdere klachten tegen de inspecteur onder het kleed waren geveegd.

'Ik wist nog dat je op het feestje van Chloe zei dat jij dingen kon bespoedigen.' Barry staarde naar de gouden armband van zijn neef. 'Je zei bepaalde relaties te hebben die vaart konden zetten achter de verwerking in New York.'

Richie pulkte afwezig aan een voortand. 'Laten we zeggen dat er sprake is van een verstandhouding, die kan maken dat sommige van onze aanvragen boven op de stapel belanden.'

'Ik zou deze zaak graag meteen regelen.'

'Maar als je alleen maar een wapen wilt kun je op wel duizend plaatsen in de stad terecht om er illegaal een te kopen.'

'Ik ben jurist, Richie. Ik moet mijn bevoegdheid houden. God verhoede dat ik het ding ooit moet gebruiken om me te verdedigen, maar dan moet ik er wel de goede papieren bij hebben.'

Richie grijnsde, waarbij de zijkant van zijn mond verwrong als gebundeld draad. 'Weet je dat mijn moeder me gek maakte met haar gepraat over jou? Het was altijd Barry voor, Barry na. Ze kwam vaak thuis met knipsels uit de *Star-Ledger* over jouw gebasketbal op Barringer. En toen je rechten ging studeren zei ze: "Waarom kun jij niet studeren zoals je neef? Waarom hang je op de hoek rond met die halve zolen? Wanneer ga je eens iets van jezelf maken?" Man, ik zou gewoon willen dat ze nog leefde om dit nu te horen.'

Barry keek hem aan met een koude, fixerende blik. 'Ga je me dus helpen of niet, Richie?'

Zijn neef zuchtte en wilde het moment eigenlijk wel laten duren. 'Wat wil je precies dat ik doe?'

'Ik dacht dat we konden proberen het proces te bespoedigen. Wat maakt het uit als de datum op de aanvraag die van vandaag is, of van drie maanden terug?'

'Wil je dat ik met de datum van een aanvraag knoei?'

'Kijk me niet aan alsof ik drie hoofden heb.' Barry ontvouwde zijn servet en legde het op zijn schoot. Hij ging gespannen fluisterend spreken. 'Je hebt het in jouw leven heel wat beroerder gehad, dat weten we allebei. Weet je nog dat ik je tipte over de inval bij Dr. Feelgood's?'

Richie verbleekte iets nu hij eraan werd herinnerd hoe hij bijna gearresteerd was geweest wegens handel in heroïne en minderjarige Noord-Koreaanse prostituees. 'Barry, ik zweer bij het graf van mijn moeder dat ik nooit meer een voet in die tent heb gezet...'

'Hoor eens, dat kan me geen moer schelen. Je bent mijn neef. Ik heb inzet voor je getoond. Net zoals ik weet dat ook jij nu inzet voor mij zult tonen.'

Tegenover hem aan tafel werd het gezicht van zijn neef een soort instrument dat weerzin tegen verplichting afmat.

'Je gaat dat ding toch niet gebruiken om iets stoms te doen, hè?' zei Richie zacht, in het besef dat hij terrein verloor.

'Wat bedoel je?'

'Ik bedoel, je gaat er toch geen politieman mee neerschieten of zoiets?'

Barry voelde zijn glimlach mat worden. 'Hoe kom je erop zoiets te zeggen?'

'Ik wil gewoon niet dat ik er later last mee krijg. Ik heb genoeg problemen met de sterke arm gehad.'

'Doe niet zo gek.'

'Goed. Hoeveel dacht je trouwens uit te geven?'

40

'Florio, Florio.' Mike mompelde de naam als een incantatie, terwijl hij in het nieuwe advocatenkantoor in White Plains zijn duimen in zijn schoot langs elkaar wreef. 'Vroeger was er een aardig Italiaans restaurant aan River Road dat Florio's heette.'

'O ja?'

'Ik weet nog dat er een muntenfontein was, en een beeldje van de Venus van Milo bij de kassa.'

De late middagzon sneed door de jaloezieën en maakte witte strepen op het ordelijke zware mahoniehouten bureau van Gwen Florio.

'De Venus van Milo heeft geen hoofd meer,' zei ze. Ze deed haar in zwarte kousen gestoken benen over elkaar. 'Gezien de heersende sfeer bij u in de stad kun je daar misschien beter geen toespeling op maken.'

Ze was een vrouw van middelbare leeftijd met een bril, wier neukbaarheidsfactor waarschijnlijk de laatste jaren drastisch was verminderd, luidde zijn conclusie. Ze droeg een veenbes-rood mantelpak, had plompe schoenen met hoge hakken aan, en ze had een gewasbespuiting van make-up met wijnrode lippenstift en donkere mascara. Haar vezelige zwarte haar was grijs doorschoten, maar ze had nog iets van vuur en leven in zich, alsof ze er misschien zonder kleren beter uitzag.

Wetboeken en foto's van tieners stonden op de boekenplanken achter haar, met ingelijste dankbrieven van verschillende aanverwante organisaties en de plaatselijke politiebond, waar haar firma voor had gewerkt.

'Sorry,' zei hij, 'ik probeerde alleen het verband te leggen. U komt toch niet uit Riverside?'

'Mijn vader was bij de politie in Mount Kisco; wijlen mijn man was rechercheur in Yonkers.' Ze kantelde naar voren in haar stoel en liet vlug uitkomen hoe betrouwbaar ze was. 'En zelf ben ik jaren bij de politie in Larchmont geweest voor ik kinderen kreeg.'

'Het verbaasde me toen mijn vakbondsman me zei dat ik een vrouwelijke advocaat kreeg, dat is alles. U vindt het toch niet erg dat ik dat zeg?'

'Helemaal niet.' Ze kromde haar rug. 'Maar het is voor u van belang te weten dat ik in de twaalf jaar dat ik dit doe meer dan honderd functionarissen heb vertegenwoordigd, en in ruim tachtig procent van die procedures heb ik vrijspraak of seponering verkregen, waarbij de functionaris in zijn functie werd hersteld met nabetaling van salaris en bonussen. En in gevallen als echtelijke mishandeling, waarbij de voornaamste aanklagende getuige vrouwelijk is, is mijn percentage nog hoger. Dus soms kan het geen kwaad dat een vrouw die goed is het gevecht voor je levert. *Capisce?*'

'*Capisce.*'

'Wel, wat is uw verhaal, inspecteur?'

'Hebt u een paar dagen?'

Wie haar glimlach zag zou haar niet willen zien fronsen. 'De bond betaalt momenteel voor mijn diensten, rechercheur, maar ik zou het waarderen als u mijn tijd niet verspilt.'

Oké. Een harde teef. Dat kon hij aan, zolang het een ander was die ze te grazen nam.

'U hebt de verklaringen van mevrouw Schulman en haar echtgenoot,' zei hij. 'Daarmee hebt u de essentie van hun zaak. Verder hebt u de notities die ik meteen na de gesprekken heb uitgetypt, en dat is het ware verhaal. Ik deed gewoon mijn werk.'

Ze bladerde heen en terug in het dossier dat hij haar had gegeven, en haar mond ontspande zich bij haar concentratie.

'U had vroeger omgang met de vrouw, en u hebt de echtgenoot gearresteerd wegens te snel rijden en verzet bij aanhouding. Dat is het? Gewoon een hij zei/zij zei/hij zei?'

'Als je niest blaas je de hele zaak weg.'

Ze zette haar bril op haar hoofd en hij zag dat ze nog steeds iets speels en jeugdigs in haar ogen had.

'Waarom heeft chef Baltimore deze beschuldigingen dan aan de gemeenteraad doorgegeven?'

'Politiek. Wat zou het anders zijn? We waren vorig jaar allebei in de running voor deze baan, en hij kreeg hem. Daarom is hij nu erg onzeker, want hij denkt dat de blanken in het korps allemaal aan mijn kant staan en zijn positie proberen te ondermijnen.'

Hij duwde zijn duimen tegen elkaar en dacht aan de boodschap die hij die morgen van Larry Quinn kreeg. *De chef is er niet blij mee dat je je ex bij Home Depot lastig viel.* Hij smeet bijna de telefoon door de keuken. Alsof iemand uit kon maken waar hij mocht winkelen.

'Ik ben gewoon een bedreiging voor hem, en hij zoekt een voorwendsel om me kwijt te raken,' zei hij. 'Hij probeert zijn eigen mensen naar voren te schuiven.'

'Is dat alles?' Ze glimlachte toegeeflijk, gewend aan ondeugende jongens die verstoppertje spelen met de waarheid.

'Tja' – hij draaide met zijn duimen – 'er zou nog iets anders kunnen zijn.'

'Ja?'

'Die nieuwe, Paco Ortiz. Een door mij opgeleide rechercheur uit de Bronx. Een latino.' De duimen draaiden sneller om elkaar heen. 'Hij leidt voor Harold het moordonderzoek, en ik denk dat hij zich heel rare dingen in zijn hoofd haalt.'

'Wilt u zeggen dat u verdachte bent in deze zaak?'

'Er is nog niets officieel. Alleen, hij heeft wat dingen gezegd die... mij wat ongerijmd in de oren klonken. Ik denk dat die hele disciplinaire hoorzitting een voorwendsel is om achter mij aan te gaan voor de moord. Alsof het deel uitmaakt van een patroon of zoiets.'

Ze bekeek hem zwijgend, alsof ze hem via haar ogen inademde. 'Ik moet u zeggen, inspecteur,' zei ze, 'dat als het tot een aanklacht komt, ik u niet meer kosteloos kan vertegenwoordigen. De bond geeft alleen vergoeding voor disciplinaire klachten. De verdediging in een moordzaak kost de meeste mensen de kop. Financieel.'

'Dat begrijp ik.' De duimen vormden nu een X in zijn schoot. 'Maar ik zou hier in mijn eigen tijd in kunnen duiken en me vrijpleiten. Die vrouw, Sandi, was een vriendin van me...'

'Ik weet niet of ik dat wel goed vind klinken.'

'Waarom niet? Ik ben de beste rechercheur van dit korps. Ik kan wat gaan bellen. Mensen opsporen. Ik kan in twee minuten getuigen afbreken, iets waar zij een week over doen.'

'Als u iets dergelijks probeert ben ik weg,' zei ze. 'Laten we elkaar goed begrijpen, ja? U bent hier de beklaagde. Als het terugwinnen van uw baan bij de disciplinaire hoorzitting u helpt in de strafzaak, zij dat zo. Maar als ik u in de disciplinaire zaak verdedig ben ik uw wachtcommandant. Dan laat ik u niet rondstruinen om te proberen de gedaagde onderuit te halen.'

'Dus moet ik maar zitten duimen draaien?' Zijn stoel leek te krimpen tot kinderformaat, waardoor hij dichter bij de vloer kwam te zitten. 'Ik ben totaal onschuldig.'

'Jee, dat heb ik nooit eerder gehoord.' Haar lippen werden dun. 'Luister, inspecteur. Als u spelletjes wilt spelen en uw advocaat een rad voor ogen draaien, pak dan het telefoonboek en zoek een andere.'

'Hebt u zo leren spreken in Larchmont?' vroeg hij nors, pogend zijn rug recht te houden.

'Ik ben mijn hele leven met politiemensen omgegaan, inspecteur. Ik heb de beste en de slechtste gezien. Waar behoort u toe?'

Hij maakte een vuist en zag hoe de loop van de aderen veranderde. 'Ik ben een goede politieman,' zei hij traag. 'Ik heb mijn halve leven aan deze baan gewijd, en mijn hele leven aan deze stad. Mijn broer verloor zijn leven toen hij als agent zijn plicht deed. Mijn vader was gevangenbewaarder. En zíjn vader was bewaker van het aquaduct. Enzovoort. Ik ben bij lange na niet volmaakt, maar ik zou het uniform nooit te schande maken.'

'Wilt u zeggen dat er verder geen belastende getuigen zullen opduiken?'

Hij dwong zich rechtop te gaan zitten en haar recht in de ogen te kijken. Hij herinnerde zich alles wat hij over verhoormethoden had geleerd en betrok het op zichzelf. Niet zenuwachtig doen. Niet ontwijken. En in godsnaam niet wegkijken.

'Als ze dat doen zijn het leugenaars,' zei hij, zijn strakke blik handhavend. 'Bekijkt u mijn staat van dienst als u wilt zien wat ik voor iemand ben. Daar, in dat dossier. Twee onderscheidingen wegens moedig gedrag, drie vermeldingen wegens doortastend optreden, en een voor het redden van het leven van een collega. Die nu toevallig chef is.'

'U hebt de chef het leven gered?'

'Het zit daar in die map. De brief die hij aan de onderzoekscommissie schreef, waarin het schieten terecht wordt genoemd. Dat is dankbaarheid, hè?'

Toen ze weer naar het dossier keek zag hij dat in haar gezicht iets begon te veranderen. Het deed hem denken aan het moment dat een vrouw besluit de man op de barkruk naast haar niet meer uit te lachen en te overwegen misschien met hem mee naar huis te gaan.

'Nou, misschien geeft dat me wat meer om mee uit de voeten te kunnen,' zei ze, zachtjes over de pagina strijkend.

'Dat hoop ik.'

'Goed, laten we eens kijken hoe we de getuigen bij de disciplinaire hoorzitting kunnen aanpakken.' Ze deed haar benen weer naast elkaar en leunde over het bureau. 'Wat kunt u me over mevrouw Schulman vertellen?'

41

Zodra Barry de voordeur opendeed klonk het splinternieuwe alarm, met een oorverdovend en maf *bloe-oep! bloe-oep!*, waar de hond van opsprong en hevig begon te janken.

'Lensopening!' riep Lynn vanuit de eetkamer. 'Lensopening!'

'Wat?' Stieglitz begon tegen zijn been op te rijen.

'Dat is het vanmorgen ingevoerde wachtwoord. Je moet het intikken op het toetsenbord.'

'Lensopening?' Barry keerde zich naar het groenverlichte apparaat aan de muur van de hal, en zocht onhandig met zijn vingers de juiste toetsen.

'Je moet het binnen dertig seconden doen, anders gaat er in het controlecentrum een lampje branden.'

Normaal. Het doel was hier te doen alsof alles betrekkelijk normaal was. Ze hadden die morgen samen besloten om met de kinderen te bespreken wat er gaande was. Toon een verenigd front. Stel hen gerust dat alles in orde zou komen, zelfs nu ze de beveiliging opvoerden, over het opleggen van een vroege avondklok spraken, en Hannah en Clay vertelden dat ze niet meer konden internetten zonder een volwassene in de kamer.

'Had je geen korter woord kunnen kiezen?' vroeg hij, de eetkamer betredend terwijl het alarm wegstierf en de hond zich weer onder de tafel liet zakken.

'Wat dacht je van *mensheid?* vroeg Clay.

'Of *redrum*,' stelde Hannah voor, het jongetje uit *The Shining* imiterend met diens geknepen onderwereldstemmetje.

'Dat lijkt me toch niet al te geschikt,' zei Barry, die even naar Lynn keek om te zien of ze niet alvast zonder hem was geen praten.

Dit moest het soort wurgende spanning zijn dat andere stellen doormaakten als ze hun kinderen moesten vertellen dat ze gingen scheiden.

'Hé, wat heb je daar?' Lynn keek omlaag naar zijn hand.

'O, dit?' Hij hield nonchalant het hoofd van Slam de tuinkabouter omhoog, alsof hij het gewoon vond dat hij het op de oprijlaan had gevonden. 'Dat heb ik zo gevonden. Ik dacht, misschien is het nog te lijmen.'

Juist. Houd het luchtig en normaal.

'Hoe is dat gebeurd?' Lynn keek ontdaan.

'Weet ik niet.' Barry legde het hoofd op een lege stoel en nam zijn plaats in aan het hoofd van de tafel. 'Misschien heeft de hond hem omgegooid.'

Hannah en Clay staarden naar het hoofd en keken toen elkaar over tafel aan. Ze moesten wel ongeveer de intelligentie van een bosmarmot hebben om niet te merken dat er wat aan de hand was.

'Ik heb rond lunchtijd geprobeerd je mobiel te bellen,' zei Lynn, die de schaal spaghetti aan hem doorgaf en terug trachtte te glippen in de rol van huismoeder.

'Ik moest even op en neer naar New Jersey. Ik denk dat ons regionale bereik zich niet uitstrekt tot het einde van de Holland Tunnel. De schrapers.'

'Is alles oké?' Alle bezorgdheid die ze uit haar stem hield ging meteen naar haar ogen.

'Ja, prima. We zoeken alleen wat meer technische ondersteuning.'

Hij was er nog steeds niet uit wat hij haar moest vertellen over de .38 die hij in zijn koffertje had meegebracht en wilde verstoppen in de schoenendoos op de bovenste plank van zijn kast. Enerzijds wist hij dat ze in alle staten zou zijn als ze erachter kwam dat hij een pistool in huis had gehaald. Vooral een met de twijfelachtige registratie die zijn neef had geregeld. Anderzijds, wat had het voor nut het ding in de buurt te hebben, als ze in tijd van nood niet wist waar het was?

'Loopt alles een beetje hier?' vroeg hij, zich een glas Cabernet inschenkend.

'Ik was wat laat met het ophalen van de kinderen, maar verder is er niets van betekenis te melden.'

Haar wenkbrauwen gingen opwaarts als accenttekens, om hem te waarschuwen dat ze de kinderen nog niets had verteld, maar dat het nu tijd werd.

'En, Hannah, wat is jouw goede nieuws?' vroeg hij, met het idee rustig aan te doen. 'Heb je dat referaat al in klad?'

Ze rolde zodanig met haar ogen dat alleen het wit door de zwarte oogleden zichtbaar was.

'Wat moet dat nu weer betekenen?'

'Dat betekent dat ik er nog mee bezig ben.' Haar schouders zakten onder de bandjes van een rood topje waarop stond: *I know Victoria's secret: she's anorexic.*

Ze had een stukje tahoe ter grootte van een hotelzeepje en een kommetje alfalfa tot zich genomen.

'Heb je gemerkt dat ze nooit meer glimlacht?' Barry wierp Lynn een zijdelingse blik toe.

'Ik ben te moe om te glimlachten,' zei Hannah, terwijl een bandje van haar schouder zakte. 'Ik zie niet in wat er te lachen valt.'

'Clay, ouwe jongen' – hij zocht wat lucht bij zijn zoon – 'wat heb jij zoal?'

De jongen keek op van zijn bezigheid: het zorgvuldig scheiden van het gehakt en de pasta op zijn bord, als een naoorlogse gouverneur die de Balkanstaten opdeelt.

'Niets bijzonders,' zei Clay stug. 'Morgen heb ik een karate-toernooi.'

'Knoei dan maar niet langer met dat eten en eet het op.'

Zijn T-shirt leek hem tegenwoordig wat ruim te zitten. Barry moest lachen toen Lynn en paar weken eerder zei te vrezen dat de jongen boulimia ontwikkelde en in de badkamer overgaf, maar met dit plotselinge vermageren wist hij het niet zo zeker meer. Clay zag eruit alsof hij in een week vijf kilo was afgevallen. Misschien probeerde zijn grote zus met haar shirt haar ouders op een geheim attent te maken.

'Hoe is het met je stuk thora?'

'Dat gaat goed.'

Barry keek Lynn aan alsof zij deze stugheid kon duiden. Wisten ze het al?

'Je hebt dus gerepeteerd?' vroeg hij aan zijn zoon.

'We hadden het er net over toen je binnenkwam,' zei Lynn. 'Ik vroeg hem waarom hij dacht dat God Abraham opdroeg Izaak te offeren.'

'Mij lijkt het een verhaal over niet te lang wachten met kinderen.' Barry draaide spaghetti om zijn vork. 'Hoe oud was Abraham, honderd?'

'Het gaat denk ik om het leren vertrouwen te hebben.' Lynn vulde haar wijnglas bijna tot de rand.

'Waarom heb jij dan niet genoeg vertrouwen om me met Dennis naar de stad te laten gaan?' Hannah schoof knorrig haar bandje weer over haar schouder en weigerde mee te doen aan dit vertoon van familiale knusheid.

'Ik denk dat alle politiek lokaal is,' mompelde Barry.

'Schatje, we wisten gewoon niet of het veilig was,' zei Lynn, hiermee een opening creërend naar het hoofdonderwerp.

'In tegenstelling tot híér zijn?' vroeg Hannah met stemverheffing. 'O ja, mam, dat klinkt heel erg zinnig.'

Ze gooide haar servet neer en liet bij wijze van provocatie het bandje weer van haar schouder glijden.

'Ik vind het gewoon zo belachelijk,' zei ze, aldus de aandacht naar zich toe trekkend.

'Wat?' Barry voelde de natte neus van de hond in zijn schoot snuffelen, uit op een hapje.

'Zoals jullie ons blijven zeggen dat we moeten doen of alles in orde is, wanneer het dat níet is.'

Barry zag Lynns knokkels wit worden om de steel van haar glas. Onze fout. We hebben te lang gewacht met onze mond opendoen. Dit was niet gewoon Hannah die de voorgrond zocht. Het meisje had een scherp oog, net als haar moeder.

'Ik snap niet wat je daarmee bedoelt,' zei hij voorzichtig.

'O, snap je dat niet? Wat dacht je van het feit dat een van mams beste vriendinnen dood is? En dat niemand weet wat er gaande is? Wat dacht je van het feit dat we een oorlog gaan beginnen? En dat mam volgende week naar de rechtbank moet, terwijl jullie geen van tweeën ons daar iets over zeggen?'

'Wie heeft je dat verteld?' vroeg Lynn.

Hannah wierp haar zwarte haar over haar blanke schouder, terwijl Barry bedacht dat hij niet eens thuis was toen Lynn de kinderen het nieuws over Sandi vertelde.

'Jennifer Olin bij organische scheikunde,' zei Hannah, die duidelijk genoot nu ze haar ouders in hun volle hypocriete glorie te pakken had.

'Haar vader zit in het gemeentebestuur. Ze hoorde hem tegen iemand zeggen dat jullie overhoop lagen met de politie.'

Lynn en Barry begonnen tegelijk te spreken. 'Nou, dat is niet echt... We wilden het gaan vertellen... Als je nauwkeurig wilt zijn... Ik heb dacht ik gezegd...'

Houd de frontlijnen. Beman de barricades. De kinderen waren een invallend leger dat bij de voorraad geheimen trachtte te komen. God helpe ons allen als ze die ooit te pakken kregen.

Ze zwegen beiden weer, en Lynn schopte Barry bij het kruisen van haar benen onder tafel, per ongeluk naar hij aannam.

'Ik denk dat wat we jullie proberen te vertellen,' begon Barry, zijn woorden voorzichtig afwegend, 'is dat er een ongebruikelijke situatie is ontstaan.'

De hond scharrelde van onder de tafel weg omdat er niet zoveel enkels meer te likken waren en hij verder toch niets kreeg.

'Een vroegere vriend van je moeder heeft het in zijn hoofd gehaald dat hij een probleem met ons tweeën heeft,' zei hij. 'Jullie hoeven niet alle bijzonderheden te weten. Alleen dat deze man niet goed bij zijn hoofd is en niet... verantwoordelijk handelt.'

De kinderen moesten dat even verwerken. Clay keek zijn zus aan voor aanwijzingen voor hun reactie. En Hannah richtte haar zoeklichtblik recht op haar vader.

'Ik moet je denk ik ook nog vertellen dat deze man bij de politie is,' vervolgde Barry, die trachtte rustig en redelijk te klinken. 'Hij is geschorst, maar hij heeft kennelijk nog vrienden op zijn werk en in de stad. Het lijkt me dus voor ons allen verstandig de komende weken heel voorzichtig te zijn.'

'O, lekker is dat,' zei Hannah. 'En wat houdt dat precies in?'

'Het betekent dat jullie na school óf meteen naar huis moeten komen, óf rechtstreeks naar het huis van vrienden, waar ik jullie op kom halen,' zei Lynn. 'En jullie moeten elke avond om acht uur thuis zijn.'

'De avondklok vervroegd naar ácht uur?' zei Hannah ongelovig. 'Is dat een grapje? Niemand van mijn vriendinnen hoeft vroeger dan tien uur thuis te zijn.'

'Schatje, wat wil je dat ik doe? We kunnen ons niet veroorloven voor onbepaalde tijd in een hotel te gaan zitten.' Een paar spaghettislierten gleden van Barry's vork. 'Het spijt me dat jullie dit moeten meemaken, maar het is niet anders. Soms moet je je aanpassen.'

'En hoe moet het met karate?' vroeg Clay verongelijkt. Iets kleins en klagends in zijn stem herinnerde Barry aan de nachten toen de jongen steeds maar weer in hun deuropening verscheen met de sprei over zijn schouders, als James Brown met zijn cape, en smeekte om alsjeblieft bij hen in bed te mogen.

'Ik moet in de stad lunchen, maar ik zal zorgen dat ik hier op tijd terug ben voor je karate,' zei Lynn, die snel en improviserend nadacht. 'Jeanine moet toch die kant op, dus zij brengt je wel.'

Ze probeerde geruststellend naar hem te glimlachen, maar Barry zag dat het niet hielp. Clay boog zijn hoofd. Hij duwde zijn bord weg. En op een of andere manier verwondde die blik van kinderlijke teleurstelling Barry erger dan alles wat hij had gezien sinds zijn vaders delicatessenzaak afbrandde. Mijn zoon denkt dat zijn ouders niet voor hem kunnen zorgen.

'Luister, het zal niet altijd zo blijven.' Barry duwde zijn stoel weg van tafel. 'We zullen die hoorzitting doormaken, die man gaat zijn baan verliezen, en dan wordt alles weer zoals het was.'

'En wat moeten we in die tussentijd doen?' vroeg Hannah. 'Gewoon hier zitten en naar het computerscherm staren?'

'Um, dat is nog iets.' Lynn zuchtte. 'Ik wil eigenlijk dat jullie alleen internetten als een van ons in de kamer is. We hebben een wat vreemd chatbericht op de computer gehad.'

'Nee hè,' zei Clay, wat het vermoeden van zijn moeder dat hij porno downloadde van het internet versterkte.

'Een leuke stad om je kinderen heen te brengen.' Hannah deed haar armen over elkaar: ze had van hen beiden schoon genoeg. 'Verder nog wat?'

'Ach, we willen jullie zeker niet nog angstiger maken, maar jullie hebben ieder een mobieltje.' Lynn schraapte haar keel. 'Jullie moeten ons bellen als je wat ziet waar je je niet lekker bij voelt.'

'Wie dacht je dan te bellen?' vroeg Hannah. 'De politie?'

Barry duwde zijn tong tegen zijn verhemelte, want hij had geen pasklaar antwoord.

'Laat maar.' Hannah stond op en ging afruimen, daarmee nog iets tonend van de goede omgangsvormen die ze altijd in zo ruime mate had gehad. 'Ik mag zeker wel van tafel?'

42

Lynn was die morgen de hele weg naar het station schichtig. Ze zag uit haar ooghoeken dingen die er niet echt waren: stoplichten, flitsende lichten, overstekende kinderen. Het zien van een jonge agent langs de weg met een radarpistool op haar auto gericht deed haar bijna van de weg raken.

Ze was veel liever thuis gebleven om te wachten tot ze de kinderen uit school kon halen. Maar François dreigde de tentoonstelling te annuleren als ze niet kwam lunchen om de foto's te bespreken, en de andere gezinsleden vonden beslist dat ze door moest gaan met haar werk. Op de autoradio spoorde de president mensen aan gewoon naar wedstrijden te blijven gaan en hun kinderen mee op vakantie te nemen, alsof er niets aan de hand was.

Niettemin had ze de afspraken zorgvuldig bekeken. Ze zorgde dat Hannah na school haar huiswerkgroep had en Jeanine Clay zou ophalen voor karate, zodat ze geen moment alleen werden gelaten voor zij terug was met de trein van 4.02.

Ze haalde haar portfolio uit de auto, deed het portier op slot en liep de trap op naar de perrons. Ze had besloten dat het veiliger was de trein te nemen dan de files te riskeren.

Beneden hing een eenzame figuur in een beige Burberry-jas rond bij een reclamebord met Sex and the City erop aan het uiteinde van het perron. Hij staarde naar de rimpeling van het wateroppervlak van de rivier.

Iets in zijn alleenzijn maakte haar aandacht fijnkorrelig scherp. De wind leek om hem heen te waaien zonder hem echt te beroeren, en speelde alleen wat door zijn lichtbruine haar, alsof een onzichtbaar krachtveld hem omgaf. Van bovenaf zag ze de hoofdhuid door het dunne haar, dat op het achterhoofd nog vol was.

Jeffrey keerde zich om en zwaaide toen hij haar de trap naar het perron af zag komen.

'Hallo Lynn,' riep hij, en zijn woorden werden door de wind over het water gedragen.

'Wat doe jij hier?'

Ze liep naar zijn kant van het perron en omhelsde hem, met de portfolio onder haar arm tussen hen in.

'Ach, gewoon, wat zaken in de stad,' zei hij. 'De belasting op het huis en al dat gedoe. Het is vreselijk met al die advocaten te moeten omgaan. Parasieten zijn het.'

'Nou, niet allemaal.'

'Natuurlijk, ik bedoel niet Barry. Nee, ik bedoelde die hufters die willen voorkomen dat Sandi's geld naar de kinderen gaat, zoals zou moeten. Ik snap echt niet hoe sommige van die lui 's nachts rustig kunnen slapen.'

'Ik begrijp het.'

Ze merkte op hoe verzorgd en betrekkelijk opgewekt hij deze dag oogde. Dat onder zijn jas leek een mooi bruin kamgaren pak, mogelijk Canali, en hij had modieuze zwarte schoenen aan, een gestreken overhemd, en hij droeg een rode zijden stropdas met gele achthoekjes die bij Barneys minstens honderdvijftig dollar had gekost.

'Hoe gaat het met je?' vroeg ze.

Ze voelde de wind haar botten in de tang nemen toen tot haar doordrong dat Barry hier moest hebben gestaan toen hij het lijk in het oog kreeg. *Bekijk jezelf.* En zij ging vandaag naar de stad? De gedachte aan gescheiden van haar kinderen zijn alleen al gaf haar een pijnlijk gevoel in haar borst.

'Lynn, mag ik je wat vragen?' Jeff stond dicht bij haar en hield de wind voor haar tegen.

'Wat dan?'

Hij boog zijn hoofd. 'Ik weet hoe vrouwen praten. Heeft Sandi je ooit verteld dat ze een verhouding had?'

'O Jeff, ik weet niet...'

'Ach, het is wel goed. Ze is er niet meer. Je verraadt er niemand mee. Ik moet het gewoon weten.'

Ze kromp ineen bij zijn verregaande vernedering, de verlaging. Hij had net zo goed op het perron zijn broek kunnen laten zakken en haar naar haar oordeel vragen.

'Aan mij heeft ze nooit iets verteld,' antwoordde ze gewetensvol.

Hij keek uit over het paalwerk, waar de ochtendmist aan het oplossen was.

'Ik weet dat ze al lange tijd niet gelukkig was,' zei hij.

'Ik denk dat ze je altijd waardeerde als de man die je bent, Jeff.'

Hij deed haar schrikken met een geknepen droog lachje.

'Het spijt me.' Hij veegde langs zijn ooghoek. 'Ik wilde je niet voor het blok zetten. Alleen waren er dingen die de politie zei die me aan het denken zetten.'

'Zoals?'

'Eerst vragen ze me of ons huwelijk financiële of emotionele problemen kende. Vervolgens willen ze weten of een van ons omgang had met een ander. Ik zei natuurlijk nee, maar...'

Een trein raasde voorbij, met een windvlaag door haar kleren.

'Wat weet ik nu helemaal?' zei hij. 'En dan komen ze bij me thuis de boel overhoop halen en doen allerlei vreemde insinuaties, tot ze dat blik impregneermiddel in de garage vonden.'

'Impregneermiddel?'

'Die politieman gebruikte het. De man die we inhuurden om een omheining te maken. Fallon. Hij heeft met Sandi op school gezeten. Jij moet hem ook kennen.'

'Eh-huh.'

De wind blies door haar jopper, als een voorproefje van de winter dat haar kippenvel bezorgde.

'Meteen nadat ze dat hadden gevonden deden ze geen mond meer open,' zei Jeffrey. 'Alles leek veranderd en ze keken allemaal de andere kant op. Ik bedoel, ze bleven vragen stellen en materiaal in dozen meenemen, maar ik had het gevoel dat ze niet meer echt geïnteresseerd waren.'

Het voorblad van de *New York Post* waaide over het perron en fladderde naar de rivier, waar de foto van de president donker werd in het water.

'Kijk, mijn geest is steeds zo'n wanorde geweest dat ik me nergens op kon concentreren.' Zijn haren wapperden wild om zijn hoofd. 'Maar na dat waanzinnige gedoe op de begraafplaats begon de mist op te trekken. Die vent pakte zo die schep uit mijn handen. Wat dachten de mensen toen? Ik bedoel, Sandi was de hele dag thuis terwijl die smeris buiten aan het hek werkte, en als Inez met de kinderen wegging waren die twee alleen...'

Lynn voelde onder in haar maag een luik opengaan, toen ze dacht aan het laatste dat Mike in Home Depot tegen haar had gezegd. Je moet weten dat ze ook mijn vriendin was. Het verscherpte het ijselijke vermoeden dat ze voelde sinds de dag dat ze Inez in de keuken had gesproken. Dat hij niet alleen de moord op Sandi onderzocht of om haar treurde. Hij was de oorspronkelijke bron van de pijn.

'Iedereen zal wel denken dat ik niet goed snik ben,' zei Jeffrey, wiens dunne haar genadeloos door de wind werd gegeseld.

'Dat moet je niet zeggen.'

'Maar het is toch waar? Halloween komt eraan, dus ik kan net zo goed hoorntjes opzetten als ik met de kinderen snoep ga ophalen. Iedereen weet het toch al.'

'Jeffrey, hou op...'

'De kwestie is, ik weet dat iedereen het doet; iedereen speelt vals. Iedereen heeft geheimen. Dus dat is geen punt meer. Wat er aan problemen tussen Sandi en mij was, is met haar gestorven.

Maar dit was de moeder van mijn kinderen. Iemand heeft haar vermoord. En daar mogen ze niet mee wegkomen.'

'Waarom denk je dat dat zal gebeuren?'

'Ik wil maar zeggen dat er dingen gaan samenvallen in mijn geest. Er zijn vragen die niet worden gesteld.'

'Wil je zeggen dat het wordt toegedekt?'

'Ik wil zeggen dat mensen om zichzelf denken.'

Hij keek om naar de politieauto die bij de ingang stond.

'Het is verrekte duidelijk dat die smeris het met mijn vrouw hield. Dus wie weet? Misschien wilde ze ermee kappen en wilde hij dat niet. Misschien heeft hij haar mishandeld. Ik weet alleen maar dat hij degene is op wie ze zich moeten richten. En als zij niet bereid zijn te doen wat juist is, zal ik het doen.'

Ze keerde zich om alsof er een voetzoeker bij haar oor was ontploft.

'Jeffrey, zo moet je niet praten.' Ze raakte zijn arm aan. 'De kinderen kunnen het niet gebruiken dat je gekke dingen doet.'

'Ze kunnen niet allemaal de andere kant uit blijven kijken. Iemand moet boeten.'

'Dat begrijp ik, maar ik denk echt niet dat dit alles onder het kleed wordt geveegd. Ik ken Harold Baltimore al heel lang. Hij is een goede, eerlijke man.'

'Dat is hem verdomme geraden ook.'

Ze besefte dat dit zo ver was als ze wilde gaan in dit gesprek. Er hing iets van bederf in de lucht.

'Jeffrey,' zei ze, 'ik beloof je dat ik je bel zodra ik meer te weten kom over wat er gaande is. Maar jij moet je ertoe zetten door te gaan en de kinderen laten weten dat je jezelf voor hen overeind houdt.'

'Natuurlijk. Dat weet ik.'

'Wat ga je in die tussentijd met je website doen?' vroeg ze, alleen om het over iets anders te hebben. 'Ga je die opdoeken en hergroeperen?'

'Waar heb je het over? De zaken gaan geweldig.' Met een glimlach brak zijn ongeloof door. 'Waarom zouden we sluiten?'

'Ik weet het niet. Ik dacht...'

'De zaak groeit zo snel dat we het nauwelijks kunnen bijhouden. Heeft iemand je iets anders verteld?'

'Nee, natuurlijk niet.'

Jij noemt het borgstelling. Ik noem het een aderlating. Ze trachtte Sauls exacte woorden uit haar hoofd te zetten om te kunnen blijven praten.

'Ik vind het zo raar dat je zoiets zegt.' Hij duwde zijn bril op. 'We hebben momenteel de vanghandschoen van Honus Wagner. Weet je wat die waard kan zijn?'

'Geen idee.'

'Met certificaat hebben we het minstens over een bedrag halverwege in de vijf cijfers. En volgende week krijgen we waarschijnlijk een knuppel van Roger Hornsby...'

'Dat klinkt goed.'

Ze wendde medelijdend haar ogen af, omdat ze besefte hoezeer hij dit momenteel nodig had, een bemoedigende blik van een vrouw, een teken dat iemand nog in hem geloofde, een licht aan het einde van de tunnel.

'Ik begrijp dat je dus wel goed draait,' zei ze.

'Ja, we zijn heel goed bezig.'

Hij keek op zijn horloge en toen langs de rails.

'Hé, er moet toch een trein gaan om vijf voor tien?'

'Volgens mijn gegevens wel.'

'Het is al drie voor tien. Ik bedacht net dat ik mijn palmtop thuis heb laten liggen, en daar staan al mijn afspraken in.'

'O jee.' Lynn trok een meelevend gezicht.

'Ja, ik ben denk ik nog steeds wat verstrooid. Ik moest maar teruggaan om het te halen.' Hij trok zijn ceintuur strak. 'Er gaat er toch een om vijf over half elf?'

'Ik dacht het wel. Ik heb de dienstregeling in mijn auto.'

'Ja, die haal ik misschien wel.' Hij liep al naar de trap. 'Ik zal de advocaat bellen om te zeggen dat ik later kom.'

'Dat zal hij vast wel begrijpen.'

Goed. Ze begreep dat dit een voorwendsel was. Dit gesprek had hem zo veel van zijn waardigheid gekost dat hij het niet kon opbrengen vijfendertig minuten lang met haar samen in de trein te zitten. Ze voelde zich beschamend schuldig bij het besef dat ze hem niet goed had geholpen de illusie die hij nodig had in stand te houden.

'Hou vol, Jeff,' riep ze hem na. 'We staan allemaal achter je.'

'Ik weet het.' Hij wuifde. 'En vergeet wat ik over Barry en advocaten zei. Ik bedoelde er niets mee.'

43

Grrriggggggg. Grrrrrriggggggg.

De grond was hard door gebrek aan regen, merkte Mike, die gebogen over de grondboor een gat aan het graven was voor een omheiningpaal op het terrein van de De Groots.

Grrrgg. Grrrgg.

Stukjes aarde en steen vlogen weg toen hij de handvatten pakte en de boor in de grond op steen hoorde stuiten. *Grrrrgggg.* Hij duwde harder, maar begon al te denken dat hij op deze plek niet dieper zou komen, omdat hij op massieve steen was gestuit.

Hij pauzeerde even om zijn voorhoofd af te vegen en een slok van zijn sportdrankje te nemen. De zon begon net door het omringende geboomte te schijnen, en in de lucht hing iets van echt winterse kou. Hij was nog niet helemaal wakker, maar hij had besloten hier vandaag vroeg heen te gaan om het werk af te maken en wat geld te verdienen. Hij pakte de grondboor weer beet, waarvan de trilling overging in zijn armen en schouders, met een tremolo in zijn ruggengraat en ribbenkast. *Grrrg.* Hij merkte dat de grond naarmate hij dieper kwam donkerder was en rijk aan wormen.

Wil je misschien wat ijsthee?

Zo begon het dit voorjaar. De artisjokken in Sandi's groentetuin begonnen op te komen. De rozenstruiken rond het terras liepen uit, en de braamstruiken kregen nieuwe bladeren.

Ik laat het in de koelkast, dan blijft het koud. Kom gerust binnen en neem ervan als je zin hebt. Doe dan wel even je schoenen uit.

Mijn god, had ze nog duidelijker kunnen zijn? Ze zei nog net niet: 'Hé Fallon, heb je zin om binnen te komen en mijn poes te likken?' Ze wilde het. Toen ze hem inhuurde lag het er al dik bovenop. Ze was die slaplullige echtgenoot van haar zat, die hem

275

voor het opzetten van het hek betaalde met opties van zijn luizige dotcombedrijf. Ze vroeg zich af hoe het was om het echte boorwerk eens mee te maken.

Grrg. Hij kreeg gruis in zijn ogen en vervloekte zichzelf omdat hij die morgen zijn stofbril was vergeten.

Grrrwwwwwwwww.

Het malende staal in de bodem werd in zijn gedachten langzaam het geraas van de douche op de bovenetage. Een paar seconden lang was hij weer halverwege de trap en aarzelde hij op de overloop. Hij wilde niet vreemdgaan, maar wist verdomd goed dat hij dat ging doen. Een stijve pik had een eigen wil. Hij herinnerde zich weer dat hij met een melancholiek gevoel naar beneden keek en de overschoenen van haar kinderen zag, en hun felgele regenjassen aan de kapstok met dezelfde zwarte brandweerstrepen langs de zomen die Timmy aan zijn brandweerjas had. Je zou toch denken dat een man daardoor werd afgeremd? Het vooruitzicht de dingen kwijt te raken die hem bijeenhielden. Maar toen hoorde hij hoe de douche dichtgedraaid werd, de leidingen gaven een verwachtingsvol geluid, en hij wist dat het te laat was.

Grrrrr, knorde de boor onder de grond, terwijl hij zich herinnerde hoe belust hij de trap verder op rende om zijn ondergang tegemoet te gaan, en bijna trapte hij op een geel Pokémon-figuurtje met opgeheven armen en een zigzagstaart.

De schaduw van triestheid werd breder. Ze was in de badkamer aan het einde van de gang en droogde zich voor de wandspiegel af met één voet op het bed, naakt, bedauwd en kwetsbaar, alsof hij haar op een open plek in het bos benaderde.

Hij stond in de deuropening naar haar te kijken, en het moment dreigde open te breken en hem te verzwelgen. Eerst was het datzelfde geknaag dat hij vroeger bij Angelo's Candy Store en in de badkamer van de Castlemans had gevoeld. Maar toen kwam er iets anders. Ze werd pal voor zijn ogen jong. Haar lichaam leek slanker en rijper te worden. De wet van de zwaartekracht draaide om, rimpels werden glad, haar buik werd plat, haar borsten rezen en presenteerden zich met al hun pracht in het binnenvallende zonlicht.

En een paar seconden lang werd ook hij jong en was hij niet

langer een man die zijn vrouw had teleurgesteld en gepasseerd was voor de baan van chef. Hij was weer zeventien en zag Lynn Stockdale voor het eerst naakt voor hem staan. Hij herinnerde zich hoe hij zich op dat moment voelde, dat er een deur openging, en dat een ander soort licht hem bescheen.

Toen hij bij Sandi in de deuropening stond voelde hij die gretigheid weer, die honger. En Sandi liet haar handen zakken, haar ingetogenheid verdween, en haar heup welfde als de bocht van een vraagteken.

Toen ze neukten waren haar ogen wijd open, als in bewondering voor hem. De slaplullige Jeff had haar in geen maanden aangeraakt, zei ze. Mike was bezig haar te redden. Net zoals hij bezig was Lynn te redden. En alle anderen. Hij leefde voor die kwetsbare blik vol ontzag. Hij was altijd aan het trachten die terug te krijgen. Wanneer hij Sandi van achteren nam bleef hij het gezicht zien van Lynn die over haar schouder terugkeek. Op een of andere manier moest ze hebben geweten wat ze miste.

Hij zette de boor weg en ramde de paal in de grond. Een gele vurenhouten van twaalf bij twaalf. Hij rekende de De Groots de prijs van ceder; dat was bijna zes dollar per meter duurder, maar hij had toch het recht om de marge wat op te rekken? Een mens moest toch leven? Hij ging het gat om de paal volscheppen om het te kunnen afmeten aan de andere die al stonden. Hij herinnerde zich hoe Sandi zich die ene keer op het kussen naast hem omdraaide. Hoe ze opkeek en zei: 'Jij zult toch over me waken?' Verdomme, het had toen afgelopen moeten zijn. Hij gebruikte een dun touw en een waterpas om na te gaan of deze paal net zo hoog stond als de vorige. Maar toen moest ze zo nodig zwanger worden en werd het moeilijk. Zijn huwelijk, haar huwelijk, zijn baan, de kinderen. Ze was zwaar geschift, dat leed geen twijfel.

Hij zag dat de laatste paal zo'n vijf centimeter hoger kwam dan de vorige. Hij greep de korte voorhamer uit zijn gereedschapsgordel om het verschil weg te werken.

Swwwkkk. Het geluid echode door het bos. Hij had zich in verwarring laten brengen. Hij moest proberen er niet meer aan te denken. *Swwk.* Zijn probleem was dat hij dingen in zijn geest had verward: te denken dat Sandi hem een beter gevoel kon geven bij wat er met Lynn al die jaren geleden was gebeurd, en daarna dat

Lynn hem een beter gevoel kon geven bij wat er uiteindelijk met Sandi gebeurde. *Swwk.* Pas als ze niet meer gered hoefden te worden begonnen zijn problemen met vrouwen. *Swwk.* De paal ging scheef staan, en dat probeerde hij tegen te houden. *Swwk.* Hij sloeg zich vol op zijn duim, en even schemerde het voor zijn ogen.

'Hé man, alles kits?'

Paco Ortiz kwam door de tuin naar hem toe met Mikes klant, dokter Richard De Groot, in een blauwe badjas en met een dampende beker koffie in zijn hand.

'Wat doe je hier?' Mike beet op zijn lip en vocht tegen flauwvallen.

De duim begon te kloppen als reactie op de toegebrachte schade.

'We willen wat nagaan na telefoontjes op het bureau.' Paco keek naar dokter De Groot en wachtte tot deze naar het huis terugging, zodat ze in ernst hun gesprek konden beginnen. 'Het schijnt dat iemand mevrouw Schulman heeft lastig gevallen.'

'Gaat het weer over Home Depot? Jezus, daar heb ik het al met Larry over gehad. Wat wordt dat hier, een politiestaat? Kan ik niet eens meer inkopen doen?'

De pijn begon in golven uit te stralen. Hij voelde zijn duimnagel bol staan door de zwelling eronder.

'Ik zou op afstand blijven van die dame als ik jou was.' Paco grijnsde naar dokter De Groot, die weer naar binnen was gegaan en hen voor het keukenraam gadesloeg.

'Luister, ik heb niets onvertogens tegen haar gezegd. Ik liep haar midden in een gangpad tegen het lijf en maakte duidelijk dat ik niet blij was met wat ze me aandoet. De volgende keer loop ik wel om, goed?'

'Gisteren heeft ze ook gebeld.' In Paco's pas geschoren hoofdhuid kwamen plooien, alsof een onzichtbare hand erin kneep.

'Ja? En?'

'Ze had een boodschap via het internet gekregen. Een soort dreigement.'

Mike keek even naar zijn duim en zag dat de nagel de kleur van aubergines begon te krijgen.

'Daar weet ik geen ene moer van,' zei hij.

'Ik dacht wel dat je dat zou zeggen.' Paco perste zijn lippen opeen, niet in het minst geïntimideerd doordat Mike twaalf centimeter groter was. 'Dus wil ik je dit zeggen, *muchacho*. Luister je?'

'Ja, ik luister.' Mike kookte inwendig en knarsetandde.

'Ik ken jou niet, man.' Het sikje cirkelde als een lus om Paco's mond. 'Ik heb niet met je op school gezeten. Ik heb nooit football met je gespeeld. Ik ben nooit met je zus uit geweest. Als ik naar je kijk denk ik er niet aan of je mijn leven hebt gered of dat je tante mijn oom kende. Ik zie alleen wat ik voor me heb.'

'Wat wil je zeggen, Paco?'

'Ik wil zeggen dat je bij mij geen krediet hebt. Als jij me gelazer bezorgt, zal ik daar meer aan doen dan een bon uitschrijven. *Comprende?* Dan zoek ik je thuis op, en dan kan het me niet schelen wat pijnlijk voor je is met je kinderen erbij.'

'Wat moet ik daar nu mee?' Mike kneep in de steel van de hamer en trachtte zich in te houden.

'Die shit breng je maar ergens anders, *compañero. Estar sobre sí.* Ik hou je in de gaten.'

Hij draaide zich op zijn hakken om en liep weg. Mike bleef staan met de hamer op zijn schouder. Zijn nagel drukte door tot op het bot. Ja, ik hou jou ook in de gaten, compañero.

Toen hij zag dat het gesprek ten einde was kwam dokter De Groot door de glazen deuren naar buiten en passeerde Paco op het gazon.

'Hè, hè.' De dokter trok zijn lippen terug toen hij aan kwam lopen en toonde zijn brede paarsige tandvlees. 'Een consultatietje in vrije tijd?'

'Ja. De misdaad slaapt nooit.' Mike knipperde tranen van misselijkheid weg.

'Jullie moeten deze dagen wel de klok rond werken. Vreselijk, dat van Sandi Lanier. Ze zat met mijn vrouw in een leesclubje.'

'Ja.' Mike liet de hamer langs zijn zij zakken. 'Dat was me bekend.'

De dokter was een orthopedisch chirurg met een mal professorsbrilletje en verrassend scheve tanden. Zijn vrouw, Dianne, was dat malle mens dat haar haar droeg als Pippi Langkous, haar kleren aanpaste aan wat haar kinderen droegen, en elke keer als ze naar de supermarkt ging keihard Britney Spears en 'Nsync draaide.

'Luister Mike, we hebben nog eens nagedacht over dat hek.' De dokter snoof hoorbaar.

'Wat?'

'We bedachten dat we misschien liever geld steken in een aanpassing van ons beveiligingssysteem.'

Mike keek naar de omheiningspaal die erbij stond als de toren van Pisa. 'Hoe komt dat zo opeens?'

'Kijk Mike, ik wil eerlijk tegen je zijn. We hebben enige bezorgdheid. Ik had je eerder moeten bellen, maar ik wist niet dat je vandaag al zou komen.'

'Bezorgdheid?'

'Dianne heeft van iemand van het schoolbestuur gehoord dat je een probleem hebt met de politie hier. Klopt het dat er een soort disciplinaire hoorzitting komt?'

'Ja, wat is daarmee?'

De hamer leek met Mikes zere duim mee te kloppen.

'Het zou wellicht beter zijn het werk stil te leggen tot alles is opgehelderd.'

'Het werk stilleggen? Ik begrijp je geloof ik niet goed, Dick.'

'Heh heh.' Dokter De Groot maakte een hijgend geluid terwijl hij nerveus naar de hamer keek. 'Je moet het begrijpen, Mike. We zitten in een moeilijke positie. Ik werk de hele dag, en mijn vrouw is dan alleen thuis terwijl jij hier werkt. Je snapt vast wel hoe penibel dat zou zijn.'

'Heeft zij je dus gevraagd met me te praten?'

'Mike, zou je die hamer willen neerleggen als we praten?' De dokter perste zijn lippen opeen. 'Ik voel me er onbehaaglijk bij en dat is vast je bedoeling niet.'

Mike duwde de hamer in zijn gordel terug, met pijnlijk gevolg voor zijn duim.

'In dit land is ieder onschuldig tot het tegendeel is bewezen,' zei hij met een grimas, waarbij hij een stortvloed van vloeken inhield.

'Ik weet het.' De dokter knikte. 'Het is vreselijk onbillijk.'

'En wat moet je dan met dat hek?' vroeg Mike, die zich ervan moest weerhouden op zijn duim te zuigen. 'Laat je dat zo, half afgemaakt?'

Hij had in hun keuken hun prachtige granieten werkbladen en

een energiezuinige Zweedse vaatwasser gezien. Dit waren geen mensen van half werk.

'We zouden iemand anders kunnen laten komen om het af te maken.'

Mike keek hem nijdig aan en heel even was de druk zo sterk dat hij erover dacht de hamer te pakken en de dokter zo hard op zijn neus te slaan dat het bloed uit zijn oogkassen spoot.

'Dat zal je goed recht wel zijn,' zei hij.

'We waren niet van plan het geld terug te vragen. Je hebt het werk al gedeeltelijk klaar.'

'Ja. En ik zou niet graag terugkomen om alles er weer uit te trekken.'

'Heh, heh.' De dokter hijgde weer en wist niet goed of Mike dit meende.

Mike had half het idee om het toen meteen te doen. Gewoon alle palen eruit, met als gevolg een hele reeks gaten in het terrein.

'Doe maar rustig aan met opruimen,' zei de dokter, met een blik op de grondboor en de kruiwagen die Mike die dag had meegebracht. 'Ik ben hier de hele morgen.'

'Ja, ik zal nog even die laatste paal vastzetten.'

Andere uitvoerders hadden hem afgeraden cement te gebruiken om de palen in te vatten, omdat het water kon insluiten waardoor de palen eerder gingen rotten, maar kon hem dat nu nog wat schelen?

'Overigens,' zei de dokter, 'wat is er met je duim gebeurd?'

44

'Jack Davis?' Barry stond met de telefoon bij het raam naar de verspreide vuren te kijken, en naar een gele kraan die langzaam brokstukken verwijderde van Ground Zero.

'Dat is mijn naam, misbruik die niet,' zei een stem door de telefoon, zo fluimachtig en amicaal dat Barry bijna de nephouten panelen op de muur kon horen van het kantoor waar het vandaan kwam, en de advocatenbul en prijzen van de Rotary Club in perspex op de boekenplanken voor zich zag.

'Barry Schulman hier. Ik had verwacht iets van u te horen.'

'Is dat zo?' De gemoedelijkheid werd nauwelijks minder. 'Nou, ik heb het druk gehad als een vos in een kippenhok. Wat kan ik voor u doen?'

'Ik ben sinds kort uw cliënt. Net als mijn vrouw.'

'U meent het.'

'Jawel. Het gaat om de disciplinaire hoorzitting met Michael Fallon in Riverside.'

Jack Davis deed zachtjes *wup, wup*, als een oude computer die een kromme floppydisk probeert te lezen.

'Natuurlijk,' zei hij ten slotte. 'Uw verklaring voor de chef ligt hier op mijn bureau. En ik denk dat ik de verklaring van uw vrouw ook moet hebben. Ergens.'

'Ik kan wel een nieuwe kopie naar u faxen als dat nodig is,' antwoordde Barry afgemeten, die al had besloten meer geduld te oefenen dan bij mevrouw Crawford op het stadhuis. 'Maar ik hoopte echt de gelegenheid te krijgen u voor de hoorzitting te spreken.'

'Dan ben ik blij dat u me treft. Het kan moeilijker zijn mij te pakken te krijgen dan een ingevet varken. U begrijpt uiteraard dat aanklager zijn voor de stad niet mijn hoofdbezigheid is. Ik doe dit om de burgemeester, goeie ouwe Tom Flynn een dienst te bewijzen. Hij is een dierbare vriend van de familie.'

'Wat voor werk doet u gewoonlijk, als ik vragen mag?'

'O, ik grasduin wat in verzekeringen en ontwikkelingsprojecten. Ik heb gewerkt voor Olympia en York, Douglas Ellman, Northern Coastal, een paar plaatselijke groepen...'

In Barry's achterhoofd rinkelde een belletje. Northern Coastal, de projectontwikkelaar van het golfcomplex, die de zoon van de burgemeester een baan gaf als onderdirecteur. Zoals boeddhisten en plaatselijke politici allebei begrijpen: wij zijn waarlijk allen deel van één groot geheel.

'Dus u bent eerder aanklager geweest in een zaak?'

'Natuurlijk. Ik heb een paar jaar op het OM in Westchester gewerkt, nog voor de Burgeroorlog. Heh-heh-heh.'

Een politieke benoeming, dacht Barry. In het kantoor van de officier van justitie waren zo'n zevenennegentig van de honderd assistenten Republikeinen. De man mocht dan niet weten hoe hij een zaak moest behandelen, hij wist zich zeker ruimte te verschaffen. Niet dat er iets mis was met wat begunstiging zo nu en dan. Zoals een vermaarde Zuidelijke politicus ooit zei: 'Wat verwachten jullie van me, dat ik mijn vijanden contracten geef?'

'Ja meneer,' zei Barry, in een poging het vriendelijk te houden,' ik weet dat u het net als iedereen druk hebt gehad, maar ik probeerde u duidelijk te maken dat we beiden beschikbaar zijn, zodat u in de gelegenheid kunt zijn met ons te spreken, en u de zaak naar behoren kunt voorbereiden.'

'Verrekte aardig van u, meneer Schuler.'

'Eh, ja...' Even van de wijs gebracht greep Barry naar de blocnote op zijn bureau. 'Ook wil ik wat telefoonnummers aan u doorgeven van potentiële getuigen, voor het geval dat u geen gelegenheid hebt gehad om die op te zoeken.'

'Excuseer...'

Er was iets van consternatie aan de andere kant van de lijn. Geritsel met papieren, iets binnensmonds tegen een secretaresse, het geluid van een la, en een deur die hard dichtsloeg.

'Wat zei u?'

'Ik heb de nummers van enkele potentiële getuigen die ernstige schade kunnen toebrengen aan de geloofwaardigheid van inspecteur Fallon, en de getuigenis van mijn vrouw kunnen ondersteunen.' Barry tikte met zijn pen op de blocnote.

'O ja?'

'Om te beginnen heb ik een reeks klachten gevonden van mensen die zeggen dat de inspecteur hen in zijn politieauto met een radio heeft geslagen, toen ze geboeid werden afgevoerd tijdens Operatie Ivoorsneeuw, een paar jaar geleden...'

'Oud nieuws,' kwam Jack Davis ertussen. 'Die beschuldigingen zijn al door de gemeenteraad afgedaan. Het spijt me, meneer Schiller, maar ik zie de relevantie niet. Tot dat ongelukkige incident bracht die kleine campagne de misdaadcijfers in deze stad terug tot een kwart, en de waarde van het huis waarin u woont werd erdoor verdubbeld.'

Een ongelukkig incident? Leuk om zo te spreken over een ongewapende zwarte jongen die in zijn rug werd geschoten. Niemand is progressief wanneer hij het over de waarde van zijn huis heeft. Barry besloot het er maar bij te laten.

'En dan hebben we nog die twee jonge vrouwen die een klacht hebben ingediend bij de Toeziende Raad voor Burgerklachten, omdat de inspecteur hen had lastig gevallen. Ik dacht dat ten minste een van hen een voldoende geloofwaardige getuige zou kunnen zijn, zodat de hoorzitting niet eenvoudig ons woord tegen het zijne zal zijn...'

'Neem me niet kwalijk, meneer Schulman' – de stoel van Jack Davis piepte hoorbaar door de telefoon – 'maar hoe bent u precies in het bezit gekomen van deze telefoonnummers?'

'De wet openbaarheid van bestuur. Standaardgedoe. Geen wierook branden of diep buigen voor afgodsbeelden, dat verzeker ik u.'

Hij besloot dat onprettige gehakketak met mevrouw Crawford in het stadhuis te verzwijgen. Davis zou daar zeker gauw genoeg van horen.

'Bent u jurist?' vroeg Jack Davis.

'Een nederige handlanger van de duivel, net als uzelf.'

'Denkt u dan werkelijk dat het voor u gepast is zowel getuige als getuigenmangelaar te zijn bij deze rodeo?'

'Ik zou niet weten hoe deze getuigen zouden moeten verschijnen als niemand ze oproept. Heeft dit hof een magische bevoegdheid?'

Jack Davis zweeg alsof hij de vraag ernstig overwoog.

'Het spijt me,' zei Barry, 'maar dit is voor mij en mijn gezin meer dan een kwestie van voorbijgaande zorg. Deze man bedreigt ons voortdurend. Mijn vrouw had onlangs een nare aanvaring met hem bij Home Depot. En die avond kreeg ze een tamelijk dreigende boodschap via het internet.'

Barry merkte een verandering in de lucht van de kamer op en besefte dat achter hem een deur open was gegaan.

Hij keerde zich om en zag zijn secretaresse, Shameequa McPherson, wachten bij zijn boekenkast. Haar in vlechtjes omlijste haar verfijnde gelaatstrekken als een hoofdtooi met kralen, en een dunne gele koptelefoon rustte op haar sleutelbeenderen als het halssnoer van een Egyptische prinses. Je kon nooit weten of ze via haar walkman naar Master P. of naar haar cursus Italiaans luisterde. Ze stak een sierlijke vingernagel op, die deed denken aan een Griekse vaas.

'*Attenzione*,' zei ze met zachte stem. 'Meneer Olson wil u spreken.'

Barry dekte de telefoon licht af. 'Zeg hem dat ik dadelijk kom.'

'Meneer Olson wil u *pronto* spreken.'

Iets in haar stem gaf een rukje aan hem, en hij werd er weer eens aan herinnerd dat een goede secretaresse net zo veel met nuance en intonatie kon doen als een groot musicus.

'Meneer Davis, ik zal u later vandaag terug moeten bellen,' zei hij in de telefoon.

'Belt u me wanneer u wilt, alleen niet tijdens het avondeten.'

'Dank u.' Barry trok een gezicht toen hij de telefoon ophing en liep ervan weg.

'Dat heb je met blanken,' zei hij.

'Dat moet je mij vertellen.'

'Wat is er?'

'De boodschap luidde: "De coach wil je spreken. Breng je speltactiekboekje mee."' Ze hield de deur wijd voor hem open.

'Dat zeiden ze vroeger bij football als ze je gingen verkopen.' Hij voelde iets kraken in zijn nek toen hij zijn jasje van zijn stoelleuning griste.

'Dat zei ik ook tegen mijn laatste vriend toen ik het met hem uitmaakte. Haal die dingen nooit meer uit, bij niemand.'

Ze bekeek hem van top tot teen toen hij zijn jasje dichtknoopte en zijn revers afklopte.

'*Bello*. Niet slecht voor een ouwe vent,' zei ze. 'Als je een paar jaar jonger was zou ik je misschien *un occhio sessuale* geven.'

'Of als ik een paar dollar meer op de bank had.'

Het grapje sloeg niet aan en hij besefte dat er iets ernstigs ophanden was.

'Wat is er aan de hand?' Hij volgde haar het kantoor uit.

Haar jurk trok van achteren strak over haar heupen. 'Ik heb niets gezegd.'

'Misschien ken je me niet zo goed als je denkt.'

Hij bleef voor haar bureau staan, waar de gondeliers van Venetië over haar computerscherm dansten. 'Probeer je me bang te maken?'

'*Honi soit qui mal y pense.*' Ze paradeerde voor hem uit.

'Dat is geen Italiaans. Dat is Frans.'

'Weet ik. Het betekent: schande over degene die er kwaad van denkt.'

Voor hij haar om uitleg kon vragen ging de telefoon op haar bureau, en hij liep de rest van de weg alleen.

De vloer tussen hier en Ross Olsons kantoor leek zich voor hem uit te rollen als een lange rode fluwelen tong. De laatste twee weken was het aandeel Retrogenesis blijven kelderen naar vijf dollar – *vijf dollar!* – toen andere beleggers Mark Young gingen navolgen. Telkens ging het gerucht door het kantoor dat er een investeerder op een wit paard kwam om hen te redden – op dinsdag waren het de Japanners; op donderdag was het Merck – maar Ross hield gewoon vol dat iedereen een Coridal moest nemen en geduld hebben, terwijl hij naar de best mogelijke transactie zocht.

Intussen had Barry twee keer met Lisa Chang geluncht, op het oog om haar te instrueren voor haar verklaring in het apenproces, maar in werkelijkheid om over toekomstvooruitzichten te spreken. Op haar ingetogen, indirect verleidende manier had Lisa hem aangemoedigd moed te vatten en koers te houden. Er waren onlangs een paar onverwachte doorbraken in het lab op Long Island geweest, wat te maken had met het laten stijgen en dalen van de lichaamstemperatuur van doodshoofdaapjes, en de mogelijke implicaties voor de Alzheimermarkt waren verbijsterend. 'Als we het nog een paar jaar volhouden kan dit groter zijn dan het poliovaccin,' vertelde ze hem bij een geitenkaassalade en Thaise mie in het New Economy Café om de hoek. 'Tenzij we het verpesten en alle aapjes de pijp uit laten gaan door een longontsteking.'

Barry trok zijn schouders naar achteren en schreed doelbewust door de gang, waarbij hij probeerde niet aan liquiditeit te denken. Vijf dollar per aandeel. Zijn aandelenvermogen had ruim tweederde aan waarde ingeboet sinds hij bij het bedrijf was. Minder dan zeventigduizend dollar – dat zou hij hebben als hij het nu verzilverde. De getallen schoten door zijn hoofd. Minder dan zeventigduizend op de spaarrekening, *kloing*; met Hannah's eerste studiejaar zou daar weinig van overblijven, *kloing*. De belastingdienst zou een hap uit de rest krijgen, en hij zag maandelijkse hypotheeknota's van drieduizend dollar als roterende messen in een abattoir op zich afkomen. Geen wonder dat het eenvoudiger was aan het verzamelen van getuigen voor de rechtbank te denken.

Toen hij door de grote open werkruimte liep en het ongewone aantal lege hokjes zag, ook al was het lunchtijd, viel zijn oog op een monitor, net buiten het kantoor van Ross. Daarop regenden de paraplumannetjes van Magritte hulpeloos door de lucht met een hoed op en een jas aan.

'Kom erin, Baaïrr.' Ross deed de zware deur open en stak zijn hoofd naar buiten. 'We wachten op je.'

Barry merkte op dat het zuidelijke accent van zijn CED onheilspellend geprononceerder klonk, zoals altijd wanneer hij iemand uit het Zuiden sprak met toegang tot acht cijfers. De laatste keer dat hij Ross zo zuidelijk hoorde spreken was na een laat drinkavondje met een stel bankiers uit Houston.

'Wat zal het zijn?' Hij ging naar binnen en de deur sloot zich met een daverende klap achter hem.

Hij was meteen ontgoocheld toen hij de reden zag waarom Ross sprak als een onzalige combinatie van Bear Bryant en Minnie Pearl.

Daar in de zwarte leren bureaustoel van Ross zat Bill Brenner als een Zonnekoning, wiens gevlekte kale hoofdhuid het licht weerkaatste, terwijl zijn zwarte cowboylaarzen comfortabel op het bureau van de PD rustten.

'Hé, maatje, lang niet gezien.' Hij spreidde zijn armen. 'Welkom in de Nieuwe Wereldorde.'

'*Eh bien*, ik kan zien waarom je bent teruggekomen,' zei François Gortner.

'Waar heb je het over?' Lynn zat op de rand van haar kruk. Haar onrustgevoel door de scheiding van haar kinderen nam met de minuut toe.

Ze zaten in het kantoor op de eerste verdieping van de Gortner Gallery in Chelsea, met een stel werkafdrukken voor hen uitgespreid op tafel. François had als de curator die hij was twee foto's naast elkaar gelegd: een opname die Lynn vijfentwintig jaar eerder had gemaakt van de oude textielfabriek als pendant van de ochtendparade van immigranten, vorige week voor Starbucks op dezelfde lokatie.

'*Tout le monde*, het zit er allemaal in, hè?' zei François, een bolbuikige baardige sater met een montuurloze bril, een zwarte blazer en een wit overhemd van Turnbull & Asser. 'Dat licht. Dat *caractère. C'est formidable*. Alles wat je andere foto's niet hebben.'

Lynn fronste, even afgeleid van haar zorgen en pijnlijk getroffen door het dubieuze compliment.

'*Regarde.*' François bewoog zijn vergrootglas over het oudere tafereel van potige naaisters die hun rookpauze nemen op de parkeerplaats, terwijl mannen in mouwloze onderhemden gigantische klossen garen van vrachtwagens laden, met witte contouren van naakte vrouwen op de spatborden.

'Overal waar je verder heen gaat, deze foto's die je maakt. Zijn als de Weegee. Dit is, hoe zeg je, *aangapen*. Maar wanneer je naar huis gaat – *bon!* – je bent Cartier-Bresson.'

'Echt waar? Cartier-Bresson?'

'Eh...' – hij heroverwoog – 'misschien Ruth Orkin.'

Ze had er altijd moeite mee gehad François precies te plaatsen. Alles aan hem leek een beetje onbestemd: zijn gewicht, zijn nationaliteit, zijn sociale achtergrond, zijn seksuele voorkeuren. Hij droeg wijde slobberkleren, ook al was hij bij tijden slank; hij beweerde Parijzenaar te zijn, maar soms was zijn accent net zo exotisch als Second Avenue; hij noemde zichzelf zuinig, maar hij bezocht met haar alleen de duurste restaurants; hij kon katachtig en loom zijn, en ergerlijk in zijn dwepen met Mapplethorpe, maar hij omringde zich altijd met knappe jonge assistenten. Het enige absoluut betrouwbare aan hem was zijn oog.

'Maar weet je wat ik het mooist vind?' vroeg hij, de halogeenlamp bijstellend. 'Zelfs wanneer je het mij niet had verteld, zou ik kunnen zien dat deze foto's zijn genomen op dezelfde plaats, vijfentwintig jaar na elkaar.'

'Hoe dan?'

'*Je ne sais quoi.*' Hij vergrootte een detail van de laatste opname. 'Iets wat overkomt. *L'esprit de place.*'

'Misschien komt dat omdat dezelfde fotograaf de foto's nam.'

'Ah, *bébé*, je bent veel beter nu. Maar je hebt nog een lange weg te gaan.'

Kreng. Ze glimlachte, hield zich in en dacht eraan hoezeer ze met deze expositie wilde slagen.

'Nee, dit is niet de techniek,' zei hij, het vergrootglas neerleggend. 'Dit is het *sujet*. Sommige mensen hebben er maar een, zoals dikke naakte vrouwen of de zweepstriemen op de *derrières*, en dit is het jouwe. Jij kijkt naar deze plek en je doet je ogen wat wijder open.'

Ze bestudeerde de foto's nader en vroeg zich af of dit waar kon zijn. Ze had toch elders ook goede foto's gemaakt? Niet alleen de eenvoudige kiekjes, maar de hele rataplan: optochten op Fifth Avenue, marathonlopers op de Brooklyn Bridge, landhuizen in Greenwich, zandheuvels in de Mojave-woestijn, en zelfs de wervelende onvoltooide kathedraal van Gaudí in Barcelona. Maar in haar achterhoofd loerde het vermoeden dat hij gelijk had. Op een of andere manier leken al die andere beelden een beetje vaag en onbestemd; iedereen kon ze hebben gemaakt. Pas in Riverside kwam alles scherp uit, met structuren en details die bijna uit de lijst barstten. En ze vroeg zich af of ze iets in de waagschaal had gesteld door te trachten die klaarheid terug te krijgen.

'Deze bevalt me,' zei François, met zijn vinger op de foto van George die zijn sjofele vriend moed inspreekt, terwijl de auto van de aannemer wegrijdt. 'Ik zou graag wat meer van deze knaap zien.'

'O, zou jij dat wel willen, hm?'

'Je begint dichterbij te komen.'

'Denk je?'

Ze kromp wat ineen bij de herinnering hoe ze die dag achter de vuilcontainer wegdook om van objectief te wisselen.

'Robert Capa zei: "Wanneer je foto's niet goed genoeg zijn, ben je niet dichtbij genoeg."'

Ze keek op haar horloge en besefte dat ze zich moest haasten om de trein van 3.28 op Grand Central te halen. De donkere onweerswolk van schuldgevoel ging weer over haar heen en herinnerde haar aan het verschrikkelijke risico dat ze had genomen door een paar uur van huis weg te gaan. *Ik weet wat je aan het doen bent.* Een deel van haar geest was in Riverside achtergebleven en piekerde over de kleinigheden van het dagverloop van haar kinderen, ook al werden ze goed en verantwoord bewaakt door de nieuwe veiligheidsprocedures op school. Ze kon nog steeds dat

vreselijke beeld niet afschudden van iemand die hen vanaf de overkant observeerde.

'Maar het is nog steeds niet *suffisant*,' zei François.

'Wat?'

'Je moet nog dichterbij komen. Iets ontbreekt nog. Ik zie het
beeld niet dat het allemaal samentrekt.'

Je bent niet dichtbij genoeg. Is dat wat iemand op dit moment
in Riverside in zichzelf zei?

'Wat wil je?' vroeg ze. Ze voelde een golf van paniek bij het besef dat ze door haar aandacht zo te versnipperen én als moeder
én als fotograaf kon hebben gefaald.

'Ik weet het niet.' Hij trok aan zijn baard. 'Gewoon... dichterbij.'

'Ross... wat... is... dít?' vroeg Barry met een stem als een zich
langzaam ballende vuist.

'Dit is de nieuwe overeenkomst. Sorry partner. We hebben geen
keus.'

'Hoe zit het met het "Pad van winstgevendheid" waar we over
spraken? En met de drie nieuwe Aziatische markten voor Coridal?'

'Je moet weten wanneer je die vast moet houden,' zei Bill Brenner zangerig. 'En weten wanneer je ze aan moet boren.'

Volgens zijn eigen overtuiging was Bill de essentie van viriele
ruige mannelijkheid met pioniersgeest, een soort openhartige
Marlboro Man van de vrije markteconomie. In werkelijkheid leek
hij meer op een trol, met korte dikke benen, dito handen, harige
boogwenkbrauwen en een verbluffend rond hoofd met grijs-zwar-
te hoefijzers van haar rond beide oren. Zijn derde vrouw, een lang,
blond voormalig fotomodel voor Pirelli, dat zichzelf Taffy noemde, droeg nooit hoge hakken en keek op een avond merkbaar ter-
neergeslagen toen Bill half voor de grap verkondigde dat hij deel
ging nemen aan de klinische tests van zijn bedrijf voor een kopie
van Viagra.

Vijf jaar lang had Barry alle moeite gedaan om deze man ervan
te weerhouden zichzelf en zijn bedrijf te verwoesten. Hij had letterlijk stapels labrapporten en e-mails gevonden waarin stond dat
de directie van Brenner Home Care wist dat Virulant, de pestici-

de waar ze agressief de markt mee opgingen, geboorteafwijkingen kon veroorzaken, zelfs nadat Bill bij hoog en bij laag had gezworen dat zo'n document niet bestond. Bill loog in de getuigenbank, hij loog in de directiekamer, hij loog in restaurants, in hun zakenvliegtuig, bij barbecues, op kwarteljacht, in ski-hotels, op bedrijfsuitstapjes, op aandeelhoudersvergaderingen, en bij verklaringen voor de onderzoeksrechter. Hij loog op de golfbaan. Hij loog als je naast hem voor een urinoir stond. Hij loog wanneer er geen denkbare reden was om te liegen. Bij minstens één gelegenheid loog hij zo zonneklaar dat de rechter *Barry* dreigde met mogelijk royement wegens meinedige getuigenis. Hij loog, en werd hij erop aangesproken, dan loog hij nog wat meer en dreigde Barry's rekeningen en onkosten niet te betalen, met de woorden: 'Als het je niet aanstaat kun je mijn kont van opzij kussen en me voor de rechter dagen.'

Uiteindelijk had Barry enkele van de beste levensjaren van hemzelf en zijn kinderen opgeofferd om in de talloze uren te steken, nodig om in deze epische zaak een regeling te treffen. Het enige waar naar zijn mening deze ervaring goed voor was geweest, was dat hij hierdoor absoluut zeker wist dat hij voortaan helemaal zijn eigen weg wilde gaan. Maar nu was hier het lachende gezicht van Bill, dat weer in beeld floepte als een heliumballon die vanonder een stoel wordt bevrijd.

'Ik dacht dat we een discussie zouden hebben met de hele bestuurscommissie, voor Bill hier aan boord kwam.' Hij keerde zich naar Ross. 'Je kunt dit niet aan iedereen opleggen. De vermogenspartners hebben recht om te stemmen. Hoeveel van het bedrijf stel je trouwens voor aan Bill te verkopen?'

'Dat gebeurt niet,' zei Ross.

'Wat?'

'We verkopen hem geen stuk van het bedrijf. We gaan in procedure voor faillissement. En Bill heeft besloten wat van onze activa te kopen, zodat we meer overhouden dan alleen een hemd aan onze gat.'

'Maar geen van die verrekte aansprakelijkheden.' Bill schommelde te ver naar achteren in de leren bureaustoel en merkte dat zijn hielen nog net het bureau haalden. 'Als ik een nieuw blok aan mijn been nodig heb ga ik wel scheiden en weer trouwen.'

'Je kunt dit niet maken,' zei Barry.

'Tja, het is duidelijk een langdurig proces, Baairr.' Ross schraapte zijn keel. 'We moeten documenten gaan indienen voor Hoofdstuk 11-bescherming en dan...'

'Nee. Ik bedoel, je kunt dit niet maken. Bijna alle werknemers van dit bedrijf hebben hun spaargeld belegd in onze aandelen. Je gaat hen allemaal wegvagen.'

'Dat is altijd een risico met een opstart. Als je het veilig wilt, ga dan op het postkantoor werken.'

Barry zag even het beeld van een postsorteerder die zijn chefs met een Uzi onder schot neemt. 'Maar jij hebt in augustus jouw aandelen verkocht.'

'Waar ik toe gerechtigd was,' zei Ross met een ernstig en onverschillig gezicht. 'Ik nam alleen maar mijn opties waar.'

'Hetgeen de meesten van ons niet mochten doen volgens de codes van dit bedrijf.'

'Maar jij zit niet in die boot, Barry.' Ross trok zijn bovenlip op als een gordijn en onthulde twee vierkante voortanden. 'Je had op elk moment kunnen verkopen net als ik. Je zou het nog steeds kunnen. Ze mogen minder waard zijn dan in april, maar als medeoprichter zou je recht kunnen hebben op een deel van de opbrengst van de verkoop van patenten aan Bill.'

'Zolang ik maar akkoord ga met jou te helpen met het construeren van het faillissementsplan, zodat we niet door iemand van onze huidige werknemers voor de rechter kunnen worden gedaagd?'

'Je zit of in de bus, of je ligt eronder.' Bill Brenner trok zijn kabouterwenkbrauwen op. 'Ik weet wel vijf puike procesvoerders in Houston die ons maar al te graag zouden helpen deze baby zonder jou in bed te stoppen.'

Barry sloot zijn ogen en zag weer de paraplumannetjes van Magritte uit de hemel regenen. Langzaam veranderden hun gezichten in die van mensen die hij kende. Steve Lyons, Bharat, Lisa, Chris van Operations, allemaal langs hem heen vallend, met droevige strakke ogen, stoïcijns het feit aanvaardend dat niemand hen zou opvangen.

'Ik kan het niet doen,' zei hij.

Ross raakte licht zijn schouder aan. 'Denk erover na.'

'Ik denk erover na, geloof me.' Barry slikte. 'Ik breek het record in het Guinness Book, voor de meeste rationalisaties per minuut terwijl ik hier met je sta te praten. Maar dit is niet het ritje waarvoor ik heb betaald.'

'Niemand krijgt precies waar hij voor betaalt, Barry. Daarom hebben we uiteindelijk allemaal advocaten nodig.'

'Nou, deze heb je waarschijnlijk niet meer nodig.' Barry zette een stap naar de deur en liet de hand van Ross van zich afglijden.

Hij had het gevoel dat de kamer om hem heen uit elkaar viel. Alle oppervlakken – het gewreven zwarte bureaublad, de leren stoelen en banken, de ruiten, de witte boekenplanken en de computerschermen – smolten weg. Een andere werkelijkheid had al die tijd achter dit decor op de loer gelegen. Hij stond weer voor de delicatessenwinkel van zijn vader op de dag na de rellen, alsof hij daar niet weg was geweest, en de winkelpui leek op een geblakerde lege oogkas, met de ruit verbrijzeld, terwijl er een vreselijke geur hing van het verbrande vlees binnen. De hele weg erheen in de auto had zijn moeder erover ingezeten wat ze zouden aantreffen. Maar Barry zou nooit vergeten hoe zijn vader eenvoudig zijn schouders rechtte, haar een zoen gaf en een bezem pakte. 'Nu weten we het dus,' zei hij en begon te vegen.

Nu weten we het dus.

'Mooi.' Bill klapte in zijn handen. 'Ik geef het werk graag aan Cyrus Miller. Onze vrouwen zaten samen op dezelfde studentenvereniging in Austin.'

'Uiteraard,' zei Barry. 'Loyaliteit mag je niet vergeten.'

'*Touché*,' pareerde Ross, die de telefoon naar zich toehaalde en op een knop drukte. 'Jij weet altijd precies wat je onder de gegeven omstandigheden moet zeggen.'

'Daarom betaalden ze me vroeger met groot geld.' Barry glimlachte bescheiden.

'Is dit Dan van Beveiliging?' Ross knikte terwijl hij in de telefoon sprak. 'Wees zo goed het bureau van meneer Schulman af te sluiten en hem het gebouw uit te begeleiden. Zorg dat hij geen papieren of diskettes uit zijn computer meeneemt. En bel mijn kantoor als hij weer binnen probeert te komen.'

45

Terwijl het ene ergste-gevalscenario na het andere in haar hoofd groeide, haalde Lynn de trein van 3.28 na hard rennen door Central Grand, en ze was nog steeds niet geheel op adem gekomen toen de trein vierendertig minuten later het station van Riverside binnenreed.

Ze repte zich naar haar auto en reed als bezeten naar de Holly Farms Family Martial Arts Centre tussen de Radio Shack en de Dress Barn aan Evergreen, en gunde zichzelf niet eens een moment van voldoening over de lof van François voor haar recente foto's.

De oefenzaal zat vol gespannen moeders toen ze er aankwam en bij de deur haar schoenen uitdeed. De vrouwen zaten met gekruiste benen rond de mat van canvas en probeerden grijze haren en extra ponden te negeren in de genadeloze hoge spiegelwanden. De kinderen deden aan de andere kant van de zaal hun warming-up. Ze schopten en stootten in de lucht en deden of hun moeders er niet bij waren.

'Hé, Repelsteeltje, je bent net op tijd.' Jeanine sprong op om haar even te omhelzen.

Haar witte Liz Clayborne-truitje rook naar wiet en potloodslijpsel. Dat is één manier om met alle stress om te gaan, dacht Lynn. Ze zag deze laatste paar dagen een soort continentverschuiving bij haar vriendinnen. Na de aanvankelijke opkomst van crisisbesprekingen en buurtsurveillance begonnen sommigen zich terug te trekken in hun huizen en door de gordijnen te gluren alsof ze besmetting wilden ontlopen. Niemand had zelfs maar gebeld om het volgende avondje van hun leesclubje af te spreken.

'Hoe gaat het hier zoal?' Lynn ging op de vloer zitten waar Jeanine voor haar plaats had ingeruimd, blij en opgelucht omdat ze weer tussen andere moeders zat.

'Je zult niet geloven met wie Clay heeft besloten te vechten.'
'Waarom niet?'

Jeanine wees naar een jongen verderop in de zaal. Een kortgeknipte jonge wolf met lange benen en spitse ellebogen. Zijn voorhoofd was een benige richel boven zijn lichtblauwe ogen. Verbeeldde ze het zich maar dat hij een beetje op Mike leek? Een witte voet sloeg uit en versplinterde een stuk multiplex dat een andere jongen ophield.

'Nee toch.' Haar mond werd droog toen ze de andere jongen splinters van zijn kraag zag kloppen.

Ze wuifde naar de sensei, Rick Webber, pafferig, met paardenstaart en week van gezicht, maar er beslist van overtuigd dat iedere karatemoeder in de stad smoorverliefd op hem was.

'Rick,' zei ze toen hij aan kwam lopen in rood, wit en blauwe Gore-Tex, 'gaat het wel goed met Clay en die jongen?'

'Wat bedoel je?' Hij wierp er een onverschillige blik op. 'Ze hebben allebei de oranje band. Clay kan het hebben.'

'Maar hij is niet in conditie. Hij is de laatste tijd erg afgevallen door niet te eten. Hij kan niet eens zijn zus een schop onder haar kont geven.'

'Laat ie het maar niet horen.' Jeanine klopte Lynn op haar been. 'Zo ondermijn je zijn zelfvertrouwen.'

'Welk zelfvertrouwen?' Ze zag Clay naar het canvas staren terwijl hij zijn hoofdbeschermer goed deed. Haar fragiele jongetje dat voor al zijn vriendjes een goed figuur wilde slaan.

'En hoe is het nu met jou?' vroeg Jeanine betekenisvol toen Rick weer naar het midden van de mat ging om de jongens te instrueren.

'Goed wel... een beetje beverig... behoorlijk nerveus als je de waarheid wilt weten.'

'O, dat ken ik.' Jeanine zuchtte. 'Het is zo jammer.'

Daar was het weer. Het geluid dat Lynn opmerkte toen ze voor het eerst met Jeanine sprak over het indienen van een klacht tegen Mike, een paar dagen eerder. Een zekere beleefde voorzichtige reserve.

'Heb je de laatste tijd nog iets van Mike gehoord?' vroeg Lynn.

'Nee. Ik zag hem gisteren even toen ik de kinderen ophaalde.' Jeanine streek haar haar naar achteren. 'Het zal voor hem ook een moeilijke tijd zijn.'

'Denk je?'

Het wolvenjong had zijn beschermers omgedaan en zijn rode masker, waardoor hij er wat beklemd uitzag. Clay daarentegen deed ondanks zijn beschermstukken open en kwetsbaar aan, en

Lynn moest zich inhouden om niet naar hem toe te gaan en hem in verlegenheid te brengen door hem te fatsoeneren.

'Het is toch jammer dat jullie het niet hebben kunnen uitpraten voor het zover kwam.' Jeanine boog zich ineens naar haar toe en kon het niet meer voor zich houden.

'Jeanine, geloof me, we hebben alles gedaan om het te vermijden. Het laatste wat we wilden was een openbare zitting.'

'Welnu dames' – Rick stond in het midden van de mat om de moeders toe te spreken – 'we hebben het eerder over de regels gehad, maar nog één keer…'

'Kijk eens hoe leuk Zak en Brawley eruitzien,' fluisterde Jeanine, toen haar tweeling in de hoek stond en elkaar in het kruis probeerde te stompen.

'Het gaat bij deze cursus om beheersing en discipline,' legde Rick met stentorstem uit, alsof hij een zaal vol mariniersrekruten toesprak. 'Maar dit is oefening, dus er zal wat bescheiden lichaamscontact zijn. Het gaat om drie punten. Wie drie keer niet weet te blokken heeft verloren. Is iedereen daarmee akkoord?'

'Jaaa,' antwoordde een aantal vrouwen schoorvoetend.

'Nou, dan begrijp ik niet waarom dat hele gedoe niet wat kon worden uitgesteld,' zei Jeanine.

De twee jongens bogen stijfjes naar elkaar op het midden van de mat: een formeel ritueeltje dat op een of andere manier leek te spotten met de volwassen wereld van goede manieren en oppervlakkige aardigheid om hen heen.

'Denk je dat ik me erop verheug?' fluisterde Lynn.

'Hajime!' Rick ging tussen de jongens staan, die een gestileerde vechthouding aannamen.

Meteen was het of alle moeders in de zaal niet meer bestonden, door een soort scherp geconcentreerde energie op het midden van de mat.

'Elke morgen word ik wakker met dat gewicht op mijn borst,' zei Lynn, die nog steeds behoefte voelde tot uitleggen.

'Dat hoef je mij niet te vertellen, schat.'

De andere jongen sloeg het eerst, met een zuigerachtige stoot recht vanuit de schouder. Lynn slaakte een kreetje toen Clay zijwaarts draaide en wegdanste met een lenigheid die ze nooit eerder had waargenomen.

'Zie je dat?' Jeanine klapte en raakte Lynns arm aan.

Lynn reikhalsde en zag iets van Barry in de bewegingen van de jongen. Zoals hij zijn kin introk en zijn schouders recht hield. Het lage zwaartepunt, het flitsende van de ogen die een opening zochten. Ze had gemengde gevoelens gehad sinds ze hem vorig jaar voor karate inschreef. Enerzijds kwam hij erdoor uit huis en deed hij iets. Anderzijds was het een stap verder in dat domein waar moeders en zussen niet bij konden.

'Ik wilde net zeggen dat het zo jammer is dat dit nú gebeurt.' Jeanine keerde zich naar haar en sprak zacht.

'Wat bedoel je?'

'Dat we allemaal willen dat de politie ons beschermt. Die zie je niet graag in de beklaagdenbank.'

Clay deed opeens een uitval, met een snelle konijnentrap die de andere jongen in zijn elleboog trof.

'Dat klinkt alsof je het me kwalijk neemt,' zei Lynn binnensmonds.

Ze merkte dat verscheidene andere moeders ook naar haar keken. Misschien begonnen ze hun eigen oordeel te vormen.

'*Yame!*' Rick de *sensei* kwam tussen de jongens en haalde hen even uit elkaar.

'Ik neem het níémand kwalijk,' zei Jeanine.

Maar in die nadruk hoorde Lynn dat medeleven op een nog hogere plank werd gelegd, net buiten bereik.

Wat dacht Jeanine dat er was gebeurd? Dat zij probeerde Mike te verleiden? Dat Barry gewoon een jaloerse echtgenoot was? Geloofde ze in ernst dat ze samen een plan hadden bedacht om de stad van zijn bewakers te beroven?

'Luister Lynn, het gaat er maar om dat je weet dat ik aan jouw kant sta,' zei ze. Maar op een of andere manier duwden deze woorden Lynn alleen maar verder in de put.

'*Hajime!*'

Ze werd afgeleid door nieuwe actie bij de jongens. Het wolvenjong haalde uit en trok terug alsof hij van binnen springveren had. Lynn zocht Clays blik, om hem te laten weten dat hij zich niet hoefde te schamen als hij opgaf. Maar Clay deed zijn handbeschermers goed en schudde heftig zijn hoofd, want hij wilde doorgaan.

'Ik wou dat ik erheen kon lopen om ze op te laten houden,' zei Lynn, die haar beschermende instinct in haar borst voelde knagen.

'Hij zou het je nooit vergeven als je het deed.' Jeanine legde haar hand op Lynns pols. 'Breng hem niet in verlegenheid bij zijn vriendjes.'

Een witte voet landde net onder Clays ribben en alle andere moeders deden meelevend *oe-oeffff*. Maar in plaats van dubbel te slaan danste Clay weg en hief zijn handen, om te laten zien dat hem niets mankeerde.

Mijn dappere man. Lynn voelde zich gesterkt. Op een bepaalde manier gaf het haar moed dat haar jongste kind niet van wijken wilde weten. Ja, dit kan ik ook. Ik houd mijn hoofd opgeheven.

'We staan allemaal achter je,' zei Jeanine.

'Dat weet ik.'

Lynn zag in slow motion een dichte vuist recht uit de schouder van het wolvenjong komen en zijn weg vinden door de opening in Clays hoofdbescherming. Ze voelde de stoot van de vuist op zijn gezicht alsof ze die zelf incasseerde.

Een oorverdovend gegil kwam uit de groep jongens met hun nog hoge stemmen. Clays handen gingen naar zijn gezicht en zijn lichaam verslapte. Een rode klodder bloed viel op de beige mat.

Lynn snelde op haar zoon toe en zag dat zijn neus niet echt was gebroken, maar dat er twee stralen bloed uit stroomden. Ze sloeg haar armen om hem heen en keek over zijn schouder naar de sensei.

'Waarom greep je niet in?' vroeg ze. 'Zag je dit dan niet aankomen?'

'Ik vond dat hij het prima deed.' Rick haalde zijn schouders op.

298

46

'Hé Larry, heb je de roosters die ik zocht?'

Net voor zessen die avond stak Paco zijn hoofd naar binnen om brigadier Quinn, de verslagenschrijver aan te spreken.

'Daarmee blijf je me op mijn huid zitten, hè?' Larry zat achter zijn bureau met een broekspijp opgerold tot de knie en bekeek een lelijke schaafwond op zijn scheenbeen.

'Hoe komt dat zo?'

'Ik ben van mijn fiets geflikkerd. Wil je wel geloven dat er hier een man van zevenenvijftig rondfietst als een joch van twaalf?'

'Ik dacht dat je graag eens uit de surveillancewagen kwam om te gaan fietsen. Net als in de goeie ouwe tijd.'

'Als we toch de klok terugdraaien, geef mij dan maar een paard. Een mooie Arabische hengst. Daar rijd ik dan mee door de portieken van de woonkazernes. Dan heb je daar geen hangjongeren en zwervers meer.'

Larry was van de oude stempel, zo oud dat hij een flinke knevel had en geurende pommade in zijn haar, als een agent van de vórige eeuwwisseling. Zozeer van de oude stempel dat hij er nog steeds niet geheel in was geslaagd het werkrooster van het bureau te computeriseren, wat hij die zomer voor elkaar had moeten hebben, waardoor iedereen zich nog steeds met de hand moest in- en uitschrijven.

Hij was de geschiedenisman van het bureau en had van zijn werkkamer een soort minimuseum van Riverside gemaakt. Op zijn bureau lag een authentieke mahoniehouten knuppel uit 1902, en een plastic replica van de eerste mascotte van het korps, Horatio, een Jack Russell-terriër met een zwarte kring om zijn oog, stond op de rij zwarte archiefkasten.

'Wat zocht je trouwens?' vroeg Larry, die pijnlijk keek toen hij ging staan. '*I Forgot to Remember to Forget*. Ken je dat liedje nog?'

'Heel de maanden juni, juli, augustus en september.'

'*Try to remember the kind of September...*' Larry liep trekkebenend naar de archiefkasten, zingend met zijn volle bariton.

Paco bekeek hem en hield een toegeeflijke glimlach zolang hij kon vast.

'Probeer je na te gaan wanneer de inspecteur in die tijd wipte?'
Larry keek ironisch over zijn schouder.

'Ik deel gewoon de surveillance in. Wat puntjes op de i zetten.'

'Zeg, er zijn hier lui die zich afvragen waarom de chef jou belastte met dit onderzoek.'

'Werkelijk?'

Paco's wangspieren werden moe van het grijnzen bij al deze *blanquitos*.

'Velen van ons hebben begrip voor Mike. Sommige van de jonge agenten heeft hij alles geleerd wat ze weten, zodat ze nog steeds behoorlijk loyaal zijn.'

'Misschien dat de chef daarom niet wil dat ze aan deze zaak werken.'

Larry bladerde door de dossiers en knikte peinzend, alsof hij hier de wijsheid van inzag. 'Niet dat ik zelf erg warm loop voor dit gevecht, maar ze willen wel een eerlijke behandeling zien.'

'Die zal hij zeker krijgen.'

Paco bekeek de andere foto's aan de muur en probeerde zijn ongedurigheid te bedwingen. Een stel grimmige negentiende-eeuwse broodboksers in hemdsmouwen, met snorren en bretels, vuile gezichten, knielaarzen en canvas tenten, met achter hen de grijze rivier.

'Wie zijn deze *chicos viejos*?' vroeg hij.

'Die?' Larry keek, en het deed hem genoegen dat Paco het had opgemerkt. 'Daar midden in die groep staat mijn over-over-grootvader. Hij was een zandvarken.'

'Een wat?'

'Je weet wel, een tunnelgraver. Een rivierrat. Familie van Fallon deed ook dat werk. Ieren in barakken, zo van de boot.'

Paco bekeek de foto nog even en pikte Larry's voorvader er moeiteloos uit. Dezelfde wijkende kin en kraalogen, de stoere mannenhouding met armen over elkaar, en zelfs dezelfde provinciale spuuglok over het voorhoofd.

'Ze lijken wel de bende van Pancho Villa.'

'Weet ik.' Larry grinnikte. 'Wat een stel armoedzaaiers, hè? Zij hebben deze stad gebouwd. Echt waar. Ze bouwden de aquaducten zodat alle fijne meneren van Park Avenue stromend water kregen, en ze legden de spoorlijn aan, zodat de kleinkinderen van die meneren naar de voorsteden konden verhuizen om weg te komen van de grauwe massa en naar hun werk heen en terug te kunnen.'

'Is de over-overgrootvader van Fallon een van die kerels?' vroeg Paco.

'Die daar uiterst rechts zou hem kunnen zijn.' Larry haalde zijn schouders op. 'Hij moet een hele harde zijn geweest.'

Een breedgeschouderde kerel met diepe schaduwen onder zijn ogen en een nek als een boomstam.

'Ze zeggen dat een van de plaatselijke boeren kwaad werd omdat zijn weiland door vonken van passerende treinen in brand vloog. Het verhaal gaat dat hij nagels uit de rails trok, zodat de eerstvolgende trein ontspoorde, met twaalf doden als gevolg. Het schijnt dat de oude Fallon met een herstelploeg langs is gekomen. En ik denk dat ze bonje kregen, want de volgende dag vond de plaatselijke koddebeier die boer met zijn gezicht in zijn eigen hooivork. Een bedrijfsongeval dus.'

'Het landleven kan dodelijk zijn, man.' Paco grijnsde.

'Nou, hij was blijkbaar een goeie om aan je kant te hebben, die Robbie Fallon. Ze zeggen dat hij de eerste vierhonderd meter van tunnel drie grotendeels eigenhandig heeft gegraven omdat de rest van de ploeg te afgemat was van de zesdaagse werkweek. En waar kon hij uiteindelijk prat op gaan? Op een berg kledder.'

'Wat bedoel je?'

'Hij kwam om bij een instorting. Ze kregen zijn lijk er niet eens uit. Hij hoort bij de fundering. Waarschijnlijk staan we nu op hem.'

Paco keek onwillekeurig naar het linoleum. 'Het is wat.'

'Zeg dat wel. Ik moet zeggen, soms denk ik dat er een vloek op families rust die wordt doorgegeven.'

'Lukt het een beetje met die roosters?'

Larry leek langzamer met zijn vingers door de mappen te gaan. 'Het lukt wel,' zei hij. 'Ja. En je weet toch ook van zijn broer?'

'Is die dood?'

'Je wordt niet goed bij de gedachte alleen al. Zijn vrouw en kind krijgen niet eens een vol pensioen omdat hij buiten zijn rayon was. Hij was een stadsmeris, en hij ging op een zaterdagavond bij zijn ouders eten. Op weg naar huis ziet hij die druiloor in een auto op

River Road ruzie maken met zijn vriendin. Hij draait zijn raam omlaag en zegt: "Hé, rustig aan, chico. Wees voorzichtig met haar." De vent trekt een .357. *Bemoei je met je eigen zaken.* Beng! Vaarwel Johnny. En dan vragen ze zich nog af waarom Mike zo agressief was omdat we daarna allemaal voertuigen moesten aanhouden.'

Paco zag de brigadier op zijn knieën gaan en nog dieper in een dossier duiken.

'Ik moet alleen die zomermaanden hebben,' zei hij.

'Ik weet wat je zoekt.' Larry diepte een uitpuilende map op. 'Hier is augustus en de eerste twee weken van september. Mike was er een deel van die tweede week niet omdat hij zich ziek meldde om op Ground Zero te gaan helpen.'

Hij liet de map met een boze klets op de vloer vallen en schoof de la dicht.

'Soms vraag je je af wat de zin van alles is.' Hij rukte een hogere la open. 'Je geeft je leven aan een plaats, en dan geven je kinderen hun leven, en hun kinderen ook weer. En waar eindig je? Een kloterig optrekje in de Hollow, terwijl de lieden die het hebben gemaakt over jou heen de heuvel beklimmen. Soms vraag ik me af waarom ik de geschiedenis bestudeer als die zich alleen maar blijft herhalen.'

Paco pakte de map op. 'Wie het verleden is vergeten is gedoemd tot...'

'Ja, ja, precies. Denk niet per se dat je zelf hoger zult komen. In de jaren twintig brachten de overgrootvader van dominee Philips en familie van chef Baltimore een half miljoen bijeen om een paar honderd hectare bij Indian Ridge te kopen en daar hun eigen voorstedelijke gemeenschap te stichten. Op het laatste moment greep een stel blanke bankiers van op de heuvel in, kocht het voor drie ton en hield de grond dertig jaar onbebouwd. Ik kan je de kop in de *News* in mijn archief laten zien. NEGERS AFGESLAGEN!'

Paco trok zijn kin in en voelde zich licht beledigd. Eigenlijk had hij zichzelf nooit als kleurling beschouwd. Zijn familie waren aristocraten van Cuba. Het was slechts een gril van de geschiedenis dat ze na *La Revolución* hun plantage bij Havana kwijtraakten en voor een paar jaar naar San Juan moesten. Hij had nooit iets moeten hebben van dat *tocarle a uno la suerte*, dat verpletterd-onder-het-wagenwiel-van-het-noodlot, jammer maar helaas. *Sucede lo que sucede*. Een man nam zijn toekomst in eigen handen en vormde die elke dag, want wat zou hem anders tot een man maken?

'Ik heb juni en juli.' Larry pakte nog een map en schoof de la dicht. 'Je bent er dus echt op uit om hem te grazen te nemen, hè?'

'Ik wil niemand te grazen nemen. Ik zit met een lijk en twee belastingbetalers met klachten over lastig vallen. De chef heeft de hete adem van het gemeentebestuur en de staatspolitie in zijn nek. Reken maar uit.'

Larry hinkte naar hem toe om hem de tweede map te geven. 'Luister eens, sommige jongens zeggen dat het vroeger niet uitmaakte of je zwart, wit of bruin was. Je ging van de mens uit. De enige kleur die telde was blauw.'

'Je kunt de klok niet terugdraaien, Lar.'

'Hee, Paco, dat heb ik niet bedacht. Ik zeg je alleen wat ik van de andere agenten hoor.'

'O ja?' Paco sloeg een map open. 'Nou, dit mag je van me terugzeggen: Jullie mogen me niet? Prima. Ik mag jullie ook niet. Maar ik ben nog steeds door jullie chef als eerste man met dit onderzoek belast. Als je daar een probleem mee hebt, word dan suppoost in een museum. Want zo zal het zijn. En overigens, Larry, de Spanjaarden kwamen veel eerder naar Amerika dan de Ieren. Maar als iemand die de geschiedenis bestudeert, wist je dat waarschijnlijk al, nietwaar?'

Larry's snor ging hangen. 'Je hoeft mij er niet op aan te kijken, rechercheur.'

'Dat doe ik beslist niet.'

Paco bladerde vlug de map door en zag het patroon vrijwel meteen. Fallon had zich de laatste twee maanden dikwijls vroeg afgemeld van zijn dienst, tot en met de nacht waarin Sandi verdween.

'Hoe ziet de zaak er trouwens uit?' vroeg Larry, die zijn gezicht trachtte te doorgronden.

'Fantastisch.' Paco klapte de map dicht en stak die onder zijn arm. 'Aardig dat je dat vraagt.'

47

Drie paar vuile handjes grepen naar dezelfde felgele vuilnisauto, en er steeg een kreet op als een luchtalarmsirene.

Barry zag de oppas van de parkbank opspringen, in de zandbak stappen en bemiddelend optreden tussen de kinderen, zonder iets te missen van het gesprek tussen haar vriendinnen die bij de wandelwagens zaten.

Hij vond haar bekoorlijk, zoals hij haar vanaf de ingang van het speelterrein bezag. Een van die leeftijdloze latino-vrouwen met een gladde bruine huid, een smalle taille en een glimlach waar je hart van stilstond. Op een of andere manier wist ze zich tussen de kleuters te roeren zonder de knieën van haar witte Levi's vuil te maken. Ze streek over verwarde haren, verdeelde gelijkelijk haar glimlach, en onttrok het omstreden speelgoed handig aan de speelplek zonder dat een van de kinderen het merkte.

Toen ze overeind kwam hadden ze alleen nog maar aandacht voor een arbeidsintensief gezamenlijk project, het graven van een enorme kuil, met emmertjes en schepjes. Een advocaat die op Wall Street zo snel en pijnloos conflicten kon oplossen verdiende met gemak vijfhonderd dollar per uur.

Hij deed zijn kraag goed, kwam aankuieren en trof haar op drie passen van haar vriendinnen, de groep van oudere kinderoppassen die zo'n beetje elke dag op dit uur bijeenzaten om te lunchen op het speelterrein van het Eisenhower Park in Indian Ridge, nog geen kilometer van zijn huis op de heuvel af.

'Muriel?' zei hij, zijn wenkbrauwen optrekkend, alsof ze oude vrienden waren die elkaar tegen het lijf liepen. 'Muriel Navarro?'

'Wat is er?' Het horen van haar naam uit de mond van een vreemde dempte meteen haar glimlach.

'Ik ben Barry Schulman. Ik ben jurist. Ik vroeg me af of je misschien even tijd voor me hebt.'

Haar ogen dansten van de kinderen in de zandbak naar haar vriendinnen op de banken, die nauwlettend toezagen hoe deze scène zich ontrolde, terwijl ze Tupperware-bakjes met fruit bleven openen en luid in het Spaans tegen elkaar ratelden.

'Bent u van de Vreemdelingendienst?' vroeg Muriel.

Ze had de lage, hese stem van een veel oudere, zwaardere vrouw. Een rokersstem. *Tremont Avenue in de Bronx*, daar plaatste hij haar. Hij had als officier tientallen verklaringen afgenomen van vrouwen die net als zij klonken. Alleen waren velen van hen oud voor hun jaren, met oogzakken, junkfoodfiguren en astmatisch gehoest door slechte ventilatiesystemen. Dit meisje had in de zon weten te blijven.

'Nee, dat ben ik niet,' zei hij. 'Ik ben een gewone burger.'

'Wat wilt u dan? Hoe hebt u me gevonden?'

'Je werkte vroeger voor Kim Roseborough. Haar dochter Allison zat op dezelfde school als onze zoon Clay. Ik kreeg het nummer van Kim van de school, en zij gaf me het nummer van de vrouw bij wie je nu werkt. Zij vertelde me dat ik je hier kon vinden.'

Als hij had gehoopt haar argwaan te verminderen door met vertrouwde namen te strooien en terloops de door hem gekozen route te schetsen kwam hij bedrogen uit. Ze bekeek hem alsof híj, en niet Fallon haar stalker was.

'Je hoeft je geen zorgen te maken. Ik heb je geen problemen met je baas bezorgd,' zei hij. 'Ik heb tegen mevrouw Lockhart gezegd dat we iemand dachten in te huren voor wat oppaswerk in de weekeinden. Ze zei dat je het druk had met je studie, maar dat we met je konden spreken...'

Ze vond het maar niets en schudde haar hoofd. 'Wat wilt u?'

Hij draaide zich om en gebruikte op subtiele wijze zijn lengte om haar aan te moedigen met hem mee te lopen. 'Ik weet dat je een paar jaar geleden een klacht hebt ingediend tegen brigadier Michael Fallon.'

'O, nee.'

Ze deed twee stappen en bleef staan. Haar grote gouden oorringen blonken bungelend in het licht.

'Ja, je zult niet staan te trappelen om dit alles weer op te rakelen. Maar mijn vrouw en ik zijn ook door hem lastig gevallen. Ook wij hebben een klacht ingediend.'

'Het is zo lang geleden,' zei ze.

'Ik begrijp het. Maar overmorgen komt er een disciplinaire hoorzitting, en daarom probeer ik tot die tijd nog een paar ondersteunende getuigen te krijgen.'

'Hoe komt u eigenlijk aan mijn naam?' Haar ogen vernauwden zich weer en hadden door de eufemistische bewoordingen heen rechtstreeks zicht op de veranderlijke en instabiele kern van hun zaak.

'Je diende je klacht in bij de Toeziende Raad voor Burgerklachten. Ik heb het opgezocht in de verslagen.'

'*Qué batingue!*' Ze keek ontdaan naar de zandbak, waar een klein vlasharig meisje een Koreaans jongetje met zijn gezicht in het zand duwde. 'Chiara, laat je broertje gaan!'

Hij werd zich er ineens van bewust hoe onwelkom zijn aanwezigheid hier was. Een blanke man, midden op een werkdag op een speelplaats. Alleen al door zijn lengte viel hij op. Hij ging op een laag stuk klimrek zitten om niet langer boven haar uit te torenen.

'Wat is er toen gebeurd?' vroeg hij, enigszins bezorgd klinkend. 'Hield hij je aan toen je in de auto van je baas reed?'

'Ik kan hier niet over praten.'

'Ik begrijp het. Je bent nerveus. Je kent me niet. Die man is van de politie...'

Dimmen, zei hij tegen zichzelf. Je schendt je eigen omgangsregels. Zodra een getuige weet hoe hard je hem nodig hebt draait hij zich eruit.

'Nee, u begrijpt het niet,' zei ze. 'Ik heb al bijna het volle staatsburgerschap. Ik ken mijn familie in San Salvador al bijna niet meer. Daar woon ik sinds mijn negende niet meer.'

'Het lijkt me sterk dat de Vreemdelingendienst het je lastig zal maken omdat je op de disciplinaire hoorzitting van een plaatselijke politieman getuigt.'

'Nou, mij niet gezien. Ik zal van achter in de boot naar u zwaaien.'

Hij keek naar de kinderen die van een wankele aluminium glijbaan roetsjten en vroeg zich af wat hij nog meer kon doen om haar vertrouwen te winnen. Zoals altijd was tijd de vijand.

'Waarom heb je toen de klacht na drie dagen ingetrokken?' vroeg hij. 'Had iemand je gezegd dat te doen?'

'Hoort u eens, mijn leven loopt goed zo.' Ze streek een donkere haarlok, bijna dezelfde kleur als dat van Lynn, uit haar ogen. 'De kinderen zijn lief. Van de vrouw bij wie ik werk mag ik twee keer per week haar Honda lenen om voor mijn cursus naar de stad te rijden, zodat ik mijn diploma kan halen. Waarom wilt u me moeilijkheden bezorgen?'

'Ik vat dit als een bevestiging op. Dus hij bedreigde je?'

De structuur van haar huid leek pal voor zijn ogen van romig zacht naar leerachtig te gaan.

Hij zag in dat hij veel te overdonderend werkte. 'Luister, het was niet mijn bedoeling je onder druk te zetten. Een korte verklaring is alles wat we nodig hebben.'

Ze keek weer naar de zandbak, waar twee kleine meisjes het Koreaantje tot zijn nek begonnen te begraven, en een netwerk van fijne lijntjes verscheen rond haar ogen.

'Het spijt me.' Ze keerde zich om. 'Ik moet weer aan het werk.'

'En al die andere vrouwen dan?' riep hij haar na. 'Je weet dat als hij het bij jou deed en bij ons, hij het waarschijnlijk ook bij andere mensen deed.'

Haar schouders verstrakten onder haar felgele shirt. Het was alsof hij een schot van hem op de basket nakeek, hoog en hoopgevend door de lucht, maar dan jammerlijk mis. Hij was er iets te vroeg mee geweest. Zijn timing was niet goed meer. Hij was het subtiele gevoel kwijt.

'Probeert u me schuldgevoel aan te praten?' vroeg ze.

'Och...'

Ze keek terug en bezag zijn dure kleding. Heel dat bestudeerde terloopse van hé-ik-ben-gewoon-een-pappa-in-de-speeltuin was opeens als een slecht zittend pak.

'Weet u wat de politie in San Salvador zoal deed?' vroeg ze. 'Ik heb een oom die geen oren meer heeft, omdat die achterbleven in de verhoorkamer. Hij heeft alleen aan weerszijden van zijn hoofd een gat.'

'Dat gebeurt gewoonlijk niet in een doorsnee voorstad aan de Oostkust.'

Ze hoefde alleen maar haar ogen neer te slaan om hem eraan te herinneren dat hier onder de heuvel het onthoofde lichaam van een vrouw was aangespoeld.

'Nu ja, erg vaak gebeurt het niet...'

'U moest maar gaan,' zei ze resoluut. Haar ogen gleden langs zijn schouder en zagen de pas gewassen zwarte Saab aan de overkant staan. 'De politie controleert hier nu voortdurend.'

Niets in haar gelaatsuitdrukking gaf hem enige aanwijzing of ze hem waarschuwde terughoudender te zijn, of hem wilde zeggen dat ze zelf de politie wilde bellen.

'Het spijt me dat ik je heb gestoord.' Hij haalde zijn kaartje uit zijn portefeuille, schreef er zijn privé-telefoonnummer op en gaf het aan haar. 'Maar bel me als je je bedenkt.'

'Oké.' Ze stopte het kaartje in de zak van haar shirt alsof het van weinig belang was en ging zich weer met de kinderen bemoeien.

Hij zag haar licht heupwiegend gaan, terwijl zonlicht zich als kwik in haar haar verspreidde. Van achteren leek ze een beetje op Lynn. En op dat moment zag hij in waarom Michael Fallon haar eigenlijk had aangehouden.

48

'Goedemiddag, mevrouw Schulman.' Gwen Florio stond voor de getuigenbank, als een stiletto-dunne figuur in een geklede blauwe rok en een jasje met officieel ogend wit boordsel langs de revers, hetgeen een bepaalde band met de politie leek aan te geven omwille van de rechters bij deze zaak.

'Goedemiddag.'

De disciplinaire hoorzitting was deze morgen zonder bijzondere voorvallen van start gegaan. De eed was Lynn afgenomen door Tony Shlanger, de boomlange griffier die zich elke zaterdagmorgen voor een abortuskliniek in de stad de longen uit het lijf schreeuwde en jonge zwangere vrouwen die zich langsspoedden met plastic foetusjes de stuipen op het lijf joeg. Haar rechterhand trilde een beetje toen ze zwoer niets dan de waarheid te zeggen. De leden van de gemeenteraad bekeken haar vanaf de verhoging. Maar zelfs bij de zogenaamd vriendelijke ondervraging van de vervolgende officier, Jack Davis, een dik, raar kereltje met de haarkleur van een gestreepte baars en een kamgaren pak, voelde ze zich klein en beverig in de getuigenbank.

Bijna een uur lang had Mike aan de tafel van de verdediging

gezeten, op zeven meter afstand, waarbij hij naar haar keek en af en toe wat opschreef om zijn advocaat zich te helpen wapenen voor het kruisverhoor. Zijn woede ging in golven naar haar uit. Nog verontrustender was dat zijn duim tot twee keer de normale grootte was opgezwollen en een blauwpaarse tint had die haar aan een erectie deed denken.

En om het algemene spanningsniveau nog wat op te voeren gingen meteen na de lunch de deuren open en kwamen Jeanine, Molly Pratt, Anne Schaffer en Dianne de Groot binnen, staken hun duimen op en lachten haar warm en opbeurend toe.

'U kent mijn cliënt toch, mevrouw Schulman?'

'Dat zei ik voor de lunch al tegen meneer Davis.'

Lynn had zich voor haar optreden zedig gekleed in een blauwe blazer, een grijze rok en een witte blouse met een onopvallend Chanel-sjaaltje en simpele parels. Ze had haar haar naar achteren, waardoor de bewegende pezen van haar hals scherp uitkwamen.

'Hoelang kende u mijn cliënt al?' vroeg Gwen Florio, die achter haar lessenaar vandaan kwam.

'Ik dacht dat ik al had verklaard dat ik hem sinds de middelbare school ken.'

Barry zat twee rijen terug rechts in het publieksgedeelte, met zijn armen gespreid tegen de rugleuning voor hem, en trachtte open en ontspannen te ogen.

Ze had een gevoel alsof ze hem aan de overkant van een drukke straat zag, met snel rijdende auto's tussen hen in. Toen ze de vorige avond in de woonkamer naar *Charlie Rose* keken had hij plotseling verkondigd: 'Ik ben er vandaag uitgestapt.'

Ze wachtte zelfs niet om het geluid zacht te zetten. *Wát heb je gedaan?*

Je hebt me gehoord, zei hij toen. *Ze wilden zoiets als een maf-fia-truc uithalen. Het meubilair eruit halen, het pand platbranden en de verzekering bezwendelen. Ze wilden dat ik de lucifers hanteerde. Ik kon het niet.*

Je bent dus zomaar opgestapt? vroeg ze, bezig de schok te verwerken.

Hij bestudeerde de scheiding tussen zijn whisky en water. *Waarom hoor ik niet het soort steun dat ik verwachtte? Al die mensen*

waar ik mee werkte wordt hun spaargeld afhandig gemaakt.
Maar hoe moet het dan met ons? had ze toen gevraagd.

Gwen Florio stond glimlachend voor haar. 'Kunt u ons wat meer vertellen over de aard van die vroege relatie? Daar leek u zich vanmorgen wat haastig van af te maken.'

'We waren hecht bevriend.' Lynn liet het oogcontact met Barry voor wat het was en concentreerde zich op luid en duidelijk spreken. 'Destijds.'

'Hecht bevriend?' Florio's wenkbrauwen gingen omhoog. 'Wilt u het zo omschrijven?'

'Ja.'

Lynn zag een vrouw op de voorste rij zo aandachtig naar haar staren dat ze zich bewust werd van iedere porie in haar gezicht en elke hapering in haar keel. Een dame met een soort strenge houding, donkere kleding en een praktisch kort kapsel. Dat moest Mikes vrouw zijn, bedacht ze. Ze was recht in het blikveld van Lynn gaan zitten, wanneer deze voor zich uit naar de publiekstribune keek.

'Wanneer u hecht bevriend zegt, dan bedoelt u uiteraard een romantische relatie, nietwaar?'

'Natuurlijk. Ik bedoel, ja.' Lynn hoorde zichzelf struikelen en zag Barry's onderlip wat zakken. 'Ik bedoel, ik had het over indertijd.'

Gwen Florio kwam naar haar toe, met hakken die tikten als een geigerteller.

Ze was een vrouw van middelbare leeftijd met een zekere kruidige, rijpe elegantie. Haar haar was wat dradig en haar oogleden toonden wat vermoeid, maar ze had benen als een Bob Fosse-danseres en ze had iets van verstolen pret in haar stem, wat Lynn zowel bewonderenswaardig als intimiderend vond. Ze leek het soort vrouw dat het haar minnaar vierkant zou vertellen als hij het in haar ogen niet goed had gedaan.

'Wel, in de loop van deze romantische relatie deed inspecteur Fallon niet alleen dingen voor u, maar van tijd tot tijd ook voor uw familie.'

Florio hield haar gevangen in de blik van haar groene ogen en pakte haar langzaam in. 'Is dat correct?'

'Ja.'

'Uw moeder was toen ziek, nietwaar?'

'Ze had MS.'

'Mevrouw Schulman, mag het wat luider alstublieft?' Burgemeester Flynn hield zijn hand achter zijn oor. 'Sommige leden van deze raad – ik zal niet zeggen wie – hebben de leeftijd voor een gehoorapparaat.'

Er klonk beschaafd gegrinnik in de rijen. De burgemeester was een jichtige man van midden zestig, met een stropdas keurig over zijn adamsappel geknoopt. Lynns moeder noemde hem altijd de 'meest gedwarsboomde man die ik ooit heb ontmoet', toen hij in de jaren zeventig een plaatselijke accountant was die in de politiek ging. En Lynn had van hem een vrij hard verlichte foto in de stijl van Robert Frank gemaakt toen hij tussen de conservenblikken van een supermarkt stond om folders uit te delen en handen te schudden. 'De kandidaat,' had ze die als titel gegeven. Ze was van plan geweest deze in haar retrospectief op te nemen, maar hoopte nu dat hij zich de foto niet meer zou herinneren van haar schooltentoonstelling, en het haar dus niet na zou dragen.

'Ze had multiple sclerose.' Lynn verhief haar stem en probeerde niet gespannen of schel te klinken.

'Juist ja. En is het waar dat inspecteur Fallon uw moeder vaak naar de dokter hielp brengen?'

'Ik weet niet of je het vaak moet noemen, maar hij was zeker een hele steun. Dat zal ik nooit ontkennen.'

Lynn wierp Barry een vluggе blik toe, hopend op richtlijnen. Maar hij bestudeerde haar met een soort klinische afstandelijkheid.

'Dus dit was meer dan een kalverliefde,' dramde de verdedigende advocaat door. 'Uw beider levens raakten op zeker moment verweven. Is dat juist?'

'Ik weet niet of ik zo ver wil gaan.'

'Maar is het niet waar dat u in de tijd van uw betrokkenheid bij de inspecteur al zijn familieleden intiem leerde kennen?'

'Dat zal wel.'

'Dat zal wel?' Florio keek met een vosachtig geknepen blik naar het verhoogde gedeelte en schudde meewarig het hoofd. 'Is het niet waar dat zijn moeder maaltijden voor u en uw zus kookte toen uw moeder niet meer in de keuken kon staan?'

311

'Ja, dat is een paar keer gebeurd.'

'En de vader van de inspecteur hielp u ook bij uw carrière als fotograaf,' zei Gwen. 'Dat is toch ook waar?'

'Hij hielp me toegang te verkrijgen tot dingen die ik wilde fotograferen. Ja, dat is juist.'

De raadsleden begonnen onderling te mompelen, omdat ze zich kennelijk nog een paar weinig flatteuze foto's herinnerden die ze in de jaren zeventig had gemaakt. Achter in de zaal leunde een bekende oude man met een havikachtig gezicht en ongelijk geknipt grijs haar op zijn wandelstok naar voren.

'Is het ook niet waar dat u een zeer hechte relatie had met de oudere broer van de inspecteur, Johnny, die in New York bij de politie is gegaan?' vroeg Gwen Florio.

Lynn verstijfde even en staarde naar Mike. Ze kon niet goed geloven dat de zaken deze kant op gingen. Ze was ervoor gewaarschuwd dat de normale regels voor bewijs bij dit soort hoorzittingen niet golden, en dat de verdediger haar letterlijk alles kon vragen. Maar er waren beslist enige grenzen. Ze keek naar Jack Davis achter de aanklagerstafel en verwachtte dat hij bezwaar zou maken. Maar hij leek in gedachten verzonken en las documenten met zijn benen over elkaar, waarbij zijn bleke scheenbenen en ouderwetse sokophouders te zien waren.

'Ik heb al gezegd dat ze allemaal heel goed voor me waren,' zei ze. 'Al zou ik niet goed weten wat dat te maken heeft met wat we vandaag bespreken.'

Ze zag Barry een bemoedigend knikje geven, als om te zeggen: zet 'm op, meid.

'Daar kom ik zo dadelijk op.' Gwen Florio glimlachte. Wellevendheid bij wijze van schot voor de boeg. 'Kwam het zo ver dat de inspecteur u ten huwelijk vroeg?'

Lynn sloeg haar ogen op naar het door lekkage gevlekte plafond en negeerde het heftige gefluister van haar leesclubvriendinnen op de derde rij. 'We waren beiden ongeveer zeventien.'

'Mevrouw Schulman, ik sta hier, pal voor u.'

'Het spijt me, maar ik moet bezwaar maken.' Jack Davis wekte zich eindelijk op en ging staan, zodat zijn broekspijpen weer over zijn sokophouders vielen. 'Wat heeft dit alles te maken met het feit dat bananen krom zijn? Ik zie geen enkele relevantie.'

'Het is relevant omdat het te maken heeft met de geloofwaardigheid van deze getuige, en met de bijzondere relatie die ze met mijn cliënt heeft.'

Gwen Florio keek naar Mike, die met een bloedrode stropdas om naar zijn gezwollen duim zat te staren. Lynn huiverde een beetje als ze dacht aan het gesprek dat hij met zijn advocaat moest hebben gehad om haar voor te bereiden voor deze trant van ondervragen.

'Ik wil het toestaan,' zei burgemeester Flynn met een tikje van zijn hamer. 'We zitten hier niet in een proces. Mevrouw Florio heeft de ruimte voor haar vragen.'

Jack Davis trok even zijn schouders op eer hij ging zitten, als om te zeggen: ik heb het geprobeerd. Lynn gordde zich aan, deed haar sjaaltje goed en wenste dat ze de moed had gehad om Barry precies te vertellen wat er komen ging.

'Ja, hij heeft me gevraagd met hem te trouwen.'

'En hebt u die mogelijkheid overwogen?'

Ze concentreerde zich op een knoest in het hout van de balustrade voor haar. 'Heel kort maar.'

'En kunt u ons vertellen waarom u die mogelijkheid overwoog?'

'Ik dacht dat ik van hem hield.'

Ze keek omlaag, als een koorddanseres die beseft dat er geen vangnet is. Hoe doet ze het, dames en heren? Waaróm doet ze het? Wat was er in haar gevaren om te denken dat dit iets anders zou zijn dan de gruwelijkste en vernederendste publieke catastrofe van haar leven?

Natuurlijk, het was allemaal haar schuld. Ze had zich door schaamte het koord op laten duwen, gevaarlijk hoog boven alles uit. Schaamte had haar belet Barry de hele waarheid te vertellen over haar verleden. Maar schaamte had haar ook belet terug te krabbelen en vandaag niet te getuigen. Dus nu zat ze klem tussen twee punten, moeizaam balancerend boven de gapende menigte.

'Was er nog een andere dringende reden waarom u zijn voorstel overwoog?' dramde Gwen Florio door.

'Ja. Ik was zwanger.'

Het werd doodstil in de zaal. Barry's vertrokken gezicht leek van de tweede rij op haar toe te schieten en vlug weer terug te wijken.

'En kwam er ook een moment dat u besloot die zwangerschap te beëindigen?'

'Ja.'

'U onderging dus een abortus.'

'Ja. Zo is het.'

Ze keek naar de griffier, Tony Shlanger, toen deze zijn keel schraapte. Zijn oren waren helder roze geworden en vertoonden een embryoachtig netwerk van adertjes in het dikke kraakbeen.

'En overlegde u met inspecteur Fallon over dat besluit?'

'Ja.' Ze was als verlamd en zag de oren van de griffier donkerder worden terwijl ze sprak. 'Hij wilde dat ik het zou houden. Hij meende dat we het konden laten komen en bij zijn ouders gaan inwonen. Maar het werd me uiteindelijk te veel.'

'En wat ging u toen doen?'

Lynn keek hulpeloos naar Barry. Ze had toch geprobeerd het hem te vertellen? Ze had gezegd: 'We spraken heel serieus over het krijgen van kinderen.' Maar dat excuus kon ze voor zichzelf niet eens langer dan een halve seconde rechtvaardigen. Ze was een lafaard en een draaitol, en dit was precies de straf die ze verdiende.

'Ik vroeg het geld aan mijn moeder,' zei ze. 'Toen ging ik met mijn vriendin Sandi naar de stad om het daar in een kliniek te laten doen.'

Heel even was ze weer zeventien en met Sandi terug op het metroperron van Times Square. Ze raakten elkaar in de drukte kwijt voor ze de deuren dicht zag gaan en Sandi zonder haar wegreed, met haar vingers tegen het krasbestendige glas en haar mond open voor een onhoorbare kreet.

Toen was ze weer in de rechtszaal, waar ze werd aangegaapt, zij, de koorddanseres die haar evenwicht begon te verliezen. Jeanine wees en fluisterde achter haar hand tegen de anderen, alsof alleen zij kon uitleggen wat er gebeurde. De vrouw van Mike werd knalrood in haar donkergroene mantelpak. De burgemeester wuifde met zijn handen om het gefluister van de raadsleden naar hem te bezweren.

Een soort vochtigheid vulde de zaal. De watervlek leek over het plafond uit te lopen. En langzaam drong het tot Lynn door dat ze de temperatuur had veranderd, alleen door de naam Sandi te noemen, waardoor iedereen werd herinnerd aan de zaak die in deze zaak besloten lag.

Gwen Florio kwam weer naar het bankje en hield haar schrijfblok voor zich als een piepschuimen drijfplankje voor een kind dat leert zwemmen.

'U ontdeed zich dus van het kind van mijn cliënt zonder zijn instemming te verwerven?'

'Ik zou zeggen dat het toch om mijn lichaam ging,' zei Lynn met enige vinnigheid.

'Rustig, rustig.' De burgemeester hamerde hen beiden stil. Gesprongen bloedvaatjes lichtten als rode draadjes op zijn neus op. 'We gaan hier niet de zaak Roe versus Wade voor het Hooggerechtshof heropenen. Mevrouw Florio, gaat u verder.'

'Zeker, edelachtbare.' Ze knikte naar Tony, de griffier, voor ze zich weer naar Lynn keerde. 'Wel, mevrouw Schulman, kunt u ons vertellen hoe uw relatie met de inspecteur na die ingreep verder ging?'

'Ik geloof dat we kort daarna uit elkaar gingen.'

'Kunt u ons vertellen waarom?'

Lynn wreef in haar ogen en zag dat Barry, die meende het ergste nu gehoord te hebben, asgrauw werd. 'Michael werd heel bezitterig en overheersend. Hij wilde voortaan altijd weten waar ik was, en met wie. Hij ging me volgen, zei hoe ik me moest kleden en waar ik foto's van moest maken...'

'Maar is het niet tevens waar dat u omgang kreeg met iemand anders?'

'Grote hemel.' Lynn zonk weg in haar stoel.

Ze voelde zich lichamelijk ziek worden. Ze keek naar Michael, als om te zeggen: helpt dit jou?

Maar hij hield zijn hoofd omlaag en maakte notities op een felgele blocnote die voor haar ogen schemerde.

'Moet ik hier echt antwoord op geven?' Lynn keek op naar de burgemeester.

'Ik vrees van wel,' zei Tom Flynn. 'Ze mag alles vragen wat ze wil, binnen de grenzen van de redelijkheid.'

'Mevrouw Schulman?' Gwen Florio vroeg haar aandacht.

Lynn liet het hoofd hangen, en haar borst werd een kreunende holle ruimte die tegen haar ruggengraat drukte. 'Ja,' zei ze.

'Wat ja?'

'Ja, er waren anderen.'

Ze moest bijna kokhalzen, maar wist dat er nog meer zou volgen.

'Kunt u ons vertellen wie dat waren?'

'Ik maak bezwaar.' Jack Davis ging staan. 'Zijn we echt zo diep gezonken dat we alleen nog oude roddels opwarmen?'

'Ik heb wat speling nodig, edelachtbare.' Florio keek op naar de verhoging, waarbij haar jasje voldoende openviel om haar volle heuppartij te tonen.

'U krijgt nog drie vragen om enige relevantie aan te tonen, en daarna zijn we klaar met deze ondervraging,' vermaande de burgemeester haar.

'Dank u.' Ze knikte. 'Mevrouw Schulman? We wachten.'

Lynn zoog op haar lippen en voelde zich verdoofd en uitgedroogd. 'Dit is allemaal zo lang geleden.'

Ze keek weer naar Barry, hopend op een teken van verstandhouding, maar hij was een zwart gat dat licht opnam en niets afgaf.

'U ging met andere mannen om,' hielp Florio.

'Ik werd gestalkt door Michael.' Lynn probeerde rechtop te zitten en zich te verdedigen. 'Hij wilde me niet met rust laten...'

'Wie waren deze andere mannen?'

Florio sloot haar in en kwam zo dichtbij dat Lynn haar parfum kon ruiken.

'Hij probeerde alleen maar me te beschermen,' zei Lynn. 'Het was niet onze bedoeling dat het zou gebeuren.'

'Mevrouw Schulman.' De advocate trok haar lip op. 'Is het niet zo dat een van die mannen de broer van mijn cliënt, John Fallon was?'

Lynn hoorde alom adem stokken.

'Het is niet zoals u het voorstelt.' De koorddanseres die met malende armen haar evenwicht tracht te bewaren.

'Ja of nee?'

'Ja.'

'Wat ja?'

'Ja, een van hen was John Fallon.'

Ze viel nu en wachtte op de inslag.

'Wat zei ze?' vroeg een raadslid, wiens gehoorapparaat te hard stond en rondzong.

Het publiek begon onderling te fluisteren, met lichte, zwavelachtige stemmen, alsof honderd luciferkoppen tegelijk ontbrandden.

'U sliep dus met de oudere broer van mijn cliënt, terwijl u nog steeds omgang met hém had?' Gwen Florio blies haar lippen op, alsof ze onder de indruk was van een sportprestatie.

'Ik ben niet met hem naar bed geweest,' protesteerde Lynn zwakjes. Ze lag al in het zaagsel. 'We waren vrienden en toen...'

'Is het waar dat de twee broers fysiek om u hebben gevochten?'

'Johnny wilde alleen maar dat Mike me met rust liet...'

'O, in godsnaam.' Jack Davis wierp in zijn afschuw een paperclip weg. 'Is dit een disciplinaire hoorzitting rond inspecteur Fallon, of een poging om de getuige publiekelijk in haar hemd te zetten? Ik vind dit persoonlijk heel pijnlijk, en de getuige vermoedelijk ook.'

Lynn probeerde dankbaar naar hem te glimlachen, alsof hij een anesthesist was die halverwege haar openhartoperatie kwam opdagen.

'Wat ik boven tafel wil krijgen is dat deze getuige een voorheen hechte familie die al generaties een belangrijke rol in deze gemeenschap speelt heeft ontwricht.' Florio ging de raad toespreken. 'Ze is niet het onschuldige slachtoffer dat door mijn cliënt wordt belaagd. Hier ligt een ingewikkelde geschiedenis aan ten grondslag. Het is niet verwonderlijk dat ze gespannen was en geneigd alles wat hij zei verkeerd uit te leggen toen hij onderzoek kwam doen naar de moord op mevrouw Lanier. Ze voelde zich schuldig.'

Lynn wilde al iets tegenwerpen, maar Jack Davis kwam ertussen.

'Ik besefte niet dat mevrouw Florio behalve charmant en bekwaam als advocaat ook een begaafd gedachtenlezer is,' zei hij. 'Misschien kan ze een tulband en een hokje huren voor wat extra emplooi op de komende kermis.'

'Allebei ophouden nu,' zei burgemeester Flynn, in de rol gedwongen van benarde ouder. Dit was duidelijk niet wat hij al die jaren in zijn hoofd had, al die jaren dat hij in de plaatselijke Kiwanis-clubs en bejaardenhuizen naar stemmen hengelde. 'Ik moet niets van zulke dingen hebben. Meneer Davis, houd uw befaamde spitsvondigheid voor u. Mevrouw Florio, maak het snel af en bespaar ons de plastische bijzonderheden.'

'Ik waardeer uw geduld, edelachtbare.' Gwen Florio knikte zoetsappig. 'Mevrouw Schulman, kunt u ons vertellen hoe het verder tussen mijn cliënt en zijn broer liep, na uw episode met hen beiden?'

Lynn zocht haar stem. 'Ik geloof dat ze daarna een paar jaar niet meer met elkaar spraken.'

'Zou het u verbazen als u hoorde dat ze tot de dood van John Fallon nooit meer met elkaar hebben gesproken?'

'Ik...'

Deze keer kwamen de hamer en het protest van Jack Davis tegelijk.

De burgemeester zei tegen Gwen Florio: 'Ik geloof dat we hier genoeg van hebben gehoord.'

Maar het was te laat. Lynn was al als een bloederig hoopje van de grond geschraapt. De vrouwen van de leesclub keken toe met een mengeling van medeleven, gêne en slecht gemaskeerde opwinding.

Mikes vrouw stond op en liep weg. Barry zat onbeweeglijk. Voor ieder ander leek hij een man die langs de zijlijn naar een wedstrijd keek. Na al die jaren echter was Lynn afgestemd op de subtielere aanwijzingen: een minieme samentrekking van de wenkbrauwen; de onderkaak die onmerkbaar wat vierkanter werd. Hij was moordlustig.

'Mevrouw Schulman, in uw eerdere getuigenis en uw verklaring voor de politiechef zei u dat inspecteur Fallon twee keer naar uw huis kwam in verband met de moord op Lanier. Is dat correct?' Gwen Florio liet haar handen op de leuning van de getuigenbank rusten, klaar om haar af te maken.

'Dat is correct.'

'En heeft hij u feitelijk vragen gesteld over mevrouw Lanier?

'Inderdaad.'

'Mevrouw Schulman, ik heb begrepen dat uw man officier van justitie is geweest, en dat uzelf enige ervaring hebt als fotograaf die misdaadplaatsen fotografeerde. Hebt u het idee dat rechercheurs soms zullen trachten met een getuige in gesprek te komen, in plaats van alleen maar vraag na vraag te stellen?'

'Zoiets heb ik weleens gehoord.'

'En heeft inspecteur Fallon dat geprobeerd bij de twee gelegenheden dat hij langskwam?'

'Ja, maar...' Ze voelde zich leeg en uitgeput.

'Probeerde hij niet erover te spreken of mevrouw Lanier vijanden had?'

'Zeker, maar...' Ze probeerde zichzelf op te wekken en weerbaar te worden.

'En vroeg hij ook of mevrouw Lanier en haar man huwelijksproblemen hadden?'

'Natuurlijk, maar kan ik wat uitvoeriger antwoorden?'

Florio had een nieuw ritme gevonden en drukte door. 'En zei u toen niet: "Wie niet, na zo veel jaar huwelijk?"'

Lynn bloosde, nu haar eigen woorden tegen haar werden gebruikt. 'Ik bedoelde het niet zo.'

Barry bleef staren naar een plek boven haar hoofd, en zijn mond werd langzaam verbeten.

'En sprak u niet recentelijk met de inspecteur over "samenzijn" buiten het werk?'

'Algemener.' Lynn keerde zich naar de raadsleden voor begrip. 'Met het gezin erbij.'

Maar de sympathie waarop ze bij deze dorre grijze mannen had gehoopt was snel aan het wegebben. Het deed er niet toe dat ze een vrouw was van middelbare leeftijd met een eerzaam beroep, twee schoolgaande kinderen en een groot huis op Grace Hill. Zij wisten wanneer ze een slet voor zich zagen.

'Ik ben hier, mevrouw Schulman. Ik stel nu de vragen.'

Gwen Florio ontblootte verachtelijk haar ondertanden. 'Is het dan niet eerlijk te zeggen dat uw relatie met de inspecteur niet de gebruikelijke was tussen een rechercheur en een getuige?'

'Natuurlijk niet.' Lynn richtte zich op en besloot dat het genoeg was geweest. 'Hij sloeg me toen ik het met hem uit wilde maken,' zei ze.

Gwen Florio glimlachte fijntjes bij deze tegenstoot. 'Was dat voor hij erachter kwam dat u met zijn broer naar bed ging of erna?'

Lynn hoorde hees gefluister en gesis van de publieke tribune. Ze keek net op tijd op om Barry zijn ogen half te zien sluiten.

'Ik ging niet met hem naar bed,' hield Lynn vol.

'Voor u seksueel contact had of erna,' zei Gwen minzaam. 'We hoeven niet al te technisch te worden.'

'Ervoor,' gaf Lynn toe. 'En het was niet...'

'Het kwam dus niet echt onverwacht dat u de inspecteur uiteindelijk kuste toen hij langskwam?' onderbrak Florio haar weer.

'Ík heb hem niet gekust. Hij probeerde mij te kussen.'

'Eh-hum.' Florio keek veelbetekenend de raadsleden aan. 'Was het niet eigenlijk een grootmoedig gebaar dat hij uw omhelzing beantwoordde, ten teken dat hij probeerde u te vergeven wat u hem en zijn familie had aangedaan?

'Nee. Het was iets wat ik niet wilde.'

'Vast niet.' Gwen Florio liep naar een muur en ging ertegen leunen, wat onbeschaamd koket overkwam. 'Is het niet waar dat u als vrouw inzit over ouder worden?'

'Nee. Niet bepaald.'

'Nee, dat doet u vast niet.'

Lynn ving Mikes blik en keek terug, met erkenning voor zijn slimheid om een vrouwelijke advocaat te nemen. Een man zou zich wel twee keer bedenken voor hij haar op een openbare zitting zo agressief aan zou pakken.

'En is het niet waar dat er de laatste tijd wat wrijving in uw huwelijk is?'

'Nee, helemaal niet. Ik hou van mijn man.'

'Juist.' Gwen Florio knikte. 'Maar is het dan niet waar dat nadat u de inspecteur benaderde en hij uw avances afwees, u tegen uw man zei dat u een ontmoeting had gehad, om hem jaloers te maken?'

'Moet ik serieus antwoord geven op die vraag?' Lynn keek naar Jack Davis.

De oude advocaat pakte de zijkanten van zijn stoel vast en probeerde zichzelf weer op te hijsen.

'Laat u maar.' Gwen Florio keerde zich weer naar de getuigenbank en de verhoging. 'Ik denk dat ik het antwoord al weet.'

'Mevrouw Florio, hebt u nog andere vragen?' De burgemeester masseerde zijn slapen.

'Ik ben bijna klaar, edelachtbare.'

'Houd het kort.'

Vlug keerde ze zich met een hernieuwde glimlach naar Lynn. 'Mevrouw Schulman, is het niet waar dat uw man tot voor kort onderdirecteur voor juridische zaken was bij een nieuw bedrijf dat Retrogenesis heet?'

Verrast door de plotselinge tempoversnelling had Lynn een seconde tijd nodig. 'Ja, dat is zo. Ik bedoel, dat was zo.'

'Is het niet waar dat er gisteren in de Wall Street Journal een kort artikel stond over dat bedrijf, dat faillissement heeft aangevraagd?'

'Dat kan zijn.'

Kennelijk had Gwen Florio haar huiswerk gemaakt op het internet. Barry vertrok een mondhoek.

'Zou het dan niet billijk zijn te zeggen dat uw gezin de laatste tijd heel wat emotionele stress en financiële perikelen heeft doorgemaakt?'

'We redden het uitstekend,' zei Lynn stug, met een stem die ook in haar eigen oren niet overtuigend klonk.

'Maar u hebt duidelijk met wat krapte te maken, nietwaar?'

'Ik ken niemand die niet...'

'Maar u hebt een aanzienlijke hypotheek op uw huis, en een kind dat volgend jaar gaat studeren, nietwaar?'

Lynn verbleekte alsof haar vuilnisbakken zojuist op haar schoot waren geleegd. 'We redden het wel.' Ze staarde naar Jack Davis, wachtend op diens protest.

'Maar tot uw man een andere baan vindt hebt u geen inkomsten. Is dat niet juist? U leeft voorlopig van uw spaargeld, nietwaar?'

Barry schudde zijn hoofd, in de wetenschap dat hij hier niets kon uitrichten.

'Ja,' gaf Lynn toe. 'Ja, dat is zo.'

'Is het dan niet waar dat deze hele hoorzitting voor u en uw man een voorwendsel is om vervolging in te stellen tegen het politiekorps van Riverside, en de gemeente een poot uit te draaien omdat zijn zaak op de fles is?'

Florio keek met haar tong tegen haar wang sluw naar de raadsleden, om te zorgen dat ze begrepen dat ook hun belangen op het spel stonden.

'Nee, dat is niet waar,' zei Lynn met stemverheffing. 'Dat heeft niets te maken met waarom ik hier ben.'

De burgemeester gaf moedeloos een klap met zijn hamer. 'Zo is het genoeg, mevrouw Florio. Hebt u nog andere ter zake dienende vragen?'

'Nee, edelachtbare,' zei de advocate. 'Die heb ik niet.'

Een paar seconden lang werd er niet gemompeld, gekucht of gefluisterd. Er klonk alleen het ongemakkelijke geluid van mensen die ongedurig in houten banken zitten.

'Dank u wel, mevrouw Schulman.' De burgemeester gaf een knikje naar Lynn, zonder haar aan te kijken. 'U kunt terugtreden.'

49

'Nou, dat was goddomme geweldig.' Barry trok het portier van de Saab hard dicht en startte de motor. 'Is er verder nog iets wat je bent vergeten te vermelden, bijvoorbeeld dat je syfilis hebt of een half miljoen aan speelschulden?'

'Barry, het spijt me. Ik probeerde het je eerder te vertellen, maar...'

Ze waren op het parkeerterrein van het stadhuis en zagen de gerechtsmedewerkers uit de achterkant van het gebouw stromen, terwijl de schemering over de stad viel en de hemel de kleur kreeg van een flinke bloeduitstorting. 'Dacht jij in ernst dat dit alles niet uit zou komen?' Hij schudde zijn hoofd en kon haar nauwelijks aankijken. 'Geloofde jij werkelijk dat je de rechtbank voor kon komen liegen, zoals je thuis tegen mij loog? Ben je krankzinnig?'

'Kunnen we de kinderen op gaan halen? Het wordt al donker en de mensen beloeren ons.'

Jeanine en haar andere vriendinnen rekten hun halzen terwijl ze naar hun auto liepen.

'Fijn. Laat ze. Kan mij wat schelen. Ze kunnen entree heffen wat mij betreft. Want ik moet wel de grootste lulhannes zijn die deze staat kent.'

Een lijvige fotograaf met haar als een stuk hoogpolig tapijt op zijn hoofdhuid geplakt en een groene perskaart om zijn net kwam voor de auto staan en begon door de voorruit foto's te maken.

'O, heel leuk.' Barry gaf gas en stak zijn middelvinger naar hem op. 'Waar komt die verdomme vandaan? Was er dan ook een verslaggever in de zaal?'

De auto schoot naar voren en de fotograaf sprong opzij. Van een plaatselijke krant, zei Barry in zichzelf. De grote New Yorkse dagbladen hadden het waarschijnlijk nog te druk met nieuws over de Elfde om iemand hierheen te sturen voor een armzalige disciplinaire hoorzitting. Anderzijds was een artikel in de regionale krant mogelijk erger omdat er meer ruimte aan werd gewijd. Vanuit zijn ooghoek zag hij Lynn een Ray-Ban-zonnebril uit haar tas vissen.

'Jij moet wel heel wat van jezelf vinden,' zei hij, terwijl hij naar de uitgang reed. 'Jij rotzooide met allebei die kerels en je hebt mij daar nooit iets over verteld?'

'We hebben het over iets wat vijfentwintig jaar geleden gebeurde. Ben jij trots op alles wat je deed toen je zeventien was?'

Hij aarzelde even, want hij kon niet goed om de herinnering heen dat hij Richie tipte over de inval bij Dr. Feelgood's. En toen was hij bijna dertig.

'En, wat is er trouwens gebeurd?' vroeg hij. Ze hadden minstens tien andere auto's voor zich die de weg op wilden. 'Hoelang heb je dat gejongleer met die broers vol kunnen houden?'

'Het was geen gejongleer,' zei ze fel, de zonnebril opzettend. 'Het is maar één keer gebeurd. Oké? Eén keer. Daar heb ik de rest van mijn leven spijt van gehad.'

'Ik voel me misselijk.'

'Wil je nu horen wat er is gebeurd, of wil je tegen me blijven tieren?'

'Ik zou graag de waarheid horen. Dat zou ik willen.'

'Ik zat in de hoogste klas. Ik was opgebrand. Ik had net die abortus gehad. De hele wereld viel over me heen.'

'Zo'n excuus komt wel van pas, hè?'

'Het is geen excuus,' zei ze. 'Ik vertel je hoe het is gebeurd. Ik wist niet dat dit alles op een hoorzitting naar buiten zou komen.'

'Ga door.'

'Mike maakte het me voortdurend moeilijk omdat ik "zijn baby" had weg laten maken. Hij had het idee in zijn hoofd dat we zouden gaan trouwen. En eerst leek dat goed omdat mijn moeder zo ziek was geweest en ik niet wist wat ik anders moest doen. Toen werd ze wat beter, en ik zag in dat het deze nachtmerrie zou worden. Dat hij me geen moment uit het oog zou verliezen. Na die abortus was het niet meer te harden. Het was als omgang met de Taliban. Geen foto's maken, geen korte rokken, niet alleen uitgaan.'

'Waarom keerde je hem niet gewoon de rug toe?'

'Dat heb ik geprobeerd, maar hij liet me niet met rust. We zaten op dezelfde school, dus hij kon me overal volgen. Of ik werd midden in de nacht wakker en dan zag ik hem onder mijn raam staan, naar me opkijkend vanaf het gazon. Of als hij me op een feestje met een andere jongen zag praten, ging hij die treiteren om een gevecht uit te lokken. En toen sloeg hij me. Het begon echt waanzinnig te worden.'

'Wat had zijn broer dan met dit alles te maken?'

'Johnny probeerde tussen ons te gaan staan, als een menselijk schild. Hij bleef Mike zeggen dat hij me met rust moest laten en verstandig worden. Hij was mijn lijfwacht. En na een tijdje kreeg ik het gevoel dat hij me nader stond dan Mike.'

'Ja? Hoe ging dat dan?'

'Hij kwam soms langs om wat te praten na zijn dienst bij de vrijwillige brandweer. Of we gingen een eindje rijden voor wat ontspanning. Ik kon echt heel goed met hem praten. Iedereen zag hem als die mafkees, maar hij had ook een heel gevoelige kant. Hij hield van zijn familie en zo, maar zag ook in dat ze wurgend voor hem waren. Hij had een bandje van Bruce Springsteen dat hij alsmaar in de auto draaide, met het nummer over de deur die openstaat, maar de rit is niet gratis. En dat zei hij altijd tegen me. Dat ik uit moest stappen, ongeacht wat het op de lange duur zou kosten.'

'Heb je daarom met hem geneukt?'

'Ik heb niet met hem geneukt.'

'Goed dan. Je pijpte hem. Of wat ook. Ik hoef niet alle stuitende details te horen.'

'Ik weet niet waarom het gebeurde.' Haar gezicht vertrok achter haar zonnebril. 'Ik denk dat er op die ritten naar huis steeds meer omwegen werden gemaakt. Soms zetten we de auto langs de rivier om te blowen en gewoon te praten. Het was heel...' Ze zakte in, uit wanhoop om hem dit aan het verstand te brengen. 'Hij was gewoon die echt sterke vent, maar je wist dat je hem niet zo lang zou houden...'

'O, dus daarom heb je met hem geneukt.'

'Dat heb ik niet – ik... laat maar. Ik zeg niet dat ik blij ben met wat er is gebeurd.' Ze hernam zich en weigerde nog beschaamd te moeten zijn. 'Ik vertel het je gewoon.'

'Ja, maar je ging uit met zijn broer. Dacht je dan niet na bij wat dat voor die twee zou betekenen? Kende je het woord consequenties niet?'

'Ik was een idioot, Barry. Oké? Ben je nu blij? Ik was een stomme oetlullige idioot. Of wil je me horen zeggen dat ik ook een kleine slet was?'

Hij kookte in stilte en zag de burgemeester verderop in een blauwe Buick stappen met een dossier ter grootte van een accordeon onder zijn arm, en een afgetobde blik. Barry wist enerzijds dat hij het hoofd koel moest houden. Zijn vrouw vertelde hem over een letterlijk in een andere eeuw begane misstap. Maar in feite wilde het er bij hem niet in en kon hij niet aanvaarden dat zijn vrouw zo lichtzinnig kon zijn.

'Waarom deed je het dan?' vroeg hij. Hij trok zijn schouders recht en kneep in het stuur.

'Ik weet het niet.' Ze keek weg, afkerig van zichzelf. 'Verveling. Stompzinnigheid. Misschien wilde ik Mikey alleen maar laten zien dat hij me niet had te vertellen wat ik moest doen. Of misschien probeerde ik alleen maar die deur achter me dicht te trekken.'

'Wat wil je daarmee zeggen?'

'Ik wil zeggen dat ik misschien toen ik eenmaal die grote beslissing nam om de stad uit te gaan, ik moest zorgen dat ik niet al te gemakkelijk terug kon komen. Daarom moest ik de deur achter me dichtslaan. Ik weet dat Johnny dat ook wilde doen. En toen kwam die vreselijke vechtpartij tussen hem en Mike. Ik weet niet eens hoe Mike er eigenlijk achter kwam. Maar daarna zwegen ze elkaar dood. En Johnny ging dood.'

'Hoe gebeurde dat?'

'Ik meen dat hij tegen een of andere klojo zei dat hij zijn vriendin niet moest slaan, en die vent trok een pistool.' Ze schudde haar hoofd. 'Ik kon het niet geloven toen ik het hoorde. Hij wilde die vent tot rede brengen, en dat werd letterlijk zijn dood.'

De lange roodorige griffier schoof voor hen langs in een Chevrolet met bumperstickers waarop ABORTUS IS MOORD en EEN GEWAPENDE SAMENLEVING IS EEN GOEDE SAMENLEVING stonden.

'Shit.' Barry pompte met zijn voet op het rempedaal. 'En jij hebt nooit het fatsoen gehad om me hier iets over te vertellen. Heb ik je niet gevraagd open tegen me te zijn, en te vertellen wat er aan de hand was, zodat ik niet voor lul kwam te staan?'

'Het spijt me zo. Ik had nooit gedacht dat ik dat allemaal nog eens moest beleven.'

'Nou, dat is zo'n beetje het miljoenste ding waarin je je hebt vergist, hè?' Hij sloeg misnoegd op het stuur en liet per ongeluk de claxon horen. 'Zoals ook het idee dat je gewoon dit stadje weer binnen kon wandelen...'

'Ik wist het niet. Ik dacht dat mensen zouden vergeten...'

'Och, kennelijk heeft niet iedereen een selectief geheugen. In ernst – wat dacht je toen? Dat ze je gewoon automatisch zouden vergeven omdat jullie nu allemaal volwassen waren?'

'Misschien,' mompelde ze, en er rolde een traan van onder haar Ray-Ban.

'Hou op,' zei hij.

'Ik kan er niets aan doen.'

'Ja, dat kun je wel.'

Hij reed achter de auto met ABORTUS IS MOORD, op weg naar het hokje bij de uitgang, waar hij zich eerder had moeten legitimeren. 'Kijk, het kan me niet echt schelen dat je met die knaap en zijn broer naar bed bent geweest. Of ik weet tenminste dat het me niet moet kunnen schelen. Wat me wel dwarszit is dat je er in mijn gezicht over hebt gelogen. Je lag naast me in bed, keek me recht in de ogen en loog dat je barstte toen ik je een rechtstreekse vraag stelde. Je loog tegen me in het huis dat ik voor je kocht. Onder het dak dat ik opnieuw liet dekken met lei. En zal ik je wat zeggen? Ik ben er beroerd van. Hoe kan ik ooit nog iets geloven wat je zegt?'

'Ach hou toch op, Barry.'

'Wat?'

'Ik zei, hou toch op, verdomme.'

'Pardon?'

'Je hebt me gehoord. Jij durft hoor, mij te onderhouden over liegen. Wanneer ga je me eens vertellen over de gekelderde aandelen en het debacle van de zaak?'

'Dat is niet hetzelfde.' Hij trapte op de rem en duwde zijn rug naar achteren.

'En of dat hetzelfde is. Het meeste van ons verzamelde vermogen zat in dat bedrijf. En het meeste van het studiegeld voor de kinderen. We zaten aan de keukentafel nadat we naar *Windows on the World* waren geweest, en wíj spraken over ónze toekomst. Het moest een beslissing zijn die we sámen maakten, met wijd open ogen. Hoe lang had je willen wachten met me vertellen dat het allemaal door de plee ging?'

'Dat is wat anders. Ik wilde voorkomen dat je je zorgen maakte.'

'Lulkoek. Je wilde jezelf beschermen. God verhoede dat iemand ooit zou denken dat Barry Schulman ooit in iets kon mislukken.'

'Nou zeg!'

'Het gaat jou alleen om winnen, winnen en nog eens winnen. Geen wonder dat Clay zo veel moeite heeft om met je te praten...'

'Krijg de kolere,' zei hij.

'Krijg de kolere?' Haar stem brak. 'Hoe durf je. Hoe durf je zo tegen je vrouw te spreken.'

'Jij beschuldigt me ervan dat ik mijn gezin laat zakken. Wat wil je dan dat ik anders zeg?'

'Wat dacht je van: "We hebben allebei fouten gemaakt"...'

'O, wat prachtig vrouwelijk en meelevend. Nu, de pot op. Door jouw gelieg moesten we naar die rechtszaal en zitten we nu tot onze nek in de stront.'

'En door jouw gelieg zit ik in de zorgen hoe we volgende maand de hypotheek moeten betalen. Ik heb het laatste bankafschrift gezien...'

'Wie heeft jou gevraagd mijn post te openen?'

'En wie heeft jou gevraagd een gezamenlijke rekening op jouw naam alleen te openen? vroeg ze. 'Ik heb ook geld op die rekening gestort.'

'Ja, de laatste drie jaar zo'n drieduizend dollar.'

'Dat is nogal logisch.' Ze keerde zich van hem af. 'Je weet dat ik bezig ben om weer aan werk te komen.'

'En wie heeft intussen de rekeningen betaald? Huh? De Ford Foundation? De Nationale Kunstraad? De Verenigde Weg? Nee, ik. Barry Schulman, de mislukkeling. Van Clifton Avenue in Newark en Barringer High School. Weet je wat ik graag een keer zou horen? Niet alleen o, Barry, je besteedt te weinig tijd aan de kinderen. Niet o, Barry, je maakt nooit tijd voor ons. Niet o, Barry, je hebt geen idee wat er omgaat in dit huis, en wat ik allemaal moet doen om de zaak draaiende te houden als jij er niet bent. Weet je wat ik graag een keer zou horen? Hoera. Fijn voor je, Barry. Je hebt het goed gedaan. Hoera voor jou, Barry. Je deed het goed met je gezin. Misschien ben je uiteindelijk toch niet zo'n zak.'

'Zoiets zeg ik je voortdurend.'

'Nee, dat doe je niet. Jij geeft me alleen maar het gevoel dat ik je van alles schuldig ben.'

'Zal ik je eens zeggen wat ik denk?' Lynn keerde zich woedend naar hem, klaar om voor zichzelf op te komen. 'Ik denk dat die advocate vandaag met één ding gelijk had. Ik vind het helemaal raak wat ze zei. Dit huwelijk zit in zwaar weer. En tot nu toe zag ik niet hoe ernstig het was.'

'Nou, word wakker en ruik de koffie, schatje. Jij bent degene die het fornuis aan heeft laten staan!'

Hij zweeg, niet alleen door het besef dat hij schreeuwde, maar ook omdat Michael Fallon en zijn advocate Gwen Florio vlak bij de auto stonden en hen door de streperige ramen bekeken als pasgetrouwden die zwoeren dat het bij hen nooit zo zou lopen.

'O, verdomme.' Lynn verbleekte achter haar zonnebril.

Barry toeterde. 'Schiet nu toch op!'

'Denk je dat ze ons konden horen?'

'Als dat zo is hebben ze het schitterend gevonden.'

'Dacht je niet dat we de strijdbijl misschien even kunnen begraven?'

'Ja,' bromde Barry. 'Dat is misschien wel een goed idee.'

De auto's voor hen schoven door en hij reed langzaam langs Fallon, die hij strak aankeek om hem te laten weten dat hij hem in het vizier had.

'En, wat dacht je te doen?' vroeg Lynn, nuchter en timide klinkend. 'Wil je deze twist later voortzetten?'

'Ik zou niet weten wat dat voor nut heeft.'

'Het klinkt alsof we allebei een tijdlang munitie hebben opgespaard.'

'Ja, maar dit is niet de tijd om die te gebruiken.' Hij probeerde zijn schouders te ontspannen. 'Je gaat midden in een proces tegen elkaar in en je bent dood.'

Hij zag Gwen Florio als een ballerina van Degas op haar tenen gaan staan om Fallon iets in zijn oor te fluisteren, terwijl ze naar hun passerende auto wees.

'Zo, wat is er trouwens die dag werkelijk gebeurd?' vroeg hij met een diepe zucht.

'Welke dag?'

'De dag waarover je getuigde. De dag waarop hij je studio in kwam en probeerde je te zoenen.'

'Wat is dat voor een vraag? Het is precies gegaan zoals ik vertelde.'

'Ja, ja. Gisteren loog ik, vandaag vertel ik de waarheid.'

'Vandaag vertel ik inderdaad de waarheid. Jezus!' Ze hief haar vuist. 'Ik dacht dat we probeerden te deëscaleren.'

'Luister,' zei hij, met moeite kalm en verstandig klinkend, 'we praten hier gewoon als volwassenen, ja? Wat de waarheid ook zij, ik zal ermee moeten zien te leven. Maar ik moet het weten. Ik heb de juiste informatie nodig om te weten wat ik hierna moet doen.'

'Wat ben je nu van plan?'

'Ik heb er behoefte aan dat je openhartig tegen me bent, want het is nog niet te laat om onze fouten toe te geven.'

'Barry, kijk me aan.'

Ze deed haar zonnebril af en keek hem aan. Haar ogen waren rood en nog betraand. De laatste keer dat hij haar zo volkomen gesloopt had gezien was toen ze Clay uit haar lichaam had geperst en hij de baby teder op haar zwoegende borst had gelegd. Hij voelde dat dit weer een episode was waarbij hun huwelijk of zou breken, of in een andere vorm zou worden gebogen.

'Het was verkeerd dat ik je de eerste keer niet alles over Johnny heb verteld,' zei ze. 'Ik dacht ermee weg te komen omdat ik niet dezelfde persoon ben als toen. Maar je moet weten dat ik je nooit ontrouw ben geweest. Nog geen dag. Ik wil niet zeggen dat ik nooit aan andere mannen heb gedacht, net zoals jij niet in eerlijkheid kunt zeggen dat je nooit aan andere vrouwen hebt gedacht...'

Heel even zag hij Lisa Chang voor zich, glimlachend haar lange zwarte haar uit haar ogen strijkend, en toen bande hij het beeld vlug uit zijn geest.

'Maar ik wil zeggen dat als het erop aankwam ik er altijd voor je was. En dat weet je verdomd goed.'

Hij boog zich zwijgend even naar voren en zag een oude man met een stok die Fallon op zijn rug klopte, voor deze naar zijn vrouw liep bij hun Caprice. Hij zag hen de portieren dichttrekken en hun gordels omdoen, zonder naar elkaar te kijken. En op dat moment besloot hij dat hij de rest van zijn dagen zo niet wilde leven.

'Oké,' zei hij met een zucht.

'Oké wat?'

'Oké. Ik zal je geloven.'

'Jee, bedankt...'

Ze bekeek haar ogen in de spiegel en vond toen dat sarcasme hier misschien niet de passende reactie was. Ze nam even tijd om de opluchting te ervaren.

'Het spijt me,' zei ze. 'Ik zou moeten zeggen dat ik blij ben, en dat ik ook in jou zal geloven.'

'Ja, dat zou moeten.'

'Maar hoe we de komende paar maanden moeten doorkomen zou ik niet weten.'

'Ik maak me zorgen om de komende paar dagen.' Barry keek nog even naar Fallons auto en reed rechtsaf de parkeerplaats af.

50

Wat Gwen Florio het meest stoorde toen ze met de cliënt en zijn vrouw bij Riverview Diner zat was niet zozeer het stiekeme kijken van de oude dames verderop; het bruuske gekrabbel van hun serveerster toen deze zonder Fallon aan te kijken hun bestelling opnam, of zelfs de grimmige gelaatsuitdrukking van Marie, die op haar horloge bleef kijken en nerveus haar theezakje in haar kopje liet dansen. Nee, het was de Engelse muffin van Thomas' met boter die onaangeroerd op Mikes bord lag.

Hij had zijn lunch overgeslagen om haar te helpen zich voor te bereiden op het kruisverhoor van die middag, en nu drong ze er bij hem op aan iets te eten om op krachten te blijven.

'Marie, ik weet dat je moeilijk weg kunt van je werk, maar je aanwezigheid in de rechtszaal is in deze fase zó belangrijk.' Gwen glimlachte vrouwelijk meelevend naar de echtgenote. 'Je hoeft bij de volgende zitting alleen maar een paar minuten achterin te zitten. Alleen om de burgemeester en de rest van de raad te laten weten dat je er nog bent voor Mike.'

Fallon boog zijn hoofd en staarde nog steeds peinzend naar zijn bord. Het betekende waarschijnlijk niets, probeerde Gwen zich gerust te stellen.

'Want je laat dan een sterke boodschap aan de raad uitgaan,' vervolgde Gwen, die het oogcontact met Marie niet durfde te verbreken, uit vrees dat ze dan op zou staan en weglopen. 'Je zegt dan: "Dit is een gezin. Dit is mijn man. Ik geloof in hem. We staan zij aan zij in de storm. Jullie drijven ons niet uit elkaar."'

Marie bleef knikken als een dashboardpoppetje op een hobbelige weg. Ze was aangeslagen maar dat zou wel goed komen. Ze was een goed mens, besefte Gwen. Een trouwhartig mens. Het type dat altijd haar gebeden zei, om middernacht de toiletten schrobde, in weekeinden de kasten opruimde en haar man nooit publiekelijk tegensprak – zelfs niet als hij zich vreselijk aanstelde. Kortom, iemand die in haar privéleven nooit haar vriendin zou kunnen zijn. Maar zij zou het probleem niet zijn. Ze zou achter in de zaal zitten, dapper glimlachen en alles doen wat nodig was om de schijn op te houden.

Van Mike daarentegen begon ze een beetje bang te worden. Hij begon het 'hondengezicht' te krijgen. Die ingekeerde, wrokkige gelaatsuitdrukking die leek aan te geven dat hij een flink pak slaag verwachtte. Ook schreef hij in de rechtszaal te veel koortsachtige briefjes voor haar, wat niet gunstig was om een beeld van vertrouwen bij de raadsleden over te brengen. Zijn duim zag er akelig uit en was op zichzelf bijna belastend. Ze bleef hem zeggen dat er een dokter naar de duim moest kijken omdat deze niet goed genas. En ten slotte was er de kwestie van de onaangeroerde muffin. Zelfs terwijl ze Marie bleef onderhouden kon Gwen haar ogen er niet van afhouden, bij de gedachte dat deze met de minuut kouder werd.

'Ik ben blij dat je vanmiddag bij deze getuigenis kon zijn, want we hebben echte punten gescoord tegen mevrouw Schulman...'

Haar ogen gingen vlug weer terug om te zien of er uiterlijk iets mis was met de muffin. Een vlieg eromheen. Groene schimmel. Ranzige boter. Het betekende waarschijnlijk niets. Maar Florio's Grote Zelfbeschuldigende Cheeseburger-Theorie bleef haar hinderen. Iets wat haar man, Shep, vroeger in Yonkers weleens zei: Zet een verdachte in een kamer met een stapel cheeseburgers. Begint hij te eten, dan is hij schuldig. Blijft hij eraf, dan heeft hij het waarschijnlijk niet gedaan – want welke man die onschuldig is zou kunnen eten na valselijk te zijn beschuldigd? Zoals ze met de meeste dingen deed die haar man zei toen hij nog leefde, had ze dit zonder meer van de hand gewezen.

Natuurlijk, nu hij al vijf jaar dood was begon ze toe te geven dat er wat in kon zitten. In de weinige zaken die ze had gehad waarbij de beklaagde werkelijk totaal onschuldig was, had ze mensen zo te zeggen praktisch in hongerstaking gezien, terwijl ze als een stel gretige schoolmeisjes hun *clubsandwiches* en aardappelsalade aten. Dit was iets in haar werk waar ze echt een hekel aan had, vitaal ogende mannen zo te zien wegteren. De schuldigen waren altijd gemakkelijker te verdedigen. Ze had er nooit wakker van gelegen dat er een de benen zou kunnen nemen. Je deed er je best op, nam de cheque aan, ging naar huis en dacht nooit meer aan hen.

'Wanneer denk je me dan nodig te hebben?' Marie zocht haar agenda in haar handtas. 'Morgen heb ik bijna de hele dag afspraken en om drie uur komen de kinderen uit school. Denk je nog steeds dat deze hoorzitting de volle drie dagen gaat duren?'

'Dat is nu moeilijk te zeggen. Ze behoren het me vierentwintig uur van tevoren te laten weten als er een nieuwe getuige wordt opgeroepen die niet op de oorspronkelijke lijst stond. Morgen is de rechtbank dicht, en de chef en mevrouw Schulman staan gepland voor overmorgen. Maar Jack Davis hield vanmiddag de deur een stukje open toen hij zei dat er op het laatste moment toevoegingen konden zijn.'

Mike raakte zijn bestek even aan en durfde geen van beide vrouwen aan te kijken.

Hij was een dwaas, zei Gwen tegen zichzelf. Waarschijnlijk schuldig aan alles waarvan hij werd beticht in deze zaak. Heil zij Gwen Florio, koningin aller strategen, verdedigster van de jongens in het blauw! Hoe schuldiger ze zijn, hoe beter ik ben om hun huid te redden!

Toch was ze deze middag in de rechtszaal ergens van geschrokken. De uitdrukking op Fallons gezicht toen de naam Sandi Lanier werd genoemd. Dat was niet de gespeelde woede of ernst die ze had verwacht. Het was een flikkering in de ogen. Niemand was verder dicht genoeg bij geweest om het te zien. En zelfs als ze het wel hadden gezien konden ze het hebben opgevat als de blik van een schuldige die met de waarheid wordt geconfronteerd. Maar in dat kleine spiertrekkinkje boven de ogen zag Gwen iets anders wat veel verontrustender was: een man die met een leugen zat. En van haar verwachtte dat ze er wat aan deed.

'Denk je dan dat er nog andere getuigen kunnen komen?' Marie stopte haar agenda weg en boog zich over haar dampende kop thee.

'Dat is altijd mogelijk bij een openbare hoorzitting als deze.' Gwen dempte haar stem. 'Vooral met dat geldgerinkel van een civiele procedure op de achtergrond. Iedereen kan tot op zekere hoogte zo'n beetje alles zeggen.'

Ze kuchte om Mikes aandacht te krijgen. Maar hij staarde naar buiten, waar de Hudson als een lange grijze sliert langs het restaurant stroomde.

'Maar we gaan dit toch nog steeds wel winnen, hè?' vroeg Marie. 'We moeten nog altijd in deze stad leven. Mijn kinderen praten op school met hun vriendjes.'

'Ik weet hoe moeilijk dit voor je moet zijn, Marie.' Gwen legde even haar hand op de hare. 'Daarom is het van wezenlijk belang de raad te tonen dat je vierkant achter Mike staat.'

'Maar je gaf geen antwoord op mijn vraag.'

Marie trok haar hand terug en schepte het theebuiltje uit haar kopje.

'Gaan we wínnen?' vroeg ze.

Terwijl Gwen toekeek hoe Marie het draadje om het doorweekte bruine zakje op haar lepeltje wond en het uitkneep boven haar kopje besefte ze dat ze deze vrouw mogelijk verkeerd had ingeschat. Onder dat ponykapsel en die appelwangen zat massief titanium.

'Volgens mij is er een goede kans dat we winnen,' zei Gwen voorzichtig.

'Juist ja.'

Gwen zag haar de laatste druppels uit het theezakje knijpen en het op haar schoteltje leggen. Op dat moment wist ze dat dit een vrouw was die wist wanneer ze ergens mee moest kappen.

'Marie, zou ik Mike een paar minuten alleen kunnen spreken?' vroeg Gwen. 'Er zijn wat puntjes die ik met hem door moet nemen.'

'Natuurlijk, dat begrijp ik.' Marie wenkte een langslopende serveerster. 'Misschien kan ik deze thee in een bekertje meekrijgen. Ik moet trouwens toch een paar mensen bellen. Ik ga buiten wel in de auto zitten.'

'Dank je, schat,' zei Mike.

Dat waren de eerste woorden die ze sinds ze waren gaan zitten rechtstreeks tegen elkaar zeiden. Toen Marie zich bukte om hem vluchtig op zijn wang te zoenen zag Gwen Mikes hand omhoog gaan alsof hij haar pols wilde pakken en vasthouden. Maar ze was buiten bereik voor hij dat kon doen.

Heel even had Gwen met hem te doen. Maar toen viel haar oog weer op de onaangeroerde muffin op zijn bord, wat haar herinnerde aan de zware last van het pogen een mogelijk vals beschuldigde cliënt te redden, en haar mededogen verkoelde tot een harde klont op de bodem van haar maag. Maak je om hem geen zorgen. Doe gewoon je werk en laat het college beslissen. Maar nu had hij haar besmet met zijn misère. Vervloekt zijn de onschuldigen.

'Oké,' zei Marie. 'Je mag hem helemaal hebben. Kijk maar wat jíj met hem kunt bereiken.'

51

'Geloof me, ik begrijp je onwil,' zei Barry, gezeten aan een wankele keukentafel met een opgevouwen servet onder een van de poten.

'O, dat begrijpt u?' Muriel Navarro zette hem een kop oploskoffie uit de magnetron voor en sloeg haar ogen neer.

De drie andere oppassen met wie ze deze bekrompen flat op de tweede etage boven de pas gesloten drogisterij van Genovese aan River Road deelde zaten in de andere kamer chips te eten en een opgenomen programma te bekijken dat Survivor heette. Met grote tegenzin en ijzige beleefdheid had Muriel hem boven laten komen, nadat hij haar een paar minuten eerder op straat had benaderd, alleen om niet in het openbaar met hem in gesprek te worden gezien.

'Mijn vrouw had ook weinig zin om te getuigen,' zei hij.

Ze legde een roze draagtas van Botanica op het aanrecht. 'Wilt u er misschien melk bij?'

'Nee dank je.'

'U weet dat ik het niet doe, hè?'

'Ik begrijp je motieven volkomen.'

'Ik heb u alleen uit beleefdheid even binnen laten komen. Het betekent niets. Als u de koffie op hebt zou ik willen dat u weggaat.'

'Natuurlijk.' Hij draaide met het kopje op het schoteltje. 'Misschien wil ik er toch wat melk bij.'

Ze deed een ronkende oude koelkast open, nam er een pak melk uit, goot deze in een verfijnde witte kan met bloemen rond de rand en schonk wat melk in zijn kopje. Hij voelde dat er een klein kansje was.

'Ze kreeg het vandaag voor de rechtbank flink te verduren, mijn vrouw.'

Muriel zette de melk terug in de koelkast en sloot de deur.

'Ze kwamen met allerlei dingen die ze mij nooit had verteld. Een abortus, vroegere vriendjes. Ze lieten geen spaan van haar heel.'

Ze keerde haar rug naar hem toe en ging pakjes in krantenpapier uit de draagtas halen. Die pakte ze een voor een voorzichtig uit, wat een serie helder gekleurde, in hoge glazen gegoten kaarsen opleverde.

'Wat heb je daar?' vroeg hij, de letters erop bestuderend. 'Votiefkaarsen of gewoon om te branden?'

Ze keek hem verbijsterd aan. 'Kent u Botanica?'

'Ik werkte vroeger in de Bronx. We hadden er een pal om de hoek aan Gerard Avenue. Elke keer als ik een zaak had brandde ik een lekkere dikke *Causa de Corte* en een oranje Chango op de goede afloop.'

Hij zei er niet bij dat het idee van een secretaresse kwam, of dat zijn chef, Sean Heffernan, steen en been klaagde over de geur.

'En wat heb jij dan gekocht?' vroeg hij.

Muriel beet op haar lip en leek wat gegeneerd. Ze leek op het soort jonge vrouw dat in haar tienerjaren alles deed wat God verboden had, en pas onlangs was gaan toegeven dat er toch iets in die geheimzinnige godsdienst van vroeger kon zitten die haar grootmoeder in een achterkamer aan Southern Boulevard praktiseerde.

'Is dat een Sint Michael?' vroeg hij, wijzend naar een rode kaars.

'Sint Antonius,' verbeterde ze hem.

Ze ging met een lange rode vingernagel naar de andere kaarsen op de rij. 'Jezuskindje van Praag,' zei ze, met tegenzin het rijtje langs gaand. '*Virgen Milagrosa, Sagrado Corazón de Jesus*, Zeven Engelen. Deze is voor Elegua, de beschermster van kruispunten' – ze stond even stil bij een roze kaars – 'omdat mijn neef reist. En deze...' Ze kwam bij een groene kaars waar LOTTO op stond, met dollartekens op het glas. 'Deze is voor mij.'

'Wat is die laatste, die blauwe?'

'Sint Lazarus.' Ze wreef met haar vinger over de rand van het glas. 'Chiara, het kleine meisje dat ik verzorg, is al een paar dagen ziek. Ik bid voor haar. Het is niet de bedoeling dat je verliefd op ze wordt, maar het gebeurt gewoon. Dat zult u vast wel dom vinden.'

'Ik won elke zaak als ik een kaars brandde.' Hij haalde zijn schouders op. 'Zelfs als ik niet al te goed was.'

Ze glimlachte ondanks zichzelf, draaide zich om en haalde ovenlucifers uit een la.

'Luister' – hij dronk traag van zijn koffie, die hij wat bitter vond
– 'Ik weet dat je met getuigen tegen de inspecteur een risico neemt...'

'Nee, reken maar. Ik heb geen man die jurist is, of een huis in
de West Hills. Als ik in de rivier beland zal het niemand kunnen
schelen, behalve de kinderen waar ik voor zorg.'

Hij keek toe hoe ze de kaarsen een voor een aanstak. Elke keer
als er een vlam langzaam vol oplichtte voelde hij hoop opkomen.
Hij had geen reactie gekregen op de twaalf boodschappen die hij
naar vier verschillende lokaties had gestuurd aan Iris Lopez, de
andere vrouw die tegen Fallon een klacht had ingediend en onverwacht weer ingetrokken. Wanneer hij deze Muriel niet kreeg
zou hij niemand krijgen.

'Mijn vrouw heeft me vandaag echt verbaasd.'

In de andere kamer hoorde hij de andere kinderverzorgsters in
koor kreunen en joelen, met daar bovenuit: *'Ay dios mío!* Niet te
geloven dat hij die smerige rat opat!'

'Ik bedoel, op dat moment was ik woedend op haar omdat ik
dacht dat ze al die jaren tegen me had gelogen.' Barry nam nog
een slok koffie. 'Maar toen ik je hier buiten opwachtte bedacht
ik dat ze helemaal op zichzelf was aangewezen. Want ze moet geweten hebben dat ze op haar falie zou krijgen. Maar ze deed het
toch. Ze ging erheen en liet zich afdrogen. Omdat ze wist dat dat
het juiste was. Het was een daad van vertrouwen.'

Ze keerde zich bij het aanrecht om en had op een of andere manier het kaarslicht nog in haar ogen.

Doorgaan, zei hij tegen zichzelf. *Dit is je laatste kans.*

'Snap je wat ik bedoel? Het was als het afschieten van een nood-
vuurpijl. Met de boodschap: hier ben ik. Dit is me overkomen. Is
daar nog iemand anders? Het was als het aansteken van een kaars
om mensen licht te verschaffen.'

Ze stopte een haarlok achter haar oor en keek naar de blauwe
vlampunten.

'Wat zou u dan willen dat ik doe?' vroeg ze.

'Ik zou willen dat je naar de politiechef en de aanklager gaat
en een verklaring aflegt over wat er werkelijk gebeurde tussen jou
en de inspecteur. En dat je uitlegt waarom je je oorspronkelijke
klacht introk. Omdat je weet dat er waarschijnlijk nog andere
vrouwen waren.'

Ze keek weer naar de kaarsen naast de gootsteen, waarvan de vlammen licht flakkerden door het halfopen raam. Het ontging hem bijna toen ze een klein knikje gaf.

'Wilt u een verse kop koffie?' vroeg ze.

52

Toen hij de volgende morgen terugkwam na alledrie zijn kinderen naar school te hebben gebracht, zag Mike de donkerblauwe LeSabre van Harold op zijn oprit staan. Meteen hing er spanning in de lucht, als een kwalijke geur die zijn oorsprong dadelijk ging onthullen. En zijn humeur was toch al niet best. Al dat rondhangen begon hem op de zenuwen te werken. Zijn lichaam werd tot pap, hij had een gezicht als van oude lappen en de spieren van zijn bovenlichaam zakten uit naar zijn vetlagen. Zijn duim klopte en veranderde voortdurend van kleur. De nagel was net genoeg losgekomen om hem constant ongemak te bezorgen en wilde er nog niet afvallen.

Hij parkeerde langs de straat, stapte uit en sloeg het portier hard dicht.

Een berg pitbullkeutels lag op het pad naar de voordeur. Dus zo wilden de buren hem verwelkomen? Mooi. Met hen zou hij ook nog wel een keer afrekenen.

Hij bleef staan om de post van de veranda te pakken en zag een brief van zijn eerste vrouw, Doris, tussen de nota's, waarschijnlijk om te klagen dat hij weer achter was met alimentatie betalen. Op een of andere manier kon ze van een afstand van vijfduizend kilometer bloed ruiken. Vrouwen.

Hij liep de treden op en merkte dat de deur al open stond. Hij ging naar binnen en voelde een duif in zijn borstkas fladderen. De was was opgeborgen. De koelkast rammelde en dreigde het volgende apparaat te worden dat zich tegen hem keerde. Hij hoorde in de woonkamer de hamster in zijn tredmolen rennen.

Hij liep naar de keuken en hoorde water in de gootsteen druppelen, wat hem herinnerde aan zijn laatste mislukking met de waterpomptang. Toen hij de kraan dichtdraaide zag hij de theebeker van Marie op het aanrecht staan met helder rode lippenstift op de rand, alsof ze die in haast daar had neergezet. De kitspuit lag ernaast. Nog meer bewijs dat zij de klusjes op zich nam die hij met zijn zere duim niet af kon maken.

'Schat, wat gebeurt er?' riep hij.

De deur naar de kelder stond wijd open en dat verhoogde zijn diepe gevoel van beklemming. Het aanhoudende gerammel van de tredmolen van de hamster hield op en zijn hart begon te bonken. Hij hoorde mannen boven het geraas van zijn boiler uit rustig spreken. 'Zoiets raak je niet zo gemakkelijk kwijt,' zei de een.

Hij ging boven aan de trap staan en rook gas.

'Hé Harold!' riep hij. 'Ben jij dat?'

'Zie je wat?' Paco keek toe hoe de chef luminalpoeder over het blad van de cirkelzaag uitstreek, om het met de infraroodlamp op bloedvlekken te controleren.

'Nee, ik zie niets.' Harold, met een speciale bril op, bekeek elke zaagtand zorgvuldig. 'Totaal geen bloed. Je zou denken dat hij zich bij het zagen weleens heeft verwond. Mensen raken nogal eens vingers kwijt.'

Ze waren al bijna twintig minuten bezig met het doorzoeken van de kelder, gewapend met een door rechter Harper ondertekend huiszoekingsbevel, en een verklaring van Muriel Navarro, die inhield dat Mike haar een paar jaar geleden had gechanteerd om haar klacht tegen hem in te trekken. Toen Jack Davis de vorige avond tegen twaalven belde om te zeggen dat Barry Schulman het meisje had opgespoord was Harold razend, want het rook naar doorgestoken kaart. Maar na het concreet aanhoren van de getuigenis maakte hij een draai van honderdtachtig graden. En hier was hij dan, bezig de kelder van zijn vroegere beste vriend te doorzoeken. Hij probeerde zijn lijkbezorgersinstincten de boventoon te laten voeren. Hij was een dienaar van deze gemeente, hield hij zichzelf voor. Er waren akelige zaken die aandacht behoefden. Geen mens beweerde dat dit werk was voor weekhartigen.

'Misschien wist hij dat we vroeg of laat zouden komen en heeft hij alles schoongemaakt,' zei Paco.

'Nee man. Moet je kijken hier. In geen jaren.'

De kelder was een bende. De rest van het huis toonde Marie's nauwgezetheid en aandacht voor details, maar hier had ze het opgegeven. Dit was Mikes domein. Een onvoltooide werkplaats met een aarden vloer, een oude boiler, omhuld met brokkelig asbest, en roestige, half geïsoleerde buizen langs de zoldering. Het rook er naar olie, zaagsel en vliegtuiglijm. Op de werktafel stond een goedkope computer te midden van bouten, scharnieren en onderdelen van oude radio's, die uit elkaar waren gehaald en nooit meer in elkaar gezet. Hier heerste geen tijd meer. Die was weggerold in de hoeken en weggesijpeld door kleine openingen in de bakstenen muren. De tijd was overdekt geraakt met vuil, roet, stapels oude kranten en sportuitrusting. De tijd was begraven onder vettige fietswielen, asfaltpapier, verfbusdeksels, gesloopte versnellingsbakken, hengels met verwarde snoeren en schoenendozen vol monopoly-kaartjes, stukjes zeep, patroonhulzen, footballtrofeeën, padvinderonderscheidingen en, heel mysterieus, tientallen blauwe politieautootjes van Corgi en locomotiefjes van Tonka.

'Ik zal je zeggen wat ik denk.' Paco ontkoppelde de computer en wond het snoer om zijn hand. 'Ze was al dood toen hij haar hier beneden bracht.'

'Sandi?' Harold duwde zijn bril op zijn hoofd.

'Ja. Laten we zeggen, gewoon wurging met de handen. Zij wil het uitmaken. Hij niet. Hoe het ook zij. We weten dat ze neukten. Ze krijgen ruzie. Ze vechten. Misschien hebben ze gewoon te veel lol. Oeps. Hij smoort haar. Ze wordt blauw.' Paco stak zijn tong uit en rolde met zijn hoofd. 'En hij: "O jee, wat moet ik nu?"'

'Haar achterlaten op de parkeerplaats van het motel waar haar auto was.' Harold haalde omzichtig het zaagblad los en hield het met zijn gummi handschoenen aan de rand vast. 'Leg het in een ander district, dan heeft een ander het probleem.'

'Misschien dacht hij dat hij op de parkeerplaats was gezien en dat ze hem later konden identificeren. Misschien flipte hij gewoon.'

'Kom nou, Paco. Hij is een politieman.'

'Dat weet ik, maar hij is ook een mens. We zijn toch allemaal mensen?'

Er regenden schilfers van de zoldering op Harolds hoofd toen hij een zak zocht om het zaagblad in te doen.

Hij vroeg zich af of hij misschien niet verstek had moeten laten gaan bij deze huiszoeking. Net voor hij deze morgen van huis ging zag hij het niet meer zitten en belde hij de staatspolitie om assistentie. Ze zeiden dat ze mogelijk over anderhalf uur een ervaren speurder konden missen om te helpen. Misschien had hij gewoon buiten moeten wachten tot de man hier arriveerde. Maar omdat Mike elk moment terug kon zijn meende hij dat ze zo gauw mogelijk moesten beginnen met het veiligstellen van bewijsmateriaal.

'Ik denk dat hij haar in de auto heeft gestopt, misschien in de kofferbak en hierheen gebracht, omdat hij niet wist wat hij er anders mee aan moest.' Paco stopte de computer in een kartonnen doos.

'Oké. Tot zover kan ik je volgen.'

'Hij herinnerde zich dat geval van het voorjaar, toen ze de vriendin van die drugsdealer met afgehakte handen in de rivier vonden, zodat ze niet te identificeren was. Wat doet hij dus? Hij besluit het daarop te laten lijken door het lichaam te verminken en in het water te gooien.'

Harold keek op omdat hij een voetstap meende te horen.

'Hij had boven vier slapende mensen en de keldertrap kraakt flink.' Harold dempte zijn stem. 'Het lijk weegt meer dan vijftig kilo. Als hij ermee de trap afgaat hoor je je *wonk, wonk, wonk*. Zou niemand daarvan wakker worden?'

'We weten niet of er iemand wakker werd. We hebben de rest van het gezin niet ondervraagd.'

'Er zitten gaten in. Meer wil ik er niet van zeggen.'

'Overal zitten gaten in.'

'Niet zo talrijk.' Harold ging kijken bij de spoelbak in de hoek. 'De afvoer hier beneden is geen eenvoudige aangelegenheid. Heb jij weleens gezien hoeveel bloed er komt als je een hoofd afhakt? Ik zal je een dezer dagen het systeem laten zien dat wij in de aflegkamer hebben.'

Paco haalde zijn schouders op. 'Dan nam hij er de tijd voor om het goed te doen.'

'En dan hebben we nog de rivier.' Harold ging op zijn knieën de onderkant van de bak met een zaklantaarn bekijken.

'Wat is daarmee?'

'Waarom zou hij het lijk zo dicht bij de stad in de rivier gooien als hij niet wilde dat wij het meteen zouden vinden?'

'Wat bedoel je?' Paco krabde aan zijn oor. 'Hij dacht dat het tij het naar New York zou voeren.'

'Je bent niet goed.' Harold trok zijn handschoen uit en voelde of de afvoerpijp droog was. 'Heb je weleens gekeken hoe de stroming is?'

'Chef, ik ben van de South Bronx, ja?'

'Het is een riviermond,' legde Harold uit. 'De stroomrichting verandert voortdurend. Als je een stok van een brug gooit gaat die minstens zeven keer heen en weer voor hij een definitieve keuze maakt.'

'Hoe moet ik dat nu weten? Ik ben niet van hier.'

'Precies. Want als je van hier zou zijn zou je een lijk niet bij eb in het water gooien en verwachten het nooit meer terug te zien. Je zou dan weten dat het vroeg of laat naar je terugkomt.'

De zijkanten van Paco's hoofd leken te zwellen en te krimpen toen hij het idee verwerkte. 'Wil je zeggen dat het iemand van elders moet zijn die dit heeft gedaan?'

'Ik zeg niet dat dat moet.' Harold ging staan. 'Ik zeg alleen dat als je van hier bent, je zou weten dat je er niet zo gemakkelijk van af bent.'

Ze hoorden beiden een vloerplank boven hen kraken. En de stem van Mike die naar beneden riep: 'Hé Harold! Ben jij daar?'

Met zijn hart tussen zijn longen beklemd liep Mike de trap af en zag Paco bij een open doos staan met zijn computer erin.

'Wat zijn jullie verdomme aan het doen?' vroeg hij.

Mannen waren in zijn huis. Gingen zijn kelder in. Kwamen aan zijn spullen.

'We hebben een machtiging, Mike.' Harold ging in het licht staan van een kale gloeilamp, met één latex handschoen en grijs stof in zijn haar. 'Marie heeft die gezien toen ze ons binnenliet.'

'Heeft Marie jullie binnengelaten?'

'Ze zei dat ze naar haar werk moest. En dat je gauw thuis zou zijn.'

'Laat me die machtiging zien.'

Hij liep de trap verder af, waarvan de treden kraakten en onder zijn gewicht dreigden te breken. Zij had hen binnengelaten.

Zij moest naar haar werk. Zo veel betekende hij voor haar. Op de laatste trede overhandigde Harold hem de warme machtiging uit zijn achterzak.

De woorden dansten voor zijn ogen. Hij zag de naam Muriel Navarro en het jaartal 1998. Langzaam overzagen zijn ogen de rest van de pagina, probeerden er iets van te begrijpen, en kwamen te rusten op de frase lastigvallen en intimidatie.

'Wat ís dit?'

'Die kinderoppas die je hebt aangehouden,' zei Harold. 'Ze heeft besloten opnieuw een klacht in te dienen.'

Het papier gleed uit zijn vingers. 'Waarom?'

'Schulman kreeg haar klacht boven water en heeft haar overgehaald. Ze zegt dat je haar bedreigde en dwong haar klacht in te trekken. Je zou haar aangeven bij de Vreemdelingendienst en haar naar San Salvador terugsturen als ze jou last bezorgde.'

'Ach, god kut klote jullie allebei.' Maar zijn vlaag van woede vertraagde al tot een koud straaltje. 'Ze is een inhalig krengetje dat met die beunhaas uit is op schadevergoeding. En zal ik je wat zeggen? Ik neem het haar niet kwalijk. Ik neem het jou kwalijk. Na tweeëndertig jaar heb je nog niet de moed om me uit de wind te houden.'

'Ze zegt dat je boodschappen insprak op haar antwoordapparaat.'

'Nou en?'

'Ze heeft een bandje bewaard.'

Mike voelde roet zijn longen vullen en langzaam zijn ingewanden zwart maken.

'Heb je dat beluisterd?'

'Ze gaf het bandje gisteravond aan Schulman, en hij gaf het aan Jack Davis, die het voor me afdraaide. Het is geen dolby stereo, maar het zou een jury wel wat zeggen. Het is duidelijk jouw stem die zegt: "Als jij problemen in mijn leven maakt, maak ik problemen in het jouwe."'

'Ik denk dat ik mijn advocaat moet bellen.' Mike ging op de onderste traptree zitten.

In zijn achterhoofd begon een ver gerommel, als water dat door een lange donkere tunnel stroomt.

'Dat is prima,' zei Harold. 'Maar intussen moet je begrijpen dat ik een kopie aan de officier van justitie over moet dragen, zodat ze een aanklacht kunnen opstellen...'

'Jezus christus.'

De instorting. Zo moest het voelen als je die kreeg.

'Mike.' Harold legde zijn hand op zijn schouder. 'Je moet weten dat het daar niet mee zal ophouden.'

Mike keek op en zag dat Paco een van zijn schoenendozen had opengemaakt en zijn verzameling politieauto's en locomotieven had gevonden.

'Er zullen nog anderen voor de dag komen,' zei Harold. 'Dacht je niet?'

Mike tastte zijn mond af met zijn tong en voelde in zijn wang een nieuwe zere plek. De muren kwamen op hem af. Hij had ruimte nodig om te ademen.

'Goed, ik had een akkevietje met haar,' zei hij. 'Is dat wat je wilt horen? Ze reed dertig kilometer te hard.'

'Was dat toen je aanhoudingen deed?' vroeg Paco.

'Meteen nadat mijn broer was doodgeschoten.' Mike knikte. 'Totaal wettig als handelwijze. Je weet wanneer je iemand aanhoudt nooit of je een wapen in het handschoenenkastje vindt.'

Hij zag Harold en Paco sceptische blikken wisselen, maar in zijn hart wist hij dat het waar was: diep van binnen droomde hij er nog steeds van de Chevrolet aan te houden die zijn broer die avond op River Road aanhield.

'Dacht jij dat dat kindermeisje een blaffer bij zich had?' Paco trok een wenkbrauw op.

'Oké, ik heb haar op de vingers getikt,' gaf Mike toe. 'Ik vertelde haar dat mijn moeder ook andermans kinderen verzorgde...'

'Je hebt haar in de auto genaaid en daarna de bekeuring verscheurd,' kwam Paco ertussen.

'Was het iets van rozengeur en maneschijn? Nee, waarschijnlijk niet. Had ze achteraf de pest in? Misschien wel, denk ik. Ze diende een klacht tegen me in. Was het mijn meest glorieuze moment? Kom zeg, ik maakte toen een moeilijke tijd door.'

'En dat bandje uit het antwoordapparaat?'

'Kut.' Mike keek naar zijn duim en zag dat de nagel er half af was. 'Ik heb fouten gemaakt. Ik heb een paar kloterige fouten gemaakt. Ik wist dat ik er op het bureau wel mee weg zou komen, maar toen haar klacht binnenkwam ging ik door het lint. En toen kreeg Marie er lucht van en hing ik aan een draadje. Daarom sprak ik die stomme boodschap in. Was ik eigenlijk wat van plan? Kom nou, Harold. Ken je me niet beter dan dat?'

Mike keek op naar de chef, zoekend naar een spoor van begrip of kameraadschap om zich aan vast te klampen.

'Dat dacht ik vroeger.' Harolds ogen werden kil. 'Maar toen begon je weer met al dat gelazer. Wat te denken van Sandi?'

'Wat is er met Sandi?'

'Waarom vertelde je me niet dat je een verhouding met haar had?'

Mikes keel zat even dicht. 'Wie zegt dat?'

'Kom nou, Mike,' zei Harold. 'We zijn allemaal bij de begrafenis geweest. Ik zag hoe je die schep uit de handen van de echtgenoot nam.'

'Ik wilde gewoon een vriendin de laatste eer bewijzen.'

'Natuurlijk.' Paco kwam erbij en sloot hem nog meer in op de trap. 'Luister eens, *de verdad*, ik constateer dat je een hek voor haar maakt. Ik constateer dat je je de hele zomer vroeg afmeldt om haar op te zoeken. Ik ben er net geweest en de oppas van Sandi vertelde ons dat ze je boven hoorde terwijl je auto op de oprit stond. En nu heb ik je computer.'

Hij knikte naar het apparaat in de kartonnen doos.

'Wat is daarmee?' Mike slikte moeizaam en zag het gedemonteerde zaagblad met blinkende tanden platliggen. 'Die gebruik ik soms om de kinderen met hun huiswerk te helpen.'

'Ja, dat zullen we wel zien, Topcat,' zei Paco. 'Die nemen we in beslag en dan zien we wel wat voor e-mails je haar hebt gestuurd.'

Ze hadden hem te pakken. Steen voor steen hadden ze een muur om hem heen gebouwd en hem ingesloten. Ze drongen op, zoals ze over hem heen stonden. Paco's gordel was op zijn ooghoogte, en de aanblik van de door het leer stekende zilveren tong deed hem aan marteling denken.

'Nu ja, wat dan nog?' zei Mike, die besefte dat hij hiermee veel te lang had gewacht. 'Van haar eigen man kreeg ze niks, dus hielp ik een handje. Ga je me daarvoor opsluiten?'

'Nee, daarvoor niet,' zei Harold.

'Ach, kom nu toch. Iedereen liegt over seks. Je weet dat ik het weer met Marie en de kinderen heb geprobeerd. Ze hoefde van mij niet te weten dat ik een paar slippertjes heb gemaakt. Ik ben een beroerling. Het spijt me. Maar daarmee ben ik nog geen beest.'

'Daar bij het station,' mompelde Harold, die naar het stof op zijn insigne keek.

'Wat zeg je?'

'Daar bij het station. Je zei helemaal niets. Toen het lijk was aangespoeld. Je zag de tatoeage op haar enkel. Je zag het operatielitteken op haar borst en dat van liposuctie op haar kont.'

'Ik wist het niet zeker.'

'Natuurlijk wist je het zeker. Je neukte haar, en daar heb je mij nooit ene moer van verteld?'

Ze kwamen zo dichtbij dat hij nauwelijks adem kreeg.

'Ik raakte in paniek, nou goed?' schreeuwde Mike, in een poging hen achteruit te dringen. 'Ik had haar geneukt en toen was ze dood. Ik wist wat voor indruk dat zou maken als het uitkwam.'

'Wat voor indruk dan?' vroeg Paco, halfgrijnzend.

'Hoor eens, ik wil met jou geen gelul meer.' Mike negeerde hem en richtte zich alleen op Harold. 'Ik heb een vrouw en kinderen die ik niet kwijt wil raken. Ik bleef van plan het je te vertellen, maar er kwam steeds wat tussen.'

'Zoals?' vroeg Harold.

Mike dacht erover te vertellen over alle kleine fouten die hij had gemaakt, en alle kansen die hij had gemist. Dat hij stuntelde toen Harold hem voor het eerst naar Sandi vroeg, en dat hij vast van plan was om schoon schip te maken, tot hij de passage in het dagboek over het keel dichtknijpen las. Maar hij hield zich in, omdat hij inzag dat hij genoeg in de problemen zat.

'Ik heb wat foute beslissingen genomen. Toen ik zover was dat ik je alles wilde vertellen was het te laat.'

'Je hebt dus opzettelijk een onderzoek belemmerd? Is dat je verhaal?' Paco trok aan zijn oorring en deed wijsneuzig. 'Vertel eens, is het kind dat ze droeg van jou?'

'Huh?'

'Je zei dat haar man haar niks gaf. Je kunt ons meteen de kosten van een DNA-test besparen.'

'Ik weet het niet.' Mike hield zijn handen tegen zijn gezicht. 'Ik weet het werkelijk niet.'

'Waarom heb je haar dan vermoord?' vroeg Harold.

'Dat heb ik niet gedaan! Dat deed haar man. Dat probeer ik je al die tijd al aan het verstand te brengen. Hij moet erachter zijn gekomen.'

'Maar waarom heb je dan al die tijd alles geprobeerd af te dekken?' vroeg Harold.

'Ik zeg je, ik dacht dat ik buiten schot kon blijven. Dat ik mijn naam erbuiten kon houden. Ik heb er een zootje van gemaakt, ja? Ik wilde niet én mijn baan, én mijn gezin verliezen. Ik vocht voor mijn leven.'

De rode mist was over hem heen gevallen. Zijn verstand zat op slot. Hij was uit zijn evenwicht en had niet de volle controle over wat hij zei. In zijn achterhoofd wist hij dat hij geen woord meer moest zeggen en zijn advocaat bellen.

Maar toen nam Harold zijn hand van zijn schouder en ging op zijn hurken zitten, oog in oog met nauwelijks tussenruimte voor een vuist.

'Michael, luister naar me,' zei hij. 'Ik wil met je praten als een vriend.'

'Een vriend.'

'Ik meen het. Je hebt hier een keus.' Harold bleef hem aankijken. 'Je kunt verder gaan op deze weg en in een gevangeniscel belanden.'

Mike drukte voorzichtig zijn blauwe nagel op zijn duim terug. 'Mijn vader werkte in de gevangenis.' Hij trok een branieachtige grimas.

'Bedenk eens dat je je gezin berooid achterlaat als je al die rekeningen van advocaten moet betalen.'

Mike voelde een gasbel van ellende groter worden in zijn borst. 'En wat is mijn andere keuze?'

'Je maakt hier nu meteen een einde aan en bespaart ons alle heisa en kosten van een strafproces, waarbij je je advocaat uit je eigen zak moet betalen.' Harold ging zijn latex handschoen uittrekken. 'Ik zal met de gemeenteraad spreken over toekenning van driekwart van je pensioen aan Marie en de kinderen. Dat doen we stilzwijgend, alsof ze daar als nabestaanden recht op hebben.'

347

'Alsof ik voor hen al dood ben,' zei Mike schamper.

'Ja.' Harold knikte. 'Alsof je al dood bent.'

'Stel dat ik die rechtszaak wil?' vroeg Mike.

'Dat is het herschikken van dekstoelen op de *Titanic*.' Harold liet zijn schouders zakken. 'We hebben hier al bloedsporen gevonden. Zodra we die naar het forensisch lab hebben gestuurd kan ik niets meer voor je doen. Dan valt er niets meer te regelen.'

Maar op dat moment zag Mike het jack van de chef opkruipen, en een strook blauwe Kevlar werd eronder zichtbaar. En in dat stukje donker weefsel zag hij een tere kwetsbaarheid, een stuk geschiedenis, een plek om te treffen.

'Je liegt,' zei hij.

Hij zag Harolds onderkaak verkrampen en weer ontspannen. De man was bang. Zo bang dat hij vandaag een kogelvrij vest aan had. Over de plek waar hij door Brenda Carter was gestoken.

'Oké,' zei Harold zo luchtig als hij kon. 'Ik lieg.'

'Jullie hebben hier beneden niets gevonden,' zei Mike, die besefte dat hij zich had laten verleiden meer te zeggen dan nodig was. 'Jullie hebben geen moer gevonden.'

Hij stond langzaam op, waarbij hij ruimte opeiste en hen een stuk terugdrong. Ze hadden een spel met hem gespeeld, hem willen isoleren, alsof de enige uitweg via hen was. Dat had hij zelf minstens honderd keer gedaan, maar dan beter. Hij raapte de machtiging op die voor zijn voeten was gevallen.

'Ik zou trouwens niet weten wat jullie hier in godsnaam dachten te vinden,' zei hij, de machtiging bestuderend alsof hij net wakker was.

'Dit gaat om een klacht van drie jaar geleden. Het heeft niets met Sandi te maken.'

'Vroegere wandaden,' zei Paco zacht. 'We willen een patroon aantonen.'

'Jullie worden de rechtbank uit gehoond.' Mike keek van de een naar de ander en duwde hen verder terug met zijn ogen. 'De rechter zou trouwens toch alles afwijzen wat jullie hier vinden. Het zijn vruchten van een vergiftigde boom.'

'Als jij het zegt.' Hij zag Harold Paco een bezorgde blik toewerpen, want op zo'n rechtstreekse uitdaging was hij niet verdacht.

'Als ondervrager ben je nooit een stuiver waard geweest, Harold.' Mike gaf hem de machtiging terug en sloot zijn vuist om zijn duim. 'Jij zou Sint Augustinus nog niet tot een bekentenis brengen. Je hebt mij altijd nodig gehad voor het zware werk.'

'Je laatste kans.' Harold liet zijn schouders zakken en het vest verdween weer onder zijn jack. 'Dit is je enige uitgang.'

'Mijn advocaat.'

'Weet je dat zeker?'

'Ik wil mijn advocaat spreken. Jullie hebben geen zaak.'

'Zoals we op mijn andere kantoor zeggen: je begrafenis.' Harold haalde een stel handboeien uit zijn zak.

'Wat is dit in vredesnaam?' Mike ging een trede omhoog. 'Je hebt onvoldoende om me de moord ten laste te leggen.'

'Maar ik heb meer dan genoeg om je te pakken op het lastig vallen en intimideren van Muriel Navarro. Sorry Mike. We zitten nog binnen de verjaringstermijn. Je staat onder arrest, vriend.'

53

'O.'

De helroze mond van Molly Pratt vormde een starre glimlach toen ze besefte dat het te laat was om te doen alsof ze Lynn niet op het postkantoor in de rij zag staan, kort voor lunchtijd.

'En, wat voert jou hierheen?' Haar paddestoelvormige kapsel danste op en neer toen ze aan kwam lopen, maar haar wangen leken gevuld met uithardend beton.

'Gewoon, postzegels kopen,' zei Lynn, die er in haar jack armoedig uitzag.

Een rode pijl van stippels lichtte naast de rij op ter aansporing. Keek iedereen naar haar? Door haar getuigenis voelde ze zich niet alleen beschaamd maar ook wezenlijk onrein. Toen ze Clay die morgen afzette merkte ze dat verscheidene andere moeders haar met neergeslagen ogen vlug voorbijliepen.

Ze hield zichzelf voor dat het met haar reputatie nog niet gedaan kon zijn. Dat was rekenkundig onmogelijk. Dan zou iedere vriendin die in de rechtszaal aanwezig was het aan tien mensen moeten hebben verteld, die het op hun beurt ook aan tien mensen hadden verteld. Maar op een of andere manier ontkwam ze niet aan het gevoel dat waar ze ook kwam de persoon die ze vroeger was zichtbaar en lichtzinnig naast haar liep, als een beeld van een twee keer belichte foto.

'Heeft iemand het nog gehad over een samenkomst van onze leesclub op dinsdag?' vroeg ze. Ze merkte dat een medewerker met een veteranenpet, een blanke man in de nadagen van zijn leven, door het dikke glas naar haar staarde.

'O, maar na de laatste keer weet ik het niet meer zo.' Molly fronste afkeurend. 'Ik heb het zo moeilijk met een minder gelukkige afloop en personages die dingen doen die ik nooit zou doen.'

Lynn aarzelde, want ze wist niet goed hoe dit op te vatten. Weer voelde ze de akelige kilte van Sandi's afwezigheid, het missen van de enige vriendin die Molly in haar gezicht had uitgelachen om haar neo-Victorianisme.

'Nou, het zou wel aardig zijn om iedereen weer eens te zien bij iets anders dan een begrafenis of een hoorzitting.' Lynn schoof een plaats op en zag toen de affiches met gezochte mensen aan de muur.

'Ik begrijp wat je bedoelt.' Molly knikte en keek op haar horloge. 'Het is hier wat akelig geworden.'

'Bel me, goed?'

'Zal ik doen.' Molly liep twee passen en kwam toen terug, beseffend dat er nog iets anders moest worden gezegd. 'Lynn, je moet weten dat we nog allemaal achter je staan, en dat niemand je veroordeelt om wat er vroeger gebeurd is.'

Lynn staarde haar alleen maar aan terwijl de rode pijl weer oplichtte. Háár veroordelen? Alsof niemand van hen ooit iets had gedaan wat in de verte schandaleus was. Wat te denken van Anne Schaffer, die haar been op drie plaatsen had gebroken, omdat ze dronken op Prospect tegen een boom was gereden? En van Jeanine, die het receptenblok van haar vader had gegapt om drugs te kunnen verkopen op de universiteit? En van Molly zelf, die de distributiechef op haar werk had genaaid en haar huwelijk naar de knoppen had geholpen?

Dachten ze dat Lynn degene was die terechtstond? Hadden ze

niet gehoord dat Mike de vorige morgen was gearresteerd wegens het lastig vallen van een andere vrouw?

'Hé dame, het volgende loket is open,' zei een man achter haar.

'Ik bel je.' Molly verwijderde zich langzaam en wuifde lauw.

Omdat ze zich achteraf bezoedeld voelde, besloot Lynn thuis eens flink aan de gang te gaan. Zodra ze binnen was kleedde ze zich uit, trok wat gemakkelijks aan, maakte schoon in de keuken, deed de was, verschoonde beddengoed, en ging toen de zomerkleren opvouwen om die naar de zolder te brengen. Waarom wachtte ze zo lang?

Ze richtte haar aandacht op de kast van Barry en besloot nog voor ze de deur opendeed ontzet te zijn. Was dit niet ook ten dele zijn schuld? Hij was toch niet bepaald een bemiddelende factor geweest. Tot haar teleurstelling hingen al zijn pakken keurig gerangschikt op hangertjes. Sinds wanneer was hij zo anaal? dacht ze. Ze deed de deur helemaal open, zag zijn schoenen netjes op een rij staan en had duidelijk het gevoel niet welkom te zijn. Het enige misplaatste was een schoenendoos die op de bovenste plank wat uitstak. Waar kwam die vandaan? Ze stond op haar tenen, reikte ernaar en vroeg zich af of hij hier een schaduwboekhouding had weggestopt. Sinds ze besefte dat hij tegen haar over zijn werk had gelogen merkte ze dat ze rondsnuffelde naar meer verborgen zaken.

Maar de doos stond te hoog en ze besloot die voor later te bewaren. Ze ging naar haar studio om wat te werken. François zat haar op de huid voor het persklaar maken van de catalogus.

Perspectief, had hij gezegd. *Ik zie het beeld niet dat alles samentrekt.* Krijg wat, nep-fransoos. Ze deed een opbergmap open en ging oude contactafdrukken met een vergrootglas bekijken, nog steeds op zoek naar de juiste opname.

Onder het vergrootglas zwol haar recentste opname van het huis van William de Openbaarder aan Bank Street op. Een oud parelkleurig huis met een steil puntdak en losse dakspanen, een sneeuwwitte koepel en een bouwvallige schoorsteen. Zolang Lynn zich kon herinneren had hier ene William Pickett gewoond, een godsdienstfanaticus die in zijn tuin allerlei religieuze voorwerpen verzamelde die in de loop der jaren steeds bizarder en kleurrijker werden. Op de vroegste foto van de reeks, genomen toen Lynn veertien was, hing er alleen een bescheiden aanplakbiljet boven de deur met een citaat uit Openbaring: IK BEN HIJ DIE LEEFT EN DOOD WAART; EN VOORWAAR, IK LEEF VOOR EEUWIG. Tegen het einde van haar laatste schooljaar was er een plastic Jezus gekruisigd tegen de telefoonpaal in de voortuin. Een foto, genomen midden jaren tachtig tijdens een bezoek aan haar moeder, toonde een grote plastic arend die aan de verandaleuning was vastgemaakt, met een bordje om zijn nek waar HEBT BEROUW! op stond. Toen ze anderhalf jaar geleden hiernaar terugverhuisde stond er een windmolentje langzaam te draaien naast een kale perenboom, en op het gazon zaten twee etalagepoppen, een man en een vrouw in avondkleding, in een gele Ford stationwagon uit 1963, als afgedankte rolmodellen voor geïdealiseerd voorstedelijk leven.

Met de tandeloze zegen van William de Openbaarder (*Leg het vast, kind, opdat de waarheid kan worden gekend*), had ze tientallen foto's van dit tafereel genomen, met liefde voor de totale ongerijmdheid in deze omgeving, het pure gegeven, de ondoordringbaarheid en, het allermeest, het feit dat niemand anders in deze stad het leek op te merken.

Maar bij het bekijken van de foto in dit licht voelde ze haar enthousiasme wegebben. Gegaap, had François het genoemd. 'Als je foto's niet goed genoeg zijn, ben je niet dichtbij genoeg.' Ze begon in haar hoofd de dingen op een rijtje te zetten. Dit was haar woonplaats. Ze had er echt gevoel voor. Zelfs François gaf dat toe. Maar wanneer ze zich afvroeg of ze ooit een zinnig gesprek met William Pickett had gehad, al was het maar om het ware mysterie van al dit cryptische tuinmeubilair te ontsluiten, dan kon ze alleen maar het beeld oproepen van zijn verzaligde grijns.

Je moet blijven kijken.

Ze legde de Pickett-foto's weg en sloeg een map open waar ZOMER 2000 op stond, wat opnamen die ze in haar computer had willen opnemen om te bewerken. Er zat nog een andere reeks contactafdrukken in, maar wat daarop stond was ze grotendeels vergeten. Ze herinnerde zich vaag iets van experimenteren met licht en de nieuwe Canon, met foto's van haar slapende kinderen en Barry aan het basketballen in het Eisenhower Park; een man in beweging, pompende benen en uitgestrekte armen. Haar ogen gingen langs de rijen filmstroken. Ze zocht foto's uit die ze in huis en in de achtertuin had genomen, alsof ze haar eigen leven documenteerde.

Maar op het volgende vel veranderde het beeld. Een ander huis, ouder en doorleefder. Een close-up toonde barstjes in een witte dakspaan, als bloedvaatjes in de verf. Op een andere stond een gaatje dat een specht net boven een raam had gemaakt, iets wat een toevallige voorbijganger nooit zou opmerken. Een huis van een vriendin. Ze herinnerde zich weer het ietwat ranzige gevoel dat ze kreeg bij het maken van deze foto's, alsof iedere klik van de sluiter een klein verraad was.

Haar oog ging naar de volgende rij en ze zag Sandi in bikini, met haar enkel nog zonder de getatoeëerde vlinder. Achter haar was het niervormige zwembad van het oude huis aan Sycamore Drive, dat naar haar zeggen te klein werd voor de kinderen.

Het kwam weer bij haar boven. Deze foto's had ze op een middag laat in augustus genomen, bijna een jaar voor Sandi en Jeff naar het nieuwe grote huis aan Love Lane verhuisden. Op de foto ernaast dansten ze wang tegen wang bij het zwembad, als Fred en Ginger in badkledij, voor de wereld zichtbaar als het gelukkige paar. Maar toen Lynn het vergrootglas ervoor hield merkte ze op dat Jeff een beetje langs zijn vrouw heen keek, alsof hij zich realiseerde dat ze een onverwachte bezoeker hadden.

Het was niets, zei ze in zichzelf. Misschien huilde een van de kinderen. Misschien brandde er een hamburger aan of ging binnen de telefoon. Dingen gebeuren. Het leven houdt zijn pose niet altijd aan.

Ze bekeek de volgende foto en wenste dat dit gevoel weg zou gaan. Jeff en Sandi op het houten terras achter het huis, met Dylan op de voorgrond schommelend in een oude autoband die aan een iep hing. Lynn zag dat Jeffs kaak wat strak stond bij het zien van de planken. Schimmel. Ze wist nog dat ze beiden klaagden over groene algen die het hout aantastten. Alles aan het oude huis werd hun een gruwel. De keuken was te klein. De muren waren te dun. De bedrading was oud. Ze zaten te dicht op hun buren. 'We barsten uit onze voegen!' had Sandy gezegd. Lynn herkende de bekende litanie, het groeiende diminuendo van kleine spanningen die bij elkaar komen.

En dan Sandi alleen op de veranda, met haar blik naar de horizon, als een vrouw die haar opties beziet. Het getuigde zeker van haar vriendschap dat ze Lynn liet rondhangen om foto's te maken, terwijl zij dit netelige moment beleefden. Of misschien toonde het wat een vriendin met een camera allemaal kon maken. Een andere vrouw had de Canon op z'n minst even een tijdje weggelegd om Dylan in zijn autoband te duwen.

Maar dan had ze de volgende reeks gemist: Jeff die met een kwaad gezicht door de tuindeuren kwam. 'Zo is het mooi geweest. Het moet nu uit zijn.' Toen Lynn kwam hadden ze ruzie gehad. Ze dacht erover weg te gaan, maar Sandi vroeg haar te blijven om wat foto's te bekijken van huizen die ze op het oog hadden. Op de volgende foto was Jeff in actie met een witte tank vol bleekmiddel en een zwarte sproeier, als de Terminator die algen te lijf gaat. Zie je hoe ik dat aanpak? Maar op de volgende foto hief Sandi haar handen ten hemel. 'Je vermoordt mijn rozen! Kijk eens wat je met mijn klimop doet! Kun je niet uitkijken waar je spuit?'

Zo'n huiselijk tafereeltje. Zij en Barry hadden waarschijnlijk twee of drie van die ruzies per week gehad in perioden van spanning, toen de kinderen klein waren. Maar in de marges loerde een ander soort wanhoop. Weer hield ze zich voor dat dit allemaal achteraf bezien was, dat ze elementen buiten proporties uitvergrootte. Maar toen ging haar oog naar de volgende foto.

Jeff was ver in het volgende stadium van zijn grote schoonmaak. Over Sandi's planten waren grote vellen plastic uitgespreid. De algen waren weggeboend en het bleekmiddel had afgedaan. Er was een andere sproeitank ingezet. Jeff had zijn beschermbril op en zwarte rubber handschoenen aan, en toonde de aanwezige vrouwen hoe een echte man voor zijn huis zorgt. Lynn herinnerde zich opeens hoe verbaasd en onder indruk ze was geweest toen ze zag hoeveel van deze apparaten hij gewoon in de garage had staan, klaar voor gebruik. Misschien had ze zelfs gezegd dat ze zou willen dat ze Barry zover zou krijgen.

En daar rechts onder in de hoek, met de zwarte letters voor de camera goed leesbaar op het witte etiket, stond een open blik houtimpregneermiddel van Thompson.

Ze legde het vergrootglas weg, stond van haar kruk op, en herinnerde zich dat haar moeder had gezegd dat bepaalde dingen die Diane Arbus zag maakten dat ze zelfmoord wilde plegen.

'Volgende zaak. Roep het nummer af.'

Rechter Henry 'Highball' Harper, die iets had van een oude grijze duif, ineengedoken op een vensterbank, kromp ineen bij het geluid van zijn eigen hamer en sprak zijn griffier toe.

'Nummer 31279984,' verkondigde Tony Shlanger. 'Het gaat om vrijlating op borgtocht van Michael Fallon.'

Michael slofte de rechtszaal in met de oranje overall aan die hem in de districtsgevangenis in Valhalla was verstrekt. Hij was bleek en ongeschoren, en hoewel de bewaker hem voor zijn eigen veiligheid in de afdeling voor preventieve hechtenis had ondergebracht, had hij de afgelopen nacht slecht geslapen door al het lawaai en de hoon die van de bovengalerij op hem neerregende. *Hé, lekker ding… Hé, Pikkie Noga, je krijgt de volle laag van me… Hé, brigadier, ken je me nog? Geen gerechtigheid, geen slaap! Hé Pikkie Noga… waar is je knuppel, jochie? Hé agent, word jij mijn honingpotje?*

Midden in de nacht schoot hij overeind door een pijnscheut in zijn arm, en besefte dat zijn duimnagel eindelijk was afgevallen onder zijn kussen. Er was zo veel bloed dat het leek of er een dier was geofferd op zijn brits. Al die tijd had de duim zijn nagel nog niet kwijt gewild. De nieuwe nagel stelde nog nauwelijks iets voor, en het weefsel eronder was beurs. In de uren die volgden ging zijn hele hand opzwellen en hij kreeg koorts. Hij riep de bewaker bij de poort, maar zijn vaders vriend Larry Marshall was naar huis en voor de nachtdienst vervangen door een zwarte moslim die zichzelf Malik Bin Muhammad noemde en duidelijk weinig gevoel had voor afkomst. Die wachtte tot zes uur in de ochtend voor hij Mike een halfleeg buisje Neosporin, wat verband en twee Advils bracht.

Maar nu hij naast Gwen Florio achter de verdedigingstafel stond voelde hij het effect van de ibuprofen afnemen en de koorts weer opkomen. Hij keek even over zijn schouder om te zien of Marie deze morgen op de tribune zat, maar ze was nergens te bekennen. Alleen de gebruikelijke liefhebbers vulden de eerste twee rijen en achterin zat de oude man met het valkachtige gezicht en het grijze zelfgeknipte haar.

De rechter verplaatste zijn blik langzaam van Mike naar Brian Bonfiglio aan de aanklagerstafel.

'Meneer Bonfiglio' – hij schraapte zijn keel – 'wat doet u hier vandaag? Deze beklaagde komt hier de laatste tijd zo vaak dat ik het allemaal niet goed kan bijhouden.'

'Natuurlijk, edelachtbare.' De assistent-officier van justitie glimlachte beminnelijk. 'We zijn hier om tegen de vrijlating op borgtocht van meneer Fallon te pleiten. Ons bureau heeft als standpunt dat in dit geval ernstig vluchtrisico bestaat.'

Geweldig dat hij deze zaak behandelt, dacht Mike. Bonfiglio vervulde deze functie al jaren in dit district. De meeste mannen van het politiedistrict Riverside noemden hem El Exigente, de Veeleisende, omdat hij hen er steeds maar weer op uitstuurde om overweldigende hoeveelheden ondersteunend bewijs te verkrijgen, zodat hij zich niet echt moe hoefde te maken bij de vervolging in de drugszaken die zij hem aanleverden. Maar voor Mike zou hij altijd 'dat ondankbare kleine kreng' blijven.

'Edelachtbare, met alle respect, maar dat is absurd.' Gwen Florio stond op naast hem, geërgerd en ongeduldig om een cliënt te gaan verdedigen die haar echt betaalde. 'Deze beklaagde loopt niet weg. Hij heeft diepe wortels in deze gemeenschap. Zijn familie dient deze stad al generaties lang.'

Mike voelde beklemming zijn borst toen de ogen van de rechter langs hem heen dwaalden. 'Is zijn vrouw vandaag hier?'

'Nee, edelachtbare.' Mike boog zijn hoofd en sprak voor zichzelf. 'We hebben drie kinderen en ze heeft een vaste baan op de administratie van een ziekenhuis. Ze heeft al het nodige verzuimd.'

Hij wist dat het voorbij was zodra hij de theebeker met de lipstick en de kitspuit bij de gootsteen had gezien. Dat was de witte vlag. Ze had het gehad. Ze had het gevecht opgegeven. Hij kon het haar hoe dan ook niet kwalijk nemen. Ze had hem een kans gegeven. Als hij zijn gulp dicht kon houden en haar haar waardigheid liet, zou ze trachten het huwelijk te laten voortduren. Maar nee, hij kon dat niet. Hij moest gewoon zijn zaad over de stad blijven verspreiden en de vrouwen een voor een te na komen.

Hij dacht erover zich aan de genade van de rechtbank over te leveren. *Edelachtbare, ik heb een ziekte. Ik weet dat ik hulp nodig heb. Ik sta machteloos tegenover mijn verslaving. Het begon* met mijn moeder. *Maar u weet niet hoe het is. Stel, je zit om mid-dernacht met je radarpistool in een Caprice langs de kant van de weg. Je verveelt je. Het is koud. Je raakt van binnen heel gespan-nen. En dan zie je die lichtjes over de weg naderen. Dat geeft je een soort hoop. Je ziet dat het een vrouw is. En je weet dat als je gaat rijden met je zwaailicht aan, ze langzamer moeten gaan rij-den. Dat je al zo veel macht over hen hebt. Het bekruipt je heel langzaam. Je laat ze stoppen, je praat met ze, je kijkt ze eens goed in de ogen en je ziet of...* Maar dat was niet het hele verhaal. In werkelijkheid hadden al die vrouwen er ook iets aan gehad. Lynn, Sandi, en zelfs die kleine Salvadoraanse kinderjuf, die te hard reed en over de weg slingerde. Ze hadden hem nodig. Hemel, hij zou helemaal niet achter hen aan zijn gegaan als ze hem niet duidelijk een teken hadden gegeven. En als hij er een kleinigheid voor te-rugkreeg, och, dat was zijn recht na alles wat hij voor deze stad had gedaan.

Maar o nee, dat kon je niet zeggen op een openbare zitting. *Dus ga je gang. Maak mij maar de slechterik. Geef mij van alles de schuld. Het is wel goed. Ik kan het hebben. Maak mij tot de zon-debok voor al jullie Laatste-Oordeel-hysterie. Daarvoor ben ik hier.*

'Meneer Bon-fig-lio,' zei de rechter, die niet over de lettergre-pen wilde struikelen. 'Ik moet u zeggen dat ik in eerste instantie geneigd ben uw suggestie af te wijzen. Deze beklaagde is in de loop der jaren vele malen in mijn rechtszaal geweest om als poli-tieman te getuigen, en was daarbij altijd heel punctueel en gewe-tensvol.'

'Ik begrijp dat, maar er is iets veranderd,' zei de Veeleisende met zijn kinloze hoofd. 'Ik wil om een besloten zitting verzoeken. Er zijn elementen met betrekking tot deze zaak die zich niet lenen voor een open zitting.'

Mike keek even naar hem, terwijl zijn wond onder het verband schrijnde. Dus dit was de dank die hem ten deel viel: leugens, ge-ruchten, insinuaties. Een paar in het oor van de rechter gefluis-terde woorden: hij zou verdachte zijn in een lopende moordzaak. Er ontstond rotting. Zijn immuniteit was aangetast. Hij was de-ze laatste dagen niet alleen zijn duimnagel kwijtgeraakt, maar al zijn natuurlijke bescherming. Er was vandaag geen enkele politieman van het bureau komen opdagen. Hoe verbaasd kon hij zijn? Deze laatste paar weken had hij het gevoel gehad dat zijn huid laag voor laag werd afgepeld. Ontneem een man zijn baan, zijn reputatie en zijn gezin en wat heeft hij over? Een rauwe wond waar bloed en pus uit loopt.

De rechter schudde zijn hoofd. 'Hij spijt me, meneer Bonfiglio,' zei hij. 'Dit is een rechtszaal in een kleine stad, en geen geheim militair tribunaal. Het is slikken of stikken, al naargelang het bewijs.'

'Dan vraag ik edelachtbare de borgsom op honderdduizend dollar te stellen, om er zeker van te zijn dat deze verdachte weer verschijnt.'

De rechter keek wat moedeloos naar de verdedigingstafel. 'Kunt u twintigduizend opbrengen?'

Mike reageerde nog even niet. Op zijn rekening stond nog geen zevenhonderd dollar. Hij kon Gwen niet eens betalen voor haar verschijnen vandaag; ze had hem al gezegd dat hij een pro-Deo-advocaat moest nemen wanneer hij van de moord werd beschuldigd.

Hij begon zich al in te stellen op weer een nacht in de gevangenis. *Valhalla.* Gingen daar de helden niet naartoe na hun dood? Hij dacht aan het eindeloze kabaal van het cellenblok en het stomende geraas van de doucheruimte, waar hij naar hij wist vroeg of laat zou worden opgewacht.

'Ik heb het wel,' zei een stem achter hem. Mike draaide zich om en zag de oude man met het staalgrijze haar langzaam opstaan en in zijn vuist hoesten.

'Ik kan u nu meteen tien procent contant geven, en ik geef mijn caravan als onderpand voor de rest,' zei de oude man met verstikte, droge stem van het jarenlang roken van Lucky Strikes en het inademen van bedompte, tuberculeuze gevangenislucht.

De rechter staarde hem enige tijd aan voor hij het bekende gezicht in zijn context kon plaatsen. 'Weet je dat zeker, Patrick? Als hij de benen neemt heb jij geen dak meer boven je hoofd.'

De oude man spreidde zijn armen en toonde zo zijn nog steeds strakke borstspieren.

'Ach, in godsnaam, laat mij hem mee naar huis nemen, Hank.' De oude man begon het middenpad op te scharrelen. 'Hij is de enige zoon die ik over heb.'

55

Lynn bestudeerde het gezicht van de rechercheur nadat ze hem de foto op het parkeerterrein van het politiebureau had overhandigd. Maar het geschoren hoofd bleef glad, en de zwarte lus van zijn sik bleef los om zijn mond hangen. Hij moest een moeilijke man zijn om mee getrouwd te zijn of om mee te pokeren.

'Ik ben hier kapot van,' zei ze.

'Hoe wist u eigenlijk dat we onderzoek deden naar het impregneermiddel?'

'Jeffrey vertelde het me zelf toen ik hem op het station zag. Hij zal zijn vergeten dat ik die foto's heb genomen.' Ze beet op haar lip. 'Ik heb ze ook eigenlijk nooit aan hem laten zien.'

Uiteindelijk zag ze enige beweging in Paco's ogen toen hij de foto van Jeff die impregneermiddel over zijn terras sproeide nauwkeurig bekeek.

'Hij heeft het gedaan, hè? Hij heeft Sandi echt vermoord.'

Net als de meeste politiemannen die ze had ontmoet deed hij of bijna elke vraag van een gewone burger een mogelijke protocolschending was.

'Hebt u deze foto aan meer mensen laten zien?' vroeg hij.

'Nee. Ik heb het alleen per telefoon aan mijn man verteld en deze afdruk voor u gemaakt.'

'Ik zou het op prijs stellen als u dit stilhoudt en uw man vraagt hetzelfde te doen. We hebben een onderzoek lopen.'

'Uiteraard.' Ze knikte. 'Ik voel me alleen zo vreselijk ten aanzien van Mike.'

'Waar zit u dan eigenlijk mee?' Er golfde een lijn over zijn voorhoofd, als om de amplitude aan te geven.

'Ik weet het niet. Ik dacht dat jullie hem als verdachte zijn gaan zien nadat ik die klacht tegen hem had ingediend. Meneer Davis vertelde me dat jullie hem gisteren hebben gearresteerd.'

'Ja, dat is zo.' De golvende lijn werd dieper. 'Hij zit zelfs op dit moment in de rechtszaal. Maar ik wil ú eens wat vragen.'

'Wat dan?'

'Heeft hij alles gedaan wat u zei dat hij deed toen hij u opzocht?'

'Ja.'

'Heeft hij uw man aangehouden nadat deze bij de chef had geklaagd?'

'Dat denk ik wel.'

'En heeft uw man Muriel Navarro betaald om een verklaring tegen hem af te leggen?'

'Nee, natuurlijk niet.' Ze hoorde de aarzeling in haar eigen stem toen ze zich realiseerde hoe weinig ze de laatste tijd van Barry wist. 'Tenminste, voor zover ik weet niet.'

'Dan hoeft u u nergens zorgen over te maken.' De golvende lijn werd vlak. 'Mike heeft zichzelf in de problemen gewerkt. Als een man eenmaal besluit zijn eigen glazen in te gooien is er geen vrouw op aarde die hem tegenhoudt.'

56

De dakgoot hing nog steeds aan de gevel van het huis, merkte Jeff Lanier op toen hij van zijn veranda kwam om het ochtendblad te halen. Het was zijn bedoeling geweest om de ladder op te gaan en wat nieuwe gaten te boren om de goot weer onder de dakrand vast te schroeven, maar hij moest dezer dagen oppassen dat hij niet al te handig overkwam. En dan had hij ook nog hoogtevrees.

Dat had hij al sinds zijn achtste toen hij meevloog met de Cessna die zijn vader op de basis bij Frankfurt huurde. Vreselijke dingen, die kleine propellervliegtuigen. Je voelde alles als je erin zat. Iedere luchtzak, elk beetje turbulentie en windweerstand. Tot op deze dag kreeg Jeff nog steeds de bibbers als zijn voeten van de grond kwamen. Dat had hij ook die middag na het weekeinde van Labor Day gevoeld toen Sandi hem de ladder op stuurde om de goot van bladeren te ontdoen. De luie kuttenkop. Kon ze dat dan niet zelf? Hij zat net naar een belangrijke honkbalwedstrijd te kijken en toen moest hij ineens de ladder op. Dat beviel haar waarschijnlijk nog het meest. Ze zorgde dat hij nooit te ontspannen raakte. Ze liet geen gelegenheid voorbijgaan om hem eraan te herinneren dat hij hier nog wel iets voor de kost moest doen, aangezien ze zo veel van haar vader leenden. Altijd zag ze kans om hem te laten voelen dat hij als man niet voldeed. Waarschijnlijk had hij haar gewoon moeten zeggen een valiumpje te nemen en te gaan liggen. Misschien had ze dan nog geleefd.

Maar ze kon nooit iets laten voor wat het was. Als ze eenmaal haar tanden ergens in had gezet was ze als een kleine terriër. Ze bleef hem maar aan zijn kop zaniken, ook al wist ze alles van zijn hoogtevrees. Nou, vooruit dan. Hij zette zijn blikje Sprite neer en speelde het spel mee. Hoeveel bladeren konden er trouwens begin september in de goot liggen?

Maar zij moest natuurlijk alles moeilijker maken. *Zet de ladder niet in mijn bloemperk. Leun niet tegen de zijkant van het huis, dan komt daar een vuile plek.* Zijn duizeligheid begon toen hij zijn voet op de tweede sport zette. *Blijf van mijn klimop af. Maak niets vuil.* Bij de vierde sport begon hij een beetje duizelig te worden. *Pas op voor het latwerk* (ze moest hetzelfde hebben als haar vriendin Lynn). *Je vernielt mijn daglelies.* Hij moest de ladder verplaatsen. *Weet je zeker dat je het niet zelf wilt doen?* vroeg hij toen hij weer naar boven klom. *Niet aan de goot hangen,* waarschuwde ze toen hij boven was.

De lucht leek daar ijler en de vochtigheid deed alles verstillen, behalve de insecten. Die ene mug bleef maar om zijn hoofd cirkelen, en als hij hem bij zijn ene oor dood wilde slaan, dook hij weer bij zijn andere oor op. Hij haalde diep adem om rustig te worden en greep in de goot. De bladeren hadden een zware vochtige oergeur, alsof ze daar sinds het Mesozoïcum lagen. Maar toen begon de ladder scheef te zakken en verloor hij zijn evenwicht.

Instinctief greep hij de goot vast en probeerde overeind te blijven.

Laat dat! riep ze van beneden. *Je trekt de goot eraf.*

Staande op de bovenste sport, vier, vijf meter boven de grond, probeerde hij zijn zwaartepunt te verplaatsen, maar het was te laat. De ene poot van de ladder zakte weg.

Help me, zei hij. *Houd hem tegen.*

Maar zijn voeten verloren hun houvast al. De ladder viel weg toen hij op de bovenste sport stapte. Hij had geen steun meer onder zijn voeten. Blauwe lucht en grijze wolken weken terug toen zijn handen uitschoten en hij de goot vastgreep.

Laat los! gilde ze toen hij boven haar tussen hemel en aarde hing. *Dat gaat niet. Dan val ik.*

Maar je breekt de goot eraf. Laat toch los!

En met die woorden eindigde vermoedelijk zijn huwelijk. Want op dat moment besefte hij dat ze meer om dit verwenste huis en het beeld van perfectie gaf dan om hem. De goot week een paar centimeter van de dakrand en toen viel hij, hard op zijn zij naast de rozenstruiken, en hij was blauw van zijn heup tot zijn knie.

Ze giechelde zowaar toen ze hem overeind hielp en afklopte. *Gaat het wel?* vroeg ze. Maar haar bezorgdheid was toneel. Gewoon een rol die ze speelde: die van het bezorgde vrouwtje. Hij had de waarheid gezien toen hij op de ladder stond en naar beneden keek. Hij was een voorwerp dat ze in haar leven opnam, een element waar je van alles mee kon doen. Maar het was niet zo dat hij op dat moment besloot haar te vermoorden. Alleen werd het idee haar om te brengen een fractie minder onmogelijk.

Hij keek omhoog en zag dat de regenpijp scheef naar links stond. Daar had hij tegen getrapt toen hij viel. Een ongeluk, net als een paar weken later.

Hij sloeg die deur in zijn hoofd vlug dicht. Formeel was het onrecht hém aangedaan. Ze had gelogen. Ze had hem verraden. Ze had achter zijn rug met een advocaat gesproken. Ze ging hem alles afnemen. Haar vader zou de geldkraan dichtdraaien en hem tegen afbraakprijzen laten verkopen wat er over was van de zaak.

En toen kwam hij erachter dat ze met de kerel die het hek maakte neukte. Ja, oké, het was haar eindelijk opgevallen dat hij deze laatste jaren weinig had laten zien, dus zocht ze waarschijnlijk enige compensatie bij deze smeris, maar kom nu toch. Ze was voor kanker behandeld en had twee kinderen. Al dat gedoe met leven en dood was toch niet bepaald een stimulans geweest om haar te blijven neuken. Hij moest het érgens vandaan halen. Maar ze deed het in hún huis, en in het motel verderop. Ze had niet eens het fatsoen om het in een andere staat te doen, zoals hij indertijd. Ze was roekeloos, dat was ze. Ze vroeg om moeilijkheden door met die Fallon te rotzooien. Stel dat de kinderen een keer vroeg uit school kwamen? Stond ze er zelfs maar een seconde bij stil wat dat voor hen kon betekenen? En toen, na haar dood, besefte hij dat ze haar dagboek had laten rondslingeren, alsof ze wilde dat

hij het vond. Hij had er alle bladzijden over hemzelf moeten uit-
scheuren. Je kon er niet omheen: deze vrouw had geen gezond verstand of consideratie.

'Hallo, prettig dat ik u tref. Zo te zien wilde u net weggaan.'

Paco Ortiz kwam het pad oplopen, net toen Jeff overeind kwam
met de *Times* in zijn hand.

'O.' Hij knoopte zijn jasje dicht. 'Ik zou net op weg gaan naar
een zakenbespreking in de stad.'

'O ja? Hoe gaat het ermee?'

'Goed,' zei Jeff met een droevige glimlach. 'Nu ja, zo goed als
redelijkerwijs te verwachten. De kinderen zijn het aan het verwerken. We hebben allemaal heel wat doorgemaakt.'

'Dat hebben we zeker.' De rechercheur grijnsde en toonde een
paar tanden meer dan Jeff lief was. 'De stront zit soms zo hoog
dat ik onderhand een periscoop nodig heb om erbovenuit te kijken, als u begrijpt wat ik bedoel.'

Zijn New Yorkse accent leek deze dag zwaarder, alsof hij het
aandikte voor effect. Jeff keek een beetje achter de rechercheur,
alsof hij half verwachtte de strontsporen op de veranda te zien.

'Wel, wat kan ik vandaag voor u doen?' Hij keek nerveus op
zijn horloge. 'Sorry, maar ik heb een beetje haast.'

'O, dat is wel goed,' zei de rechercheur, met een blik op de rode Mercedes op de oprijlaan, alsof hij zelf alle tijd van de wereld
had. 'Ik had alleen een paar vervolgvragen. U hebt zeker wel gehoord dat we de inspecteur hebben opgesloten?'

'Ik dacht dat dat een aparte zaak was.'

'Ja, dat zien we nog wel. In een stadje van dit formaat houdt
alles toch vroeg of laat verband?'

'Ik zou het niet weten. Ik kom oorspronkelijk niet van hier.'

'Juist ja.' De rechercheur knipte geluidloos met zijn vingers. 'Ik
ben ook geen autochtoon. Maar ik leer bij.'

'Overigens...'

'Ja, overigens wil ik u wat vragen over iets wat u de vorige keer
zei.'

'Goed.'

'Weet u nog dat u me vertelde dat u twee linkerhanden had?'

'Ik herinner me niet dat ik dat zo zei. Ik voelde me misschien
op dat moment wat overbelast.'

'Ik snap het.' De rechercheur glimlachte en greep in zijn binnenzak. 'Mag ik u de exacte woorden zeggen?'

'Natuurlijk.'

Wat krijgen we nu, dacht Jeff. Wat doet hij hier? Wat wil hij? Zijn ogen gingen even naar de losse goot en weer terug, net toen de rechercheur zijn notitieboekje trok.

'U zei: "Mijn vrouw zei dat ze me in tien jaar huwelijk nooit zelfs maar een schroevendraaier ter hand heeft zien nemen."'

'O ja? Och, ik denk dat ik me wat hulpeloos voelde.'

'Weet u nog waarom u dat zei?'

'Nee, niet echt.' Jeff sloot zijn hand om zijn stropdas.

'We hadden het over het hek dat de inspecteur om uw achtertuin had gemaakt. Frist dat uw geheugen op?'

'Misschien een beetje.'

Zijn oog viel op een opgerolde bruine envelop die uit de binnenzak van de rechercheur stak.

'U zei: "Ik bemoei me er niet zo mee."'

'Ik overdreef waarschijnlijk een beetje.'

'Mag ik u een paar foto's tonen?'

'Zeker,' zei Jeff. 'Ik kan u toch niet weerhouden?'

Een koude tong van beklemming likte aan zijn oor. Wat het ook is, kijk niet verrast. Geef geen reactie. Hij speelt met je.

De rechercheur stopte zijn opschrijfboekje weg, haalde de envelop te voorschijn en maakte het rode draadje eromheen langzaam los. Hij haalde er de eerste foto uit en presenteerde deze met enige zwier.

Het eerste dat Jeff opmerkte toen hij de zwart-witafdruk aannam was hoeveel jonger hij erop uitzag. Zijn slapen moesten nog grijs worden. De twee groeven tussen zijn wenkbrauwen waren niet dieper geworden. Zijn kaaklijn was nog jeugdig strak. Sandi daarentegen zag eruit alsof ze de hele morgen tegen hem had geschreeuwd. Ze had van die kringen onder haar ogen en scherpe lijnen rond haar mond. Hij dwong zich niet naar haar keel te kijken.

'Juist,' zei hij, de foto teruggevend. 'Haar vriendin Lynn heeft deze een tijd geleden genomen, nog bij ons oude huis. Ik geloof dat ze een nieuwe camera uitprobeerde.'

'Die vrouw heeft er wel oog voor.'

'Ja, ze kan er wat van.'

De rechercheur gaf hem een tweede foto, en meteen verschrompelde Jeffs maag tot het formaat van een pinda. Door de beschermbril en de handschoenen leek hij een beetje op een astronaut. De witte sproeitank glansde helder tegen de achtergrond van de tuindeuren en de donkere dakbedekking. Sandi's planten waren zorgvuldig met plastic afgedekt, opdat ze het zouden overleven. En uiteraard stond het blik impregneermiddel van Thompson goed zichtbaar in de hoek van het beeldkader.

'Och, ik heb nooit gezegd dat ik in en om het huis helemaal niets kon.' Hij gaf de foto onbewogen terug.

Die vrouw heeft er wel oog voor.

'Ik snap niet goed waarom u dat oorspronkelijk zei.' De plooien in Paco's kin werden scherper – deze man ging rustig te werk. 'U zei dat het impregneermiddel van de inspecteur was.'

'Kennelijk dacht ik toen niet helder.'

Anders had ik me die foto herinnerd. Hij had tegen Sandi gezegd dat het hem niet beviel dat Lynn daar met haar fototoestel rondhing. Ze geeft me het gevoel dat ik in een dierentuin zit. Dit is ons huis. Wanneer gaat ze weg? Hij had al haar vriendinnen altijd gewantrouwd, vooral Lynn. Ze wist altijd in de buurt te zijn als je net ruzie had met je vrouw. Hij wist nog hoezeer ze hem die dag met haar nieuwe camera had geërgerd, zozeer zelfs dat hij hem van haar nek had willen rukken en in de bosjes smijten.

'Zo te zien bent u klaar voor de schoonmaak.' Ortiz hield de foto omhoog zodat ze die beiden konden zien. 'U met die handschoenen en die bril. Dat plastic over de planten.'

'Mijn vrouw vroeg me voorzichtig te zijn met spuiten, om haar bloemen te sparen.'

'Heel goed. Veel mannen zouden daar minder rekening mee houden.'

Kom, niet in paniek raken. Dat was het probleem met alles wat hiertoe leidde. Hij was te snel gegaan. Maak je geest helder. Wat weet deze smeris?

'Serieus, man.' Ortiz schudde bewonderend zijn hoofd. 'Als ik u zo netjes zie werken, met dat plastic en zo, moet ik eraan denken hoe ik míjn werk doe.'

'Ik weet niet of ik meer deed dan een ander onder die omstandigheden zou doen.' Jeff haalde zijn schouders op.

'Doe niet zo bescheiden, man. Dit is grondig werk.'

Het blik van Thompson. Hij had dat niet moeten gebruiken om de tas te verzwaren.

'Daarom probeer ik nu wat grondiger te zijn,' zei de rechercheur.

Jeff keek weer op zijn horloge en glimlachte bezwaard. 'Door u mis ik mijn trein.'

'Nog heel even. Goed?' Ortiz ging wat opzij staan en blokkeerde het pad met zijn stevige lijf. 'Het weekeinde dat u in Boston en Rhode Island was huurde u een auto, klopt dat?'

'Ja. Maar dat heb ik al met u...'

'Ja ja... *no se ocupe.* Geen gezweet. Ik wil alleen wat nagaan.' Paco keek hem nederig aan, alsof hij gelukwensen verwachtte. 'Ik heb iemand van de staatspolitie in Boston verzocht de door u gebruikte auto te bezien. Hij zei dat alles in orde leek. Maar dat is niet hetzelfde als er zelf induiken. Daarom heb ik vanmorgen Avis gebeld.'

'O ja?' Jeffrey kreeg moeite met het beheersen van zijn mimiek.

'Ik verzocht hun uw kilometrage met de computer te controleren, in plaats van alleen te kijken naar wat u invulde, zoals die politieman deed. En raad eens?'

'Nou?' Zijn mond leek vol watten te zitten.

'Hij miste zo'n driehonderd kilometer die u dat weekeinde hebt gereden. Wat vindt u daarvan?'

Een fantasie uit zijn jeugd flitste door Jeffreys hoofd: het pistool uit de holster van een politieman pakken en hem onder schot nemen.

'Rechercheur, ik moet nu echt weg.' Hij bevochtigde zijn lippen. 'Er wachten mensen op me.'

'Ja, heel even nog.' Ortiz stak zijn handen op alsof hij Jeffrey bij zijn revers ging vatten. 'We hebben het toch over uw vrouw?'

'Natuurlijk.'

'Dus waar ging u heen, die driehonderd kilometer?'

'Daar was ik denk ik duidelijk over.' Jeff streek nerveus over zijn voorhoofd. 'Ik ben met een paar vrienden in New London gaan zeilen.'

'Nou, ik ben niet zo'n zeiler, maar van New London naar Providence is het geen driehonderd kilometer, vriend. Dat ligt niet zo ver uit elkaar.'

'Wat denkt u dan?' vroeg Jeff effen, terwijl zich een koel pareltje zweet op zijn hoofd vormde.

'Ik denk dat u zondagavond mogelijk ergens heen ging en vergat dat aan mij te vertellen. Heb ik u ooit gevraagd waar *Moulin Rouge* over ging?'

'Dat is een liefdesverhaal.'

Dat ontleende hij aan de recensies en hij had zich voorgenomen de hele film eens te gaan zien, zodat hij alles gedetailleerd kon beschrijven als die vraag ooit opkwam.

'Een liefdesverhaal.' De rechercheur snoof. 'Als een driehoeksverhouding?'

'Zoiets, ja.' De zweetdruppel begon naar Jeffs dunner wordende haar te rollen en liet een vochtig spoor na op zijn hoofdhuid. 'Er wordt veel in gedanst en gezongen.'

'Ah, ja.'

Zonder waarschuwing stak de rechercheur opeens zijn hand uit naar Jeffs borstzak, alsof hij een losse draad opmerkte. Het was zo'n indiscretie, zo'n opzettelijke inbreuk, dat Jeff letterlijk verstijfde. Wat een onbeschaamdheid. Wat een lef. Hij had net zo goed kunnen zeggen: 'Jij bent mijn hoer, en ik kan me van je bedienen wanneer ik maar wil.'

'Daar zat een stofje.' De rechercheur borstelde de stof met zijn vingers.

'Dank u.'

'Grappig dat u het over een driehoeksverhouding had. U weet vast wel dat uw vrouw en de inspecteur een verhouding hadden.'

Weer vormde zich een zweetparel, die de vorige over de hoofdhuid naar zijn nek volgde. 'Ik heb er nog steeds moeite mee dat te horen.'

'Daar kan ik in komen. Maar we kregen de gelegenheid de computers van hen beiden te bekijken, en het staat allemaal in de files als je er eenmaal achter bent hoe je erin moet komen. Ze schreven elkaar e-mails. Voornamelijk in code, om ontmoetingsplaatsen en tijden af te spreken.'

'Geniet u hiervan?'

'Ik doe mijn werk, meneer Lanier.' Weer streken de vingers over Jeffs borstzak. 'Maar toen ik vanmorgen naar de computer van de inspecteur keek merkte ik wat vreemds op.'

'En wat dan wel?'

'Dat zijn codenaam Topcat een-nul-vijf is. Met een punt tussen de naam en het nummer. Topcat-punt-een-nul-vijf.'

'En wat zou dat?' Jeff keek omlaag en merkte dat de vingers deze keer wat langer op zijn borst rustten, bijna alsof ze zijn hartslag volgden.

'De laatste e-mail aan uw vrouw, waarin haar wordt gevraagd naar het motel te komen, is van Topcat-een-nul-vijf. Gesnapt? De punt ontbreekt.'

'De wat?' En derde en vierde zweetdruppel ontsprongen op zijn hoofd toen hij terugweek.

'De punt, man. De punt.' Drie harde vingertoppen priemden in zijn borst. 'Het adres is anders. Iemand anders stuurde die e-mail. Die kwam niet van de inspecteur.'

'Misschien heeft hij zijn adres veranderd.'

Jeff voelde zijn hart hevig kloppen en vroeg zich af of Ortiz dat ook kon voelen.

'Nee man. Ik heb zijn computer bekeken. Hij heeft het niet verstuurd. Iemand anders deed dat, in een poging uw vrouw erin te laten lopen en haar te betrappen als ze uit dat motel kwam. Dat heb je met computers. Het is niet de telefoon of een brief, waarbij je het handschrift kunt herkennen. Je kunt met wie dan ook in gesprek zijn zonder het te weten. Dat noemen ze "spoofing".'

'Blijf van me af,' zei Jeff, die nog net de vingers niet wegsloeg. 'Ja?'

'U werkt zakelijk veel met computers. Nietwaar?' vroeg Ortiz, totaal niet onder de indruk. 'U verhandelt de hele dag oude sportrommel on line.'

'Ik zag nu graag dat u wegging.'

'Waarom? Maak ik u van streek?'

'Nee. Het lijkt me alleen juister als ik met mijn advocaat spreek voor ik nog uitspraken doe...'

Zijn hoofd begon aan te voelen als een hete braadpan. De ene druppel na de andere kwam op en zocht zijn weg door het haar en verder.

'Luister man, ik begrijp het. Echt waar. Als ik een andere hengst in mijn stal zou zien weet ik niet wat ik zou doen. Vooral niet met al haar vaders geld op de achtergrond. Dat noem ik een verzachtende factor, broeder. Extreme emotionele nood. Iedere man zou dat begrijpen.'

'Dit gesprek is afgelopen.' Jeff wilde al langs hem heen lopen. 'Als u nog andere vragen hebt kunt u mijn advocaat bellen, Ronald Deutsch. Hij staat in het telefoonboek van Manhattan.'

Ortiz bleef naast de veranda staan en schudde zijn hoofd bij de foto van Lynn.

'Ik moet zeggen, die vrouw heeft toch echt wat.'

'Ieder het zijne.' Jeff nam de sleutels van zijn Mercedes in zijn hand. 'Ik heb nooit iets in haar werk gezien.'

57

De hond blafte en krabde aan de deur, alsof hij zeer nodig moest plassen.

'Laat jij hem uit, Clay?' Barry keerde zich naar zijn zoon. 'Ik wil niet dat hij het weer op het kleed doet.'

Met zijn neus nog gezwollen en spierpijn van zijn karateduel maakte Clay zich los van de bank voor de televisie in de woonkamer en de bijbehorende schaal popcorn.

'Brian Bonfiglio van het bureau van de officier heeft gebeld,' zei Lynn toen Clay buiten gehoorsafstand was. 'Ze hebben Mike met een borgsom van twintigduizend dollar laten gaan.'

'Dat lijkt zo'n beetje juist.' Barry pakte een handvol popcorn en keek over zijn schouder. 'Gezien de omstandigheden. De rechter doet er verstandig aan zijn agenda vrij te houden.'

Ze zaten naar het late nieuws op CNN te kijken over een fotoredacteur in Florida die op mysterieuze wijze met anthrax in aanraking was gekomen.

'Ik kan nog steeds niet geloven dat Jeffrey hier iets mee te maken heeft gehad.' Ze sloeg haar armen om een fluwelen kussen op haar schoot. 'Denk je dat hij het zelf heeft gedaan?'

Het beeld gaf sporen onder een microscoop te zien.

'Ik weet het niet,' zei Barry. 'Je vrouw vermoorden en haar hoofd afhakken? Dat is een ernstige klus om aan een ander toe te vertrouwen. Daar moet je wel een heel vette cheque voor uit-schrijven.'

'Je weet dat ik hem laatst op het station zag. Het was een heel roerend gesprek en hij had bijna al die tijd tranen in zijn ogen.'

'Die waren waarschijnlijk gewettigd. Waarschijnlijk voelt hij zich hier slachtoffer. Het was vast de schuld van alle anderen.'

'Waar hebben jullie het over?' Clay kwam weer binnen, puffend en met een rood hoofd, alsof het openen van de deur een zware inspanning was.

'Niets,' bromde Barry. 'Ga naar bed of repeteer je stuk thora.'

'Nee, toe nou. Vertel het me alsjeblieft. Ik wil het echt weten.'

Lynn wist nog hoe dit haar altijd raakte, zijn nieuwsgierigheid naar hoe het bij volwassenen toeging.

Hoe heb je pap leren kennen? Hoe wist je dat je met hem wil-de trouwen? Wanneer besloot je kinderen te krijgen? Wat denk je dat ik later word? Maar de laatste tijd vroeg hij zulke dingen niet meer. Hij was wat teruggetrokken en haalde oude bordspellen en speelgoed uit de kast, in een poging om terug te gaan naar een probleemlozere tijd in zijn leven. Zijn oudere zus daarentegen had haar in geen maanden iets gevraagd. Ze hield zich afzijdig en dacht automatisch het ergste van haar ouders.

'Er is wat veranderd sinds we de laatste keer met jullie spra-ken.' Ze keek naar Barry en vond dat ze voorlopig genoeg had van geheimzinnigheid.

'Wat dan?' Clay plofte weer tussen hen in, achter de schaal met popcorn.

'Weet je nog die vroegere vriend van je moeder over wie we het hadden?' vroeg Barry, met tegenzin de televisie zachter zettend.

'Die smeris.' Hannah kwam de kamer binnen om deze duistere voetnoot te plaatsen. 'Tegen wie ze voor de rechtbank getuigde.'

'Ja, wat is daarmee?' Clay keek rond alsof hij een invasie ver-wachtte.

'Tja' – Barry woog de afstandsbediening in zijn hand – 'het blijkt dat hij verkeerde dingen heeft gedaan, maar minder dan we dachten.'

'Ze bedoelen dat hij Sandi niet heeft vermoord,' zei Hannah.

Clay bewoog zijn oren op en neer. 'Dachten jullie dat dan?'

'Nu ja, hij heeft het niet gedaan,' gaf Barry toe. 'Maar hij heeft wel iemand anders net als je moeder lastiggevallen. En dat is genoeg. Hij behoort dat werk niet te doen.'

'Hij heeft mam zwanger gemaakt toen ze op de middelbare school zaten.' Hannah siste bijna als een stomende radiator.

Popcorn verkruimelde tussen Lynns vingers. 'Wie heeft je dat verteld?'

'Jennifer Olin weer. Dacht je nu werkelijk dat niemand iets zou zeggen?'

'Ik wilde een geschikt moment afwachten om er met jullie over te praten.'

'Ja, natuurlijk. Huichelaar.'

Iets schel doordringends in haar stem deed Barry denken aan volksvrouwen die zich op een stoffig dorpsplein verzamelen om stenen te gooien.

'Hou op.' Hij keerde zich om. 'Ik wil niet hebben dat je zo tegen je moeder spreekt.'

'Maar het is wáár.'

'Stop daarmee.'

Hij hoorde buiten de hond blaffen, met een rauw geluid dat hem deed denken aan een gestolen auto waarvan het alarm blijft loeien.

'Wie heeft het dan gedaan?' vroeg Clay. 'Wie heeft haar vermoord?'

'We denken dat het iemand anders kan zijn geweest,' zei Lynn.

'Ja, dat zal dan wel,' zei Hannah.

'Luister, ik weet dat je van het voorjaar bij de Laniers hebt opgepast,' zei Barry, 'maar ik zou graag zien dat je daar wegblijft.'

'Waarom?' Hannah's mond werd een recht streepje. 'Denken jullie dat het Jeff was?'

'We weten het niet,' zei Lynn. 'Niemand weet iets.'

'Is hij niet kwaad?' Clay leunde tegen zijn moeder aan.

'Wie? vroegen Barry en Lynn tegelijk.

'Die politieman.'

'Hij zal er wel overheen komen,' zei Barry. 'Meestal heb ik liever te maken met iemand die kwaad is dan met iemand die bang is. Als iemand bang is weet je niet wat je kunt verwachten. Dat kan van alles zijn. Als iemand kwaad is vertelt hij je dat gewoonlijk en dat is het dan.'

'Of het moet de god zijn van het Oude Testament,' zei Clay.

'Of de Texaanse sluipschutter,' vulde Hannah aan.

Ze zagen voor de tv-reclame een satire van een voorproefje van de oorlog die waarschijnlijk dit weekeinde zou beginnen.

Barry hield de schaal popcorn voor aan Hannah, die vlak achter hem stond en gaten in zijn achterhoofd staarde.

Goed werk dit, Schulman. Het is wel een wereld waar je je kinderen in grootbrengt.

Het geblaf van de hond leek hem op te drijven.

Dat klopt, kinderen. Het is waar. Jullie ergste vrees gaat nog niet ver genoeg. Paps heeft het studiegeld vergokt. Mams was ooit zwanger van een andere man.

De hond blafte harder en dichter bij het huis.

De politie kan je aanhouden en je zonder enige gegronde reden opbrengen En overigens, onze buurman op wiens kinderen je vroeger paste heeft zijn vrouw onthoofd.

Elk blafgeluid ging als een zaag licht over zijn zenuwen.

Maar maak je geen zorgen, uh-hu. Want afgezien van de onvoorspelbare en niet te voorkomen terreurdaden in de toekomst is alles geheel in orde.

Diep vanbinnen kon hij niet aanvaarden dat alles wat hij momenteel kon doen een pak aantrekken was en gauw een andere baan zoeken. Zou hij niet iets belangrijkers moeten doen? Zijn speer scherpen. Een hoge stenen muur om zijn huis bouwen. Dierenhuiden verzamelen voor de lange wintermaanden. De katapult laden. Zijn cv opnieuw opstellen leek zo... rationeel.

Maar toen graaide Hannah met haar hand in de gemeenschappelijke schaal en glimlachte van opzij naar hem. En een vluchtig moment lang voelde hij zich weer op zijn plaats in het gezin. Oké, we zijn blut, knijpen hem als een ouwe dief en vliegen elkaar naar de keel, maar we zijn tenminste niet uit elkaar.

Hij hoorde Stieglitz in de tuin krijsen als een meeuw en vervolgens diep grommen.

'Denk je dat hij klaar is om weer binnen te komen?' vroeg Barry.

'Hij is na het eten al voor de tweede keer buiten.' Clay stond weer op.

'Neem een zaklantaarn mee,' roep Lynn hem na. 'Laat hem niet weer met vuile poten in huis.'

Ze hoorden allemaal tegelijk het gebrom van een motor en het opspatten van grind op de oprijlaan.

'Wat was dat verdomme?' Barry kwam overeind en repte zich langs Clay.

'Is dat de auto van Dennis?' vroeg Lynn.

Hannah keek licht gekwetst. 'Zijn auto maakt veel meer lawaai.'

Barry vergat zijn schoenen, rukte de deur open en tuurde in het donker. Twee rode achterlichten flitsten door de lichte nevel en het gebladerte aan het einde van de oprijlaan. Dichter bij het huis, waar de garage was, gloeiden kleine stukjes oranje licht en dreven weg, blauw wordend aan de randen voor ze in de lucht doofden.

Een sterke chemische geur was boven de vertrouwde herfstgeuren uit te ruiken en gaf vaag een brandend gevoel in zijn keel.

'Verdomme, de garage staat in brand!' Hij begon te rennen. 'Lynn, pak de brandblusser!'

Het vuur begon net aan een hoek van de garage te vreten, maar hij kon het al hongerig horen hijgen. De hond volgde hem springend en blaffend en ving in het donker een keer zijn blik, als om te vragen: *weet je zeker dat dit de bedoeling was?* Samen bleven ze op de oprijlaan staan en keken hoe de vlammen hun actieplan organiseerden en aan het lijstwerk van de open garagedeur knaagden, vlak naast de stapels oude kranten.

'De slang!' riep hij, terugrennend naar de voortuin. 'Waar is verdomme de tuinslang?'

Hij struikelde erover in het donker en verspilde kostbare seconden met het zoeken naar het spuitstuk, terwijl de hond bleef proberen zijn snuit in zijn kruis te steken.

'HANNAH, DRAAI DE KRAAN OPEN!' brulde hij, terugrennend naar de garage, in de hoop dat hij het met de verwarde slang zou halen.

Het vuur was in zijn afwezigheid gegroeid. Hij voelde alles aan zich – kleren, haar en huid – omkeren toen hij het naderde. De vlammen veranderden in een lenige tijger, likten binnen langs de muur, zogen zich gulzig vol en zochten wat brandbaar was. Hij hoorde geknapper van verhitte verf en zag oranje klodders van het lijstwerk druipen als voedsel dat uit een mond loopt.

Hij richtte de tuinslang op de brandende stapel kranten, maar toen hij wilde spuiten kwam er slechts een voorjaarsnevel uit die het doel niet eens haalde.

'HELEMAAL OPEN, HANNAH,' schreeuwde hij. Hij zag de hele garage al in lichterlaaie staan en het huis in brand zetten.

Hij hoorde de hond naast hem ontmoedigd janken toen diep in de garage een flinke klap klonk. En in de halve seconde voor hij vaststelde dat het een kleine ontploffing was vielen hem drie dingen in. Hond. Spuitbus. Newark. Een zwellende basketbal van vlammen schoot op hem toe – de insectenverdelger moest zijn ontbrand. Ik ga eraan. Hij draaide zich om en maakte een duik, waarbij hij de hete wolk langs zich voelde gaan die zijn gezicht dreigde te schroeien en zijn oogbollen te doen smelten. Hij kwam op de grond terecht en kroop weg over het grind, zich er vaag van bewust dat de rest van het gezin vanuit de tuin zijn naam riep.

Maar doordat hij het ruwe grind tegen zijn borst en bovenarmen voelde wist hij dat hij het had gered. Langzaam kwam hij overeind, veegde zijn handen af en voelde dat iemand anders gewond was. Het was tastbaar als een wringend wezen dat van hem weg werd getrokken. Toen keerde hij zich naar een geluid als van een wiel met een verroeste naaf. In het licht van het vuur zag hij Stieglitz op de grond liggen wringen en draaien met zijn kop, om zich van een brandend stuk krant om zijn staart te ontdoen.

'O mijn god!' hoorde hij Hannah in de tuin gillen.

'Kom niet bij hem, Hannah!' Barry wilde naar achteren gaan, want het drong tot hem door dat hij bij zijn val de slang was kwijtgeraakt. 'Help me die slang terug te vinden!'

Bij het horen van de stem van zijn baas sprong de hond met nieuwe moed op en rende Barry achterna over het gazon, terwijl een zachte blauw-oranje gloed zich langs zijn achterlijf verspreidde. Het dier hield even stil om in het droge gras te rollen, wat het enig soelaas bood maar ook vuur in zijn kielzog achterliet.

'LYNN, BEL NEGEN-EEN-EEN!' brulde Barry.

'HEB IK GEDAAN!' schreeuwde ze, in de deuropening staande met de telefoon aan haar oor. 'MAAR IK KAN DE BRANDBLUSSER NIET VINDEN! DIE IS NIET ONDER HET AANRECHT! DIE IS VAN ZIJN PLAATS!'

De hond wilde op haar stem afgaan, met het idee dat hij nog steeds welkom was in huis.

'NEE STIEGLITZ. STOUTE JONGEN! KOM TERUG!' Barry klapte in zijn handen, in het besef dat de hond de woonkamer in brand zou zetten. 'Zoek de bal! Waar is die? Waar is die?'

De hond rende naar hem terug in een blauwe, stinkende wolk, jankend van de pijn met zijn tong uit zijn bek, klaar om als elke avond tegen Barry's been op te springen.

'Nee jongen! Geen gezoen!' Zwaaiend met zijn armen schuifelde hij achteruit. 'Pappa wil geen zoen!'

'Hierheen!' riep Hannah vanuit een uithoek van de tuin, pogend Stieglitz af te leiden.

'Nee, hierheen!' riep Clay van dichter bij het zwembad.

Het vuur was uitgegroeid tot een harige rode mammoet, die de zijkant van de garage rood kleurde en zwarte rook naar de maan spuugde.

'HELPT IEMAND ME DIE VERDOMDE SLANG TERUGVINDEN?' riep Barry. Hij tastte er in het donker naar, ook al bleef de hond achter hem. 'HET HUIS GAAT ERAAN!'

In de verte klonk een eenzame sirene, die trachtte de vrijwillige brandweer van tafel op te trommelen. Hij vroeg zich af of de reactie niet een tikje trager zou zijn als tot hen doordrong bij wie er brand was.

'LYNN, GA BIJ HET HUIS WEG!' riep hij naar de voordeur.

De hond volgde zijn stemgeluid naar de appelboom. Nu stonden ze tegenover elkaar, met slechts een meter ertussen, niet langer als baas en huisdier. Blauw-oranje schilfers kwamen van de hond, en de stank van brandende vacht sneed door de nevel. Stieglitz keek met glinsterende donkere ogen naar Barry en maakte benarde jankgeluiden diep in zijn keel. Beneden aan de heuvel jankte een brandweerauto, met de verre belofte van hulp die onderweg was.

'Rustig, jongen.' Barry ontdeed zich van zijn badjas, maar zag dat de hond op zijn achterpoten wilde terugwijken. 'ZIT! ZIT!'

De hond staarde naar hem, ontblootte zijn tanden, en het hoge gejank maakte plaats voor kwaadaardig gegrom. Barry kwam langzaam nader met de badmantel als een stierenvechterslap voor zich, er niet geheel zeker van dat zijn reflexen snel genoeg zouden zijn om de vlammen te doven.

'Kalmaan maar, jochie. Niemand die je wat doet.'

Maar toen hoorde hij geklap van mollige handen en hoog gefluit van een jongen ertussen. 'Hé, Stieglitz, kom hier!'

Op een of ander manier had Clay de afdekking van het zwembad voor eenderde weg weten te trekken, en hij stond aan de andere kant ervan.

'Kom, lekker zwemmen. Hup, erin. Het water is lekker.'

Met zijn overgebleven instinct keerde de hond zich om en holde naar het geluid van onvoorwaardelijke liefde. En met een laatste sprong dook hij recht in het zwembad, waarin Clay hem ondanks protest van Lynn deze zomer minstens twee keer tot zwemmen had verleid. Er volgde een luide plons, een regen van waterdruppels, een hese, wanhopige kreet van Clay, en toen een scherp gesis van schroeiend haar.

58

'Het is allemaal niets dan leugens, jongen.'

'Wat?'

'Alles. Woord voor woord. Het Oude Testament. Het Nieuwe Testament. De Code van Hammurabi. De Magna Carta. Het Mormonenboek. De Geneefse Conventie. Het *Padvindershandboek*. *Das Kapital. Mein Kampf.* De I Tjing. Zelfs de zogeheten *Bill of Rights*. Die zijn allemaal alleen maar bedoeld om je klein te houden.'

Mike bracht de avond door in de caravan van zijn vader op het trailerpark net voorbij de verlaten kaartenfabriek aan de andere kant van River Road. Het rook er naar een oud konijnenhok omdat pa nooit iets weggooide. Overal waar je keek lagen vergeelde nummers van *Reader's Digest*, roestige scharnieren, insectenspray van firma's die niet meer bestonden, en potten pindakaas van drie jaar over de datum. Om de rommeligheid nog te verhogen had pa altijd tegelijk de radio en de televisie aan, met een belprogramma zacht op de achtergrond terwijl hij in zijn luie stoel naar *Weekendmiljonairs* zat te kijken. Op zijn schoot lagen twee bibliotheekboeken over zijn nieuwste obsessie: het ontmaskeren van alle grote wereldreligies.

Het duurde even voor Mike begreep dat het doel van al het lawaai het vullen van een leemte was. Na eenendertig jaar werken in een cellenblok kon pa niet meer met rust omgaan. Het maakte hem nerveus, prikkelbaar en geneigd tot ruziën. Hij moest voortdurend enige vorm van afleiding hebben om rustig te blijven.

'Ze zeggen dat Mozes de Vijf Boeken van Mozes schreef, maar hoe is dat mogelijk?' De oude man draaide ongedurig voor het oude televisietoestel, waarvan een antennespriet in zilverpapier was gewikkeld. 'Volgens die boeken was hij de nederigste man die ooit op aarde had rondgelopen. Maar hoe kan de nederigste man dat ooit over zichzelf hebben geschreven? Begrijp je wat ik bedoel?'

'Ik wist niet dat je dat letterlijk op moest vatten.' Mike lag op de uitklapbank en probeerde van achter zijn vaders stoel mee te kijken.

'En denk maar niet dat de christenen een haar beter zijn. Vóór Marcus vermeldt niemand zelfs de kruisiging.'

'Wil je een biertje?' Mike zuchtte.

'In elke kerk waarin je moeder en ik ooit een voet gezet hebben was een kruis. Als het alleen maar een symbool is, dan weg ermee.' Pa keek om vanuit zijn stoel. 'Er staan flesjes in de koelkastdeur. Geef me een glas, wil je?'

Mike kwam wankel overeind, misselijk en opgeblazen. De combinatie van Vicodin en Amoxillin had zijn maag in een vuurlinie veranderd. Nu hij zijn voordeelkaart van de politie niet meer kon gebruiken moest hij voor zijn medicijnen de volle prijs betalen. Een dollar per pil, en nog gaf het het gevoel dat er vergif door zijn bloedsomloop werd gepompt. Het hele eind van zijn duim tot zijn schouder voelde stijf, en om de paar uur kreeg hij gloeiende koorts, die steeds weer abrupt zakte.

Hij was heel dicht bij een complete instorting. Vooral na deze middag. Marie was vroeg thuis van haar werk en wachtte hem bij de voordeur op met het adres van de nieuwe YMCA in White Plains. Ze zei hem dat ze zijn koffers al had gepakt en in zijn auto had gelegd, omdat het voor de kinderen beter was dat ze hem niet met uitpuilende koffers zagen sjouwen. Natuurlijk, hij had moeilijk kunnen doen omdat hij wilde blijven, maar wat zou daarmee zijn bewezen? Dat ze van meet af aan gelijk had gehad. Dat hij alleen voor zichzelf zorgde. Hij zou het haar laten zien. Er was tenminste geen geschreeuw en getier. Ze had hem zo veel tijd gegeven als hij wilde om de kinderen uitleg te geven. Cheryl en Mike junior luisterden beleefd, alsof ze liever televisie keken. Maar Timmy pakte zijn gezonde hand en wilde die niet loslaten.

'Maar wie zal er voor ons zorgen?'

'Waar heb je het over?' Hij liet zijn kin op het hoofd van de jongen rusten. 'Jullie moeder loopt niet weg.'

'Maar zij is geen politieman.'

Natuurlijk, hijzelf ook niet meer. Hij was niets. Een schandvlek. Zijn hart was uitgerukt. Zijn hele leven was vergooid. Nee, hij was erger dan een mislukkeling. Hij had schande gebracht over een familie die hier al voor de Burgeroorlog was. Al het goede dat hij ooit had gedaan zou vergeten worden, en fouten die hij niet had gemaakt zouden voorgoed met zijn naam worden verbonden. Het deed er niet toe dat Larry Quinn de vorige avond had gebeld en gezegd dat Harold en Paco de echtgenoot weer ernstig natrokken. Of dat Harold zelf een paar boodschappen had achtergelaten. Hij zou evengoed de rest van zijn leven een misdadiger worden genoemd. Zijn kinderen zouden hem verloochenen; zijn kleinkinderen zouden nooit van hem horen.

Maar om een of andere waanzinnige reden ging hij met zijn gedachten steeds naar Sandi Lanier terug. Hij vond zelf dat hij nooit echt voor haar was gevallen; ze deed er niet toe, ze was maar surrogaat, een middel om het Lynn na al die jaren betaald te zetten. Toch had ze hem gestrikt, die *fucking* Sandi. Vooral nu ze er niet meer was en hij wist wat ze in zich had. Hij herinnerde zich hoe ze naar hem opkeek, die dag toen ze meende dat Jeff thuiskwam. Hoe ze ineens rechtop zat en rondkeek, als een hert dat in de bossen voetstappen van een jager hoort. Toen ze na een paar seconden besefte dat er niets was, kwam ze weer tegen hem aan liggen. *Jij zult toch over me waken?* Ze had net zo goed een pin kunnen nemen en die recht door zijn hart steken, want van die woorden zou hij nooit afkomen. Nu hij eraan dacht troostten ze hem een beetje. Hij had tenminste één keer iemand een veilig gevoel gegeven.

'Wilt u een hulplijn inschakelen?' vroeg een stem op de televisie.

Hij trok de koelkast open en kwam in de stank van rotte eieren te staan. Een fles melk met de datum 31 augustus stond onder het lampje te gisten, en in een troebel Tupperwarebakje bewoog iets. Hij pakte twee flesjes Budweiser en sloot de deur.

'Weet je waarom ze je al die leugens vertellen?' vroeg zijn vader. 'Om je in de waan te brengen dat je je beloning in het volgende leven krijgt. Het is een dampende warme hoop ezelsdiarree, meer is het niet.'

'Ik zoek even een schoon glas.'

Hij zette de flesjes op het aanrecht en keek in zijn vaders slaapkamer naast de keuken, een hokje waar het merkbaar warmer was dan in de rest van de caravan.

'Ik zei altijd dat de gevangeniskapelaan me meer heeft geholpen oproerigheid te onderdrukken dan mijn knuppel,' vervolgde zijn vader. 'Daardoor dachten al die schijtvogels dat hun ellende ergens toe zou leiden. Ik heb geprobeerd hetzelfde tegen je moeder te zeggen, maar ze luisterde nooit. Iedere zondag kleedde ze jullie als kleine Kennedy's en liet jullie op de voorste rij van de kerk zitten, alsof God zelf meekeek.'

Mike ging het slaapkamertje binnen, zag kleren op de vloer, een foto van zijn moeder en Johnny op het nachtkastje, en een ingelijste uitspraak van de directeur van Owenoke aan de wand, waarmee zijn vader werd bedankt voor eenendertig jaar trouwe dienst.

'Ze was me d'r eentje, je moeder,' ging pa verder. 'Zo iemand had ik nog nooit ontmoet. Altijd gedienstig buigen voor de mensen op de heuvel bij wie ze werkte, maar god, thuis was ze een tiran. Soms betreur ik het dat ik jullie niet beter tegen haar buien heb beschermd, maar je weet dat ik altijd moe was...'

'Het is wel goed, pa. Gebeurd is gebeurd.'

Mike ging op zijn knieën om onder het bed te kijken en zag hopen stof, een uitgeknepen klisteerspuit, en oude ingebonden nummers van *Highlights* die zijn vader aan zijn kleinkinderen probeerde te slijten.

'Ze zei altijd dat ik naar de hel zou gaan wegens godslastering. Maar kijk nou eens!' Pa snoof. 'Zij ligt al vijf jaar in haar graf en ik ben er nog.'

Mike schoof een oud nummer van *Juggs* opzij en reikte naar de oranje met witte doos patronen die hij bij zijn vorige bezoek onder het bed had gezien.

'Ik zei altijd tegen haar dat ze zichzelf voor de gek hield. De enige gerechtigheid die je ooit zult krijgen is in dit leven. En die moet je dan maar met beide handen aanpakken voor iemand anders ervoor boet...'

Mike pakte de patronen voorzichtig op, om niet zijn vaders aandacht te trekken doordat ze in zijn beverige handen rammelden. Hij zette ze op de ladenkast en trok de la met ondergoed open, want hij wist van de macht der gewoonte. Zijn vaders Smith & Wesson was in een onderbroek gewikkeld. De Colt .45 zat in de la met sokken.

'Hé, wie speelde Alfalfa?' riep pa vanuit de andere kamer.

'Wat?'

'Ze vragen wie Alfalfa speelde in *The Little Rascals*. Wat doe je trouwens in mijn slaapkamer?' vroeg pa met stemverheffing.

'Ik zoek mijn sokken. Die zijn mogelijk tussen de jouwe geraakt.'

'Hm. Nou, de mijne passen je toch niet. Ik heb nooit begrepen hoe mijn zoon maat vijfenveertig kan hebben, terwijl ik van die kleine voetjes heb. Ik heb de melkboer weleens goed bekeken.'

Mike kwam de kamer weer in en stopte de wapens en de patronen in zijn zwarte sporttas, terwijl de oude man televisie keek.

'Waar is dat bier?' Pa reikhalsde met zijn geplooide nek over de rugleuning van zijn stoel.

'Rustig maar. Ze zullen niet opdrogen.'

Met twee pasjes was hij bij het aanrecht en maakte de flesjes open.

'Kom hier even zitten, wil je? Vergeet de glazen maar. Ik wil je wat vertellen.'

'Wat dan?'

Hij kwam naast zijn vaders stoel staan. Uit de flesjes kwam damp. Door de kou ging zijn duim steken, wat via zijn arm doorliep naar het midden van zijn borst.

'Luister... Ik weet dat ik met jullie niet altijd op mijn best was...'

De oude man gesticuleerde in de lucht, zoekend naar een formulering die hij niet in huis had.

Zijn ogen keken vanuit een ingevallen gezicht. Het was als staren in een dorre vallei. Alle felheid was verdwenen, maar er was niets voor in de plaats gekomen. Eenendertig jaar werken in een gevangenis. Veertig jaar met een vrouw die meende onder haar stand te zijn getrouwd. En zijn lievelingszoon had hij al drieëneenhalf jaar overleefd.

'Luister,' zei de oude man weer, die had besloten het zich gemakkelijk te maken, 'ik wil je alleen maar zeggen, laat je niet klein krijgen door die schoften.'

'Dat is het?' Mike keek hem bevreemd aan. 'Is dat het grote wijze woord?'

'Onthou maar dat wij deze stad hebben gebouwd.' Pa nam het bier aan en durfde hem niet weer aan te kijken. 'Als het moet kunnen we die slopen.'

'Ja, best. Je zegt het maar, pa.'

Mike nam een flinke teug en keek naar de deelnemer op het scherm, een zijige tandarts uit Des Moines die geconcentreerd zat te staren.

'Jackie Cooper, Robert Blake, George McFarland of Carl Switzer?' vroeg de presentator.

'Carl Switzer,' zei Mike. 'Hij speelde Alfalfa.'

'Hoe weet jij dat?' vroeg zijn vader.

'Die is doodgeschoten bij een ruzie om een hond van vijftig dollar. Zoiets blijft je bij.'

'Waarom?'

'Omdat de meeste anderen gewoon zelfmoord pleegden. Er rust een vloek op.'

Zijn vader raakte zijn arm aan. 'Je dacht toch niet zelf wat stoms te gaan doen?'

Mike voelde zich door drie verschillende temperatuurzones gaan en bezon zich op een antwoord. 'Kom nu, pa. Doe me een lol.'

Hij keek naar de tas op de bank en vroeg zich af of zijn vader patronen in het magazijn van de .45 had gelaten.

'Ik wil maar zeggen dat het niet uitmaakt wat je in je volgende leven doet. Dit leven is het enige dat telt.'

Mike dronk in één slok zijn flesje halfleeg. Hij voelde het bier in zijn binnenste stromen en het vastzittende drijfwerk losmaken, waarbij de pijn even week.

'Uiteindelijk heb je alleen nog maar je goede naam.'

'Amen.' Mike klonk even met zijn vader en dronk het flesje verder leeg.

59

Toen hij de volgende morgen de douche opendraaide meende Jeffrey een indringende benzinelucht aan zijn vingers te ruiken.

Dat kon natuurlijk niet. Hij had zich de vorige avond onder de douche wel twintig minuten geschrobd en geboend. Op zijn armen en benen zaten schilferige roze plekken van al het verwoede geredder van de laatste tijd. Hij begon al te twijfelen over de aanslag van de vorige avond op de garage van de Schulmans. Zo 's morgens bij daglicht leek het een al te groot risico. Maar ja, Lynn vroeg er ook om. Wat moet je met zo'n kreng? Eerst vertelt ze de politie over de bloedvlek op de muur, wat hen aan een huiszoekingsbevel helpt. Vervolgens betrapt hij haar als ze met Dylan over de problemen praat die zijn ouders hadden. Oké, hij was bereid haar het chatbericht te sturen en het daarbij te laten. Maar toen moest ze hun zo nodig die oude foto's geven met het impregneermiddel. Ze heeft nog geluk dat hij besloot dat Corona-flesje met een brandende lont naar haar garage te gooien. Daar had hij genoeg andere plekken voor uit kunnen kiezen.

Hij keek naar het warme water dat tussen zijn tenen spatte en een plas vormde rond de afvoer. *Gewoon zenuwen*, zei hij in zichzelf. Als je maar lang en hard genoeg boent spoelt alles weg. Bloedvlekken. Schulden. Een slecht huwelijk. Zelfs een slechte naam. Zijn leven lang ging het erom met de stroom mee te leren zwemmen. Handelen naar de omstandigheden. Zijn wie je moet zijn. Doodlopende wegen vermijden. Je armslag zo groot mogelijk maken. Wordt je vader om de drie jaar naar een andere legerbasis overgeplaatst? Je krijgt een nieuw stel vrienden. Houd die een beetje op een afstand. Word je wegens bedrog van school getrapt? Ga naar een andere en zoek een meisje dat de opstellen voor je schrijft. Flopt je softwarebedrijf in Californië in de jaren tachtig, en verandert je eerste vrouw van een lekker ding in een veeleisende zeug? Dump haar op haar kwabbige kont, verander je naam van Lane in Lanier, en begin in de jaren negentig opnieuw op internet. Zoals een paar jaar terug met geld werd gesmeten was het niet moeilijk om met een goed idee en een uitgekiende lijn de eerste vijf miljoen bij elkaar te krijgen. Wanneer je verhaal de ene geldschieter niet beviel, dan was er altijd wel een ander die een of twee foutjes door de vingers zag. Hé, dit was Amerika. Mensen begonnen voortdurend opnieuw.

Toch maakte die rechercheur Ortiz dat hij over zijn schouder keek en wat harder boende. Hij had gedacht dat het met Sandi anders zou lopen. Het huis, de kinderen, de hele rataplan. Deze keer was het menens. Speel lang genoeg de man, en je wordt de man. Hij had alleen niet beseft hoe moeilijk dat zou worden. De koopwaar die in het pakhuis ligt en weigert daar weg te gaan. De cursor die knippert en de onverschilligheid van de wereld toont voor de handschoen van Denny McLain en de knuppel van Joe Pepitone. De beleggers die de pest in krijgen. Zijn schoonvader die om negen uur 's avonds belt en wil weten wanneer hij eens wat geld terugziet. En het ergste van alles, Sandi, die hem steeds verder sloopte met haar eeuwige angsten, haar voortdurende gevit en haar gek makende ontevredenheid. *Je besteedt onvoldoende tijd aan de kinderen. Ik kan niet tegen dit huis. Ik ben moe.* Voor haar was nooit iets goed genoeg. Vooral niet vergeleken met het leven van haar vriendinnen. Een ander had altijd een groter huis, een succesvollere man en een beter figuur. Hun kinderen moesten naar betere scholen. In de kerstvakantie gingen ze naar Antigua, en niet naar Fort Lauderdale. *We zetten niet genoeg opzij voor de toekomst.* God, het was bijna alsof ze zijn hoofd wilde laten ontploffen met al die materiële eisen. Soms werd hij 's ochtends wakker en staarde hij voor de wekker af ging een paar minuten naar het plafond, zich afvragend hoe hij deze dag weer door moest komen. En geleidelijk aan wenste hij dat hij alles achter zich kon laten en nog een keer opnieuw kon beginnen.

Dus in zekere zin had zij hem gedwongen te doen wat hij had gedaan. Het was louter een kwestie van overleven. Ze was bezig hem weg te doen. Ze wilde scheiden. De kinderen meenemen en de zaak te gronde richten. Ze liet hem geen enkele keus. Toch was het niet zijn bedoeling geweest die avond zo ver te gaan. Hij had alleen geprobeerd haar te betrappen als ze wegging, waardoor hij wat sterker stond bij onderhandelingen voor een billijke regeling. Daarom nam hij die oorbel met diamanten uit haar juwelenkistje en stuurde hij die e-mail met het adres van de politieman: 'Ik heb een paar dingen van je die je misschien terug wilt. Mis je die oorbel?'

De trieste ironie was dat hij al die moeite met die autorit vanuit New London niet had hoeven doen. Ze liet haar dagboek al slingeren, met de bedoeling dat hij las hoe ze werkelijk over hem dacht. Maar dat wist hij toen natuurlijk niet. Daarom was hij terecht woedend toen hij haar die avond op de parkeerplaats van Motel 6 sloeg.

'Rotkreng.' Hij begon zodra hij haar in zijn gehuurde Tempo kreeg. 'Niet te geloven wat jij me hebt aangedaan. Je hebt mijn leven verwoest.'

'Ik jouw leven verwoest? Ik JOUW leven verwoest? Ben jij niet goed?'

'Hou toch je kop.' Hij draaide de ramen dicht en keek over het parkeerterrein naar de verlichte ingang. 'Niet schreeuwen.'

'Ik hou mijn kop niet. Jij noemt me stom waar mijn vriendinnen bij zijn. Jij kleineert me ten overstaan van de kinderen. Jij wilt per se naar een huis dat we niet kunnen betalen.'

'Jij bent degene die dat huis wilde. Ik heb de pest aan dat huis.'

'Je hebt wel lef.'

'Ik heb wel lef?'

'Jij jaagt er tienduizend dollar per maand door met onze Visacard, om die dure rotpakken van Armani te kopen...'

'Wat moet ik dan? In vodden rondlopen?'

'Jij geeft geld uit aan hoeren, terwijl ik mijn vader om geld moet smeken om de kinderen naar zomerkamp te sturen...'

'Hou toch verdomme je kop...'

'Bonnetjes van Club Royale Entertainment in je broekzak. Dacht je dat ik niet snap wat dat is?'

'Ja, alsof jij een haar beter bent.' Hij wees naar haar rode Audi op de parkeerplaats.

'Ik hoef tenminste niemand te betalen om met me te neuken.'

'Wil je soms dit?' Hij hief waarschuwend zijn vuist.

'Ja Jeffrey, sla me maar.'

'Wil je dat werkelijk?'

'Laat maar zien dat je een man bent.'

'Dat zal ik!'

'Je maakt me misselijk. Zoek iemand anders, vuile bloedzuiger. Ik kan je niet meer zien.'

Op dat moment sloeg hij haar. Een klein stootje, gericht op haar kin. Maar nee, ze moest zo nodig haar hoofd terugtrekken, zodat hij haar keel trof. Hij wist meteen dat er iets fout zat.

'Jeffrey, ik krijg geen adem.'

'Wat bedoel je?'

Ze begon te hijgen en wees gejaagd naar haar luchtpijp.

Er komt niets door, mimede ze met uitpuilende ogen. Ik kan niet –

In paniek startte hij de motor en reed de parkeerplaats af. Waar was dat bord van een ziekenhuis dat hij onderweg had gezien?

Ze krijgt geen adem. Ze kon niet meer spreken. Ze wees alleen weer naar haar keel en schopte tegen het dashboard, terwijl haar gezicht opzwol en vuurrood werd.

Hij zette groot licht aan. De bocht was toch pal hiervoor? In gedachten worstelde hij al op de Eerste Hulp met wat hij zou zeggen. We hadden ruzie... Nee! Ze viel... Wat?

Ze sloeg hem op zijn schouder, als om af te tikken. *Oké. Ik snap het. Je krijgt geen adem. Je gaat dood. Je stikt als een vis op het droge.*

Het doodsgereutel begon: een geluid dat hij nog nooit een mens had horen maken. Als een arctische sneeuwstorm in haar keel. Haar lichaam trok krom en verstijfde tegen hem aan, en al haar spieren en pezen vochten om in leven te blijven. *We halen het niet.* Angst overweldigde hem. Hij was bij de Zaagmolen afgeslagen naar een verlaten weegstation voor vrachtauto's om haar daar op de grond te leggen voor mond-op-mondbeademing, maar de luchtpijp was te ernstig beschadigd.

Ze krabde aan zijn gezicht en trok aan zijn kleren, de drenkeling die de redder mee wil sleuren. Hij had ooit gezien hoe een vriend van zijn vader, een gepensioneerde luchtmachtarts, een tracheotomie uitvoerde in Cypress, toen iemand daar op het strand allergisch reageerde op een kwallenbeet. Dat deed hij met een mes.

Een doodgewoon mes. Jeffrey dacht aan het piepkleine zakmesje aan zijn sleutelbos, dat de beveiliging op LaGuardia was ontgaan. Hij knipte het open en probeerde een vaste hand te krijgen voor de incisie, maar ze bleef worstelen en wringen op het grind. In plaats van een sneetje te maken zoals hij de arts had zien doen kwam er een enorme jaap waaruit het bloed alle kanten op spoot. Het kwam in zijn ogen en borrelde haar longen in. Hij probeerde het weer, kwam in het kraakbeen vast te zitten en reet haar strottenhoofd praktisch open. Ze greep smekend naar zijn schouders. Hij besefte dat hij nooit een echte krachtmeting met haar had gehad; dat ze zich altijd een beetje inhield om hem te laten denken dat hij kon winnen. Maar nu was het een hijgend rukken en trekken tot het helemaal op was. Toen zakte ze in het licht van passerende koplampen weg en staarde met verstarde angstogen omhoog.

Hij zag neer op het bloedende gat.

Die eerste paar minuten waren nog steeds troebel voor hem, alsof hij onder water was geweest. Hij wist nog dat hij haar in meerdere lagen plastic wikkelde van stomerijzakken en haar lichaam toen half in zijn kostuumhoes schoof, opdat niet de hele kofferbak onder het bloed kwam te zitten. Toen ging hij in de richting van de stad rijden en dacht na over wat hij moest doen. Tegenliggers gaven lichtsignalen. Remlichten flitsten op. Een auto stopte vlak voor hem, en toen hij uitweek hoorde hij een zware bons in de kofferbak.

Even dacht hij eraan zich bij het dichtstbijzijnde politiebureau te melden, maar wat moest hij zeggen? Ja, agent het was een ongeluk. Ik heb mijn vrouw naar een motel gelokt, door haar te laten denken dat ze haar minnaar daar zou ontmoeten. We kregen toen op het parkeerterrein ruzie en ik stompte haar op haar keel.

Ze zouden denken dat hij dat zo had gewild. Nee, hij reed naar huis terug, bijna als op de vlucht. Hij zette de motor uit en bleef een paar minuten in de auto zitten, terwijl haar bloed op zijn gezicht en handen opdroogde. Opeens voelde hij zich bezoedeld en besmet. Hij moest zich hier meteen van ontdoen voor iemand erachter kwam. Hij herinnerde zich dat de garage was voorzien van een wasmachine en een droger, voor het geval dat ze ooit de bovenetage wilden verhuren. Er stond ergens een bus tapijtreiniger op een plank, zodat hij tenminste de bekleding van de kofferbak schoon kon maken.

In de garage, met de deur dicht, maakte hij de kofferbak open en moest bijna overgeven van de lucht. Hij hield een stuk van zijn overhemd over zijn neus en mond, en dwong zich goed te kijken. Hij had een diepe glimlach in haar keel gekerfd.

Hij hoefde bijna niet eens bewust te besluiten zich apart van het hoofd te ontdoen. Het leek gewoon de normale volgende stap, alsof de keuze op een of andere manier al voor hem was gemaakt. De politie zou haar dan tenminste niet gemakkelijk kunnen identificeren.

Hij tilde haar moeizaam uit de kofferbak en legde haar op de betonnen vloer, met de vrees dat de kinderen of Inez de oppas ieder moment uit het huis konden komen om te zien waar al dat lawaai vandaan kwam.

Hij besefte dat hij een helder hoofd moest hebben en zich niet op hol moest laten jagen door emoties. *Je kunt dit. Ja, je kunt het. Doe het voor de kinderen. Ze zullen je meer dan ooit nodig hebben.* Hij legde een lap op haar gezicht om haar starende ogen niet meer te hoeven zien en ging aan het werk met de beugelzaag die hij nog uit het huis aan Sycamore had.

Hij werkte pal boven de afvoer in het midden van de garagevloer. Hij had een tuinslang tegen de buitenmuur en een fles bleekwater om na afloop het bloed weg te spoelen. Hij had genoeg televisie gezien en echte misdaadboeken gelezen om te weten wat hij moest doen. Maar na een tijdje werden al die viezigheid en stank, de lichamelijk inspanning van het zagen door bot en het vele bloed over de vloer hem toch te machtig. Hij besloot van volledige demontage af te zien en het hoofd en het lichaam apart in de rivier te gooien, zoiets als die drugsdealer in het voorjaar met zijn vriendin had gedaan. Hij deed het impregneermiddel bij het hoofd in de tas en bond een trapje tegen de torso om deze te verzwaren. Nog even en de zon zou opkomen, en hij meende zeker te weten dat de rivier alles voor het licht werd naar de stad zou voeren.

De afvoer liet een holle geeuw horen toen hij de douche dichtdraaide en naar het draaikolkje aan zijn voeten keek. God, wie had kunnen denken dat het lichaam bij hem terug zou komen en bij het station zou aanspoelen?

'Pap?'

Een klein silhouet verscheen achter het beslagen glas van de douchedeur.

Hij wreef water uit zijn ogen. 'Izzy, wat is er, schatje?'

Hij deed de deur op een kier en zag zijn dochter met haar grote opalen ogen naar hem opkijken. Ze had een roze haltertopje aan, het gewatteerde denim jackje dat Sandi vorig jaar bij The Gap had gekocht, en een onderbroekje van Powerpuff Girls.

'Ik dacht dat je je aan zou kleden. Ik heb de kleren voor je klaargelegd.'

'Mamma kleedt me aan.'

'Maar mamma is hier niet meer.' Hij zocht een handdoek. 'Was je dat weer vergeten?'

Daar was het pruillipje. Ze had in geen weken een voet in de slaapkamer gezet, bedacht Jeff. Niet meer sinds de nacht waarin ze pappa in de woonkamer had verrast toen hij naar boven dacht te sluipen om een roltas en schone kleren te halen om ermee naar Providence terug te rijden. Tot dan toe was alles goed gegaan. In minder dan twee uur had hij de garage aardig schoon, hij had bleekwater in de afvoer gegoten en het lichaam in zijn kofferbak gestopt om het in de rivier te gooien. Hij had zelfs aan de McDonald's aan de I-95 bij Providence gedacht, waar hij al zijn zagen in een afvalbak wilde gooien. Al wat hij nodig had was iets om het hoofd in te doen, en een schoon overhemd en broek voor zijn besprekingen van de volgende dag. Maar toen hoorde hij die kreet op de trap en zag hij Izzy over de leuning hangen en hem recht aankijken.

'Ik wil een glas melk,' zei ze. Hij was zo van haar geschrokken dat hij de gang uit rende en zich in de woonkamer probeerde te verstoppen.

De langste drie seconden van zijn leven stond hij met bonkend hart tegen een muur gedrukt en herinnerde zich hoe nadrukkelijk hij had uitgelegd dat hij tot de volgende avond weg zou zijn. Hij had het zelfs op de kalender aangegeven, opdat ze het niet zou vergeten.

'Pappa?' Ze besloop hem door de gang.

'Ga weer naar bed, Iz,' riep hij. 'Ik ben hier niet echt. Dit is maar een droom.'

Gedwee draaide ze zich om en liep zonder protest de trap weer op, met haar knuffeleland onder haar arm geklemd. Dit is maar een droom. Zelfs nu wist Jeff niet goed wat ze had geloofd. Hij wist alleen dat ze het er sindsdien nooit over had gehad. Maar twee dagen later zag hij een lichtbruine veeg in de woonkamer waar Dylan met Pokémon speelde, precies waar hij had gestaan met bloeddoordrenkte broekspijpen.

'Ga nu maar, diertje.' Hij keerde zich naar opzij en probeerde zich met een handdoekje te bedekken. 'Laat pappa zich even aankleden. Als ik klaar ben kom ik je helpen.'

Ze bleef waar ze was en keek hem beschuldigend aan. 'Wáár is mamma dan?'

'Dat heb ik je al gezegd, schat. Ze komt niet terug.'

Het onderlipje trok zich terug en de bruine ogen versmalden zich. En op dat moment scheen de verschrikkelijke waarheid als een donderwolk over het kind heen te gaan. *Ze weet het.* Het water werd ijskoud op zijn huid. Ze weet dat het geen droom was. Ze weet dat ik thuis was toen ik niet thuis hoorde te zijn. Ze weet dat ze haar moeder nooit meer terug zal zien. En over een paar jaar zal ze begrijpen wat het allemaal betekent.

Hij stond naakt voor zijn dochter te klappertanden. Al die tijd had hij gewacht op echte gevoelens voor het meisje. Bij al het gekakel van Sandi lieten zijn eigen kinderen hem enigszins onberoerd, en misschien voelde hij zelfs wat wrok om de ruimte die ze innamen. Maar nu drong tot hem door dat zijn geheim hem voorgoed aan zijn dochter zou binden. Iz kon op een dag gewoon wakker worden en zijn leven net zo gemakkelijk verwoesten als ze een zandkasteel van haar broertje kon vertrappen. Ze kon hem te gronde richten. Hem voor de rest van zijn leven naar de gevangenis sturen, en mogelijk kreeg hij zelfs de doodstraf.

Zoals ze bij de douchecel stond leek Isadora aan te voelen dat er iets veranderde. Ze deed de deur verder open voor een beter zicht op haar vaders kwetsbaarheid. Jeff reikte langs haar heen om een grotere handdoek van het rekje te pakken.

'Kom nu, Izzy, wat moet je hier?' Hij sloeg de handdoek om zijn middel en merkte dat hij onbeheersbaar begon te beven.

Heel zijn toekomst rustte in de onvaste handen van een kind. *Ze weet het.* Hij wilde het kind aanraken en moest zich bedwingen om niet om genade op krediet te smeken. *Alsjeblieft. Ik ben je vader.*

Maar zonder waarschuwing sloeg Isadora opeens haar armen om zijn knieën, omhelsde hem zo met het blinde vuur van een kind dat weet dat dit absoluut alles is wat ze nog heeft in de wereld, en huppelde ten slotte de badkamer uit, om haar pappa te laten zien dat ze zichzelf wel aan kon kleden.

60

Toen het licht werd was te zien hoe de zijkant van de garage van de Schulmans was geblakerd, en het rook nog steeds naar oliedamp. Omdat ze daar op dat moment niet tegen kon, stond Lynn met een schepnet bij het zwembad te kijken naar zwarte plukken hondenhaar die aan de oppervlakte dreven.

'Raak niets aan.' Barry stapte met twee bekers koffie over het gele afzetlint. 'Ik heb net met de verzekering gebeld. Ze sturen vanmiddag een schade-expert.'

'Kunnen ze niet gewoon het politierapport overnemen?' Ze schepte iets uit het water.

Harold en Larry Quinn waren een halfuur nadat de garagebrand door de brandweerlieden was geblust komen kijken. Ze namen het karkas van Stieglitz mee in een lijkenzak voor mensen en beloofden die dag iemand te sturen om op het terrein aanvullend bewijsmateriaal te zoeken.

'Ach, je weet dat je met die lui over alles moet soebatten,' zei Barry, haar een beker gevend. 'Met name als het brandstichting blijkt. Ze hebben niet veel vertrouwen in de politie van kleine gemeenten.'

'Ik denk niet dat Harold zich hiervan af probeert te maken, Barry. Hij doet zijn uiterste best.'

'Misschien, misschien ook niet. Maar ik heb vanmorgen ook Sean Hefferman gebeld.'

'Je vroegere chef bij het OM?'

'Hij zei dat hij iemand bij de staatspolitie die hij kende zou benaderen, en kijken of zij er meer aan konden doen. Ik had het ook over de FBI, maar die heeft het tegenwoordig nogal druk...'

Ze sloot haar handen om de beker. 'Vind jij het slim om Harold zo te passeren?'

'We hebben ook niet erg veel keus, hè? Ze beschermen ons niet bepaald. En ik meen te weten dat dat hun taak is.'

Zonlicht verspreidde zich langzaam door de omliggende bossen, tot net voor de omheining en de steile helling van de heuvel die honderdvijftig meter doorliep naar de weg beneden.

'We weten nog steeds niet zeker wie dit heeft gedaan,' zei ze.

'Jij hebt de rechercheur toch die foto gegeven van Jeff met het impregneermiddel?'

'Ja, natuurlijk.'

'Dan kunnen we denk ik veilig aannemen dat hij je niet zal voordragen voor een prijs als liefste buurvrouw van het jaar of zoiets.'

Ze knoopte haar blauwe wollen vest dicht en huiverde in de vroege kilte. Ze merkte op hoezeer de dauw op het gras op transpiratie leek.

'Vind jij dat ik er verkeerd aan deed?'

'Ik vind dat je het enige deed dat je kon doen. Jij had die foto. Ze was je vriendin. Je was niet van plan erop te gaan zitten en te doen alsof je die niet had gezien. Dit is wat je voor haar kon doen.'

In de verte zag hij de rivier stukjes zonlicht over het oppervlak rollen.

'Maar dat doet er niet meer toe,' zei hij. 'We moeten tot ons laten doordringen dat we er alleen voor staan.'

'Wat bedoel je?'

'Dat er niemand op ons past. De politie niet. De FBI niet. De schoolbeveiliging niet. De regering niet. Daar kunnen we niet meer op vertrouwen. We hebben alleen onszelf.'

Een eenzame merel zong op een hoge tak van de appelboom. Wind deed de sumak tegen de heuvel aan huiveren en blies stukken afzetlint over het gazon.

'Je bent niet erg opbeurend,' zei Lynn.

'Ik heb een pistool.'

'Wat?'

'Je hebt me verstaan. Ik heb van Richie een .38 gekocht. Die heb ik al een paar dagen.'

In het bos hoorde hij eikels op de grond vallen, en hij zette zich schrap voor de onvermijdelijke tirade. Hij was onvoorzichtig en onverantwoordelijk geweest. Hij had een vuurwapen in het huis gebracht waar hun kinderen sliepen. Stel dat Hannah of Clay het vond? Hij was een stommeling, een debiel, een hypocriet. Hij had zelfs nadat hij het lef had gehad om haar een leugenaar te noemen de waarheid voor haar verzwegen. Hij had hen allemaal in nog groter gevaar gebracht. Wist hij niet hoeveel mensen met hun eigen wapens werden doodgeschoten?

Hij was bereid al het bovenstaande toe te geven als hij het ding maar niet weg hoefde te doen.

Maar ze keek hem alleen maar langdurig en koel aan.

'En, waar ligt het dan?' vroeg ze. 'Vind je niet dat ik behoor te weten hoe je ermee om moet gaan?'

61

Toen het licht werd stond hij op, en voor zijn vader wakker werd was hij de deur uit.

De dag leek verdoofd en niet geheel klaar om te beginnen. De rivier was donker en stroomde traag, alsof hij nog een deel van de nacht onder zijn oppervlak bewaarde. De andere caravans waren stil op de troosteloze geluiden van televisie en vaatwerk na. Het verband om zijn duim begon goudbruin te worden. Hij gooide de zwarte sporttas op de voorstoel van zijn Tundra en draaide het contactsleuteltje om. De motor raasde en de brandstofwijzer wilde niet hoger gaan dan een kwart tank, maar dat was prima. Hij hoefde niet ver.

Hij besloot de lange weg de heuvels in te nemen, voorbij het eerste huis aan Bank Street waar hij opgroeide. Hij wist nog dat hij op de rieten bank met losse sprieten zat en probeerde zijn moeder te troosten na de moord op JFK. Vier jaar was hij toen. Ze huilde dagenlang. Overal lagen krantenknipsels en brandden kaarsen. Hij was naar de slaapkamer gerend toen hij op het nieuws hoorde dat Ruby Oswald had doodgeschoten. 'Mam, ze hebben die slechte man vermoord. Alles komt weer goed.'

Het duurde jaren voor hij begreep waarom dat haar niet zozeer opvrolijkte.

Na wat dwarsstraten van Haverstraw Road passeerde hij de ingang van het oude aquaduct, en hij wist nog dat zijn vader uitlegde hoe het water van hoog in de bergen hierdoorheen ging. Een druppel wordt een straaltje, een straaltje wordt een stroompje, en een stroompje gaat met andere stroompjes een beek vormen die door de zwaartekracht voortstroomt. En de beek wordt een snelstromende rivier, die door niets is tegen te houden.

Hoewel hij vol zat met Vicodin, Advil en koffie had de wereld voor het eerst in weken een soort afgetekende diamant-harde helderheid. Hij kon zich de namen van vogels en bomen herinneren, adressen van zijn krantenwijk, golfers voor wie hij de tas had gedragen, en jongens die in de vierde klas zijn vriendjes waren geweest. Hij keek opzij en herinnerde zich dat hij met zijn broer in het reservoir had geplast, in de hoop dat het na verloop van tijd in Manhattan ergens uit de kraan zou komen. Terwijl zonlicht door de naaldbomen flitste leek het of zijn hele leven tot dit had geleid. Water dat naar het laagste punt stroomt.

Hij had geprobeerd binnen zijn familie degene te zijn die er iets van zou maken buiten deze stad. Hij was helemaal naar Arizona gegaan en met een aerobics-instructrice getrouwd die op een kaart van New York niet eens Westchester kon vinden. Maar hij verdroogde in de woestijn. Te veel dorre open ruimte en salie, te veel Taco Bells en Outback Steakhouses, te veel projectontwikkeling langs de nieuwe snelwegen. Hij had voortdurend het gevoel het spoor bijster te zijn, in zijn werk en in zijn huwelijk. Nee, hier behoorde hij uiteindelijk te zijn.

Het maakt niet uit wat je in het volgende leven doet.

Hij dacht aan een omweg terug naar Regan Way, om zijn kinderen nog een keer te zien. Marie had hen ongetwijfeld klaargemaakt voor school. Maar langsgaan en proberen zaken recht te zetten zou alleen maar afbreuk doen aan zijn doelgerichtheid. Hij moest doorgaan. De enige troost was dat Marie had gesproken over verkoop van het huis en een tijdje bij haar zus in Florida intrekken. Dan zou tenminste iemand in de familie de rest van de wereld te zien krijgen.

Een kilometer de heuvel op stond de middelbare school, waar de vlag juist was gehesen. Er werd al ruim een week niet meer halfstok gevlagd. Wat vergat men snel. Hij keerde en reed het lege parkeerterrein bij het footballveld op. Het lege scorebord en de verlaten tribunes herinnerden hem aan lange spelperiodes in de middaghitte, waarbij hij meer blauwe plekken opliep dan bij de eigenlijke wedstrijden, en de meisjes in hun korte rokjes die sprongen en voor hem juichten als hij speelde, en in de gang langs hem liepen alsof ze hem zonder zijn helm niet herkenden.

Hij ritste de sporttas open, haalde de .45 en de .38 eruit en ging ze zorgvuldig laden. Een lichte oliegeur maakte dat hij zich afvroeg wanneer de oude man deze dingen voor het laatst had schoongemaakt. Kwam het nooit bij hem op dat een wapen kon blokkeren? Hij stopte de wapens weg en reed de weg weer op, waar hij vroege forensen passeerde die op weg naar het station waren. Hij zwaaide toen hij de man van Sarah Breen in zijn zwarte Jaguar passeerde. Bob, de hulptrainer van het voetbal op zaterdagmorgen. Hij vroeg zich af of Bob zich dat kleine gebaar naderhand zou herinneren en er meer van zou maken dan het was. Een grappig iets, het geheugen.

Hij zag de zwarte auto achter zich verdwijnen en een stipje worden in zijn binnenspiegel, want hij reed royaal te hard. Ik zal die auto nooit meer zien, zei hij tegen zichzelf. Ik zal nooit meer deze bomen in dit licht zien. Ik zal nooit meer langs deze enorme witte huizen met hun grote garages en weidse gazonnen rijden. Ik zal nooit met mijn zoons in de rivier gaan vissen. Ik zal nooit meer mijn dochter hardop in *Harry Potter* horen lezen. Ik zal nooit meer een bekeuring uitschrijven. Ik zal me nooit hoeven verontschuldigen.

Toen hij voor de spiegel in de slaapkamer stond om zijn haar te borstelen en zijn das te strikken voelde Jeff zijn moreel iets stijgen. Misschien was het ergste voorbij. De knuffel van Isadora was een soort absolutie. Hoewel hij eerst langdurig met Ronald Deutsch moest spreken en daarna met de makelaars, kon hem wat zijn haar betrof niets gebeuren.

Hij zou hier op een of andere manier doorheen komen. Tot dat moment in de douche had hij dat niet helemaal geloofd. Maar de donkere wolken dreven weg. Op zeker moment zou voor alles worden gezorgd. Mensen vergeten. Ze gaan verder met hun leven. Hij zou nog een paar maanden waardig rouwen en dan rustig bekendmaken dat hij naar Florida of Texas ging om mogelijkheden te bekijken. Saul zou waarschijnlijk in die tussentijd de kinderen nemen en met hem een financiële regeling treffen om te vertrekken. Hij legde de borstel neer en streek met zijn handen zijn haar glad, terwijl hij de kinderen beneden in de hal naar elkaar hoorde roepen. Hoe kwaad hij ook was, de oude zak had niet de moed of de energie voor een slepend juridisch gevecht.

Jeff ging naar beneden, waar Izzy een spijkerbroek aan had met een enorme chocoladevlek bij een van de zakken, en Dylan op de onyx vloer erbarmelijk zat te huilen met zijn lunchdoos van Scooby-Doo.

'Wat is er aan de hand?' vroeg Jeff. 'Zijn jullie nog niet klaar voor school, zoals ik heb gezegd?'

'Dylan wil niet naar school. Hij zegt dat zijn benen het niet doen.'

'Wat nou, zijn benen doen het niet?'

Ze trok haar schouders in en glimlachte toegeeflijk, alsof ze op een of andere manier wist dat ze de rest van haar leven voor haar broer zou zorgen. 'Hij zegt dat iemand hem moet dragen.'

'Mamma zou me wel dragen.' Dylan snotterde en veegde zijn neus aan zijn mouw af.

Jeff keek zuchtend op zijn horloge. 'Weet je wat,' zei hij, vastbesloten alles uit zijn golfje optimisme te halen. 'Ik zal met de auto voorrijden, dan hoeven jullie niet zo ver te lopen, afgesproken?'

'Afgesproken.' De jongen hield de lunchdoos stijf tegen zijn borst en probeerde flink te zijn.

'Goed. Zorg dat je klaarstaat. Ik toeter wel.'

Hij ging naar buiten en liet de voordeur half open. De dag bevatte veelheid. De lucht voelde als geladen met mogelijkheden voorbij het einde van hun doodlopende straat. Het klimrek van de kinderen in de voortuin blonk in de weldadig warme zon. De snijbiet in Sandi's tuin was nog fris groen met een kastanjekleurige gloed in het midden, en pompoenen groeiden als kleine oranje spieren aan de ranken. Hij voelde die versnelling van zijn hartslag en hoorde in de verte een knisperend geluid als van cellofaan. Misschien zou hij zijn naam weer veranderen als hij verhuisde. Misschien dat hij na enige tijd de kinderen liet overkomen. Misschien ook niet. Ze zouden zich waarschijnlijk wel prettig voelen bij het goede leven met Saul en Barbara in Manhattan, en naar particuliere scholen gaan. Tegen de tijd dat hij genoeg gesetteld was om hen te laten komen waren ze waarschijnlijk bijna tieners, door en door verwend, die zich hem nauwelijks nog herinnerden.

Hij liep over de ronde oprijlaan naar de garage, haalde de afstandsbediening uit zijn zak en deed de automatische garagedeur open.

De Mercedes ML320 zag eruit of er nooit in was gereden. De laatste keer dat hij met zijn lieveling voor onderhoud naar de garage ging, had de monteur in White Plains gezegd: 'Als u uw gezin net zo in de watten legt als deze auto, dan boffen ze met u.' *Wanneer hij naar de auto keek bezorgde dat hem soms een kleine mentale erectie. Verdien ik dit? Ja.* Hij had ervoor gewerkt en heel wat moeten verduren om het te verdienen. Ieder ander moest maar doen of zijn prioriteiten bij de kinderen en het huis lagen, maar hij zag hoe ze keken als hij naast hen kwam rijden. Ze benijdden hem – en terecht! Maar zij hadden niet die volharding, die souplesse, die gave scherpte die alles wat hij deed dat beetje extra verleende.

Hij stapte in en genoot van de geur van de leren bekleding, die leek te beloven dat er zelfs in een twee jaar oude auto nieuwe mogelijkheden waren. Vooral voor een man met oog voor detail. Hij startte de motor en reed langzaam achteruit, waarbij hij de garagemuur een beetje verdacht kaal vond nu hij al zijn zagen had weggedaan.

Hij zag in zijn binnenspiegel een rode pick-up aan de voet van de oprijlaan staan, waar hij niet langs kon om naar de voorkant van het huis te rijden. Zijn eerste gedachte was dat iemand de weg wilde vragen. Begrijpelijk. Sommige wegen waren zo overzichtelijk als spataderen. Hij besloot zijn goede daad voor die dag te verrichten door de man de weg te wijzen. Hij keerde de Mercedes langzaam en reed naar de pick-up, waarbij langzaam tot hem doordrong waar hij deze eerder had gezien.

Mike stapte uit de Tundra en liep er voorlangs, met de .45 strak tegen zijn broekspijp. Hij dacht eraan dat Sandi naar hem opkeek en vroeg: 'Jij zult toch over me waken?'

Hij zag dat Jeff hem herkende en in paniek raakte. De motor van de Mercedes die in de overdrive ging. De voet op het gaspedaal. Het zilveren sierscherm dat als een stel opeengeklemde tanden naar voren schoot.

Het maakt niet uit wat je in het volgende leven doet.

Mike richtte met ondersteuning van zijn gewonde hand en haalde de trekker over. Het pistool blafte en Jeffs rechteroor vloog in een hagel van glasscherven over zijn schouder. Hij hield zijn ene hand tegen zijn bloedende slaap en probeerde met de andere te sturen, terwijl de banden piepten. Mike deed een stap naar links en schoot weer. Er kwam een gat midden in Jeffs voorhoofd waaruit dieprood bloed begon te spuiten. Zijn ogen rolden achterwaarts in zijn hoofd alsof hij net iets pijnlijks had gehoord, en hij zakte over het stuur ineen.

De Mercedes raakte van de oprijlaan, reed slingerend over het gras en botste zijdelings tegen een wilg die schaduw gaf aan het klimrek.

Dunne gele druppelvormige blaadjes regenden op het dak, en de claxon klonk, als een klaaglijke Duitse kreet in de ochtendstilte.

Mike stopte het pistool onder zijn broekband en stapte weer in de pick-up, klaar voor de volgende halte. *Ziedaar, de slechte man is dood.* Hij reed achteruit weg en bekommerde zich niet om de loeiende claxon.

Maar net voor hij Prospect weer op draaide zag hij in zijn spiegel de twee kinderen van Sandi met hun lunchdozen aan komen rennen om te zien waarom hun vader de auto onder de treurwilg had geparkeerd.

62

Aanvankelijk hoorde Lynn de sirene slechts als een onderbewuste toon, een gejank in de verte dat wat spanningsgevoel gaf.

Ze was eindelijk begonnen de tuin winterklaar te maken, waarmee ze het werk afmaakte waaraan ze die eerste dag was begonnen toen Mike haar wilde spreken. Sindsdien was er heel veel gebeurd en stond alles op zijn kop. Ze wilde niets liever dan dit jaar nog een keer met haar handen in de aarde woelen.

Barry kwam met een kruiwagen vol houtspaanders van de beboste helling bij de omheining en zong *Ol' Man River* met zijn mannelijk klinkende baritonstem. De kinderen waren al naar school, dus probeerde hij zich nuttig te maken terwijl ze op de komst van de staatsspeurder wachtten.

Hij stortte de houtsnippers op een hoop naast de aspergeplanten met hun door wasberen opgevreten loof.

'Laat het daar niet op een hoop liggen. Help me het te verspreiden.'

'Ja meester,' zei hij als een zombie uit een film.

Hij nam de schep van haar aan en begon met zorg houtsnippers te verspreiden over de door haar omgespitte aarde. Ze keek hoe hij de houtsnippers uitstreek en platsloeg, waarbij zijn sterke schouderspieren zich onder zijn witte T-shirt spanden en uitwaaierden als een idee dat op papier vorm aanneemt. Mijn man. Ze had altijd gedacht dat hij nooit om haar tuin had gegeven, en dat deze voor hem alleen maar een extra mogelijkheid was om haar te plezieren en op een afstand te houden, net als de studio. Maar hem zo serieus bezig te zien deed het pakijs rond haar hart een beetje smelten. Dit zijn wij en we doen iets samen. Dit zijn wij, zonder de kinderen. Dit zijn wij, zonder geld. Dit zijn wij, en we worden ouder.

'Ik houd van een man met een brede sterke rug,' zei ze.

'Ik probeer ook maar wat te zweten, opdat je me de komende winter niet laat verhongeren.'

'Barry...'

'Zeg het maar.'

Onverwacht welde er een geweldig gevoel in haar op. Ze dacht aan alle dingen die ze in de loop der jaren tegen hem had willen zeggen, maar die altijd verloren leken te gaan in de maalstroom der dagen. Fragmentjes van burenpraat, onbevangen waarnemingen, grappige dingen die de kinderen zeiden, en verbluffende effecten en verbanden die alleen hij zou begrijpen. Ze besefte dat ze dat met hem had gemist, die eigen wereld die ze vroeger hadden, die luie zondagochtenden voor ze kinderen hadden, toen ze spontaan aan het vrijen konden slaan, boven op het huizenkatern.

'Zeg het maar,' herhaalde hij, haar aankijkend.

'Laat maar,' zei ze. 'Kun je nog wat van dat spul halen?'

'Jawel, madame.'

Hij boog en ging met de lege kruiwagen langs de zijkant van het huis de helling af. Terwijl hij tussen de kale bomen en vermolmde boomstronken verdween keek ze naar de horizon. Ze hoorde ver weg de vleugelslag van ganzen, en ze zag nog net een grijze trein rijden tegen de achtergrond van de grijze rivier.

Het geluid van de sirene werd luider en duidelijker. Een hoog gegil dat als een thermische lans door de ochtend sneed. Later zou ze tegen zichzelf zeggen dat ze zich alles ervoor en erna als twee verschillende werelden herinnerde. Ze veegde haar handen af aan haar trui en liep de voortuin in, met het idee dat het geluid naar hen op weg was. Misschien had Harold gehoord dat Barry de staatspolitie erbij wilde halen en wilde hij groots zijn opwachting maken om te tonen wie werkelijk de leiding had.

Maar het gejank ging langs hen heen de heuvels in, naar het huis van Jeff en Sandi aan Love Lane. Er was iets anders gebeurd. Ze kon het voelen, als een plotselinge daling van temperatuur. Een andere sirene ging de heuvel op, achter de eerste aan. Een psychotisch *walloe walloe* dat de bekleding van haar zenuwen schraapte. Een ambulance. Een steek in haar buik maakte dat ze wilde bellen om na te gaan of alles goed was met Dylan en Izzy. Maar stel dat Jeff dan opnam?

Een eekhoorn schoot over het gazon. Twee kraaien stonden samen op een stuk steen, snavel tegen snavel, als samenzweerders. De wind maakte in de kornoelje een geluid als van een naald in de groef van een bekraste grammofoonplaat. Een stuk geel afzetlint viel over het gazon.

Van rechts onder aan de oprijlaan hoorde ze een motor brommen en een auto bonkend tegen hun heuvel op komen. Toen kwam er een rode pick-up in zicht, die door een kuil hotste en versnelde, alsof hij zo het gazon op ging rijden. Hij stopte net ervoor, en Mike Fallon keek door de getinte voorruit naar haar.

Hij deed het portier open en stapte langzaam uit. Hij zag eruit alsof hij een explosie had meegemaakt. Zijn ogen waren glazig, zijn gezicht was uitgezakt, en zijn haar was hier en daar grijs, alsof het met gipspoeder was bestrooid. Het verband om zijn duim had een groezelige mosterdkleur die leek aan te geven dat hij niet meer tot het segment van de mensheid behoorde dat inzat over consequenties.

'Michael,' zei ze, 'Ik vind niet dat je hier zou mogen zijn.'

Hij schopte het portier achter zich dicht zonder zich te bekommeren om de deuk die hij maakte, en stond haar aan te staren. Hij liet zijn zwijgen zich over het gazon verspreiden tot het haar bereikte.

'Er is iemand neergeschoten, Lynn,' zei hij ten slotte.

'Waar heb je het over?'

Zelfs de kraaien vielen nu stil.

'Jeff Lanier is in het hoofd geschoten. Hij zal het niet overleven.'

'Hoe weet jij dat?' Een band beknelde haar borst.

'Ik was degene die hem neerschoot.'

Hij deed het hek open en liep op haar toe, met de kolf van een pistool nonchalant boven zijn broekband uit. Gewoon een vriend die even gedag komt zeggen.

Een derde sirene jankte langs Grace Hill Road. Hij kwam en ging in hun stiltezone. Een eikel viel achter zijn pick-up als een patroonhuls op de grond.

'Goed,' zei ze, achteruitstappend. 'Laten we kalm aan doen.'

Ze keek vlug even naar de begroeiing op de helling en vroeg zich af waar Barry heen was. De rode kruiwagen stond in de schaduw van de iepen en kornoeljes.

Hij was in het huis geweest om een glas water te drinken toen de auto van Fallon aan kwam rijden. Het pistool zat weer in de schoenendoos op het bed, waar hij het nog geen tien minuten eerder had achtergelaten na het aan Lynn te hebben getoond. Hij ging naar boven en belde snel 911, maar wist dat de meeste surveillanceauto's op de heuvel in actie waren, op minstens vijf minuten afstand. We staan er alleen voor. Hij liep naar het raam en zag Fallon door de tuin op Lynn toelopen, met een pistool duidelijk zichtbaar onder zijn broekband. Hij dacht erover het raam open te gooien en hem onder schot te nemen, maar de boomverzorgers waren de esdoorn niet komen snoeien, en de takken zaten in de weg.

'Weet je wat jouw probleem is, Lynn?' Mike was dichtbij genoeg om zijn armen om haar nek te slaan. 'Jij bent blind. Jij hebt allerlei dure objectieven en buitenlandse camera's, maar je blijft zo blind als Stevie Wonder. Jij ziet niet wat vlak voor je is.'

Vanuit haar ooghoek zag ze eindelijk Barry, zo'n twintig meter links van hen gebukt langs het hek achter de bomenrij sluipen. Hij moest vanaf de achterkant zijn omgelopen om hen ongemerkt te benaderen. Ze zag het zwarte pistool in zijn hand afsteken tegen zijn witte T-shirt. Mike hoefde zijn hoofd maar iets te draaien om hetzelfde te zien.

'Ik weet hoe moeilijk deze laatste weken zijn geweest,' zei ze.

'Jij weet helemaal níéts. Nog niet dát. Want jij ziet niets. Jij ziet dingen niet die zich elke dag voordoen. Ik bedoel, jij denkt boven op deze geweldige grote heuvel te zitten, maar je bent gewoon een mier in de grote mierenhoop. Jij ziet de mieren niet die de tunnels bouwden waarop jij woont. Je weet niet eens dat er tunnels zíjn.'

'Michael, wat wil je van me?'

'Ik wil dat je je ogen opendoet. Is dat te veel gevraagd? Ik wil dat je de mensen ziet die om deze stad geven en er hun hele leven aan hebben gewijd. Ik wil dat je míj ziet. Ik wil dat je met dat geweldige oog dat je zou hebben ziet wat vlak voor je is. Ik wil dat je een foto van me maakt en die de rest van je leven in je hoofd bewaart.'

De wind blies het gele lint over planten en gras.

'Ik ben hier de slechterik niet,' zei hij zacht.

'Michael, ik wil dat je wat rustiger aan doet. Waarom heb je Jeffrey doodgeschoten?'

'Omdat hij naar mijn stad komt, een vrouw trouwt die ik ken, en haar vervolgens vermoordt en in míjn rivier gooit. In míjn district. Terwijl ze zwanger is van míj.'

Zijn gezicht leek te vervagen en weer scherp te worden, terwijl ze probeerde hier wijs uit te worden.

'Ik mag misschien niet zo veel hebben voorgesteld,' zei hij. 'Ik ben niet de beste echtgenoot van de wereld geweest. Ik ben niet de beste vader van de wereld geweest. En ik heb ruim mijn portie problemen met vrouwen gehad. Maar ik ben altijd een dienaar van deze gemeenschap geweest.'

Dat 'ben geweest' zoemde en suisde in haar achterhoofd. Ze besefte dat ze er geen idee van had of hij zichzelf zou gaan ombrengen, haar, of allebei.

'Michael, ik denk dat we Harold moeten bellen,' zei ze kalm. 'Waar is je vrouw? Waar zijn je kinderen?'

'Die zijn weg. Alles is weg. Het mocht niet blijven duren. Je doet je werk een tijdlang en je bent goed of slecht; vervolgens gooien ze modder over je en bouwt iemand anders nog een mierenhoop daarbovenop. Daar gaat het toch bij alles om?'

'Ik vind dat je met iemand moet spreken.'

'Ik dacht dat ik met *jou* sprak, Lynn.'

Barry bleef wegduiken en kruipen tussen de boomstronken en de sumak, om te proberen Fallon op zo'n vijftien meter onder schot te krijgen, maar hij wist er niet goed door te komen. En hij stond zo dicht bij Fallon dat hij Lynn mogelijk zou raken.

'Het is allemaal jouw schuld,' hoorde ze Mike zeggen. 'Omdat jij me het gevoel gaf dat er meer in zat.'

'Het spijt me,' antwoordde Lynn.

Het spijt me? Wat dan? Hij knielde naast een boomstronk om een beter schootsveld te krijgen.

'Zeg, weet je nog die keer dat we gingen zwemmen in de rivier?' vroeg Fallon met een stem die over de helling galmde. 'Het laatste schooljaar. Kort nadat ze de Hudson een beetje schoon gingen maken, opdat die niet elke keer rood zou kleuren als er in de autofabriek verderop auto's werden gespoten.'

Barry gluurde van achter een boom en zag Lynn met hangende schouders en haar hoofd schuin luisteren. Op een of andere manier leek ze kleiner en onzekerder dan hij gewend was.

'Weet je nog dat we dronken werden en onze kleren op de rotsen lieten liggen? Het moet oktober zijn geweest. De laatste mooie dag van het jaar.'

Barry zag zijn vrouw knikken en nerveus aan haar haar plukken. Het was alsof hij een oude foto van haar tot leven zag komen.

'Weet je nog hoe koud het water die dag was?' vroeg Fallon. 'Jezus, mijn ballen zaten om mijn heupen. Het is een wonder dat ze daarna nog werkten. Ik kon niet geloven dat de stroming zo sterk was. Jij was een garnaal, maar je lag steeds twaalf lengten op me voor. Dat heb ik nooit gesnapt.'

'Ik denk dat ik gewoon stoer wilde doen.'

Er zat een deukje, een soort toegeeflijkheid in haar stem. Barry zag hen wat dichter naar elkaar komen, en even leken ze het paar dat hier echt thuishoorde en voor hun huis van de ochtendzon genoot, terwijl hijzelf tot een indringer werd. Alles leek te worden opgezogen door een trechter onder in Barry's maag. Hij kwam overeind achter de boom. Een schaduw bewoog en gaf hem een klein stukje dekking in de openheid.

'Ik riep steeds of je terug wilde komen, maar je luisterde niet,' zei Fallon. 'Je bleef maar doorgaan tot ik je nauwelijks nog kon zien. Maar weet je wat ik je nooit heb verteld?'

'Nee.'

Barry deed een stap uit de dekking, dook weg tegen een rots en maakte zich schietklaar.

'Dat ik een seconde lang omkeek naar de stad. We moeten zo'n tweehonderd meter van de oever zijn geweest. En ik besefte dat ik de stad nooit op die manier en van die afstand had gezien. En zal ik je wat zeggen? Ik vond het niet prettig. Ik weet niet eens waarom, maar ik kon het niet hebben dat ik zo ver weg ging. Ik moest meteen omkeren en terug gaan zwemmen. En jij ging maar door.'

'Ik weet het,' zei Lynn.

'Ik wil je wat vragen, Lynn.' Fallon reikte naar haar arm. 'Heb je er ooit aan gedacht een keer om te kijken? En naar mij terug te komen?'

Terwijl Barry daar met het pistool stond dwong Lynn zich niet naar hem te kijken, maar Mike werd gealarmeerd door haar ogen. Hij keerde zich met een ruk om, alsof hij al die tijd al wist dat Barry daar was. Hij trok het pistool uit zijn broek en schoot.

Barry's linkerzij explodeerde met een rode fontein. Lynn gilde toen ze hem tegen de omheining in elkaar zag zakken. Ze hoorde gaas knappen en toen viel hij van haar weg, over de helling en uit het gezicht.

Hij voelde steken en het zuigen van lucht door een gat in zijn borst. En toen rolde hij over de helling, kreeg vaart en draaide in de verkeerde richting van de rest van de wereld weg, om ergens in het bos te gaan belanden. Hij zag hemel en toen grond, en toen omgekeerd, terwijl steentjes en twijgen in zijn huid staken en aan zijn kleren trokken.

Hij was het pistool kwijt en sloeg twintig meter naar beneden tegen een vermolmde boomstronk, waar hij was omringd door verkleurde oude omheiningpalen en paaltjes met grote roestige spijkers erin. Die stomme Anthony die een paar maanden eerder hun oude hek had vervangen moest het hout gewoon naar beneden hebben gegooid, in plaats van het samen te binden en naar de vuilstort te brengen, zoals hij had beloofd.

Barry's lichaam hield zich nog even in en gilde het toen uit. Hij vroeg zich af hoelang hij daar zou liggen voor iemand hem vond. Zijn dijbeen was geschramd door doornstruiken, en de knieschijf van zijn zwakke knie voelde aan als omgedraaid. Zijn enkel was in een onmogelijke hoek verdraaid, en een warme bloedstroom had zijn shirt van voren doordrenkt. Dus zo is het. Zo is het om binnen roepafstand van je huis te sterven. Hij probeerde zich aan de boomstronk op te trekken en Lynn te roepen, maar hij werd overstemd door een gillende sirene op Prospect Road beneden hem. Achtenveertig jaar. Dat is het. Meer krijg je niet. Hij rook hars en zag witte sliertjes wolfsmelk langs zijn gezicht drijven, als stukjes van een droom die uiteenvalt, en toen hoorde hij nog meer sirenes en ergens hoog boven hem hoefgetrappel.

Toen de politieauto's de oprijlaan op scheurden greep Mike Lynn bij haar keel, ging achter haar staan en duwde de loop van zijn pistool in haar oor. Het broze contact van een paar minuten eerder was verdwenen. Hij had haar man neergeschoten. Hij rook naar eerstehulpposten en slechte koffie, naar oud zweet en de lucht na vuurwerk.

Een blauwe Buick reed naar de schaduw van een grote eik. Harold stapte rechts uit en Paco Ortiz kwam van achter het stuur.

Nog twee politiewagens van Riverside kwamen daarachter luidruchtig tot stilstand, waar in totaal vier agenten uit sprongen en amateuristisch ogende schietposities achter open portieren innamen, alsof ze dit nooit in het echt hadden gedaan. Maar voor Lynn leek dat alles op de televisie in een andere kamer te gebeuren. Ze was als verdoofd en zag steeds maar weer haar man over de rand van de wereld vallen.

'Hé, grote man.' Harold liep met zijn handen omhoog onder de eik vandaan. 'Wat zal het wezen?'

'Ik wou jou net hetzelfde vragen.'

Ze kon Mikes hart tegen haar rug voelen kloppen. Haar maag draaide om van de stank van zijn ontstoken duim. Waar is Barry? De schok begon nog maar net door te werken. Heb ik echt zojuist de vader van mijn kinderen zien doodschieten?

'Je hebt zeker geen van mijn boodschappen ontvangen,' zei Harold, voorzichtig een stap nader komend.

'En jij zeker geen van mij,' zei Mike. 'Anders zouden we hier toch niet zijn?'

'Maar je hebt me nu toch hier.' Harold lachte schamper, als de lijkbezorger die er wat van probeert te maken.

'Houd alles op zijn plaats, chef.' Het pistool boorde zich dieper in Lynns oor. 'Dit blijkt tot dusver een kloterige dag te zijn.'

'Ik weet het.'

Stel dat hij dood is? Wat moet ik doen? De gedachten buitelden over elkaar heen.

'Het is zijn verdiende loon, Harold. Hij heeft haar als oud vuil in de rivier gesmeten. En dat wilde jij míj in de schoenen schuiven.'

'Ook dat weet ik.'

'Dus wat doen we nu?'

'Ik weet het niet, Mike. Ik wacht op het signaal.'

Een druppel vettig zweet in haar nek maakte dat ze haar hoofd iets draaide en bloed van Barry zag opdrogen op de hekpaal. Voortdurend worden mensen neergeschoten en ze overleven het. Zeker, dat doen ze.

'Ik ga niet tegen jou liegen, man.' Harold schudde zijn hoofd. 'Het blijft een moord. Ook met verzachtende omstandigheden hebben we het over gevangenisstraf.'

Een paar meter achter hem trok Paco Ortiz zijn pistool en strekte in de schaduw van de eik zijn arm uit.

'Dat is best,' zei Mike. 'Je hoeft mij niet te vertellen wat er in de boeken staat.'

'Ik wil alleen maar zeggen dat tijd en tijd twee is. Snap je? Ik dacht dat je misschien graag je kinderen nog eens zou zien voor ze jouw leeftijd hebben.'

'Ook daar is het wat laat voor, chef. Ik ben mijn huis uitgegooid. Het spel is uit.'

Dat staat maar te praten, terwijl mijn man misschien dood ligt te bloeden. Lynn probeerde naar de plaats te blijven kijken waar Barry was gevallen en hoopte dat hij daar weer zou verschijnen, maar Mike wrong haar gezicht weer naar voren. De loop van het pistool boorde een diep cirkeltje in de zijkant van haar hoofd.

'Houd ermee op,' zei ze, terwijl haar knieën begonnen te knikken in de kille marmeren wetenschap dat zij hier ook kon sterven.

'Wat?'

Het beven sloeg over naar de rest van haar lichaam. Waar is Barry? Waarom roept hij niet naar me? Waarom hoor ik zijn stem niet? Haar zenuwstelsel stond op instorten. Je bent niet meer buiten beeld. Je bent het beeld. Haar ene oog begon te zenuwtrekken. De hemel werd onnatuurlijk helder. Hou op, zei ze tegen zichzelf. Zijn onderarm smoorde haar bij zijn inspanning om haar in bedwang te houden.

'Je kunt niet door blijven gaan,' zei ze.

Ze zag een bijna onmerkbaar knikje van Harold, alsof hij wilde zeggen: luister naar die mevrouw. Naast hem kneep Paco één oog dicht en richtte zijn Glock op Mikes hoofd, net boven haar schouder.

'Houd er maar mee op,' zei ze. 'Ik heb gehoord wat je me wilde zeggen.'

Hierbij voelde ze Mikes borstkas tegen haar rug zwellen. De greep op haar keel werd losser. De brigadier met de doorlopende wenkbrauwen die achter een van de auto's zat weggedoken kwam met zijn pistool overeind. De bundel licht waarin Harold stond werd breder, alsof een deur voor de zon openging.

Maar toen trof een eikel van een overhangende tak de motorkap van zijn Buick. Lynn zag het gebeuren. Wind bewoog de takken. Een bolletje dat afketste van metaal. Zoals dat in de herfst gebeurt. Maar de als veren gespannen mannen schrokken en dachten dat op hen werd geschoten. De brigadier met de doorlopende wenkbrauwen dook half zijn auto in en vuurde verwoed boven het portier uit. Een kogel suisde over Lynns hoofd en versplinterde berkenbast achter haar.

Met blokkerende spieren en een arm vast om Lynns hals gekromd schoot Mike terug, waarbij vuur uit zijn hand flitste.

De knal echode over de oprijlaan en stierf weg tussen de iepen en eiken.

Harold, die er merkwaardig verward uitzag, deed langzaam zijn blauwe jasje open, alsof hij het etiket van de ontwerper controleerde.

Een rode stip verdikte zich als een lakzegel op zijn borstzak en liep uit over zijn witte overhemd.

'Grote goden!', schreeuwde Mike. 'Waar is je vest? Waar is verdomme je vest?'

Harold wankelde achteruit tegen de motorkap van zijn auto en hield zijn hand op de wond, terwijl het bloed door zijn vingers stroomde.

'Ben je krankzinnig?' riep Mike hem toe. 'Ik heb je gezegd het altijd te dragen. Dat is toch zo?'

Mike keerde zich hijgend af, nog steeds met Lynn in een houdgreep. 'Wat heb ik gedaan? Wat heb ik gedaan?' fluisterde hij. De andere agenten verdrongen zich om de in elkaar zakkende Harold en trachtten hem overeind te houden als de gevallen koning.

'Wat is er gebeurd?' Mike sleepte Lynn naar de begroeide bovenkant van de helling. 'Wat is er goddomme nu net gebeurd?'

'Je moet er nu mee ophouden.' Ze kokhalsde en hoorde beweging in de struiken achter haar. 'Het is gedaan...'

'Maar redt hij het? Gaat Harold het redden?'

Door de schok werd zijn greep om haar nek weer losser. Ze probeerde zich los te rukken. Struikelend wist hij haar bij haar kraag te pakken. Maar toen deed een woest gegrom hen tegelijk omkijken.

Barry sloeg Michael met een hekpaal tegen de zijkant van zijn hoofd.

Michael wankelde achteruit met het hout vastzittend aan zijn slaap, en bloed stroomde over zijn wang. Barry rukte de paal naar zich toe en Lynn zag een lange kromme roestige spijker aan het uiteinde.

Michael slaakte een langgerekte noodkreet en hield zijn hand over de wond. Hij keerde zich om en zijn andere hand ging omhoog om te schieten.

Lynn viel op de grond en bedekte haar hoofd toen achter haar het erkerraam explodeerde. Toen ze opkeek zag ze Barry met veel inspanning aan komen strompelen, want hij dacht dat ze was neergeschoten. Ze zwaaide om hem te zeggen dat ze ongedeerd was.

Maar toen dook Mike vlak achter hem op en wilde hem door zijn achterhoofd schieten.

'BARRY, KIJK UIT!' Ze wees achter hem.

Hij keerde zich om en sloeg Mike weer met de hekpaal, recht in zijn gezicht en vlak boven de oogkas.

Mike viel brullend op zijn knieën. Het pistool in zijn hand kwam weer omhoog, als een blind oog aan het eind van de loop. Barry hief het stuk hout boven zijn hoofd en liet het op Mikes hoofd neerkomen, waarbij het hout splinterde en een misselijk makend hol geluid klonk. Mike viel voorover. Barry sloeg nog een keer en Mikes hele lichaam sidderde.

'Zo is het genoeg.' Lynn rende naar hem toe.

Maar Barry was in razernij en sloeg maar door. Bij elke klap spatte het bloed in het rond.

'Hou op!' Ze pakte hem vast, hield zijn armen tegen en probeerde hem tot bezinning te brengen. 'Het is over.'

Hij duwde haar opzij en liet het stuk hout nog een keer op Mikes rug neerkomen voor hij het vol afschuw wegwierp, uiteindelijk uitgeput en tevreden omdat de ander niet meer overeind kwam.

Lynn nam zijn hoofd in haar handen en keek hem in de ogen, zich er vaag van bewust dat Paco de tuin inliep en in het huis de telefoon ging.

Geleidelijk vertraagde Barry's ademhaling en een paar seconden later keerden ze zich om bij het geluid van knappende twijgen.

Twee grijsbruine herten lagen aan de rand van het terrein. Toen ze beseften dat ze werden bekeken stonden ze op en staarden terug naar de mensen, zich afvragend wat deze vreemdelingen op hun pad deden. Toen keerden ze zich om en sprongen weg, onverschillig en met soepele bewegingen, over het deel van het hek dat nog stond.

63

Er kwam dat jaar nooit echt sneeuw. Kort voor de feestdagen viel er wat, maar het was niet de moeite om de oprijlaan te laten vegen. Het was alsof iemand wist dat ze al genoeg hadden op te ruimen.

Overal in de stad lagen half uitgevallen kerstbomen op gazons en trottoirs om te worden afgevoerd. In het winkelcentrum werd de kerstversiering opgeruimd en de uitverkoop-borden werden opgehangen. Er waren lange rijen om de nieuwe film over tovenaars en oude demonen in donkere grotten te zien. Volgens de radio gingen Afghaanse vrouwen naar de kapper en lakten hun nagels weer, en er was een lange man gearresteerd die met springstof in zijn schoenen een vliegtuig uit Parijs wilde opblazen. Lynn hoorde het nieuws en vroeg zich af of het dezelfde vlucht betrof die zij zouden hebben genomen als ze niet uiteindelijk hun tickets hadden doorverkocht.

'Heb je de cheque?' vroeg ze, toen ze het advocatenkantoor tegenover het station verlieten.

'Ik heb de cheque.' Barry klopte op zijn binnenzak onder zijn pijnlijke schouder.

'Je bent nog steeds snel met je handen.' Ze ging op het parkeerterrein achter het stuur van de Saab zitten en deed zijn portier voor hem open.

'Ik kan twee vliegen in een klap slaan. Vroeger kon ik er drie slaan, maar dat werd bij de vliegen bekend.'

Ze bleven even zwijgend zitten. De kofferbak zat vol dingen die ze bij het laatste doorlopen van hun huis hadden verzameld, voor de verkoop was afgerond. Ze waren volgeladen met oude lakens, verdwaalde sokken, tweederangs porselein, boeken die een jaar onder het bed hadden gelegen en potten waarmee ze waren blijven zitten.

'Ik heb Emmie niet in de kamer gezien,' zei ze. 'Jij wel?'

'Nee. Ik keek net op van het tekenen van de papieren en daar was ze, aan de andere kant van de tafel, terwijl we de leveringstermijn van de oliemaatschappij bespraken.'

'Ze zag er goed uit, vond ik, naar omstandigheden.'

'Ja. Naar omstandigheden.'

Dit was een seizoen van begrafenissen zonder de begrafenisondernemer.

Jeffrey was de eerste. Saul regelde stilzwijgend dat een landelijke uitvaartonderneming het lichaam de stad uit smokkelde voor een uitvaartdienst ergens bij North Babylon op het eiland. Volgens Jeanine ging niemand uit Riverside erheen. Michaels begrafenis lag ingewikkelder. Omdat hij bij zijn dood in afwachting van ontslag was geschorst kon er van ceremonieel tenue, doedelzakken en tromgeroffel geen sprake zijn. Wel was er een Ierse wake die een paar dagen duurde, waaraan ook Michaels vader deelnam die argwanend condoléances in ontvangst nam van diverse politiemensen, gepensioneerde commandanten en half vergeten vrienden die de Hollow reeds lang waren ontvlucht. Ook hier zou Lynn nooit naartoe zijn gegaan. Jeanine zei dat Paco als waarnemend chef een pensioen van vijfenzeventig procent voor de nabestaanden had geregeld.

De laatste uitvaart was voor Harold. Omdat hun oude kerkje in de Hollow te klein was voor de vele rouwenden zat de kerk van Saint Stephen tot de nok toe vol met politiemensen, stadsbestuurders, leraren, kamer-van-koophandeltypes, voetbalmoeders, lanterfantvaders, strot afbijtende Wall Streeters en, verrassend, zelfs een paar plaatselijke hasjdealers die kennelijk geen wrok koesterden. Er was een begrafenis nodig om te tonen dat de man iedereen kende. Dominee Ezekiel P. Philips oreerde op de kansel over Harold die de prijs voor het pionierschap had betaald en Lynn, die achterin zat begreep wat hij hiermee suggereerde. Maar Emmie leek veel dichter bij de geest van de man te staan toen ze over Harold sprak en vertelde dat hij tot laat in de woonkamer zat als de kinderen boven sliepen, zijn rekeningen afwerkte en op Nature Channel naar een grote ijsbeer keek die baantjes trok in zijn wak.

'Denk je dat ze het gebeurde aan ons wijt?' vroeg Lynn.

'Ik weet niet hoe ze dat zou kunnen. De meeste van die dingen speelden al voor wij hier kwamen, maar...' Hij aarzelde, want hij kon zich nog niet zo gemakkelijk vrijpleiten. 'Het is moeilijk te zeggen. Misschien hadden we sommige dingen anders kunnen doen.'

Ze keek uit het raam en zag een witte meeuw over het lege perron lopen, alsof hij zich afvroeg waar alle forensen waren gebleven. Daarachter stroomde gestaag de rivier, die de kleur had van gesmolten groene tinnen soldaatjes.

'Ze zei dat we hier gelukkig zouden zijn,' zei Lynn. 'Weet je dat nog?'

'Maar ze zei er niet bij hoe lang.'

'Denk je dat ze dat bedoelde met dat andere?' Ze stelde de zijspiegel bij.

'Wat is dat andere?'

'Wat ze vandaag zei. Dat sommige huizen als een geestestoestand zijn. Daar behoor je niet in te blijven. Het zijn slechts stadia waar je doorheen moet.'

'Hippie lulkoek.' Hij kreunde toen hij zijn veiligheidsgordel over zijn schouder wilde trekken, waar titanium schroeven in zaten.

'Voor haar werkt het.'

'Dat zal wel.'

Hij verwrong zijn gezicht en zocht een gemakkelijke houding met zijn gipsbeen en zijn stok.

'En, wat zal voor ons werken?'

'Dat we op weg gaan.' Hij verstelde zijn rugleuningen.

'Wil je echt niet de heuvel op om nog één keer te gaan kijken?'

'Nee, wat heeft dat voor zin? Ik denk niet dat de Davises behoefte hebben aan pottenkijkers.'

'Denk je dat zij daar gelukkig zullen zijn?'

'Waarom niet?' Hij haalde zijn schouders op.

Ze dacht aan het jonge stel waarmee ze net aan tafel hadden gezeten om het contract te tekenen. Hij, een vertegenwoordiger in medische artikelen, die al wat op begon te zwellen door de snelle happen onderweg. Zij, een hoogzwangere gewezen kleuterleidster, klaar voor een nestje en haar eigen tuin. Lynn had hen bekeken toen ze bij de eik in de achtertuin stonden en met weidse gebaren plannen in de lucht schetsten en zachtjes over de babykamer spraken, over schommelstoelen, en hoe anders het allemaal zou worden als zij erin trokken. En op een melancholieke manier was ze door hen getroffen, alsof dit de mensen waren, gekomen om de droom te voltooien die ze zelf niet had kunnen afmaken.

'En wij dan?' vroeg Lynn.

'Ik denk dat wij het wel redden,' zei Barry. 'Ik denk dat we een tijdje een huis in Hawthorne gaan huren, dat Hannah gaat studeren en dat Clay op den duur een groep vrienden zal vinden die hem niet verrot slaan. Ik denk dat jij je voorjaarstentoonstelling gaat krijgen, en als er wonderen bestaan krijgen we het geld van de verzekering, en ik krijg misschien zelfs een andere baan.'

'Heb je Lisa gisteren gesproken?'

'Ja, en je zult het niet geloven. Ze wil een nieuw patent aanvragen op een medicament waar ze aan werkt, en met mij een nieuw bedrijf beginnen.'

'Wat doet dat medicijn?'

'Het blokkeert neurotransmitters die je helpen herinneringen op te slaan en terug te halen.'

'Grote hemel. Dat kun je niet menen. Je bedoelt dus het tegenovergestelde van een Alzheimer-medicijn? Waarom zou iemand dat willen?'

Hij trok zijn schouders op terwijl zij startte. 'Ik weet het niet. Mij lijkt het dat ze tegenwoordig een paar miljoen potentiële klanten hebben. Wat heeft het voor zin je iets te herinneren als je je er ellendig van gaat voelen?'

'Omdat dat moet,' zei ze. 'Het is evolutie. Je moet je toch kunnen herinneren dat je je brandt als je je hand in het vuur steekt?'

'Ach, daar hebben we toch foto's voor?'

Ze gaf gas en hij werd in zijn stoel gedrukt.

Omdat het de vakantieweek was stonden er niet alleen dagloners buiten op straat. Mensen stonden in groepjes met dikke jassen aan voor winkels, ademden damp uit, schudden verwonderd het hoofd en spraken over...

De doden. Ze waren overal. Je ontkwam er niet aan. Ze verminderden de waarde van vastgoed. Ze leidden de kinderen op school af. Ze ontmoedigden mensen die inkopen deden. Ze maakten dat je 's avonds deuren en ramen afsloot. Ze stonden gewoonweg op straathoeken, en o wee als je naar hen keek.

Voor hen op River Road reed langzaam een rij auto's, allemaal met een kerstboom op het dak gebonden, als een vrouw uit een stomme film die op spoorrails ligt vastgesnoerd. Onder het rijden hoorde Lynn het woeste malen van een houtversnipperaar, en ze zag de auto's rechts afslaan naar het gebouw van Openbare Werken voorbij het station, waar publiek gewoonlijk geen toegang had.

Zonder er echt bij na te denken sloeg ze ook af en volgde hen.

'Wat doe je?' vroeg Barry. 'We zouden om halfvijf de kinderen bij Jeanine treffen.'

Ze parkeerde en stapte uit met de Canon die ze naast haar stoel had. Overal rook het naar hars. Mensen stonden bij de houtvermaler, waar de ene kerstboom na de andere in ging. Ze voerden eerst de top in, de kleinste takken verdwenen, de machine bokte en dreigde erin te stikken, en toen paste alles er op een of andere manier in en werden de houtsnippers uitgespuugd. Op bijna iedere andere dag was dit een foto waard, maar deze keer liep ze het zo voorbij, want ze zag een ander beeld vorm aannemen.

Langs de waterkant waren zwarte zakken met houtsnippers opgestapeld, die in het Eisenhower Park zouden worden uitgestrooid – net voldoende om op het middaguur onder het geboomte te blijven. Maar vandaag interesseerden deze haar ook niet. Ze ging linksaf bij de grote zoutberg en de strooiwagen, en liep toen op het beige stukje strand toe, een paar meter voorbij het terrein.

'Hé dame, u mag daar niet komen,' riep een vuilnisman haar toe.

Maar zijn stem ging verloren in het beuken van het tij tegen de lange pier die zich als een wenkende arm in de rivier uitstrekte. Ze sloeg geen acht op de man en betrad de rotsblokken, ervoor oppassend niet uit te glijden op de algenbegroeiing en het zeewier in de kloven. Meeuwen scheerden en doken in de lucht voor haar. De geur van gemalen hout maakte plaats voor die van modder en pekel. De gemeen koude wind rukte aan haar kleren en haar haar. Maar ze bleef naar het einde van de pier lopen, zelfs toen Barry met zijn stok achter haar aan hinkte en samen met de vuilnisman op de oever riep dat ze terug moest komen.

De golven sloegen aan beide kanten van haar tegen de rotsblokken, met om de paar seconden een ijskoude sproeiregen. Toen keerde ze zich om en zag het: bijna het aanzicht waar Michael over had gesproken, maar dichterbij. Haar halve leven was ze hier geweest zonder ooit te beseffen dat deze invalshoek bestond: ver genoeg om de stad van top tot teen in beeld te krijgen, maar dichtbij genoeg om alle duidelijke kenmerken en groene plekken te zien. Het was alsof ze haar herinneringen in een berghelling uitgehakt zag. De van de rivieroever oprijzende rotswand; het station; de wachttoren van de gevangenis; de kronkelstraatjes die naar de heuvels voerden; de toren van de Saint Stephen; de boerenhuizen op Grace Hill; en natuurlijk de rijen witte grafsteentjes op de begraafplaats Green Hill, waar haar moeder op een steenworp van Sandi begraven lag, en Harold op een paar footballvelden afstand van zijn oude vriend Michael rustte.

De doden – de enige buurt die je altijd opnam, wat je ook had gedaan.

In de late middag was alles zacht amberkleurig getint, alsof het al een verblekende foto was. Als ze te lang wachtte was ze het licht kwijt. Een greep op haar hart vertelde haar dat ze op moest schieten. Ze mat het licht, stelde het objectief in, hief de Canon en drukte op het knopje. De sluiter in haar hoofd klikte op hetzelfde moment als die van de camera.

Aan weerszijden van haar viel het water over de rotsblokken. Maar ze bleef waar ze was, veegde de lens droog met haar shirt, en liet de sluiter nog twee keer klikken. Toen draaide ze zich om en liep voorzichtig over de rotsblokken naar de oever terug.

'Heb je wat je hebben moest?' Barry stond te wachten met zijn gezonde arm uitgestrekt.

'Ja,' zei ze. Ze deed de lensdop op het toestel en nestelde zich tegen het onbeschadigde deel van hem. 'Dat kun je wel zeggen, ja.'

Ze keerden de kolkende rivier de rug toe en strompelden samen weg.

WOORD VAN DANK

Mijn bijzondere dank gaat uit naar Peter Bloom en Michael McElroy voor hun geduld, humor en goed gezelschap tijdens de research voor dit boek.

Verder dank ik William Kress, Tom Reddy, Randy Jefferson, Lisa Kovitz, David Crowley, Sarah Jane Crowley, Elizabeth Keyishian, Sarah Siegle, Jason Cohen, Milton Hoffman, Michael Cherkasky, Nancy Pine, Ray Stevens, Jeff Parthemore, Arney Rosenblatt, Matthew Nimetz, Joe Reed, Jane Hammerslough, Samuel G. Freedman, Constance Hall, Tim Tully, Donna Dietrich, Lori Grinker, Ellen Binder, Joyce Slevin, Bob Slevin, Julie Betts Testuwide, Lori Andiman, Art Levitt, Gene Heller, Joseph Mitchell, Fred Starler, Jordan Fields, Jimmy Wall, Eva Merk, Jesse James Lewis, Bob Merk, Alexander Morales, Richard Ligi, Stephen Brown, Audrey Winer, Richard Sokolow, Lynn Saville, George Johansen, Shannon Langone, en natuurlijk Richard Pine.